CW00411452

Victoire et frustrations

1914-1929

Ouvrages de Jean-Jacques Becker et Serge Berstein

Histoire de l'anticommunisme en France. *T. 1* : 1917-1940
Olivier Orban, 1987

Ouvrages de Jean-Jacques Becker

Mil neuf cent quatorze : comment les Français sont entrés dans la guerre : printemps-été 1914
Presses de la Fondation nationale des sciences politiques, 1977

Les Français dans la Grande Guerre
Laffont, 1980

Le Parti communiste veut-il prendre le pouvoir ? Stratégie du PCF de 1930 à nos jours
Éd. du Seuil, 1981

Histoire politique de la France depuis 1945
Colin, 1988

La France en guerre : 1914-1918, la grande mutation
Complexe, 1988

Ouvrages de Serge Berstein

en collaboration avec Pierre Milza
Histoire du XXe siècle
Hatier, 1984-1986, 3 vol.

en collaboration avec Gisèle Berstein
La Troisième République
M.A. Éditions, 1987

La France des années trente
Colin, coll. « Cursus », 1988

La France de l'expansion
1. La République gaullienne, 1958-1969
Éd. du Seuil, coll. « Points Histoire 117 », 1989

Jean-Jacques Becker
et Serge Berstein

Nouvelle histoire
de la France contemporaine

12

Victoire et frustrations

1914-1929

Éditions du Seuil

En couverture :

Affiche de l'emprunt de 1920.
Bibliothèque des Arts décoratifs.
Archives Jean-Loup Charmet.

ISBN 2-02-005216-4 (éd. complète)
ISBN 2-02-012069-0 (tome 12)

1

La Grande Guerre

1
La surprise de la guerre

Il n'est pas exagéré de dire que la guerre de 1914-1918 a marqué la fin d'un monde et le début d'un autre. On conçoit que pour la France, qui fut au cœur de ce conflit, il s'agit d'un des chapitres centraux de son histoire...

1. La tension internationale, ses limites et ses conséquences

En 1933, Jules Isaac écrivait : « ... il n'y a pas de doute : l'année 1905 marque un changement du destin ; l'acheminement de la guerre part de là. Avant on parlait de la paix et de la guerre, mais (nous du moins, ceux des générations nées après 1870), on ne savait pas de quoi on parlait : la paix était une habitude, l'air que chacun respirait sans y penser ; la guerre était un mot, un concept purement théorique. Quand soudain, nous eûmes la révélation que ce concept pouvait se muer en réalité, nous éprouvâmes dans tout l'être un choc dont le souvenir n'a pu s'effacer [1]. »

La France et les Français ont-ils donc vécu depuis 1905 une longue veillée d'armes dont le terme fut logiquement le début de la guerre le 14 août 1914 ?

Les crises franco-allemandes à propos du Maroc en 1905 et en 1911, les crises balkaniques de 1908 et de 1912-1913, la consti-

1. Jules Isaac (18*), p. 22.
* Le nombre entre parenthèses renvoie à la bibliographie finale.

tution de la Triple-Entente (France, Russie, Royaume-Uni) en 1907 face à la Triple-Alliance (Allemagne, Autriche-Hongrie, Italie) plus ancienne semblent rythmer cette marche vers la guerre, mais la réalité a été beaucoup moins linéaire. L'Italie n'était pas une alliée très sûre pour les puissances germaniques, la France ne portait pas un intérêt majeur aux questions balkaniques, la Russie le lui rendait bien en ce qui concernait le Maroc, le Royaume-Uni n'avait pas conclu d'alliance formelle avec la France et la Russie et ne se sentait aucune obligation envers eux, de sorte que, pour René Girault, à l'issue de la période 1906-1910, « on peut avoir le sentiment que les jeux ne sont pas faits, que des solutions négociées sont encore possibles [1] », même si des ressentiments se sont avivés, qu'ils ont engendré de la suspicion et que la bonne volonté reste surtout au niveau des gestes.

La reprise de la marche en avant au Maroc des troupes françaises en avril 1911 provoqua quelques semaines plus tard la riposte allemande, le *coup d'Agadir*, le 1er juillet, qui fut à son tour le début d'une longue et grave crise internationale achevée par l'accord franco-allemand du 4 novembre 1911. Malgré cette solution pacifique, la crise devait laisser des traces importantes, les opinions publiques des deux pays s'étaient montrées particulièrement agressives. On avait eu d'autre part, aussi bien en Allemagne qu'en France, le sentiment que l'organisation militaire du pays avait montré des carences, d'où le désir d'y remédier. Le grand débat sur la durée du service militaire se retrouvait ainsi posé en France.

Depuis les lois de 1872 et de 1873 qui avaient établi le service militaire de cinq ans, sa durée avait été progressivement réduite jusqu'à deux ans par la loi du 21 mars 1905 [2]. Cette loi avait été accompagnée de la volonté de mieux organiser et de mieux instruire les réserves, mais cela n'avait pas empêché qu'elle fût mal accueillie dans les milieux militaires, qui ne croyaient guère à l'efficacité des réserves et considéraient que deux années étaient insuffisantes pour former en particulier les cavaliers et les artil-

1. René Girault, *Diplomatie européenne et Impérialismes (1871-1914)*, Masson, 1979, p. 222.

2. Jean-Jacques Becker, « Les trois ans et les débuts de la Première Guerre mondiale », in *Guerres mondiales et Conflits contemporains* (sous la direction de Dominique Moïsi), Institut français des relations internationales, 1987.

leurs. La presse qu'ils influençaient n'avait cessé depuis de réclamer le retour au service de trois ans. Le 28 juillet 1911, le général Joffre avait été nommé chef d'état-major en remplacement du général Michel. Il avait repris à son compte les théories de l'offensive à outrance professées par un certain nombre d'officiers, à la fois pour des raisons techniques et des raisons psychologiques : la défensive était accusée de développer chez ceux qui la pratiquaient une infériorité morale. Dans ces conditions, le 18 avril 1913, le général Joffre avait fait adopter par le Conseil supérieur de la guerre le *plan XVII* qui reposait essentiellement sur l'idée d'une offensive décisive en Lorraine dès le début d'éventuelles hostilités. Pour pouvoir mener cette offensive, il fallait disposer immédiatement de troupes d'active nombreuses, au moins aussi nombreuses que les troupes d'active allemandes qu'elles devraient affronter. Or, au mois de janvier 1913, la préparation d'une nouvelle loi militaire avait été annoncée en Allemagne : elle devait permettre de porter le nombre de soldats en temps de paix à 761 000 hommes, et à 820 000 en octobre 1914. Cette disposition n'avait pas été prise dans la perspective d'un conflit avec la France, mais en raison de l'affaiblissement de la position de l'allié austro-hongrois dans les Balkans. Néanmoins il parut justifié de revenir sur le service de deux ans qui ne semblait plus répondre aux nécessités du moment. Ce renforcement de l'armée était en outre une bonne façon de montrer aux alliés russes la détermination française. Raymond Poincaré, élu président de la République le 17 janvier 1913, était un fervent partisan du resserrement de l'alliance franco-russe (qui dans les années précédentes avait connu des hauts et des bas). Cette volonté l'avait même conduit à ne pas s'opposer à la politique balkanique de la Russie, dont il n'ignorait pas le caractère périlleux, et qui avait provoqué les deux guerres balkaniques de 1912 et de 1913.

Le projet de porter le service militaire à trois ans fut donc la conséquence de raisons diverses, ou lointaines, ou liées aux circonstances. Le projet de loi fut déposé devant la Chambre des députés le 6 mars 1913 par le gouvernement présidé par Aristide Briand, mais, à la suite de sa chute, le 18 mars, il revint au gouvernement suivant, celui de Léon Barthou, de le défendre. Dans les deux gouvernements le ministre de la Guerre était Eugène Étienne. Les débats qui se déroulèrent successivement devant la Chambre des députés et le Sénat furent très animés, voire passionnés. Dès le mois de février, la question des trois ans avait occupé la vedette dans les journaux, adversaires et partisans du projet fourbissant des arguments qui restèrent à peu près identiques pendant une discussion qui se prolongea plus d'une année jusqu'au-delà des élections législatives d'avril-mai 1914. Pour les uns, l'allongement du service militaire permettrait de disposer des effectifs pour faire face à l'« attaque brusquée » d'une armée puissante qui entrerait en campagne sans attendre les « réserves » ; pour les autres, le renforcement de la défense nationale ne passait pas par l'augmentation des effectifs en temps de paix, mais dépendait d'une meilleure instruction des réservistes. Le débat opposait en réalité deux conceptions de la défense nationale, l'une reposant sur une armée d'active aux effectifs nécessairement limités, mais bien entraînés, l'autre sur l'emploi de la masse considérable des combattants fournis par la mobilisation. La gauche socialiste derrière Jaurès et une grande partie de la gauche radicale autour de Joseph Caillaux menèrent le combat contre les trois ans, alors que le centre et la droite se prononçaient pour.

Finalement, la Chambre des députés votait le retour aux trois ans le 19 juillet, et le Sénat, le 5 août 1913. Le débat n'était pas clos pour autant, car le Parti radical, repris en main par Caillaux, se donnait lors de son congrès de Pau (du 16 au 21 octobre 1913) un programme qui prévoyait de prendre « toutes mesures propres à permettre le retour à la loi de 1905 ». Le 2 décembre, Barthou était renversé. Le nouveau gouvernement — sensiblement plus à gauche — était présidé par le radical Gaston Doumergue, et son « homme fort », Joseph Caillaux, occupait le ministère des Finances. Néanmoins, la nouvelle équipe ne voulut pas remettre immédiatement en cause la loi militaire votée quelques semaines plus tôt, d'autant que les élections générales devaient avoir lieu les 26 avril et 10 mai suivants.

La campagne des élections de 1914 fut dominée par la question des trois ans. Ce fut le point central du programme des socialistes. Ils voulaient abroger « une loi funeste » dont ils estimaient qu'elle « compromettait la défense nationale et menaçait jusque dans ses sources la vie française [1]... ». Pour eux, elle ne renfor-

1. *L'Humanité*, 6 avril 1914.

çait en rien la défense nationale, mais risquait de provoquer un conflit en aggravant la tension franco-allemande. Les radicaux étaient plus nuancés : ils rappelaient les principes de la « nation armée » et se contentaient de réclamer la réduction du service sous les drapeaux par étapes. De leur côté les partisans des trois ans défendaient la loi avec des nuances. La *Fédération des gauches*, constituée pour l'occasion par Briand, Barthou et Millerand, affirmait que le maintien de la loi était « une question de vie ou de mort » pour le pays, mais l'*Alliance républicaine*, dont la mouvance s'étendait depuis les frontières du radicalisme jusqu'à celles de la droite, considérait que la loi devait être seulement tenue « pour un sacrifice immédiat et inéluctable ». Quant aux différentes formations de droite, elles souhaitaient que la loi soit considérée comme intangible, mais insistaient sur son caractère défensif. Seuls donc les socialistes qui étaient contre, et la Fédération des gauches qui était pour, avaient des attitudes sans ambiguïté et vigoureusement offensives.

Les résultats des élections ne sont pas — comme souvent — très faciles à analyser. Les programmes des candidats, ainsi d'ailleurs que leur appartenance politique, n'avaient pas toujours été d'une grande précision, et les électeurs ne s'étaient évidemment pas uniquement déterminés sur la question des trois ans, quelle que fût sa place dans la campagne.

Les résultats des élections de 1910 et de 1914 furent les suivants (autant qu'on puisse les reconstituer) :

1910

Socialistes : 1 150 561 voix, soit 13,22 % des suffrages exprimés,

Gauche modérée (socialistes indépendants et radicaux-socialistes) : 2 072 266 voix, soit 24,67 % des suffrages exprimés,

Centre (radicaux indépendants et républicains de gauche) : 1 985 111 voix, soit 23,64 % des suffrages exprimés,

Droite (Union républicaine, libéraux, conservateurs...) : 3 227 882 voix, soit 38,44 % des suffrages exprimés.

1914

Socialistes : 1 413 044 voix, soit 16,75 % des suffrages exprimés,

Gauche modérée (républicains-socialistes et radicaux-socialistes) : 1 875 115 voix, soit 22,02 % des suffrages exprimés,

Centre (radicaux indépendants et républicains de gauche correspondant à peu près à l'Alliance républicaine) : 2219014 voix, soit 26,31 % des suffrages exprimés,

Droite (Fédération républicaine et conservateurs...) : 2888797 voix, soit 34,26 % des suffrages exprimés.

Les pourcentages le montrent, les forces politiques avaient en fait assez peu évolué entre 1910 et 1914. La gauche modérée et le centre, qui constituaient la majorité gouvernementale, connaissaient une remarquable stabilité, 48,31 et 48,33 %, avec toutefois un recul sensible de la gauche modérée — 2,65 % — au profit du centre. La droite avait reculé, perdant 4,18 %, alors que les socialistes avaient continué leur progression en gagnant 3,53 %. Ce recul de la droite et cette progression des socialistes expliquent l'impression des contemporains que la gauche avait remporté un net succès, impression qui n'est guère confirmée par une analyse précise des chiffres. En revanche, au second tour les désistements des radicaux permirent aux socialistes de gagner presque 30 sièges supplémentaires, 102 contre 76 sortants. Résultat d'autant plus significatif que les socialistes avaient été les plus nets dans leur hostilité aux trois ans. *Le Radical* avait d'ailleurs assez justement pronostiqué entre les deux tours : « Les socialistes devront au moins trente sièges à l'hostilité irréductible qu'ils lui [à la loi militaire] ont manifestée [1]. »

Dans la nouvelle Chambre des députés, avec 102 socialistes, 24 républicains-socialistes, 172 radicaux-socialistes, la gauche occupait 298 sièges sur 602, donc était très près de la majorité absolue. Le centre rassemblait environ 180 députés et la droite 121. Néanmoins, comme les socialistes ne participaient pas au gouvernement et n'apportaient pas aux radicaux un soutien constant, la majorité gouvernementale devait obligatoirement comprendre une fraction du centre.

Si, en revanche, on essaie de comptabiliser les voix des partisans et des adversaires des trois ans, en fonction des professions de foi des candidats, les partisans des trois ans représentaient un peu plus de 55 % des votants et leurs adversaires un peu moins de 44 %, en tenant compte de 1 % de suffrages indéterminés. Au niveau des sièges, cette avance des partisans des trois ans se

1. 28 avril 1914.

réduisait, les deux camps en obtenant à peu près autant, car le découpage électoral aboutissait à une surreprésentation de la gauche [1].

Enseignement des élections, sur ce point, le pays était partagé en deux, même si les progrès les plus nets avaient été ceux des adversaires de la loi. Les conséquences à en tirer étaient d'autant plus difficiles qu'une partie des partisans des trois ans appartenaient à la gauche et surtout au centre. Le gouvernement Viviani, formé le 13 juin 1914, après que Poincaré eut échoué dans sa tentative d'appeler Alexandre Ribot, situé nettement plus à droite, refléta ces ambiguïtés. Il était dirigé par un homme qui avait voté contre les trois ans, ainsi que 4 de ses ministres ; 10 autres avaient voté pour, et 2 s'étaient abstenus ! En revanche il comprenait une forte majorité de radicaux-socialistes ou de républicains-socialistes, et seulement une minorité de députés ou de sénateurs du centre (gauche démocratique ou gauche radicale). Certains radicaux auraient souhaité l'abrogation immédiate de la loi de trois ans, mais Viviani n'estima pas que cela fût possible.

Les résultats des élections ne traduisaient donc pas une radicalisation de la situation politique ; toutefois ils ne donnaient pas une idée complète de l'état de l'opinion, car d'un côté le mouvement syndicaliste, de l'autre le mouvement nationaliste — du moins en partie — se refusaient à participer à la vie politique.

L'antimilitarisme lié à l'antipatriotisme avait été dans cette période le domaine par excellence de la *Confédération générale du travail* (CGT), dominée par les syndicalistes révolutionnaires, souvent appelés anarcho-syndicalistes en raison du grand nombre d'anarchistes qu'il y avait parmi eux. Depuis le congrès d'Amiens, en 1906, ils avaient fait partie de leurs thèmes de prédilection. L'organisation syndicale avait même prévu qu'en cas de guerre les ouvriers devaient déclencher la grève générale révolutionnaire. Les pouvoirs publics avaient pris l'affaire au sérieux, puisqu'ils avaient institué le *Carnet B* pour « ficher » les révolutionnaires susceptibles d'entraver une mobilisation et les arrêter au moment voulu [2]. L'influence du syndicalisme était cependant

1. Voir, sur les élections de 1914, Jean-Marie Mayeur (59), p. 230 *sq.* ; Jean-Jacques Becker (22), p. 62 *sq.*

2. Jean-Jacques Becker (46).

relativement faible. Même si la CGT était organisée comme un parti politique avec son quotidien, *La Bataille syndicaliste*, et peut-être à cause de cela, elle était en perte de vitesse. Le chiffre des syndiqués était beaucoup plus réduit qu'en Allemagne ou en Angleterre, par exemple. De 700000 en 1911, ce qui était déjà assez peu, ils n'étaient plus que 300000 en 1914 [1]. La crise traversée par la CGT avait des causes diverses, et en particulier l'incessante « gymnastique révolutionnaire » à laquelle ses adhérents étaient appelés, ce qui n'allait pas sans provoquer lassitude et désaffection. Les syndicats « modérés » étaient d'ailleurs moins affectés par cette crise. Il en était résulté un affaiblissement des manifestations antipatriotiques. Un homme comme le journaliste Gustave Hervé, longtemps un des maîtres à penser du courant antipatriotique, avait considérablement évolué [2]. En revanche la baisse du tonus antipatriotique de la CGT était partiellement dissimulée par la virulence d'un antimilitarisme qui, lui, était intact, et par le pacifisme qui restait au premier rang de ses préoccupations. L'organisation syndicale avait d'ailleurs pris une grande place dans la lutte contre les trois ans, considérés comme une mesure belliqueuse, et elle avait été accusée par les autorités militaires — avec excès probablement — d'être à l'origine des mutineries ou du moins de l'agitation qui avait eu lieu dans les casernes en 1913. A l'annonce de la prolongation du service militaire, les soldats de la classe normalement libérable, la classe 1910, avaient vivement protesté, et, pour éviter l'extension des troubles, il avait été décidé de les libérer et d'incorporer coup sur coup la classe 1912 à 21 ans, suivant l'habitude, et la classe 1913 à 20 ans.

Réfléchissant sur cet affaiblissement de l'élan antipatriotique et d'une façon générale de l'esprit révolutionnaire de la CGT, Milorad Drachkovitch a conclu : « Il fallait une secousse violente pour qu'apparût clairement le fait que le syndicalisme français en 1914 n'était que l'image pâle d'une ardente et virile utopie qui, durant quelques années, avait enthousiasmé une poignée

1. Annie Kriegel, *La Croissance de la CGT (1918-1921)*, Mouton, 1966, p. 67.

2. Jean-Jacques Becker, « Antimilitarisme et antipatriotisme en France avant 1914, le cas de Gustave Hervé », in *Enjeux et Puissances (Hommage à Jean-Baptiste Duroselle)*, Publications de la Sorbonne, 1966.

d'hommes courageux mais qui, comme toute utopie, devait disparaître devant les impératifs de la réalité [1]. »

Néanmoins le déclin de l'antipatriotisme n'était-il pas aussi l'effet d'un mouvement de balancier qui poussait l'opinion vers le nationalisme ?

D'après Raoul Girardet, « le nationalisme des 'nationalistes' de la fin du XIXe siècle et du début du XXe siècle, même s'il s'obstine dans la fidélité aux provinces perdues, n'est plus un nationalisme conquérant, un nationalisme d'expansion. Il est avant tout un mouvement de défense, repli, resserrement sur lui-même d'un corps blessé [2] ». On peut toutefois se demander si, depuis 1905 et en particulier dans les dernières années, il n'y avait pas eu une remontée d'un nationalisme belliqueux, préoccupé d'abord par les problèmes extérieurs.

La *Ligue des patriotes* et l'*Action française* étaient les deux principales organisations nationalistes, mais l'influence de la Ligue des patriotes dont, après la mort de Paul Déroulède (30 janvier 1914), Maurice Barrès était devenu, non sans difficultés, le président le 11 juillet, s'était progressivement réduite. En revanche, celle de l'Action française, organisation plus jeune, plus dynamique, était en progression [3]. Son quotidien n'avait pas un tirage très élevé (environ 30 000 exemplaires), mais c'était le lot habituel des journaux politiques ; ses adhérents n'étaient pas très nombreux — l'Action française pouvait tout de même rassembler 25 000 manifestants lors de la fête de Jeanne d'Arc de 1914 —, mais les « Camelots du roi » ne cessaient d'organiser des manifestations spectaculaires et tapageuses qui avaient de l'écho dans l'opinion publique. L'influence de l'Action française était davantage due à sa référence au nationalisme qu'à l'idée monarchique, et le nationalisme irradiait bien au-delà des limites des organisations nationalistes. *Le Réveil de la grandeur française*, un ouvrage du dramaturge Étienne Rey qui obtint un vif succès en 1912, pouvait affirmer qu'une partie de la population française verrait arriver la guerre, non seulement sans trou-

1. Milorad Drachkovitch, *Les Socialismes français et allemand et le Problème de la guerre (1870-1914)*, Droz, 1953, p. 153.
2. Raoul Girardet, *Le Nationalisme français (1871-1914)*, Colin, coll. « U », 1966, p. 18.
3. Eugen Weber (86) ; Pierre Nora, « Les deux apogées de l'Action française », in *Annales ESC*, janv.-février 1964.

ble, mais encore avec satisfaction. Dans une enquête signée Agathon [1] (pseudonyme collectif de deux jeunes écrivains nationalistes, Henri Massis et Alfred de Tarde), la jeunesse était dite participer de ce renouveau nationaliste, avoir repris le goût de l'action et être animée d'une certaine mystique de la guerre. Renouveau nationaliste sensible aussi dans le domaine littéraire [2], traduit par des conversions spectaculaires comme celle de Charles Péguy, qui venait du dreyfusisme, ou celle d'Ernest Psichari, un petit-fils de Renan. Le «cœur» du premier était «tout à fait à la guerre qu'il annonce, qu'il rêve. Ce sera la vengeance et le déchaînement de toutes les forces viriles et saines de la jeunesse française [3]». Le second fait l'apologie de la «divine guerre», qui est «purification et vérité» [4]. Nationalisme également dans les milieux militaires. Dans les bibliothèques des garnisons étaient à l'honneur des ouvrages comme ceux du général Kessler ou du général Bonnal [5], ancien directeur de l'École de guerre [6], qui voyaient dans la guerre une «animatrice des progrès de l'humanité», «la force par excellence de la concurrence vitale». Il n'est donc pas niable qu'un courant belliqueux s'était développé au sein du nationalisme français, plus inspiré d'ailleurs par les vertus prêtées à la guerre que par le désir de *revanche*.

Les limites sociologiques de ce courant belliqueux étaient néanmoins relativement étroites. Il disposait souvent des moyens de se faire entendre, d'où une résonance particulière et l'impression de son importance, mais dans la réalité il ne concernait que des franges modestes de la population. La «jeunesse des écoles» était très loin d'être unanime, certaines facultés comme celle de droit se sentaient beaucoup plus concernées que celle des

1. Agathon, *Les Jeunes Gens d'aujourd'hui*, 1913.
2. Claude Digeon, *La Crise allemande de la pensée française (1870-1914)*, Presses universitaires de France, 1959.
3. *Ibid.*, p. 513.
4. Ernest Psichari, *L'Appel des armes*, 1912. Voir Claude Digeon, *op. cit.*, p. 516.
5. Charles Kessler (général), *La Guerre*, Berger-Levrault, 1909; Henri Bonnal (général), *L'Esprit de la guerre moderne*, R. Chapelot, 1903 (voir Henry Contamine [39], p. 20).
6. Le général Bonnal avait été directeur de l'École supérieure de guerre en 1901 et 1902.

lettres [1]. L'enquête d'Agathon le disait clairement : elle avait mis en évidence un « état d'esprit naissant » plus que la « vérité du moment ». On l'a constaté par ailleurs, aucune poussée nationaliste dans l'opinion française ne s'était manifestée lors des dernières élections.

Au printemps 1914, l'antipatriotisme était sans doute en recul, mais le courant nationaliste qui avait semblé connaître une certaine poussée vers 1911-1912 marquait le pas et restait circonscrit. En une phrase, on pourrait dire de l'opinion publique qu'elle était profondément pacifique, sans pour autant exclure le patriotisme.

2. Le mois de juillet 1914

Le 28 juin 1914, l'archiduc héritier de l'empire d'Autriche-Hongrie et sa femme étaient assassinés à Sarajevo, capitale de la Bosnie, ancienne province turque administrée par l'Autriche-Hongrie depuis 1878 et annexée en 1908. L'assassin de l'archiduc, Gavrilo Princip, et ses complices étaient des Bosniaques, donc des sujets autrichiens, et appartenaient au groupe *Jeune Bosnie* composé d'intellectuels et d'étudiants, qui réclamaient, au moins pour l'immédiat, une solution fédérale donnant aux Slaves l'égalité des droits dans l'Empire. Sans que les autorités serbes y aient une quelconque responsabilité — le chef du gouvernement serbe, Pachitch, qui avait eu vent de quelque chose, avait d'ailleurs prévenu le gouvernement autrichien d'avoir à prendre des précautions —, les comploteurs avaient trouvé des complicités, des armes en Serbie, et ils en venaient quand ils commirent leur attentat. Le gouvernement austro-hongrois estima au contraire que le coup était le fait d'une organisation terroriste serbe, la *Main noire*, dont l'objectif était de constituer

1. Il faut au surplus noter le nombre réduit de lycéens et d'étudiants à cete époque. En 1913, les étudiants étaient 41 382, dont 16 850 en droit, 11 481 en médecine, 6 630 en sciences et 6 380 en lettres (d'après Antoine Prost [118]). Pour ne prendre que ce terme de comparaison, il n'y avait guère plus d'étudiants en lettres dans toute la France qu'à l'heure actuelle dans une seule université moyenne !

un État yougoslave. L'empereur François-Joseph ne fut pas particulièrement affecté par la mort d'un neveu qu'il n'appréciait guère, mais les milieux militaires, au premier rang le chef de l'état-major Conrad von Hötzendorf, pensèrent que le moment était favorable pour écraser la Serbie et faire disparaître la pression que les Slaves du Sud faisaient subir à la monarchie autrichienne.

L'événement n'avait pas soulevé une très grande émotion en France. La presse avait évidemment consacré de nombreuses colonnes au récit de l'attentat. On avait déploré le procédé, on avait rappelé l'étonnante série de malheurs familiaux qui avaient marqué la vie de l'empereur François-Joseph, la disparition tragique de son frère Maximilien, de son fils Rodolphe, de sa femme Elizabeth, maintenant de son neveu, mais personne ou presque n'avait cru que ce regrettable accident puisse se transformer en drame mondial. Peu de journaux avaient fait preuve de perspicacité. *Le Temps* avait toutefois écrit le 9 juillet que « l'avenir de la paix orientale et peut-être de la paix européenne dépend de la direction que va prendre le procès de Sarajevo... », tandis que Clemenceau mettait en garde : « Rien de plus dangereux, car l'idée follement absurde de faire remonter au gouvernement de Belgrade et au peuple serbe lui-même la responsabilité de l'assassinat comporterait de si graves conséquences que l'esprit se refuse à les envisager [1]... » Suivant leur couleur politique, les journaux avaient regretté la mort d'un « ardent champion du catholicisme [2] », ou constaté la disparition d'un « ultra-clérical [3] », mais l'intérêt retomba rapidement.

Le mois de juillet s'annonçait paisible, et Winston Churchill écrivit plus tard que le printemps et le début de l'été de 1914 avaient été d'une « tranquillité exceptionnelle [4] ». En France trois événements alimentèrent la chronique : le congrès du Parti socialiste, le voyage en Russie du président de la République et du président du Conseil, et le procès de Mme Caillaux.

Le congrès du Parti socialiste se déroula du 14 au 16 juillet. La suite des événements lui donna un certain relief, car, en vue

1. *L'Homme libre*, 3 juillet 1914.
2. *Le Pèlerin*, 5 juillet.
3. *L'Humanité*, 29 juin.
4. Winston Churchill, *The World Crisis (1911-1918)*, Londres, MacMillan, 1943, p. 103 (1re éd. 1931), cité par Henry Contamine (40), p. 31.

du prochain congrès de l'Internationale socialiste prévu à Vienne pour la fin du mois d'août suivant, l'une des questions à l'ordre du jour était la discussion de l'*amendement Keir-Hardie-Vaillant* [1], un texte sur les moyens pour les socialistes d'empêcher une guerre éventuelle. Or le congrès s'acheva par le vote d'une motion soutenue par Jean Jaurès (et vivement combattue par Jules Guesde) appelant, en cas de menace de guerre, à une grève générale organisée simultanément dans les pays concernés pour « imposer aux gouvernements le recours à l'arbitrage ». Cette motion n'avait d'ailleurs aucune chance d'être adoptée par le congrès de l'Internationale en raison de l'opposition des socialistes allemands, qui ne croyaient pas à la possibilité d'une grève générale dans ces circonstances, mais elle souleva une vive émotion dans la presse française, ce qui permit à Jean Jaurès de préciser sa pensée. Son but n'était pas d'empêcher une mobilisation. Si la guerre devait éclater, les socialistes feraient leur devoir patriotique, mais ils lutteraient pour la paix jusqu'au bout. D'ailleurs les discussions du congrès socialiste s'étaient déroulées dans un climat académique, sans aucune allusion à un danger pressant [2].

Le voyage de Raymond Poincaré et de René Viviani à Saint-Pétersbourg [3] montra également que la situation internationale n'inspirait pas de grandes inquiétudes. Aussitôt terminée la revue du 14 Juillet, les deux présidents avaient gagné Dunkerque pour y embarquer le lendemain 15, afin d'arriver à Kronstadt le 20, en repartir le 24, et après un périple par les capitales scandinaves être de retour en France le 31 juillet. Ce voyage n'avait pas de raison particulière, sauf les tours d'horizon traditionnels entre alliés, voyage en quelque sorte « rituel [4] », projeté depuis six mois [5]. Lorsque les présidents quittèrent la Russie pour leur voyage de retour, ils ignoraient l'ultimatum que l'Autriche venait d'adresser à la Serbie. Ils firent encore escale à Stockholm le

1. Dû au socialiste écossais James Keir-Hardie et au socialiste français Édouard Vaillant, ce texte avait été présenté pour la première fois au congrès de l'Internationale de Copenhague, en 1910.

2. Annic Kriegel et Jean-Jacques Becker (46).

3. Jacques Kayser, *De Kronstadt à Khrouchtchev. Voyages franco-russes (1891-1960)*, Colin, coll. « Kiosque », 1962.

4. Henry Contamine (40), p. 18.

5. Raymond Poincaré (167), t. 4, *1914*, p. 211.

25 juillet avant de regagner précipitamment la France, en brûlant les étapes du Danemark et de la Norvège. Ils débarquaient le 29 juillet à Dunkerque.

Le troisième événement qui, en ce mois de juillet, mobilisa l'opinion française et, si l'on en croit la place qu'il occupa dans les journaux, souleva le plus d'intérêt, fut le procès de Mme Caillaux qui s'ouvrit le 20 juillet. Quelques mois plus tôt, l'épouse de Joseph Caillaux, ancien président du Conseil et ministre des Finances dans le gouvernement Doumergue, avait abattu à coups de revolver le directeur du *Figaro* Joseph Calmette, parce qu'elle craignait que, dans le cadre d'une campagne contre son mari, il ne publie des « lettres intimes » tombées en sa possession. Jusqu'à l'acquittement de Mme Caillaux relaté le 29 juillet, les péripéties du procès occupèrent la place majeure dans les journaux — *Le Temps* édita même un supplément pour pouvoir fournir le compte rendu *in extenso* de l'événement à ses lecteurs [1] !

3. La crise de juillet 1914

Pourtant, depuis le 24 juillet, la crise internationale qui avait d'abord cheminé souterrainement avait éclaté au grand jour. Immédiatement après l'attentat de Sarajevo, le ministre des Affaires étrangères autrichien, le comte Berchtold, et le chef de l'état-major étaient décidés à profiter des circonstances pour régler la question serbe, mais le gouvernement autrichien ne pouvait agir sans l'assentiment du gouvernement allemand. Le chef de cabinet de Berchtold, Alexandre Hoyos, se rendit à Berlin dans ce but le 5 juillet, et, à l'inverse de ce qui s'était passé lors des guerres balkaniques où l'Allemagne avait retenu l'Autriche, l'empereur Guillaume II donna son plein accord. « Maintenant ou jamais », écrivit-il. S'il fallut plus de quinze jours pour mettre au point le texte de l'ultimatum, ce ne fut point la faute du gouvernement allemand qui s'impatientait des lenteurs

1. Jean-Jacques Becker (22), p. 131 *sq.*

autrichiennes, mais des divergences parmi les dirigeants austro-hongrois. Le président du Conseil hongrois, le comte Tisza était réticent. Ce fut donc seulement le 23 juillet que le gouvernement autrichien adressait son ultimatum à la Serbie, rendant ainsi publique une démarche restée jusqu'alors secrète. Les dirigeants allemands et autrichiens ne souhaitaient pas déclencher une guerre générale en Europe, mais ils ne pouvaient ignorer qu'ils en prenaient le risque, ils savaient même que cette extension était tout à fait probable, mais pour l'Allemagne il était apparu impossible de prendre un autre risque, celui de laisser s'affaiblir davantage son allié autrichien.

Une fois connu l'ultimatum autrichien, la crise internationale se déroula de façon quasi mécanique, mettant le feu à l'Europe comme une traînée de poudre. Le texte de l'ultimatum avait été rédigé de façon à rendre une acceptation pratiquement impossible. Pourtant le gouvernement serbe se soumit à toutes les conditions sauf une, celle où il lui était demandé d'admettre que des policiers autrichiens participent *en Serbie* à l'enquête sur l'attentat. Malgré la très grande bonne volonté de la Serbie, l'Autriche lui déclarait la guerre le 28 juillet. La Russie se portait immédiatement au secours de la Serbie et décidait sa mobilisation générale, le 30, dans l'après-midi. L'Allemagne sommait la Russie d'arrêter sa mobilisation et interrogeait la France sur son attitude. Devant le refus de l'une et l'attitude dilatoire de l'autre, l'Allemagne leur déclarait respectivement la guerre le 1er et le 3 août. L'Allemagne et la France avaient décrété leur mobilisation exactement à la même heure dans l'après-midi du 1er août 1914. Restait l'Angleterre. Son attitude était incertaine et sa modération avait pu faire croire à l'Allemagne qu'elle resterait en dehors du conflit. Le 4 août, à la suite de l'invasion de la Belgique par les troupes allemandes, le Royaume-Uni déclarait la guerre à l'Allemagne. Seule parmi les puissances importantes de l'Europe, l'Italie restait pour le moment en dehors du conflit, en proclamant sa neutralité.

Les initiatives austro-allemandes avaient été sans aucun doute à l'origine de la guerre, mais la « fermeté » de leurs adversaires, qui n'avaient pas cru ou même envisagé la possibilité de trouver une solution au conflit austro-serbe par la diplomatie et la pression internationale — comme lors des affaires marocaines —, avait conduit à l'embrasement de l'Europe[1].

L'opinion française pendant la crise.

La crise de juillet provoqua une intense surprise dans toutes les catégories de la population française. Contrairement à ce qui a souvent été dit depuis — et malgré les périodes de tension des années précédentes —, l'opinion ne « croyait » pas à la possibilité de la guerre. Un des secrétaires de la CGT, Georges Dumoulin, très engagé pourtant dans la lutte pour la paix, exprimait bien ce paradoxe en écrivant : « ... la guerre semblait une chose tellement inouïe [qu'on avait] peine à croire qu'elle pût jamais éclater[2] », et le préfet de l'Yonne, par exemple, remarquait : « Quarante-quatre années consécutives de paix avaient chassé de presque tous les esprits la perspective d'une nouvelle guerre[3]. » Il aurait peut-être été logique que les Français s'attendent à la guerre, mais ils montrèrent par leur attitude à ce moment qu'ils n'y croyaient pas, même ceux qui parlaient de guerre dans leurs écrits et leurs discours.

Cet état d'impréparation psychologique de l'opinion explique dans une certaine mesure l'impuissance du mouvement ouvrier — qui avait pourtant fait de la lutte pour la paix un élément essentiel de ses programmes —, lorsqu'il se trouva face à la menace de guerre. Les socialistes, après avoir quelques jours plus tôt discuté de ce problème, se trouvaient brutalement confrontés à une situation réelle, qui ne correspondait guère à l'idée qu'ils s'étaient faite d'une guerre provoquée par le choc des impérialismes. Jaurès, qui avait rapidement donné acte au gouvernement français de son absence de responsabilité dans la crise et de sa volonté

1. Les ouvrages sur la crise de juillet 1914 sont extrêmement nombreux. Retenons Pierre Renouvin (11) (4e éd. 1962) ; Pierre Milza, *Les Relations internationales de 1871 à 1914*, Colin, 1968 ; Raymond Poidevin (20) ; Raymond Poidevin et Jacques Bariéty, *Les Relations franco-allemandes (1815-1975)*, Colin, coll. « U », 1977 ; Fritz Fischer (21) ; Jacques Droz (19) ; Jules Isaac (18).

2. Georges Dumoulin, *Carnets de route. 40 années de vie militante*, Lille, Éd. de l'Avenir, 1938, p. 65.

3. Gabriel Letainturier, *Deux Années d'efforts de l'Yonne pendant la guerre (août 1914-août 1916)*, Auxerre, Tridon-Gallot, 1916, p. x.

pacifique, le pressait seulement de se maintenir dans cette voie, en s'assurant que l'allié russe adopterait également une attitude modérée. Les socialistes organisaient bien une vigoureuse campagne pour la défense de la paix — en quelques jours des dizaines de réunions avaient lieu à travers toute la France devant des auditoires souvent imposants — et la IIe Internationale tentait d'organiser la protestation en Europe. Le Bureau socialiste international se réunissait à Bruxelles le 29 juillet pour étudier les mesures à prendre, et, le soir, Jaurès tenait un grand meeting international où son appel à la paix était acclamé par la foule bruxelloise. Toutefois les événements allaient trop vite. Rentré à Paris le 30, Jaurès multipliait encore le lendemain les démarches pour essayer de sauver la paix, mais, dans la soirée, il était assassiné par Raoul Vilain, un jeune nationaliste. Dans les jours suivants, comme Jaurès l'avait annoncé de son vivant, les socialistes se ralliaient à la défense nationale, puisqu'ils n'avaient pas réussi à empêcher l'éclatement de la guerre.

L'autre composante du mouvement ouvrier, la CGT, avait proclamé depuis longtemps qu'elle saboterait une mobilisation, quelles qu'en soient les circonstances nationales ou internationales, qu'elle déclencherait une grève révolutionnaire en cas de guerre. Dans un premier temps, la CGT organisa des manifestations, en particulier à Paris, et des réunions à tonalité révolutionnaire pour empêcher la guerre, mais très rapidement elle se rallia à la politique inspirée par Jaurès, rejetant toute action révolutionnaire unilatérale et faisant confiance à la pression ouvrière internationale pour arrêter la guerre. Comme les socialistes, après l'échec de cette stratégie, les syndicalistes se rallièrent à la défense nationale. Léon Jouhaux, secrétaire général de la CGT, le proclama le 4 août lors des obsèques de Jaurès. En fait, les syndicalistes avaient renoncé à continuer leur combat parce qu'ils avaient eu rapidement le sentiment que, même si les masses ouvrières étaient pacifiques, elles ne les suivraient pas dans un mouvement qui pouvait mettre la patrie en péril. Le monde ouvrier apparaissait beaucoup plus intégré à la nation qu'il ne le pensait lui-même.

Il faut d'ailleurs remarquer que, si le mouvement ouvrier échoua dans sa lutte pour sauver la paix, les manifestations patriotiques en faveur de la guerre furent également relativement peu nombreuses et d'importance modeste. Ce n'est guère que le soir du 1er août, date de la mobilisation générale, qu'elles furent plus importantes.

Les composantes patriotique et pacifiste de l'opinion française n'eurent guère de prise, sinon aucune, sur les événements, et cela s'explique par la rapidité de leur enchaînement, mais aussi par l'attitude de la masse de la population [1]. La première réaction à l'ordre de mobilisation avait été le plus souvent la stupeur, l'étonnement pour le moins, surtout dans les campagnes ; dans les villes, depuis quelques jours, la lecture des journaux avait donné l'alerte. La seconde réaction se traduisit par des sentiments très réservés, depuis la résignation jusqu'à la consternation. De l'enthousiasme se manifesta en certains endroits, mais assez rarement. Au moment où la population apprit la mobilisation, elle montra donc qu'elle ne l'attendait, ni ne la souhaitait. Le départ des mobilisés, en revanche, se fit dans une atmosphère beaucoup plus résolue. Des sentiments comme l'anxiété, la tristesse, la résignation, des manifestations comme les pleurs furent plus rares ; la résolution, l'entrain, l'élan patriotique, voire l'enthousiasme, devinrent les attitudes les plus fréquentes. Cette mutation entre l'annonce de la mobilisation et le moment du départ s'explique, non pas parce que les soldats eurent le sentiment d'aller combattre pour la revanche et la reconquête de l'Alsace-Lorraine — ces motivations n'apparaissent guère —, mais simplement parce que la France, qui n'avait pas voulu la guerre, était attaquée, et qu'elle devait être défendue. Le ressort de l'attitude des Français au moment du départ se trouve dans la conviction de l'agression. Elle a fait que la guerre fut acceptée par une population à peu près unanime. Les Français ne sont pas partis avec l'enthousiasme du conquérant, mais avec la résolution du devoir à accomplir. Comme l'a écrit Marc Bloch : « Les hommes pour la plupart n'étaient pas gais : ils étaient résolus, ce qui vaut mieux [2]. »

L'union sacrée.

Le 4 août 1914, le président de la République avait adressé aux députés un message lu, suivant la tradition, par le président

1. Jean-Jacques Becker (22), 3e partie ; « Voilà le glas de nos gars qui sonne... », in *1914-1918. L'autre front*, *Cahiers du Mouvement social*, n° 2.
2. Marc Bloch, « *Souvenirs de guerre (1914-1918)* », *Cahiers des Annales*, n° 26, 1969, p. 10.

du Conseil : « Dans la guerre qui s'engage, la France [...] sera héroïquement défendue par tous ses fils, dont rien ne brisera devant l'ennemi *l'union sacrée...* » La formule devait connaître un immense succès, même si elle ne fut que peu employée dans un premier temps. Les préfets, dans leurs rapports sur l'opinion publique, préféraient plutôt utiliser celle de « trêve des partis ». C'était d'ailleurs une bonne définition, l'arrêt temporaire des hostilités entre formations politiques ou groupements spirituels qui avaient l'habitude de se combattre sans ménagement. Le terme de trêve était adapté à la courte période — tout le monde en était persuadé — de la durée de la guerre [1]. Au milieu des simples gens, il y eut un incontestable courant de concorde, traduisant cette « réconciliation nationale » souvent évoquée au mois d'août 1914. Concorde et réconciliation furent à la base du remarquable mouvement de solidarité dans les campagnes où il fallut suppléer au départ inopiné d'une grande partie de la main-d'œuvre masculine.

Les pouvoirs publics avaient accompagné le mouvement de concorde nationale en s'associant aux obsèques de Jean Jaurès, imités en cela par les nationalistes représentés par Maurice Barrès et des membres de la Ligue des patriotes, et en décidant de ne pas appliquer le Carnet B. Le ministre de l'Intérieur, Malvy, s'était rapidement convaincu qu'il n'y avait pas à craindre de mouvements dangereux pour la défense nationale du côté des organisations ouvrières.

L'union sacrée s'exprima également par un remaniement du gouvernement. Le 26 août, le gouvernement s'élargissait sur sa gauche avec l'entrée de deux ministres socialistes, Jules Guesde, nommé ministre d'État, et Marcel Sembat, ministre des Travaux publics, et sur sa droite avec Delcassé aux Affaires étrangères, Aristide Briand, garde des Sceaux, Alexandre Millerand à la Guerre, Alexandre Ribot aux Finances. Le remaniement avait aussi permis d'éliminer un certain nombre de ministres peu adaptés à la situation nouvelle ou exagérément nerveux, tel le ministre de la Guerre Messimy, mais il n'avait pas été possible, comme

1. Jean-Jacques Becker (22), 4e partie ; « La genèse de l'union sacrée », in *1914, les Psychoses de guerre ?*, Publications de l'Université de Rouen, 1985 ; « Union sacrée et idéologie bourgeoise », in *Revue historique*, juill.-septembre 1980.

le souhaitait Poincaré, d'aller encore plus loin vers la droite en incorporant dans le gouvernement des représentants de la droite catholique comme Albert de Mun ou Denys Cochin.

L'union sacrée avait d'autant plus ses limites qu'elle ne s'était pas traduite par une unification idéologique. Si la totalité ou presque du pays communiait dans la défense nationale, si chacun ou presque était prêt à participer à un comité comme le *Comité de secours national* où siégeaient côte à côte des représentants de l'archevêque de Paris, de l'Action française, de la CGT, de la SFIO, Mlle Déroulède, Ernest Lavisse, chaque courant politique ou spirituel continuait à développer des points de vue différents. Les socialistes expliquaient que, si la guerre était en soi un mal, il pouvait en sortir un bien, la destruction du militarisme allemand, l'établissement d'une république allemande, et que les horreurs de la guerre montreraient aux peuples la valeur de l'idéal de fraternité humaine prôné par le socialisme. Les nationalistes rétorquaient que la guerre prouvait combien les théories pacifistes et internationalistes n'étaient que billevesées et sottises, que la guerre n'était pas une guerre pour la démocratie, pour la république allemande, mais une guerre de nation contre nation dont le peuple allemand devait sortir abattu. La droite et les nationalistes ne croyaient pas que les circonstances aient justifié que son passé soit pardonné à la République. Maurice Barrès évoquait « les temps abjects » que la France avait traversés [1]. Quant à l'Église, qui s'était ralliée à l'union sacrée, non sans quelques troubles au souvenir des persécutions subies, elle espérait bien que les événements lui rendraient la place qui devait être la sienne dans le pays.

Il n'empêche. Que dans un peuple aussi divisé que l'étaient les Français, les discussions puïssent passer à l'arrière-plan pour qu'apparaisse principalement l'union de tous face à l'agression, c'était un moment exceptionnel dans l'histoire de la France, pratiquement sans autre exemple, ni avant, ni... après.

1. *L'Écho de Paris*, 20 août 1914, « Cet admirable état-major ».

2
Les surprises de la guerre

1. L'échec des plans

Dès le 1er août, quelques patrouilles allemandes avaient pénétré en Luxembourg, et, le même jour, un combat opposait soldats allemands et français aux limites du Territoire de Belfort faisant les premiers morts d'une guerre qui n'était pas encore déclarée, mais, d'un côté comme de l'autre, on n'était pas encore prêt à engager les grandes opérations.

Les Allemands avaient l'intention d'appliquer le *plan Schlieffen* [1]. Leur plan de guerre avait été en effet établi par le général Alfred von Schlieffen, chef du Grand État-Major de 1891 à 1906, où il fut remplacé par le général Helmuth von Moltke, le neveu du vainqueur de la guerre de 1870, et qui se trouva donc à la tête de l'armée allemande quand la guerre commença. Il avait très peu modifié le plan de son prédécesseur dont les principes étaient les suivants : dans le cas d'une guerre contre la France et la Russie, et en tenant compte de la lenteur présumée de la mobilisation russe, il était nécessaire de battre l'armée française avant de se retourner contre l'armée russe. Le gros de l'armée allemande devait opérer un vaste mouvement tournant à travers la Belgique, atteindre le territoire français dans la région de Mau-

1. Sur les conditions militaires de la mobilisation et les débuts de la guerre, on peut consulter, en particulier, Fernand Gambiez (général) et Marcel Suire (colonel) (37) ; Henry Bidou (36) ; Henry Contamine (40) ; Jean-Jacques Becker, « Les 'trois ans' et les débuts de la Première Guerre mondiale », in *Guerres mondiales et Conflits contemporains*, n° 145, janvier 1987 ; Jean-Jacques Becker, « Les innovations stratégiques », in *L'Histoire*, n° 107, janvier 1988.

Le plan allemand en 1914

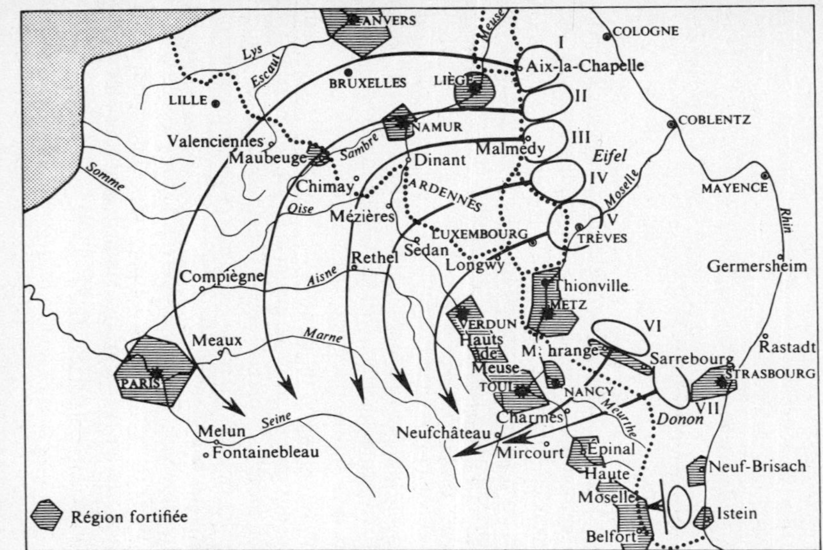

Source : Ministère de la Guerre, Écoles militaires, *Cours d'histoire.* III. *La Guerre mondiale (1914/18)*, cartes et croquis, Paris, Imprimerie nationale, 1920.

beuge, se diriger vers la basse Seine en suivant approximativement la ligne de l'Oise, puis se rabattre vers l'est au sud de Paris pour enfermer l'armée française dans une sorte de nasse dans la région de la haute Seine. Le plan allemand prévoyait que l'armée française pourrait être ainsi éliminée en six semaines environ.

Le plan français, le *plan XVII*, que le Conseil supérieur de la guerre avait adopté le 18 avril 1913, négligeait le plan allemand, non pas que le commandement français ne l'ait pas connu de façon à peu près exacte, mais parce qu'il l'avait estimé peu réalisable pour deux raisons : d'une part, dans sa marche à travers la Belgique, l'armée allemande se heurterait aux camps fortifiés de Liège et de Namur, ce qui ne manquerait pas de la retarder assez longtemps ; d'autre part, elle ne disposerait pas des effectifs suffisants pour réaliser cette manœuvre. Cette conviction reposait sur l'idée que les Allemands n'utiliseraient pas leurs unités de réserve en première ligne. Comme le général Joffre l'a écrit plus tard : « Il faut l'avouer : l'emploi que les Allemands ont fait en août 1914 de leurs corps d'armée de réserve a été une surprise pour nous, et cette surprise est à l'origine des erreurs d'appréciation que nous avons commises en particulier en ce qui concerne l'étendue de leur manœuvre vers le nord [1]. »

Dans ces conditions, le plan français préparé par les généraux de Castelnau et Berthelot prévoyait une offensive menée promptement en Lorraine et qui enfoncerait le dispositif allemand en son milieu partiellement dégarni. Cette offensive ne pouvait cependant commencer avant que la mobilisation et la concentration des forces aient été achevées.

La mobilisation à proprement parler, c'est-à-dire le départ des réservistes pour rejoindre leurs dépôts, s'effectua en quatre jours, le premier jour de la mobilisation ayant été fixé au 2 août, et la concentration qui avait pour but d'amener sur la ligne de combat les unités constituées s'étala du cinquième au dix-huitième jour, donc s'acheva le 18 août. Une organisation minutieusement réglée et qui fonctionna parfaitement permit à 5 000 trains de transporter 1 700 000 hommes et leur matériel, répartis en 5 armées depuis la frontière suisse jusqu'à la frontière belge, mais il avait été nécessaire d'arrêter tout trafic autre que militaire.

1. Joseph Joffre (maréchal) (168), p. 74.

Ces armées étaient respectivement commandées par les généraux Dubail, de Castelnau, Ruffey, de Langle de Cary et de Lanrezac. La mobilisation avait affecté l'ensemble de la population masculine. Les hommes de 20 à 23 ans qui étaient déjà « sous les drapeaux » à qui s'étaient ajoutés les réservistes de la 24e à la 48e année : seuls avaient été exemptés de la mobilisation les cheminots (sauf ceux des plus jeunes classes) et une partie des mineurs. Au total 3600000 hommes. Si l'Allemagne avait procédé à une mobilisation aussi massive, elle aurait disposé de 6250000 soldats, alors qu'elle en avait seulement 4000000 en août 1914 [1].

Avant la guerre, le nombre probable d'insoumis avait été estimé entre 10 et 20 %. Lors d'un débat à la Chambre des députés en 1912, le radical Messimy, stigmatisant les ravages de l'antimilitarisme, avait chiffré l'insoumission à « deux corps d'armée sur pied de guerre [2] » ! En fait elle fut extrêmement faible, 1,5 % [3], presque un minimum incompressible, même si dans quelques cas la dimension politique n'en fut pas absente [4].

La prise de Mulhouse.

Avant même le début des grandes opérations, le général Joffre avait enjoint au 7e corps de se préparer à une attaque en Haute-Alsace. Son objectif était d'y retenir des troupes allemandes aussi nombreuses que possible, de couper les ponts sur le Rhin et de couvrir le flanc des troupes opérant en Lorraine. En outre, un succès en Alsace ne pouvait manquer d'être particulièrement symbolique. Bien que médiocrement menées par le général Bonneau, les forces françaises, qui ne rencontrèrent guère d'opposition, occupèrent Mulhouse dans la soirée du 7 août. Une vague d'enthousiasme balaya la France à cette nouvelle. Albert de Mun écrivit dans *L'Écho de Paris*, le 9 août : « Mulhouse est pris... Après quarante-quatre ans de deuil et d'attente douloureuse, voici donc que se lève pour nos frères de là-bas l'aurore

1. Henry Contamine (40), p. 32-33.
2. Jean-Jacques Becker (48), p. 37.
3. Raoul Girardet, *La Société militaire dans la France contemporaine (1871-1914)*, Plon, 1953, p. 246.
4. Jean-Jacques Becker (22), p. 344 *sq*.

de la délivrance [...] Quand le drapeau tricolore va entrer dans Mulhouse, fier et claquant au vent, imaginez-vous le transport... » A vrai dire Mulhouse avait été perdu dès la nuit du 9 août. La ville était reprise par une éphémère armée d'Alsace confiée au général Pau le 19 août, et reperdue définitivement le 24. Cet épisode de guerre, sans guère de signification, et bien oublié par la suite, n'a pas été sans importance dans la mesure où il a montré l'ampleur des illusions de l'opinion publique française, convaincue que l'Allemagne allait pouvoir être abattue sans difficulté [1].

La bataille de la Marne.

Dès le 5 août, les troupes allemandes avaient attaqué Liège et s'emparaient de la place (les derniers combats y eurent lieu le 16 août), pendant que la « concentration » s'achevait. Le 20 août, à l'extrémité droite du dispositif allemand, la 1re armée du général von Kluck s'emparait de Bruxelles et obliquait vers le sud. Les débris de l'armée belge s'enfermaient au nord dans Anvers (qui capitulait le 11 octobre) et à l'ouest s'établissaient dans la région d'Ostende. Le vaste mouvement des deux armées des généraux von Kluck et von Bülow à travers la Belgique n'inquiétait pas exagérément le général Joffre qui n'imaginait pas, comme nous l'avons vu, de quelles quantités de troupes ils disposaient. Cela ne l'empêcha donc pas d'essayer de réaliser les principes du plan XVII, d'autant que le corps expéditionnaire britannique — environ 100 000 hommes —, sous le commandement du maréchal French, était venu renforcer l'aile gauche française. Le 19 août, une offensive en *Lorraine* était déclenchée (batailles de *Sarrebourg* et de *Morhange*), mais, dès le lendemain, les troupes françaises étaient rejetées. Le 21 commençait la bataille des *Ardennes*, mais, le 23, il fallait battre en retraite. En quelques heures tous les espoirs mis dans une offensive « napoléonienne » s'étaient écroulés. Au même moment, plus à l'ouest, du 21 au 23 août, la 5e armée française du général de Lanrezac et le corps expéditionnaire britannique étaient accablés lors de la bataille dite de la *Sambre* ou de *Charleroi*. C'est

1. Jean-Jacques Becker, « La bataille de la Marne ou la fin des illusions », in *L'Histoire*, n° 6, 1978.

à l'ensemble de ces batailles que l'on a donné ensuite le nom de *bataille des frontières* : elle se terminait de façon désastreuse pour les troupes françaises. Comment peut-on l'expliquer ? Lors des batailles de Lorraine et des Ardennes, le général Joffre n'avait certes pas disposé de la supériorité numérique qu'il avait espérée, mais les effectifs adverses n'étaient pas supérieurs et étaient en partie composés de troupes de réserve. D'après le général Joffre, l'échec français avait été dû d'abord à l'incapacité d'un trop grand nombre de généraux — et on sait que dans les semaines suivantes un nombre impressionnant d'entre eux furent relevés de leur commandement, à tort ou à raison [1] — et ensuite à la mauvaise utilisation de la doctrine d'offensive du commandement [2]. Comme l'a souligné le colonel Defrasne, beaucoup d'unités furent littéralement désagrégées sur les plans matériel et moral par « le degré d'instantanéité des pertes et le sentiment d'impuissance dans la défense et la riposte [3] ». Dans *Le Fil de l'épée*, le futur général de Gaulle, analysant le déroulement des premiers jours de la guerre, est extrêmement sévère sur le désastre entraîné par une conception « métaphysique » de l'esprit d'offensive, qui avait conduit à faire attaquer des unités dans des conditions défiant toutes les règles de la pratique militaire [4]. La première conséquence des « déficiences de la doctrine et de l'instruction dans l'armée française [5] » avait été des pertes humaines énormes. *40 000* morts du 20 au 23 août, probablement *27 000* pour le seul samedi 22, « le jour le plus sanglant de notre histoire [6] ». Plus qu'au pantalon rouge [7], si voyant et accusé après coup de tous les maux, les pertes de l'infanterie française avaient été dues à la façon dont elle avait été préparée et

1. Pierre Rocolle, *L'Hécatombe des généraux*, Éd. Lavauzelle, 1980.
2. Joseph Joffre (maréchal) (168), p. 99.
3. Jean Defrasne (colonel), « Une grave crise de moral au 17e corps d'armée le 22 août 1914 », in *Revue internationale d'histoire militaire*, 1979, n° 41, p. 268.
4. Charles de Gaulle (général), *Le Fil de l'épée*, Berger-Levrault, 1959, p. 115-116, 1re éd. 1932.
5. Fernand Gambiez et Marcel Suire (37), p. 217.
6. Henry Contamine (40), p. 120.
7. L'uniforme français de 1914 était à peu près le même que celui de 1870, une tunique bleue, un pantalon « garance » et un képi également bleu et rouge, dont un manchon pouvait cacher la couleur trop voyante. Dans les années précédant la guerre, il avait été question de

utilisée. Alors que les fantassins allemands avaient été entraînés à creuser la terre pour se protéger aussitôt qu'ils s'arrêtaient, il n'en avait pas été de même pour leurs homologues français. Ce fut une des causes d'une disproportion dans les pertes au moins au début de la guerre.

Deuxième conséquence : le général Joffre — qui fit preuve en ces circonstances d'un sang-froid imperturbable — avait dû donner un ordre de retraite général, retraite qu'il escomptait pouvoir arrêter aussitôt que les circonstances le permettraient, mais les circonstances le permettraient-elles ?

Troisième conséquence : les effets sur l'opinion publique. La doctrine du commandement était que moins les civils étaient informés, mieux cela valait. Résultat : dépourvue d'informations, l'opinion manifestait une confiance à vrai dire en partie irraisonnée — comme l'affaire de Mulhouse l'avait montré —, mais, en revanche, quand les mauvaises nouvelles commencèrent à filtrer, et surtout quand le célèbre communiqué du 29 août fut publié : « Situation inchangée de la Somme aux Vosges », révélant l'importance de l'avance allemande, le moral du pays connut une profonde dépression [1]. Désarroi, affolement, voire panique dans les régions menacées par l'avance allemande, caractérisèrent pendant quelques jours de larges secteurs de l'opinion, d'autant que, le 2 septembre, le gouvernement avait quitté Paris pour Bordeaux [2]. 500 000 Parisiens l'imitaient.

A l'ouest d'un pivot constitué par Verdun, la retraite dura du 24 août au 5 septembre, mais, malgré les assez nombreuses défaillances qui s'étaient produites, en particulier lors des batailles des frontières — l'affaire du 15e corps accusé d'avoir lâché pied le 21 août n'en fut qu'une parmi bien d'autres, même si elle reçut une grande et durable publicité —, la retraite ne se transforma pas en déroute. Au contraire, lors de cette retraite à marche forcée, Joffre put dans une certaine mesure réorganiser ses troupes

---

remplacer le rouge par une couleur mieux adaptée aux conditions de la guerre moderne, mais l'idée avait été abandonnée à la suite des protestations qu'elle avait provoquées. *L'Écho de Paris* avait parlé d'un complot maçonnique destiné à diminuer le prestige de l'officier, le radical Clémentel avait souligné que le pantalon rouge avait quelque chose de « national » (voir Henry Contamine [39], p. 130).

1. Jean-Jacques Becker (22), p. 523 *sq.*
2. *Ibid.*

et son dispositif. Il n'empêche, le 2 septembre, les avant-gardes de von Kluck atteignaient Senlis, à 50 kilomètres de Notre-Dame !

A partir du 3 septembre, le général Joffre recevait toute une série d'informations, grâce entre autres aux premières reconnaissances aériennes, selon lesquelles von Kluck, au lieu de continuer sa marche vers le sud, avait obliqué vers le sud-est, présentant ainsi le flanc à la 6e armée française, une nouvelle armée constituée quelques jours plus tôt et confiée au général Maunoury pour défendre Paris. A peu près au même moment, le général Gallieni, qui venait d'être nommé gouverneur de la place de Paris, et le général Joffre se rendaient compte de l'avantage que cette situation donnait à l'armée française. Pour le général Joffre, le moment de la contre-offensive était arrivé, il en donnait l'ordre pour le 6 septembre. La *bataille de la Marne* se déroula entre le 6 et le 9 septembre. On peut en distinguer deux parties. A l'est, entre Provins et Verdun, les armées allemandes, la Ve (le Kronprinz), la IVe (prince de Wurtemberg) et la IIIe (von Hausen), essayèrent d'enfoncer le front français. Des combats particulièrement violents eurent lieu dans les marais de Saint-Gond où la nouvelle 9e armée française (général Foch) résista difficilement. Mais la partie la plus importante de la bataille eut lieu à l'ouest. Pour faire face à la 6e armée du général Maunoury, von Kluck se retourna vers l'ouest, et, en le faisant, il créa une brèche de 30 à 40 kilomètres entre lui et la IIe armée (von Bülow), brèche dans laquelle, après quelques hésitations, s'engouffrèrent les troupes anglaises du maréchal French et l'aile gauche de la 5e armée française (général Franchet d'Esperey). La Ire armée allemande risquant d'être prise à revers, et la IIe d'être attaquée sur son flanc, le commandant en chef allemand, von Moltke (ou plutôt son envoyé sur le champ de bataille, le lieutenant-colonel Hentsch), s'estima obligé de donner l'ordre de la retraite. Joffre crut un moment qu'il avait remporté une victoire décisive. En réalité l'armée allemande parvint à se rétablir sur la ligne de l'Aisne, et les troupes françaises étaient trop épuisées pour l'en déloger. Certains commentaires de presse avaient perdu toute mesure — *L'Écho de Paris* du 14 septembre annonçait la « curée » « comme en 1806 » ! —, mais l'opinion fut plus réservée, éprouvant un immense soulagement plus qu'un enthousiasme sans mélange.

Après l'échec du plan français lors de la bataille des frontières, la bataille de la Marne était celui du plan allemand. Comment peut-on à son tour l'expliquer ? La responsabilité en a été attribuée au général von Moltke qui, dès le 14 septembre, était remplacé par le général von Falkenhayn, jusque-là ministre de la Guerre prussien. On l'accusait de ne pas avoir su diriger la bataille, d'où il était resté trop éloigné (son quartier général était à Luxembourg et les communications avaient été difficiles), d'avoir laissé trop d'initiatives à ses subordonnés. En réalité, von Moltke avait considéré trop vite que la partie était gagnée à l'Ouest et qu'il devait se préoccuper de la situation inquiétante qui se développait à l'Est où la capitale de la Prusse-Orientale, Königsberg, semblait menacée.

Pour défendre la Prusse-Orientale attaquée par les deux armées russes, du général Rennenkampf à l'est et du général Samsonov au sud-est, entrées en action beaucoup plus vite que prévu, le commandant allemand, le général von Prittwitz, ne disposait, en fonction du plan Schlieffen, que de 200 000 hommes. Il avait en face de lui 500 000 Russes. Battu à la bataille de Gumbinen par Rennenkampf (20 août), Prittwitz était relevé de son commandement et remplacé par le général von Hindenburg à qui on donnait comme chef d'état-major le général Ludendorff, qui venait de se distinguer sur le front ouest en prenant Liège. En même temps, environ 90 000 hommes étaient prélevés sur le front occidental, en particulier sur l'aile marchante constituée par l'armée von Kluck (26 août), pour être envoyés en renfort en Prusse-Orientale. Avant que ces troupes n'arrivent, Hindenburg et Ludendorff avaient réussi à encercler et obliger à la capitulation l'armée de Samsonov, dont le chef se suicidait (bataille de Tannenberg, 29-30 août) [1], pendant que Rennenkampf, resté inerte pendant l'écrasement de Samsonov, reculait précipitamment. La Prusse-Orientale était sauvée, mais la bataille de la Marne était perdue quelques jours plus tard, car l'envoi de renforts en Prusse-Orientale avait accru l'infériorité numérique des forces allemandes sur le front occidental. Les pertes subies par les unités allemandes lors de leur marche victorieuse vers Paris avaient été moins comblées que du côté français, et, au moment

1. Youri Daniloff (général) (43) et sous une forme romancée, Alexandre Soljenitsyne, *Août 1914*, Fayard, 1972-1983.

de la bataille de la Marne, l'infanterie allemande ne comprenait plus qu'environ 750 000 hommes face à plus d'1 million de soldats du côté franco-britannique [1]. En réalité l'infléchissement de la marche de von Kluck aurait été rendu à peu près inévitable par l'affaiblissement de ses effectifs, même si la certitude de la victoire ne s'y était ajoutée.

Les effets du concours de la Russie avaient donc été considérables dans la victoire de la Marne. Ils l'avaient été également sur le plan du moral de la nation, car, au moment où les nouvelles étaient particulièrement désastreuses sur le front occidental, les colonnes des journaux regorgeaient de bonnes nouvelles du front oriental. Maurice Barrès proclamait le 31 août : « Vivent les Cosaques, qu'ils soient les bienvenus », en annonçant la situation tragique des Allemands bientôt pris à revers en Lorraine (!) par les Russes [2]. Il ignorait évidemment que l'armée Samsonov n'existait plus...

Après la bataille de la Marne, le front se stabilisa depuis la Suisse jusqu'à l'Oise. Les deux commandements cherchèrent alors à se déborder mutuellement entre l'Oise et la mer du Nord, d'où le nom de « course à la mer » donné aux batailles qui se déroulèrent jusqu'au mois de novembre. Les combats gagnèrent la Picardie, puis l'Artois, puis la Flandre. Les plus acharnés se déroulèrent fin octobre-début novembre autour d'Ypres en Flandre belge, opposant aux Allemands, Français, Anglais et Belges.

Lorsque la guerre avait débuté au mois d'août, d'un côté comme de l'autre on ne croyait qu'à la guerre de mouvement, et on était persuadé que l'issue du conflit serait réglée en quelques semaines et par quelques grandes batailles. Les combattants étaient « partis pour un été », convaincus pour la plupart d'être rentrés chez eux pour les vendanges ou pour Noël pour les plus pessimistes. Noël approchait, et la première grande surprise de la guerre avait eu lieu : les plans avaient échoué et les deux armées se trouvaient engluées l'une face à l'autre sur 750 kilomètres entre

1. Henry Contamine (40), p. 288.
2. *L'Écho de Paris*, 31 août.

la Suisse et la mer du Nord. Pour obtenir ce résultat, à la fin de l'année 1914, 300 000 soldats français avaient été tués, « deux fois sur trois inutilement [1] ». La bataille de la Marne à elle seule avait coûté 25 000 morts, parmi lesquels Charles Péguy tué le 5 septembre à Villeroy, près de Meaux. Ernest Psichari, lui, était tombé le 22 août en Belgique. Les contemporains n'ont pas connu ces chiffres effrayants qui furent tenus rigoureusement secrets pendant toute la guerre, mais très vite on avait eu le sentiment que les pertes étaient énormes, ne serait-ce que par l'arrivée des trains de blessés. Des bruits fantaisistes circulaient : à Toulouse on disait à la fin du mois d'août qu'une liste de 900 morts était arrivée, il n'y avait eu en fait que (!) 256 tués pour la seconde quinzaine de ce mois [2].

La fin de l'année 1914, ce fut la fin de la guerre de mouvement, ce fut aussi la fin des illusions. Les Français, en acceptant une guerre que l'immense majorité d'entre eux n'avait pas souhaitée, avaient cru à une guerre courte. Ils en mesuraient encore très mal la durée, mais ils savaient qu'elle serait beaucoup plus longue que prévu et très différente de ce qu'ils avaient pu penser.

2. Une guerre inattendue

Les tranchées sont d'autant plus restées le symbole de la guerre de 1914, que personne n'avait imaginé une guerre de ce type. Il n'était évidemment pas imaginable que, moins de trois mois après le début des opérations actives, Français et Britanniques d'un côté, Allemands de l'autre, seraient « enterrés » face à face, et y resteraient quatre années. Mieux entraînés à remuer la terre, les soldats allemands furent les premiers à creuser des tranchées, bientôt imités par leurs adversaires. Pendant toute la durée du conflit, du reste, les tranchées allemandes furent mieux aménagées, plus résistantes. Dans certains cas, les abris y étaient maçon-

1. Fernand Gambiez et Marcel Suire (37), p. 217.
2. Pierre Bouyoux. *L'Opinion publique à Toulouse pendant la Première Guerre mondiale*, Toulouse, 1970, Microfiches, Hachette, p. 101.

nés. La densité d'occupation y était moins forte, ce qui diminua dans une certaine mesure les pertes.

Les premières tranchées furent relativement frustes, mais progressivement deux réseaux de tranchées parallèles, profondes de 2 mètres à 2 mètres 50 et larges au fond de 30 à 50 centimètres, quelquefois à moins de quelques dizaines de mètres les unes des autres, coururent depuis la mer du Nord jusqu'à la frontière suisse. La première position était habituellement composée de deux à trois lignes de tranchées, espacées de 200 à 300 mètres. Une seconde position se trouvait de 3 à 5 kilomètres en arrière. Les tranchées étaient reliées entre elles par tout un lacis de boyaux très sinueux, pour qu'ils ne puissent être pris en enfilade par les tirs adverses. En avant de chaque tranchée furent déroulés des rouleaux de fil de fer barbelé. Des millions de mètres en furent utilisés, d'autant que, pour les rendre inextricables, de véritables conglomérats d'une épaisseur quelquefois supérieure à 50 mètres en furent entassés devant les tranchées. Les parois des tranchées étaient renforcées par des rondins et des clayonnages pour éviter les éboulements et elles étaient creusées d'un grand nombre d'excavations, les abris où les soldats dormaient, les postes de commandement, les postes de secours. Sur les parapets, des blockhaus truffés de mitrailleuses avaient été installés.

Séjourner dans les tranchées a souvent été horriblement dur. Outre le danger permanent, le froid en hiver, les rats, les poux, les odeurs pestilentielles, l'absence à peu près totale d'hygiène, le ravitaillement mal assuré — les cuisines roulantes, dont d'ailleurs les troupes françaises étaient dépourvues au début de la guerre, devaient rester à bonne distance des lignes, et le ravitaillement n'arrivait que difficilement aux troupes des premières lignes lorsque la zone était bombardée —, les grands ennemis des soldats furent la pluie et la boue. « L'enfer n'est pas le feu, a écrit *La Mitraille*, un journal de tranchées. Ce ne serait pas le comble de la souffrance. L'enfer, c'est la boue [1]. » Malgré les caillebotis dont on garnissait le fond des tranchées, surtout dans certains types de terrains, elles se transformaient en fondrières

1. Stéphane Audoin-Rouzeau, « L'enfer, c'est la boue », in *L'Histoire*, n° 107, 1988, p. 68. Les « journaux de tranchées » ont été des feuilles plus ou moins éphémères éditées par des groupes de combattants (Stéphane Audoin-Rouzeau [31]).

en cas de pluies répétées. Les déplacements pouvaient y être affreusement pénibles, sans compter quelquefois les risques d'enlisement. De ce point de vue les « relèves », pour « monter » en ligne ou pour en « descendre », ont été parmi les moments les plus durs de la vie des soldats. Écrasés par le poids de l'équipement — environ 30 kilos —, titubant dans des boyaux glissants, se cognant contre ceux qui les précédaient, et tout cela en pleine nuit, pendant des heures d'autant plus longues qu'il n'était pas rare que les colonnes s'égarent, les soldats ont souvent vécu les relèves comme de véritables supplices.

Cette forme de guerre a rendu nécessaire une transformation de l'équipement et de l'armement. Même si, comme nous l'avons vu, les malheurs de l'infanterie française n'ont pas uniquement été dus à son uniforme voyant, il était évident qu'il n'était plus adapté à la guerre moderne. Après divers essais, l'uniforme « bleu horizon » fut adopté en avril 1915. Au même moment, le képi céda la place au casque. L'armée allemande était entrée en guerre avec l'uniforme de couleur *feldgrau* (gris de campagne) peu voyant, mais son casque à pointe traditionnel, fait de cuir bouilli, n'était pas non plus très efficace. La pointe trop voyante en fut d'abord enlevée, puis il fut remplacé en 1916 par un casque en acier [1]. Pour l'armement de l'infanterie, à côté du fusil, la mitrailleuse devint essentielle. Arme défensive par excellence, c'est elle qui, avec le fil de fer barbelé, rendit la défensive supérieure à l'offensive. Les mitrailleuses de Puteaux ou de Saint-Étienne, avec lesquelles l'armée française avait débuté la guerre, se révélèrent trop fragiles et furent remplacées par les mitrailleuses Hotchkiss. Une arme nouvelle apparentée à la mitrailleuse, le fusil-mitrailleur, apparut au cours de la guerre, et une arme ancienne que la guerre des tranchées rendait indispensable, la grenade, fut remise à l'honneur. Dès la fin de 1915, différents types de grenades avaient été mis au point. Parmi les armes nouvelles, les « gaz de combat » furent une des surprises supplémentaires de la guerre. La convention de La Haye du 29 juillet 1899 en avait interdit l'utilisation, mais la doctrine allemande était que tout moyen était bon qui pouvait abréger la durée de la guerre (la même justification fut donnée aux violences subies par les

1. Liliane et Fred Funcken, *L'Uniforme et les Armes des soldats de la guerre de 1914-1918*, Casterman, 1970 et 1971, 2 vol.

civils au début de la guerre). L'état-major allemand s'était donc préparé à cette forme de guerre et les gaz asphyxiants furent utilisés pour la première fois à Langemack, au nord d'Ypres (22 avril 1915). Du côté français, l'expérimentation et la fabrication des gaz furent organisées en toute hâte. Parmi les divers tourments subis par les fantassins, le port des masques à gaz, progressivement mis au point, fut un des plus pénibles. Les porter longtemps était difficilement supportable. Les soldats « gazés » devaient en subir les séquelles jusqu'à la fin de leurs jours. En revanche, sur le plan proprement militaire, l'emploi des gaz fut relativement inefficace.

La guerre des tranchées s'est souvent résumée en un formidable duel d'artillerie. L'armée française disposait d'un canon de campagne, extrêmement maniable et précis, le « 75 », supérieur au « 77 » allemand, mais l'état-major, féru de la guerre de mouvement, n'avait pas cru à l'utilité d'une artillerie lourde. A côté de 2800 « 75 », l'armée française n'avait au début de la guerre que 308 pièces d'artillerie lourde (contrairement aux Allemands qui eurent un grand avantage initial dans ce domaine). A la fin de la guerre, l'armée française comptait 10100 pièces dont 7100 lourdes, y compris des obusiers (canons à tir semi-courbe) de 400 qui ne pouvaient être transportés que sur voies ferrées. Le problème le plus nouveau fut toutefois de tenter d'atteindre le fond des tranchées adverses, d'où la nécessité de canons à tir courbe, les *mortiers*. Cette artillerie dite « de tranchée » fut la grande innovation dans l'armée française (les Allemands, eux, en avaient déjà). Les mortiers étaient de différents calibres ; les plus simples, transportables à dos d'hommes, furent surnommés les « crapouillots ».

D'un côté comme de l'autre d'ailleurs, les commandements « n'acceptèrent » jamais cette forme de guerre qu'ils n'avaient pas prévue. Comme l'a écrit le général Rouquerol : « L'erreur de nos états-majors dirigeants a été de ne croire qu'à la guerre de mouvement et de nier la guerre de siège, de la nier non seulement avant, mais pendant la guerre elle-même[1]. » La seule

1. Gabriel Rouquerol (général), *Le Canon, artisan de la victoire*, Berger-Levrault, 1920, p. 71.

question pour eux était donc : comment recréer la seule vraie guerre, la guerre de mouvement ? Il y avait deux réponses possibles. Considérer que la guerre était figée en France et essayer de trouver d'autres théâtres d'opérations — ce fut en partie l'explication de l'opération des Dardanelles —, ou bien trouver le moyen de crever le front adverse, de déboucher en terrain libre et de reprendre la guerre de mouvement.

Le général Joffre croyait à la possibilité de la rupture. Il était donc tout à fait hostile à distraire une partie de ses forces sur d'autres terrains, de même d'ailleurs que le maréchal French et l'amiral Fischer, commandant la flotte britannique. En revanche un certain nombre d'hommes politiques ou de militaires britanniques n'y croyaient pas et considéraient qu'il fallait se placer sur la défensive sur le front occidental et créer un autre théâtre d'opérations : au premier rang, Winston Churchill, le premier lord de l'Amirauté, le chancelier de l'Échiquier, Lloyd George, le général Kitchener, ministre de la Guerre. Du côté français, le président de la République était également sceptique sur les possibilités de la rupture. Dans ces conditions naquit l'idée de forcer les *Détroits* reliant la mer Égée à la mer Noire. Les avantages prévisibles en étaient d'éliminer la Turquie (entrée en guerre aux côtés de l'Allemagne le 31 octobre 1914), de faire ainsi disparaître les menaces qui pesaient sur la Méditerranée orientale, de soulager la Russie du front du Caucase et de pouvoir l'aider efficacement [1].

Après une série de tergiversations, l'opération commença le 19 février 1915, mais les flottes française et britannique ne parvinrent pas à forcer le détroit des Dardanelles, trois vieux cuirassés français y furent perdus. Des troupes alliées (Anglais, Australiens, Néo-Zélandais, Français) débarquèrent dans la presqu'île de Gallipoli, mais elles y furent bloquées par les troupes turques. Les conditions de vie des soldats entassés à l'extré-

1. Cette justification est probablement la moins solide. La France et l'Angleterre avaient trop de besoins pour elles-mêmes pour songer en 1914 et 1915 à aider la Russie. Par la suite, les voies de Mourmansk et du Transsibérien furent suffisantes pour acheminer le matériel nécessaire : en 1916, la Russie put recevoir ainsi 1 250 canons, des dizaines de millions d'obus, 20 000 mitrailleuses, en même temps que ses propres fabrications de guerre avaient considérablement augmenté (voir général Gambiez et colonel Suire [37], p. 279).

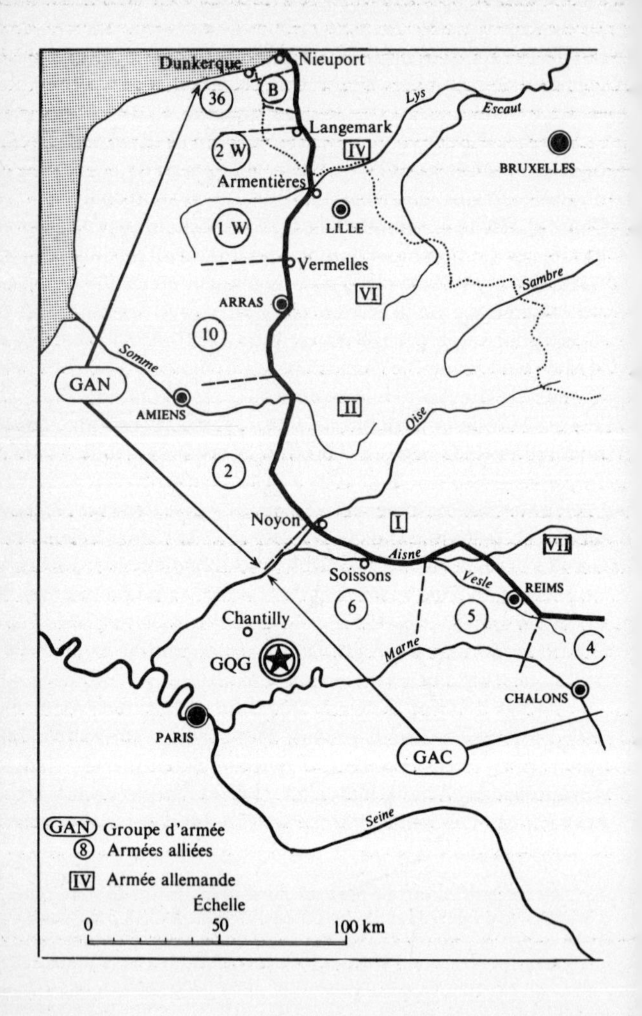

Source :
Ministère de la Guerre, Écoles militaires, *Cours d'histoire*. III.

au 1er juillet 1915

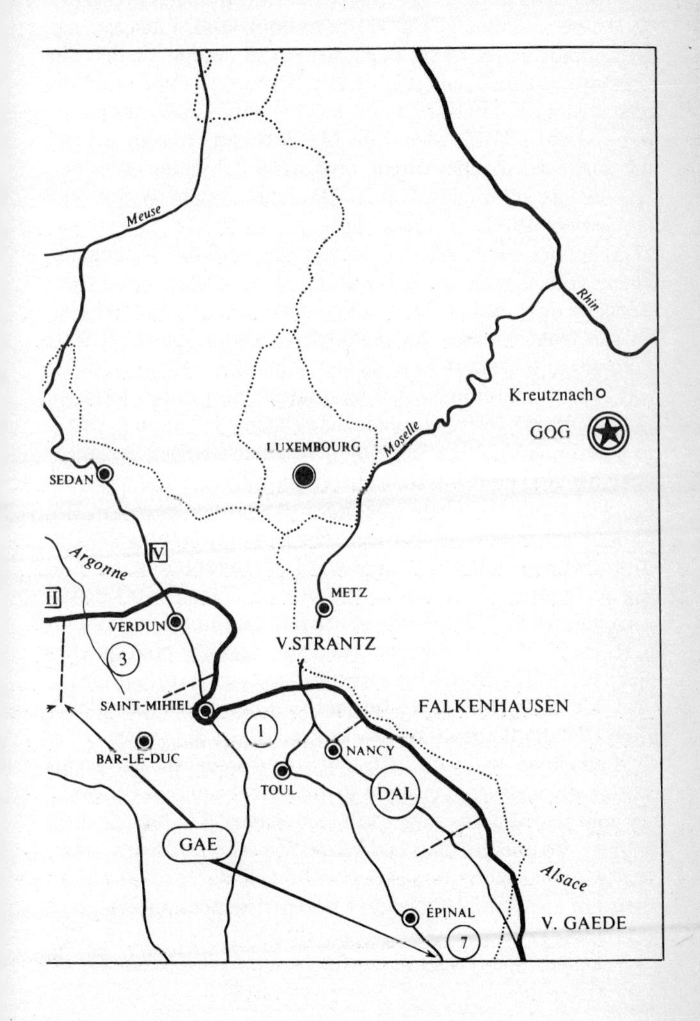

La Guerre mondiale (1914/18), cartes et croquis, Impr. nationale, 1920.

mité de la presqu'île furent extrêmement pénibles : la chaleur, le manque d'eau, la prolifération étonnante des mouches et des rats, la dysenterie..., outre la violence des combats, provoquèrent des pertes énormes (180 000 morts dont 30 000 Français, malgré la modicité des forces que Joffre avait accepté de distraire du front occidental, une, puis deux divisions). L'opération des Dardanelles fut liquidée lorsque les Allemands aidés des Bulgares passèrent à l'offensive contre les Serbes à l'automne 1915. Une partie des troupes furent envoyées à Salonique et les derniers soldats alliés quittèrent les Dardanelles dans la nuit du 8 au 9 janvier 1916.

L'échec des Dardanelles ne pouvait que confirmer le commandement français que son choix était le bon. C'était sur le front occidental qu'il fallait vaincre. Le commandement allemand avait mis son front français sur la défensive afin de porter l'effort maximal sur le front russe et de mettre hors de combat la Russie — il avait ainsi retourné son plan initial en quelque sorte —, mais le général Joffre était décidé à obtenir la rupture. Dès le mois de décembre 1914, une première offensive avait été lancée en Artois avec pour but de « libérer définitivement le territoire national envahi [1] ». Cette opération voulue par Joffre et son adjoint Foch, contre l'avis du général Fayolle qui la trouvait « stupide », fut le prototype des tentatives de rupture dont, tout au long de l'année 1915, on ne cessa d'essayer d'améliorer l'exécution : allongement des fronts d'attaque, renforcement des préparations d'artillerie, rapprochement des réserves pour qu'elles soient sur les talons des troupes d'assaut, meilleures liaisons...

En fait, cette année 1915 fut marquée par deux types d'opérations. D'abord une série d'opérations locales qui avaient pour but d'améliorer le dispositif français en s'emparant par exemple d'un point élevé, opérations extrêmement coûteuses en hommes pour des résultats tout à fait secondaires. Les tentatives de conquête des Éparges dans la Woëvre, aux mois de février, mars, avril 1915, en sont un bon exemple. Pour justifier ces attaques, Joffre eut une formule qui devait rester tristement célèbre : « Je les grignote ! »

Le second type d'opérations fut les véritables tentatives de

1. Voir Jacques Humbert, « L'offensive manquée de décembre 1914 en Artois », in *Revue historique des armées*, 1983, n° 3.

percée, en Champagne du 15 février au 18 mars, en Artois du 9 mai au 18 juin, de nouveau en Champagne du 25 septembre au 6 octobre, de nouveau en Artois, en compagnie des Anglais, à peu près au même moment du 25 septembre au 11 octobre. L'offensive de Champagne en septembre 1915 en fut le modèle. L'ordre général n° 43 du 23 septembre indiquait clairement les objectifs : « Soldats de la République [...], votre élan sera irrésistible. Il vous portera d'un premier effort jusqu'aux batteries de l'adversaire, au-delà des lignes fortifiées qu'il nous oppose. Vous ne lui laisserez ni trêve, ni repos, jusqu'à l'achèvement de la victoire. Allez-y de plein cœur pour la délivrance du sol de la patrie, pour le triomphe du droit et de la liberté [1]. »

Trente-cinq divisions devaient prendre part à l'action, des troupes reposées, habillées et casquées de neuf. Une formidable préparation d'artillerie commença le 22 septembre à 7 heures du matin, se poursuivit le 23 et le 24, et s'étendit loin vers l'arrière-front ; 900 pièces lourdes y participèrent. Le 25 au matin, l'infanterie se lança à l'assaut, enleva la première position ennemie et se brisa sur la deuxième établie à contre-pente. Au total, quand tout fut terminé, le terrain gagné avait été au maximum de 4 kilomètres.

Nullement déçu, le général Joffre écrivait le 3 octobre au ministre : « Nous devons avoir la conviction que, en augmentant nos ressources en munitions, en perfectionnant notre organisation matérielle, en donnant plus d'ampleur encore à nos attaques, nous parviendrons à briser les lignes allemandes que nos dernières opérations ont réussi à entamer si largement. Contraints de lutter sur deux fronts, nos adversaires ne pourront pas se constituer des disponibilités aussi fortes que les nôtres, tant que nous n'aurons de notre côté qu'un front à alimenter. »

En fait, le problème sur lequel les commandements de la Grande Guerre — de part et d'autre — butèrent constamment était relativement simple : si formidable que fût une offensive, en raison de la lenteur de la progression des troupes d'assaut à travers un terrain bouleversé, les réserves de l'adversaire amenées par chemins de fer ou camions arrivaient avant que la rupture puisse être réalisée. La lettre de Joffre impliquait, en fait, qu'il gagnerait le jour où l'adversaire n'aurait plus de réserves

1. Henry Bidou (36), p. 331.

et où les Alliés disposeraient d'une formidable supériorité numérique, mais il ne disait pas par quel sortilège ils pourraient y arriver dans l'immédiat. Combattre sur deux fronts n'empêchait pas les Allemands de tenir leur front occidental, d'autant que les pertes subies par les troupes françaises étaient énormes : 310000 morts pour l'année 1915 suivant Henry Contamine [1], 349000 suivant le général Gambiez et le colonel Suire [2], bien plus que les Allemands. « Nous nous demandions, écrivait le Kronprinz dans les premiers mois de 1915, comment la nation française pourrait jamais parer à de pareilles hécatombes. » Un officier français lui répondait en quelque sorte lorsqu'il écrivait à sa femme, le 15 mars 1915 : « Dieu sait si je suis soldat dans l'âme et si j'ai le culte de la discipline ! Mais il est des choses qui sautent aux yeux et qui sont criminelles dans leur but et dans leur résultat ! Et cette façon de faire la guerre [...] est l'une de ces choses. Elle fait sacrifier sans résultat des milliers de vies humaines [3]. »

Les insuccès de l'année 1915 n'avaient pas conduit le commandement français à penser que sa méthode était mauvaise, et, lors d'une conférence interalliée à Chantilly, le 6 décembre, Joffre annonçait son intention d'attaquer sur la Somme entre le 1er mars et le 1er juillet de l'année suivante. En revanche le commandement allemand était parvenu à la conviction de l'inanité de la recherche de la guerre de mouvement. Même sur le front russe, où, en 1915, les troupes allemandes avaient remporté de très vastes succès — conquête de la Pologne, de la Lituanie, mise hors de combat d'une partie importante de l'armée russe —, l'immensité de l'espace rendait inefficace la guerre de mouvement. Puisque la stratégie de rupture et sa suite logique, la guerre de mouvement, étaient impossibles, il fallait inventer autre chose, ce fut la *stratégie de l'usure*. Dans un mémoire adressé à l'empereur en décembre 1915, Falkenhayn exposa son plan : pour pouvoir réduire la Grande-Bretagne, qui était la force principale de l'Entente, il fallait abattre l'armée française. On obtiendrait ce

1. (40), p. 378.
2. (37), p. 298.
3. Benjamin Simonet, *Franchise militaire. De la bataille des frontières aux combats de Champagne (1914-1915)*, Gallimard, 1986, p. 315.

résultat par une bataille d'usure qui l'obligerait à épuiser ses réserves. Cela signifiait qu'il fallait choisir un objectif, Verdun ou Belfort, que les Français seraient moralement obligés de défendre jusqu'au bout. Le but serait donc moins de s'emparer de l'objectif que d'attirer sur ce champ de bataille le maximum de divisions adverses qui seraient « saignées à blanc ». Chaque attaque d'infanterie serait précédée d'une préparation d'artillerie de 2 000 pièces si formidable que les fantassins allemands subiraient des pertes relativement légères. Si, par extraordinaire, les Français ne défendaient pas l'objectif, cela porterait un coup considérable à leur moral. Tel était l'esprit de la *bataille de Verdun*, que les Allemands déclenchèrent le 21 février 1916. Elle devait rester le symbole de la guerre de 1914 par l'acharnement des combats qui y eurent lieu et par l'horreur des conditions de vie et les souffrances qu'y ont subies les combattants des deux camps.

Outre les raisons de caractère psychologique, Falkenhayn avait choisi Verdun parce que les défenses en étaient mal organisées, et que, formant un saillant, la position pouvait être attaquée de plusieurs côtés. La bataille comporta deux phases. Jusqu'au 12 juillet, les Allemands multiplièrent les attaques, d'abord sur la rive droite de la Meuse, puis, plus tard, sur la rive gauche. Ils s'emparèrent du fort de Douaumont, mal défendu, et du fort de Vaux, défendu avec acharnement. Mais les troupes françaises, placées le 26 février sous le commandement du général Pétain, ravitaillées par une fantastique noria de camions sur l'unique petite route utilisable, la « Voie sacrée », parvinrent à contenir l'avance allemande. A partir du mois de juillet, les Allemands se tinrent sur la défensive. Aux mois d'octobre et de décembre 1916, Douaumont, puis Vaux furent repris, ainsi que la plus grande partie du terrain perdu. La bataille de Verdun était achevée le 18 décembre 1916, 302 jours pour rien ou presque..., sinon des pertes énormes de part et d'autre. Leur chiffre a donné lieu d'ailleurs à beaucoup d'exagérations, explicables par le caractère exceptionnel de la bataille. Du côté français, il y eut 163 000 tués et disparus, et 143 000 du côté allemand. Y compris les blessés, les deux armées avaient laissé 770 000 hommes sur le champ de bataille[1]... Le calcul de Falkenhayn que

1. Voir particulièrement Gérard Canini (32), p. 11, qui rectifie en baisse les chiffres souvent avancés.

les pertes françaises seraient de beaucoup supérieures aux pertes allemandes s'était révélé faux, et c'est en cela que finalement la « boucherie » de Verdun fut une défaite pour l'armée allemande.

Dans cette guerre de masse, la bataille de Verdun fut, plus qu'une autre, une guerre d'« hommes abandonnés ». « Quelques hommes autour d'un chef, officier subalterne, sous-officier, voire simple soldat que les circonstances [...] avaient révélé capable de commander. C'était parfois un seul homme réduit à se commander lui-même [1]. » Les lignes téléphoniques coupées, les agents de liaison — les coureurs — parvenant rarement à destination, le commandement s'exerçait difficilement. Les chefs ne savaient plus où étaient leurs hommes. Hagards, hébétés par la violence des bombardements — à la mi-juillet l'artillerie lourde française avait tiré 10 millions d'obus, et l'artillerie allemande, 21 millions —, les combattants, par groupes de quelques hommes, s'accrochaient à des lambeaux de terrain au milieu d'une région totalement bouleversée, où toute position organisée avait disparu [2]. Presque toute l'armée française connut l'enfer de Verdun, le commandement ayant préféré y faire passer les divisions les unes après les autres.

Malgré Verdun, Joffre n'avait pas abandonné l'idée d'une grande bataille sur la *Somme*. Déclenchée le 1er juillet, elle ressembla à la bataille de Verdun par la volonté d'« user » l'adversaire, mais, plus nettement que les Allemands, le commandement allié estimait que l'épuisement des réserves allemandes permettrait le jour venu d'enfoncer le front adverse. Menée au nord de la Somme surtout par des troupes britanniques commandées par le maréchal Douglas Haig, qui avait remplacé French en décembre 1915, et au sud par des troupes françaises commandées par le général Foch, les différentes périodes de l'offensive

1. Jacques Meyer, « Vie et mort du soldat de Verdun », in *Actes du colloque international sur la bataille de Verdun (1975)*, Presses de l'Université de Nancy-II, 1976 ; Gérard Canini (32).

2. Sur la bataille de Verdun et son horreur, voir *Actes du colloque international sur la bataille de Verdun (1975)* ; Jean-Jacques Becker, « Mourir à Verdun », in *L'Histoire*, n° 76, mars 1985. Des œuvres romancées, comme, du côté allemand, Fritz von Unruh, *Verdun*, Sagittaire, 1924, et, du côté français, Jules Romains, *Prélude à Verdun* et *Verdun*, t. 15 et 16 des *Hommes de bonne volonté*, Flammarion, 1932 à 1947.

s'étendirent jusqu'au 18 novembre 1916. Pour de modestes gains territoriaux, la bataille de la Somme se solda par des pertes aussi effrayantes que celles de Verdun : 104 000 morts du côté français. Si l'on compte les pertes globales (tués, blessés, disparus...), les chiffres pour la bataille de la Somme sont les suivants : 200 000 pour les Français, 420 000 pour les Britanniques, 500 000 pour les Allemands [1]. Au total les armées alliées avaient été plus éprouvées que l'armée allemande, et de ce point de vue, si Verdun avait été un échec pour les Allemands, la Somme l'était pour les Alliés.

A la fin de 1916, la stratégie de l'usure avait échoué à son tour. Du côté français, Joffre était nommé maréchal de France (25 décembre 1916) et remplacé dans son commandement par le général Nivelle qui venait de se distinguer à Verdun ; du côté allemand, le 29 août 1916, Falkenhayn avait été remplacé par le maréchal Hindenburg, toujours flanqué de Ludendorff.

1. Trevor Wilson (41), p. 349.

3
Gouverner en guerre

En 1912, le dirigeant socialiste Marcel Sembat avait publié un ouvrage qui eut un important retentissement : *Faites un roi, sinon faites la paix*. Dans cet ouvrage il expliquait que la République était incompatible avec la guerre. C'était pourtant dans cette situation que se trouvait la République. Il lui fallait « gouverner en guerre », et Marcel Sembat était un des deux ministres socialistes qui, dans le cadre de l'union sacrée, faisaient partie du gouvernement ! Marcel Sembat avait pourtant vu juste. La guerre, et surtout une guerre qui se prolongeait, n'allait pas manquer de poser au gouvernement républicain de graves problèmes d'au moins trois types : comment concilier le pouvoir civil et le pouvoir militaire, comment gouverner tout en préservant le régime parlementaire, comment assurer le respect des règles habituelles de la démocratie, sans compromettre la défense nationale ?

1. Les gouvernements, le Parlement et le commandement

Bien qu'elle ait été peu étudiée — à tort [1] —, la vie politique a été très active en France pendant la guerre. Malgré les événements, la stabilité gouvernementale n'a guère été assurée puisque 7 gouvernements et 5 présidents du Conseil se sont succédé.

1. Jean-Marie Mayeur (59), p. 230. L'ouvrage le plus développé sur la vie politique pendant la guerre est celui de Georges Bonnefous (58), à qui nous avons beaucoup emprunté.

Comme nous l'avons vu, dès le 26 août, pour répondre aux nécessités de l'union sacrée (encore que certains ministres ne voyaient pas en quoi l'union sacrée obligeait à modifier la composition du gouvernement), et pour faire face à la gravité de la situation, René Viviani constituait un nouveau ministère [1]. 5 ministres de tendance radicale quittaient le gouvernement au profit de 2 socialistes et de 4 dirigeants du centre droit qui avaient été les adversaires de la gauche lors des élections de 1914. Même si la volonté d'union n'avait pas été jusqu'à admettre des représentants de la droite cléricale ou nationaliste, l'assise politique du gouvernement se trouvait considérablement élargie. Dès le 2 septembre, en raison de l'approche des troupes allemandes et pour ne pas risquer d'être encerclés dans la capitale, le président de la République, le gouvernement et les parlementaires quittèrent Paris pour Bordeaux. Le général Gallieni avait été nommé au même moment gouverneur militaire de Paris, avec comme mission d'en assurer la défense.

L'éloignement du gouvernement à Bordeaux renforça son sentiment d'être tenu à l'écart des décisions, et même des informations, par le Grand Quartier général, sentiment qui n'était pas erroné puisque le général Gallieni rapporte avoir reçu du général Joffre la recommandation « de ne pas envoyer au gouvernement de renseignements relatifs aux opérations [2] ». Aussitôt la victoire de la Marne, ministres et parlementaires supportèrent mal leur exil à Bordeaux. Un peu partout des conflits opposaient autorités civiles et autorités militaires, des inquiétudes se firent jour quant au loyalisme de certains généraux, même si elles ne reposaient sur rien. Henry Contamine a souligné que les généraux n'ont pas voulu être des Boulanger [3], mais de son côté Gallieni a fait allusion à plusieurs reprises aux soupçons qu'il sentait

1. Le 3 août, Viviani avait légèrement remanié son gouvernement en confiant les Affaires étrangères à Gaston Doumergue, la Marine à Victor Augagneur qui était à l'Instruction publique, et l'Instruction publique à Albert Sarraut, mais, si le fait pour le président du Conseil de ne plus avoir de portefeuille ministériel était une innovation importante, pour le reste il n'y avait pas de changement notable dans la composition politique du gouvernement, sauf d'avoir sensiblement renforcé la place des radicaux-socialistes.

2. Joseph Gallieni (maréchal), *Mémoires*, Payot, 1920, p. 172.

3. Henry Contamine (40), p. 65.

peser sur lui. Le voyage à Paris, de deux ministres Marcel Sembat et Aristide Briand, dès le mois de septembre, n'aurait pas été étranger à ces préoccupations [1].

Quant à la Chambre des députés et au Sénat, après la séance du 4 août, ils avaient été ajournés *sine die*. Cette absence de réunion du Parlement, alors que la guerre ne s'achevait pas, provoqua bientôt des critiques de plus en plus vives de ses membres, et il fut convoqué pour le 22 décembre à Paris. Le vieux dirigeant socialiste Édouard Vaillant — qui d'ailleurs avait refusé de quitter Paris — n'avait cessé de protester dans *L'Humanité* contre cette « mise en vacances » qu'il considérait comme une atteinte à la démocratie [2].

Une session extraordinaire du Parlement eut donc lieu à la fin du mois de décembre 1914, suivie de la session ordinaire à partir de janvier 1915. Il décida alors de siéger en permanence jusqu'à la fin de la guerre. Le président de la République et le gouvernement étaient également rentrés dans la capitale dès le 10 décembre.

La défense du système démocratique que symbolisait la permanence des assemblées posait d'ailleurs le problème des députés mobilisés, qui étaient au nombre de 220 ! Comme il n'était possible ni de les déchoir de leur mandat en les empêchant de participer aux travaux des Assemblées, ni de les dispenser de leur devoir militaire comme les autres citoyens, beaucoup de députés-soldats firent pendant toute la guerre la « navette » entre l'armée et le Parlement [3]. Trois d'entre eux avaient déjà été tués lorsque la Chambre des députés se réunit en décembre 1914.

Dans l'immédiat, les deux principaux problèmes du gouvernement furent de trouver les moyens de financer une guerre à la longueur et, en conséquence, au coût imprévus, et d'essayer de régler les rapports entre les pouvoirs civil et militaire.

Les principes sur lesquels reposa le *financement de la guerre* furent assez vite établis par le ministre des Finances, Alexandre Ribot. Recourir à l'augmentation des impôts posait des problèmes difficiles, ne serait-ce que parce qu'une partie non négligeable

1. Joseph Gallieni (maréchal) (169).
2. Jean-Jacques Becker, « Édouard Vaillant en 1914 », in *Blanqui et les Blanquistes*, Sedes, 1986.
3. Georges Bonnefous (58), p. 60.

des contribuables étaient mobilisés ! Il préféra donc recourir à l'emprunt, représenté d'abord en septembre 1914 par des *bons de la défense nationale*, remboursables à 3, 6 ou 12 mois, ensuite en janvier 1915 par des *obligations de la défense nationale*, remboursables à partir de la sixième année, à quoi s'ajouta en octobre 1915 un *emprunt de la défense nationale* exprimé en « rentes perpétuelles », donc non remboursables, ce qui avait l'avantage de moins alourdir la circulation fiduciaire.

Le règlement des *rapports entre les pouvoirs civil et militaire* fut davantage générateur de tensions.

Une question d'importance d'ailleurs assez secondaire dans la pratique fut celle du « contrôle parlementaire » sur la défense nationale. Beaucoup de députés souhaitaient pouvoir se rendre aux armées, ce à quoi le GQG était tout à fait hostile. Un compromis fut trouvé en août 1915 : des missions temporaires et d'objet déterminé seraient confiées à des représentants des commissions parlementaires.

Plus fondamentale était la question de la conduite de la guerre.

D'après l'article 3 de la loi constitutionnelle du 25 février 1875, le président de la République « disposait de la force armée », mais il allait de soi qu'il devait déléguer à un général de commander l'armée le cas échéant. Le décret du 28 octobre 1913 avait prévu que le gouvernement aurait « la conduite de la guerre » et les généraux en chef des différents fronts « la conduite des opérations ». La différence entre les deux notions était tout à fait claire en théorie, mais beaucoup moins dans la pratique. Dans le cadre d'une guerre de quelques semaines, on pouvait concevoir qu'il y aurait en réalité confusion entre la conduite de la guerre et la conduite des opérations ou tout au moins que seule compterait véritablement la conduite des opérations. Comme ce fut le cas, avec un seul front, le général en chef disposa pendant ces quelques semaines de pratiquement tous les pouvoirs. En revanche, à partir du moment où au bout de quelques semaines la guerre n'était pas terminée, le conflit d'autorité entre le commandant en chef et le gouvernement était inévitable, d'autant que le général Joffre avait rapidement donné au Grand Quartier général compétence sur de nombreux problèmes civils. Le point de vue du général en chef était simple : le gouvernement avait le pouvoir de relever le commandant en chef s'il n'en était pas satisfait, mais en dehors de cela il ne pouvait avoir aucun contrôle sur son action [1].

Ce qui compliqua les choses encore davantage est que le conflit se déroula, non seulement entre le pouvoir militaire et les autorités civiles, mais à l'intérieur du gouvernement. Le ministre de la Guerre, Alexandre Millerand, fut accusé de couvrir systématiquement les actes du GQG. En fait il y avait en même temps conflit entre le gouvernement et le Parlement et un conflit interne au gouvernement sur les compétences du Haut Commandement. Un grand débat se déroula à la Chambre des députés le 21 août 1915 où Millerand se défendit contre les diverses attaques dont il était l'objet, négligence dans le développement de l'artillerie, abdication devant les services de son ministère et devant le Haut Commandement. Le débat n'était d'ailleurs pas sans implication politique car les adversaires du ministre se recrutaient surtout du côté des socialistes et des radicaux.

Pour le soulager et aussi pour le contrôler, Millerand fut progressivement flanqué de quatre secrétaires d'État, dont Albert Thomas, troisième socialiste à entrer au gouvernement, chargé le 18 mai 1915 de l'artillerie et de l'équipement militaire.

Quelques jours plus tard, la même opposition réclamait du président du Conseil que, conformément à des dispositions qui n'avaient d'ailleurs jamais été appliquées (article 5 de la loi constitutionnelle du 16 juillet 1875), la Chambre soit réunie en *comité secret*, ce que Viviani parvint momentanément à éviter.

Quelques semaines plus tard, Viviani était interpellé sur l'échec de la politique extérieure française qui n'avait pas réussi à empêcher l'entrée en guerre de la Bulgarie aux côtés des puissances centrales. Le ministre des Affaires étrangères, Delcassé, en mauvaise santé, ébranlé moralement par la mort de son fils, et dont le retour aux Affaires étrangères à l'occasion de la guerre n'apparaissait pas comme un succès, démissionnait (13 octobre 1915). La nécessité de le remplacer, le souci d'écarter Millerand, trop impopulaire auprès des parlementaires, conduisirent Viviani à souhaiter remanier son gouvernement, puis à en céder la présidence, bien qu'il n'ait pas été mis en minorité, à Aristide Briand.

Le gouvernement Briand (le cinquième qu'il dirigeait) dura du 29 octobre 1915 au 12 décembre 1916, soit un peu plus de treize

1. Pierre Renouvin (30), p. 77.

mois. Viviani continuait d'y figurer comme garde des Sceaux (il avait repris le portefeuille de Briand, ministre de la Justice dans son propre gouvernement), et le président du Conseil s'était chargé lui-même de celui des Affaires étrangères. La grande innovation de ce ministère était de prendre davantage figure de gouvernement d'union sacrée. 5 personnalités de toutes tendances dont 3 anciens présidents du Conseil, Louis de Freycinet, Émile Combes, Léon Bourgeois, plus Jules Guesde à gauche et Denys Cochin à droite, avaient reçu le titre de ministres d'État. L'entrée de Denys Cochin, qui non seulement incarnait la droite catholique, mais encore « l'orléanisme parlementaire, fidèle au comte de Paris [1] », était hautement symbolique. De façon plus discrète, le nouveau gouvernement marquait aussi un sensible décalage vers la droite, surtout dans la mesure où plusieurs de ses membres avaient vivement souhaité — sans succès — que le ministre de l'Intérieur, Louis Malvy, porte-parole du radicalisme orthodoxe et proche de Joseph Caillaux, soit écarté, mais des journaux, comme *Le Bonnet rouge*, avaient pris vigoureusement sa défense. Lors de la présentation du nouveau gouvernement, les interpellations critiques vinrent de la gauche, et Renaudel, le principal dirigeant socialiste, réclama — sans succès également — que la France déclare qu'elle ne procéderait « à aucune annexion, ni à aucune conquête »... en cas de victoire.

La principale question, lors de la composition du gouvernement, avait été de régler le difficile problème des relations avec le Haut Commandement, d'autant que la puissante commission de l'Armée du Sénat, présidée par Georges Clemenceau, se montrait très hostile au général Joffre. Aristide Briand crut trouver la solution en appelant au ministère de la Guerre un général célèbre, Gallieni, dont au surplus les rapports avec Joffre étaient assez médiocres. Briand aurait bien remplacé Joffre par Gallieni, si le général en chef n'avait pas été aussi populaire dans le pays. La politique de Gallieni présenta deux aspects, assez contradictoires à vrai dire : d'un côté, faire respecter les prérogatives du gouvernement — mais quand il attira l'attention de Joffre sur l'insuffisance des défenses de Verdun en décembre 1915, ce dernier lui reprocha vivement de s'immiscer dans les affaires du commandement — et, de l'autre, donner plus d'ampleur au

1. Jean-Marie Mayeur (59), p. 240.

commandement : le 2 décembre 1915, Joffre reçut le commandement de l'ensemble des armées françaises (donc également de celle de Salonique), et pas seulement du front de l'Ouest. Malade, Gallieni dut démissionner (17 mars 1916), et il mourait quelques jours plus tard (26 mai). Un autre général, le général Roques, le remplaça.

Néanmoins la nomination de Gallieni n'avait pas satisfait le souhait de beaucoup de parlementaires d'avoir un contrôle plus réel à la fois sur le gouvernement et sur la conduite de la guerre, sans se perdre dans la distinction subtile entre conduite de la guerre et conduite des opérations. Le gouvernement fut véritablement harcelé par les interpellations, par les comparutions devant les commissions (le président du Conseil et le ministre de la Guerre durent se présenter dix-huit fois devant la commission de l'Armée du Sénat !) [1]. Tout donnait lieu à ces interpellations ou à ces comparutions, comme par exemple le premier raid d'un zeppelin sur Paris le 29 janvier 1916 [2]. Le 18 février, Abel Ferry interpellait le gouvernement sur le thème : « La chambre invite le gouvernement à faire respecter l'exercice de son droit de contrôle sur toutes les forces nationales mobilisées. »

Il était clair que les Assemblées, après bientôt deux ans de guerre, ne se contentaient plus des seuls discours hautement patriotiques que les séances publiques permettaient. Aristide Briand dut accepter l'institution des *comités secrets*. Il y en eut huit pour la Chambre des députés et quatre pour le Sénat, entre juin 1916 et octobre 1917 [3]. Couvrant 500 pages de *Journal officiel* pour les seuls débats à la Chambre des députés, ils constituent une documentation considérable sur la vie politique pendant la guerre. Les comités secrets tinrent séance souvent très longtemps, le premier du 16 au 22 juin 1916, le troisième du 21 novembre au 7 décembre 1916. Leurs débats portèrent sur de nombreux problèmes diplomatiques concernant les Balkans, en particulier les relations avec la Grèce, la raison d'être de l'armée de Salonique combattue avec violence par Delcassé — ce fut sa

1. Georges Bonnefous (58), p. 119.
2. Jean-Baptiste Duroselle (29), p. 138.
3. Georges Bonnefous (58), p. 128. La publication des comités secrets de la Chambre (les comités secrets du Sénat n'ont pas été publiés) a permis à Georges Bonnefous d'en faire une étude détaillée.

dernière intervention politique (20 juin 1916) —, dont il était difficile de parler en séance publique, mais ils furent surtout consacrés aux problèmes militaires et à la question du Haut Commandement, plus spécifiquement à propos des conditions de la bataille de Verdun lors du premier comité secret. Malgré les affirmations de Millerand, il n'y avait en France qu'un gouvernement et pas deux. Toute une série de fonctions administratives qu'il n'aurait pas dû exercer était enlevées progressivement au GQG, tandis qu'un nombre de plus en plus grand de députés, à gauche, mais aussi à droite, contestaient le commandant en chef, sa conception de son rôle et aussi sa façon de conduire les opérations. A la fin du troisième comité secret, Briand obtenait encore la confiance, mais avec une majorité diminuée de 100 voix. Comme les débats l'avaient montré, une partie des députés socialistes ou radicaux avaient été rejoints par des députés de droite dans l'opposition au gouvernement. Dans un comité secret du Sénat, Clemenceau avait également montré une vive hostilité à la façon dont la guerre était conduite, en particulier par le général Joffre.

La conclusion du comité secret sur la nécessité de la réorganisation du Haut Commandement et l'affaiblissement de sa majorité avaient convaincu Briand qu'il lui était nécessaire de remanier son gouvernement — s'il voulait ne pas risquer d'être renversé — et de remplacer le général Joffre.

Briand constituait un nouveau gouvernement le 12 décembre 1916. Les symboles de l'union sacrée que représentaient les ministres d'État du précédent gouvernement, ainsi que la présence d'anciens présidents du Conseil âgés comme Jules Méline, disparaissaient. Denys Cochin restait sous-secrétaire d'État au « Blocus », mais deux socialistes sur trois, Jules Guesde et Marcel Sembat, quittaient le gouvernement. En contrepartie Albert Thomas devenait ministre de l'Armement et des Fabrications de guerre. Le radical Édouard Herriot recevait son premier ministère, celui des Travaux publics, du Transport et du Ravitaillement. Le plus difficile était encore de trouver une solution pour le couple ministre de la Guerre-commandant en chef. Pour remplacer le général Roques, trop proche du général Joffre, Briand rappelait le général Lyautey du Maroc. Quant à Joffre, comme nous l'avons déjà vu, après qu'il lui eut été confié un poste mal défini de conseiller technique, il était remplacé par le général Nivelle. Joffre démissionnait le 26 décembre et était élevé le lendemain à la dignité de maréchal de France.

Le nouveau gouvernement Briand ne tint guère plus de trois mois. Un violent incident opposa, le 14 mars 1917, Lyautey à la gauche de la Chambre des députés, après que le ministre de la Guerre eut refusé, même en comité secret, de révéler certains détails techniques, arguant que ce serait faire prendre des risques à la défense nationale. Violemment interrompu par des députés qui estimaient que le régime parlementaire avait été mis en cause, Lyautey préféra démissionner, bientôt suivi par l'ensemble du gouvernement (17 mars 1917). Au bout de près de trois ans de guerre, les impératifs de la vie parlementaire n'avaient pas encore réussi à s'harmoniser avec ceux de la conduite de la guerre.

Il n'en restait pas moins qu'entre les conceptions de départ du Haut Commandement de retenir entre ses mains la totalité du pouvoir, et ce qui était advenu, un Parlement qui existait, des gouvernements dont les ministres de la Guerre avaient du mal à s'entendre avec le Parlement, mais qui n'étaient plus simplement les porte-parole du GQG, les différences étaient immenses. Il était normal que l'équilibre entre commandement, gouvernement et Assemblées parlementaires soit difficile à trouver, puisque chacun d'entre eux était mû par une logique différente. En outre la donnée fondamentale de départ — l'idée de la guerre courte — s'était révélée fausse, et tout s'en était trouvé modifié. Dans ce match non avoué entre les pouvoirs civils et le pouvoir militaire, c'étaient finalement les pouvoirs civils qui avaient marqué les points.

2. La démocratie en question

La guerre avait mis en cause un certain nombre des données sur lesquelles reposait le fonctionnement démocratique de la République. La démocratie était-elle compatible avec l'état de guerre, les libertés publiques ou privées pouvaient-elles être respectées ? La première de ces libertés fondamentales était le *droit de vote*.

La guerre était déjà commencée quand des Français purent encore exercer ce droit. Le député socialiste de la 6e circonscription du Rhône était mort peu après sa réélection. Le premier tour de l'élection partielle pour son remplacement avait eu lieu le 26 juillet, et c'était pour soutenir le candidat socialiste, Marius Moutet, que Jean Jaurès avait prononcé son dernier discours en France avant son assassinat, le *discours de Vaise*, du nom de ce quartier lyonnais de la circonscription. Les résultats du premier tour, qui avait eu lieu alors qu'on distinguait déjà la gravité de la crise internationale, avaient été très proches de ceux du mois d'avril précédent, avec un léger effritement des positions de la droite. Le second tour se déroula le 9 août, la mobilisation étant déjà en grande partie faite. Le pourcentage des votants fut relativement élevé, compte tenu des circonstances — 48,89 % des inscrits —, à l'encontre de l'avis du préfet qui avait pronostiqué une abstention à peu près générale, et le candidat socialiste fut élu. Dans cette circonscription lyonnaise l'éclatement de la guerre ne s'était pas traduit par une poussée antisocialiste (Moutet avait obtenu 56,2 % des voix contre 52,87 à son prédécesseur) [1].

Il était pourtant difficile de procéder à des élections en temps de guerre quand une partie de l'électorat était à l'armée et que les réunions étaient, comme nous le verrons, interdites. Le 23 décembre 1914, la Chambre des députés décida l'ajournement de toutes les élections jusqu'à la fin des hostilités. Ainsi la série des sénateurs soumis à réélection en janvier 1915, au terme des neuf années de leur mandat, se virent prorogés (dans la pratique ils conservèrent leurs fonctions pendant treize ans !) [2]. Néanmoins, quand cette disposition fut prise, personne n'imaginait encore que la guerre n'aurait pas pris fin quand la législature arriverait à son terme au printemps 1918. Une nouvelle disposition fut donc votée le 24 décembre 1917 par laquelle toutes les élections furent ajournées jusqu'à la fin des hostilités, y compris les élections départementales, communales, consulaires et prud'homales [3].

Un deuxième droit fondamental était la *liberté de la presse*. Une première nécessité était d'éviter les indiscrétions qui ris-

1. Jean-Jacques Becker (22), p. 483-484.
2. Georges Bonnefous (58), p. 58.
3. (58), p. 358.

quaient de renseigner l'adversaire, comme en 1870, ce qui avait conduit dans une certaine mesure au désastre de Sedan. La *censure* des journaux était donc indispensable. Mais, conséquence là encore du prolongement imprévu de la guerre, il apparut également non moins indispensable aux gouvernements d'agir sur le « moral » du pays.

Le contrôle de la presse [1] découla des dispositions de l'*état de siège*, telles qu'elles avaient été définies par une loi du 8 août 1849, dont le commentaire avait été mis à jour en octobre 1913. L'autorité militaire recevait le droit « d'interdire les publications et les réunions jugées de nature à exciter ou à entretenir le désordre ». Par publications, il fallait entendre tous les procédés de diffusion visés par la loi du 29 juillet 1881, presse, livres, brochures, affiches, placards, distribution d'imprimés de toutes natures. Les mesures prévues avaient été renforcées par une des lois votées dans la séance de la Chambre du 4 août 1914 qui autorisait les pouvoirs publics à interdire la publication dans les journaux « de toute information ou article concernant les opérations militaires ou diplomatiques de nature à favoriser l'ennemi et à exercer une influence fâcheuse sur l'esprit de l'armée et des populations ». Suivait une très longue liste de tout ce qu'il était interdit de publier.

A vrai dire la loi ne prévoyait pas de contrôle avant publication, mais menaçait, en cas d'infractions, de sévères sanctions qui pourraient relever des conseils de guerre. Évitant de prendre des risques, les journaux étaient donc tout naturellement conduits à soumettre leurs articles à un contrôle préalable qui, dans les faits, de facultatif devint presque immédiatement obligatoire. Un *Bureau de presse* fut créé, rattaché jusqu'à la fin de 1914 au Gouvernement militaire de Paris, puis jusqu'au début de 1916 au cabinet du ministre de la Guerre. Le 3 janvier 1916, il était remplacé par une *Direction générale des relations avec la presse*, supprimée à son tour le 22 septembre 1917. Les services de la censure reprirent alors le nom de *Bureau de presse*.

Dans les premiers jours de la guerre, et dans la perspective d'une guerre courte, l'existence de la censure ne posa pas de problèmes. L'esprit de solidarité nationale, le manque d'informa-

1. Voir sur cette question Pierre Renouvin (30), p. 38 *sq.* ; Jean-Jacques Becker (26), p. 48 *sq.* ; *Service historique de l'Armée de terre*, 5 N 374.

tions, et aussi l'état embryonnaire de la censure, rendirent les incidents rares. A partir du mois de septembre, les coupes se multiplièrent dans les journaux, affectant toutefois seulement des articles anonymes ou secondaires de caractère essentiellement informatif, mais, dès la fin de ce même mois, des articles de tête des journaux, des grands noms de la presse furent victimes de la censure. Ce ne fut pas le fait du hasard, mais d'une circulaire du 19 septembre du ministre de la Guerre, Alexandre Millerand, qui précisait aux commandants de régions les consignes de la censure. Le ministre demandait que soient interdits « les articles de fond attaquant violemment le gouvernement ou les chefs de l'armée » et ceux « tendant à l'arrêt ou à la suppression des hostilités ». C'était une censure *politique*, qui, en réalité, était instaurée. Trois jours plus tard, Millerand faisait une légère marche arrière en transférant cette nouvelle censure de l'autorité militaire à l'autorité préfectorale, mais le principe restait.

Les éléments d'un conflit qui fut à peu près permanent pendant toute la guerre étaient maintenant en place, car, si les journalistes admettaient la censure militaire, ils rejetaient la censure politique. Des protestations, plus ou moins virulentes, se firent entendre dans tous les secteurs de la presse. Les journalistes furent soutenus par de nombreux parlementaires, d'autant que, comme un des plus illustres d'entre eux, Georges Clemenceau, qui après divers démêlés avec la censure rebaptisa *L'Homme enchaîné* son journal *L'Homme libre*, un certain nombre d'entre eux étaient en même temps l'un et l'autre. Pour Pierre Renouvin, « [la censure] par la fréquence des débats, par l'abondance des interventions de toutes sortes [fut] une des questions les plus encombrantes de l'histoire administrative et gouvernementale de la France pendant la guerre [1] ».

L'action de la censure était d'autant plus critiquée qu'elle paraissait souvent incohérente, voire absurde, ou incohérente et absurde. Georges Bonnefous, qui était alors député, a noté dans son *Histoire politique de la IIIe République* : « On pouvait tous les jours, sur toute l'étendue du territoire, multiplier les exemples, fournis par la censure, d'une déviation complète du but poursuivi par ceux qui l'avaient fondée, en vue de la seule protection des intérêts militaires et diplomatiques de la nation fran-

1. Pierre Renouvin (30), p. 43.

çaise [1]. » D'où une perpétuelle guérilla entre les gouvernements successifs et les parlementaires.

Le 4 mars 1915, Viviani expliqua à la Chambre qu'il n'y avait pas de censure politique, seulement « une censure *civile* qui peut porter sur la publication de certains faits de nature à entraîner des désordres, mais, à proprement parler, il n'y a pas de censure politique ».

En avril, le ministre de l'Intérieur, Louis Malvy, affirmait que la censure était uniquement d'ordre militaire, que toutefois elle ne s'exerçait pas exclusivement sur les questions militaires ou diplomatiques, « mais aussi sur les articles qui contiennent des attaques violentes contre le Parlement et le gouvernement, et ceux qui seraient de nature à jeter un trouble dans l'opinion, au point de vue de la défense nationale ».

En janvier 1916, Aristide Briand dut faire face à un projet de loi établi par un député radical-socialiste, Paul Meunier, dont le but était de réglementer la censure. Cette réglementation, le président du Conseil la jugea dangereuse. Comme il le proclama dans sa péroraison, la censure était justement le moyen de défendre la liberté, puisque, sans la victoire de la France, « la liberté serait morte pour nous, et pour tout le monde ».

Au mois de janvier 1917, en l'absence de Briand, Alexandre Ribot dut combattre une proposition de suppression de la censure, qui était le fait d'un député nationaliste, Charles Bernard. A titre de blâme pour l'action de la censure, une réduction de ses crédits fut votée par la Chambre des députés. Le ministre avait évidemment réaffirmé que la censure ne concernait que les nouvelles d'ordre militaire ou diplomatique. Devenu à son tour président du Conseil, Alexandre Ribot annonçait d'ailleurs qu'il se servirait « avec fermeté du pouvoir que la loi lui donne » pour lutter contre les fausses nouvelles, les informations tendancieuses qui pourraient égarer les esprits, discréditer les institutions républicaines, pousser « à la dissolution des forces de la défense nationale », mais que cela ne mettait pas en cause « la liberté de discussion » (21 mars 1917). En réalité les gouvernements en difficulté — et ce fut le cas de ceux qui se succédèrent au cours de l'année 1917 — n'hésitèrent pas à utiliser la censure pour essayer

1. Georges Bonnefous (58), p. 105.

de peser sur l'opinion en leur faveur. Après Ribot, Painlevé fit de même, d'où des protestations de plus en plus vives. Le 26 octobre 1917, un député conservateur de Seine-Inférieure, Louis Peyroux, interpella le gouvernement : « Il n'est pas possible [...] que nous permettions plus longtemps au gouvernement de laisser la censure opérer comme elle le fait, c'est-à-dire de la façon la plus illégale, la plus inégale, la plus arbitraire qui soit. » Le 4 novembre, c'était au tour de l'*Association professionnelle de la presse républicaine* de souligner que la censure intervenait de plus en plus dans le domaine de la « politique pure ».

Quand le plus pugnace des adversaires de la censure, Georges Clemenceau, arriva au pouvoir, il réaffirma que la censure ne s'appliquerait qu'aux affaires militaires et diplomatiques, et, effectivement, la censure fut un peu desserrée. Clemenceau, contrairement à ses prédécesseurs, considérait que les journaux avaient bien le droit d'« injurier le gouvernement ». Les articles « pacifistes », la relation des mouvements de grève, des affaires de haute trahison, des affaires financières restaient interdits, mais la « politique pure » n'était plus du domaine de la censure. En revanche, la censure fut maintenue après la signature de l'armistice, même après la signature de la paix ! La discussion d'une interpellation sur la censure le 22 juillet 1918 fut ajournée *sine die* — et elle ne fut levée que le *12 octobre 1919*, en même temps que l'état de siège...

Il peut paraître étrange que, d'un côté, la censure ait été incessamment mise en cause et que, de l'autre, les gouvernements successifs aient toujours trouvé une majorité pour les soutenir, alors que leur argumentation était souvent fort spécieuse. Les raisons en furent diverses.

Les attaques contre la censure venaient de tous les horizons politiques, certes, mais les critiques pouvaient être très différentes, voire contradictoires. Les uns mettaient en cause les préfets « radicaux », d'autres, les généraux « cléricaux ». Ensuite, s'il y avait accord pour considérer qu'au niveau des principes l'*Association syndicale professionnelle des journalistes* avait raison de dire le 7 février 1915 : « ... la censure politique est en contradiction absolue avec le principe de la souveraineté nationale », dans la pratique il était plus difficile de reconnaître à quel moment les intérêts de la défense nationale risquaient d'être mis en cause, ne serait-ce que par l'effet que les débats politiques pouvaient avoir sur le comportement des soldats. Il y eut un accord assez large pour ne pas considérer que l'opinion publique devait être traitée en personne majeure. Dans les déclarations des gouvernements, l'idée que l'opinion pourrait être influencée revenait sans cesse. Pierre Renouvin a estimé que, « en France, il semble que le gouvernement ait poussé bien loin le souci d'épargner à la nation les éclats trop durs de la vérité [1] ». D'où cette ambiguïté supplémentaire, la censure visait à façonner l'opinion. L'analyse des registres de consignes [2] montre que, en sus d'entretenir les idées de base de la responsabilité allemande et de l'impossibilité de ne pas continuer la guerre, la censure eut comme mission de « tranquilliser » l'opinion, en lui évitant tous les excès aussi bien dans le sens du pessimisme que dans celui de l'optimisme. Cette « direction de l'information » a — semble-t-il — été efficace. En laissant les esprits dans l'ignorance de la gravité de certaines défaites militaires ou de certains échecs diplomatiques, en maintenant le silence sur les horreurs de cette guerre et le nombre des victimes, n'a-t-elle pas aidé les civils à « tenir » ? Il faut ajouter que, si la censure en France a été sans aucun doute bien plus forte qu'en Angleterre et sensiblement plus forte qu'en Allemagne, elle n'a pas été systématique, elle a connu des périodes de rémission, évitant ainsi que la tension ne devienne trop forte. Des journaux non conformistes ont pu vivre, ainsi *L'Œuvre* devenu quotidien le 10 septembre 1915, et qui publia en feuilleton *Le Feu* d'Henri Barbusse (prix Goncourt 1916), ou *Le Canard enchaîné*, qui commença sa carrière en pleine guerre, le 5 juillet 1916.

Toute une série de droits essentiels furent également mis en cause par l'établissement de l'*état de siège* [3].

La loi sur l'état de siège du 8 août 1849, complétée par celle du 3 juillet 1878, établissait un régime d'exception dont l'application était confiée à l'autorité militaire. Les préfets et les maires remettaient leurs pouvoirs de police aux commandements

1. Pierre Renouvin (30), p. 42.
2. Les registres de la censure se trouvent à la Bibliothèque de documentation internationale contemporaine (BDIC), F 270 Rés.
3. Voir sur cette question Pierre Renouvin (30), p. 27 *sq*.

locaux qui recevaient en outre des pouvoirs sortant de l'ordinaire, perquisitions, expulsions, interdiction des réunions...

Dans la pensée des législateurs successifs, l'état de siège ne pouvait concerner qu'une partie du territoire. C'est ainsi que, pendant la guerre de 1870, une quarantaine de départements seulement avaient été mis en « état de siège ». En 1914, par un décret du président de la République, la *totalité* du territoire, y compris les départements d'Algérie, fut soumise à l'état de siège dès le 2 août, afin que l'autorité militaire — au moment de la mobilisation qui concernait l'ensemble du territoire — puisse disposer de tous les pouvoirs dont elle pouvait avoir besoin. Le 5 août, le Parlement confirmait le décret présidentiel en l'assortissant de la décision de maintenir l'état de siège durant toute la durée des hostilités, sauf décision nouvelle du président de la République. Quelques jours plus tard, le 10 août, le gouvernement ajoutait encore un élément nouveau à cette situation déjà sans précédent en décrétant l'« état de guerre » pour une partie du territoire, puis, le 3 septembre, il étendait cette décision à la totalité du territoire. Cette dénomination nouvelle permettait d'utiliser la procédure expéditive des conseils de guerre dans tout le pays.

L'union sacrée n'avait pas empêché dès le début que des heurts se produisent entre autorités militaires et autorités civiles locales qui comprenaient mal pourquoi on leur avait retiré leurs pouvoirs habituels pour les confier à des généraux souvent portés à confondre énergie et brutalité et dont les sentiments républicains leur paraissaient quelquefois douteux [1]. Maintenir tout le pays en « état de siège » sembla assez rapidement dénué de sens. Le 4 mars 1915, le député radical Paul Meunier demandait l'abrogation de cette disposition, ce que Viviani d'ailleurs refusait. Il fallut attendre le 1er septembre 1915 pour que le gouvernement accepte de rendre aux préfets et aux maires leurs pouvoirs de police normaux dans la « zone de l'intérieur », sans pour autant abroger l'état de siège.

A partir de juillet 1917, l'autorité militaire reçut à nouveau les pouvoirs de l'état de siège dans la partie de la Loire-Inférieure où commençaient à débarquer les troupes américaines, dispositions étendues progressivement à toutes les régions littorales, y

1. Jean-Jacques Becker (22), p. 476 *sq*.

compris la bordure de la Méditerranée. Comme l'a résumé Pierre Renouvin : « Lors de l'armistice, le territoire français était partagé en trois zones, au point de vue de l'exercice des libertés publiques et des pouvoirs de police : la zone des armées [...] sous l'autorité du général en chef [...] ; la zone littorale [...] soumise à un état de siège 'renforcé', où l'autorité militaire disposait de pouvoirs particuliers ; la zone de l'intérieur [...] soumise, depuis le 1er octobre 1915, à un régime de faveur, où l'autorité civile avait repris l'exercice de ses pouvoirs [1]. »

Les conséquences de l'état de siège et de l'extension du pouvoir militaire furent particulièrement sensibles dans le domaine judiciaire. Les conseils de guerre avaient juridiction sur l'ensemble du territoire et pouvaient se saisir de « toute infraction intéressant la sûreté de l'État ou l'ordre public », même si le prévenu n'était pas un militaire. Ainsi, tout au début de la guerre, les pillards qui s'étaient attaqués aux magasins allemands ou prétendus tels furent déférés devant les conseils de guerre [2].

La procédure des conseils de guerre était extrêmement simplifiée, le délai entre une arrestation et le jugement pouvait être réduit à 24 heures, délai qui était encore apparu trop long au général Joffre pour certains délits commis par des soldats. L'augmentation inévitable des défaillances individuelles au moment de la retraite l'avait conduit à demander au gouvernement l'institution des *cours martiales*, dont les jugements étaient immédiatement exécutoires, ce qui fut fait par le décret du 6 septembre. Ces jugements pouvaient avoir lieu dans des conditions parfaitement arbitraires et donnaient au commandement — du moins en théorie — droit de vie ou de mort sur les soldats. En général les cours martiales ne se rendirent pas coupables d'excès, un certain nombre d'innocents n'en furent pas moins exécutés.

Cet excès de pouvoir donné à l'armée suscita rapidement des protestations et de vives réactions : le 6 avril 1916, le général Joffre suspendit le fonctionnement des cours martiales, et quelques jours plus tard, le 18 avril, le ministre de la Guerre invitait par circulaire les généraux à ne plus poursuivre les non-militaires qui relevaient des tribunaux ordinaires, sauf cas exceptionnels. Le 27 avril, une loi supprima les cours martiales et définit de façon

1. Pierre Renouvin (30), p. 32.
2. Jean-Jacques Becker (22), p. 497 *sq.*

stricte les cas où un civil pouvait être jugé par un conseil de guerre. Dans les mois qui suivirent, sous la pression du Parlement, les caractères d'exception de la justice militaire ne cessèrent de diminuer, ses décisions purent être soumises à révision, le droit de grâce fut rétabli au printemps 1917. Après les civils, les militaires furent à leur tour soumis à des procédures moins sommaires. A peu près trois ans avaient été nécessaires pour y aboutir, mais, là comme ailleurs, le pouvoir que les militaires s'étaient arrogé ou qu'on leur avait confié au début du conflit avait été rogné.

Sans aucun doute, la guerre avait fortement porté atteinte aux libertés publiques et privées. Néanmoins, après avoir été sacrifiées sans vergogne dans les premiers temps, à l'issue d'une lutte constante des députés, elles avaient été progressivement rétablies, du moins en partie. La démocratie, d'abord surprise, avait réussi à se ressaisir, tout en faisant la part des choses qu'imposait la guerre. Contrairement à une idée préconçue, la longueur de la guerre avait plutôt permis de renforcer — relativement — la démocratie que l'inverse.

3. L'économie de guerre

Le passage progressif d'une guerre courte à une guerre qui s'installait dans la durée, et qui consommait une incroyable quantité de matériel, posa très rapidement une série de problèmes économiques, financiers et humains. Tous les belligérants les ont connus, mais ils ont pris très vite une acuité particulière en France en raison de l'occupation d'une des fractions les plus riches de son territoire pour les matières premières et les activités industrielles — elle fournissait avant la guerre 75 % du charbon, 81 % de la fonte, 63 % de l'acier national et une part notable de ses productions textiles [1]. Deuxième raison : la mobilisation avait touché un pourcentage de la population active bien supérieur à celui des autres pays belligérants.

Il fallut donc concurremment produire ou du moins se pro-

1. Jean-Baptiste Duroselle (29), p. 217.

curer les quantités de ravitaillement et de matériels nécessaires à l'armée et aux populations civiles, trouver la main-d'œuvre supplémentaire indispensable, financer cet effort économique. En outre l'État se devait d'intervenir dans un domaine qui, par définition dans le cadre d'une économie libérale, n'était pas le sien, celui de l'activité économique.

L'intervention de l'État.

Traditionnellement l'État jouait un rôle assez faible dans la vie matérielle du pays. Les circonstances conduisirent à une véritable « exubérance » de l'État [1].

Sa première manifestation fut la croissance du nombre des sous-secrétariats d'État, à défaut de celui des ministères *pleins* qui resta à peu près stable. Le premier gouvernement Viviani comprenait 12 ministres ; le deuxième, 14 (y compris le ministère sans portefeuille attribué à Jules Guesde) ; le premier gouvernement Briand, 17 (mais en y comprenant les cinq ministres d'État dépourvus d'attributions particulières) ; le deuxième, 10 après avoir perdu ses ministères d'État, résultat d'une volonté de « concentration de l'autorité » annoncée par Briand ; le ministère Ribot, 14 ; le ministère Painlevé, 19 dont 1 ministre d'État et 4 membres d'un éphémère Comité de guerre ; le ministère Clemenceau, 14. On est étonné qu'un pays en guerre ait pu être gouverné par des équipes aussi réduites, surtout si on les compare aux gouvernements modernes, mais il se rattrapait par ailleurs. Le nombre des sous-secrétariats d'État ne cessa d'augmenter : le premier gouvernement Viviani en eut 5 ; le deuxième gouvernement Viviani, 8 ; le premier gouvernement Briand, 6 ; le deuxième gouvernement Briand, 10 ; le gouvernement Ribot 13, plus 2 hauts-commissaires (auprès du gouvernement britannique pour le règlement des affaires maritimes interalliées et aux États-Unis) ; le gouvernement Painlevé, 12 ; le gouvernement Clemenceau, 14, sans compter 7 commissaires, commissaires généraux, hauts-commissaires. L'inflation du nombre de ces ministres de second rang fut la traduction de l'emprise croissante de l'État sur les divers aspects de la vie du pays. Au surplus, la stabilité

1. Voir sur cette question Pierre Renouvin (30), p. 51-85 ; Fabienne Bock, « L'exubérance de l'État en France de 1914 à 1918 », in *XXe Siècle*, juillet 1984.

du nombre des ministères cachait le gonflement de chacun d'entre eux par l'augmentation de ses directions, sous-directions, bureaux... Il fut surtout créé à côté des administrations centrales une infinité d'organismes nouveaux, baptisés suivant l'objet, les circonstances et vraisemblablement quelquefois le hasard, offices, commissions, comités qui, en plus, pouvaient être « consultatifs », « supérieurs », « mixtes », « techniques », « centraux », etc. [1]. En théorie, les « offices » disposaient d'un budget et d'un personnel d'État, alors que les caractères des comités et des commissions étaient beaucoup plus flous. En fait, la dénomination de ces organismes ne préjugeait ni de leur nature, ni de leur importance réelle. Un recensement des *principaux* comités ou commissions touchant à la guerre réalisé en février 1918 atteignit le chiffre de 281, mais ce dénombrement fut loin d'être complet... Tous ces organismes ne se sont pas occupés seulement des questions économiques. Ces comités firent souvent double ou triple emploi et entrèrent en concurrence les uns avec les autres, et cette prolifération n'alla pas sans incohérence, même si elle ne fut pas la conséquence d'une sorte d'excentricité, mais de ce qu'en temps de guerre les conditions évoluent rapidement et qu'il était nécessaire de s'y adapter.

Le fait essentiel fut la prise en main du pays par l'État, et ce passage brutal de « l'État circonscrit [2] » à l'État proliférant ne pouvait pas intervenir sans désordres.

L'intervention de l'État dans le domaine économique se fit de plusieurs façons. L'État ne se mua pas en producteur. Certes, l'industrie de l'armement était déjà en partie avant la guerre du domaine de l'État par l'intermédiaire des arsenaux et ces arsenaux se développèrent considérablement, mais ils ne représentèrent plus qu'une très faible proportion de la production. La plus grande partie de la production fut du domaine privé. L'État toutefois la contrôla puisque les commandes et le paiement, les avances pour la construction des usines nécessaires, la répartition des matières premières, les moyens de transport, en particulier maritimes, dépendaient de lui. En même temps les secteurs

1. Fabienne Bock, art. cité, p. 44.

2. Robert Delorme et Christine André, *L'État et l'Économie. Un essai d'explication de l'évolution des dépenses publiques en France (1870-1980)*, Éd. du Seuil, 1983.

où l'État réquisitionnait ou taxait ne cessèrent de se multiplier. Cette emprise de l'État ne se fit d'ailleurs que lentement, véritablement au coup par coup. Une loi du 16 octobre 1915 autorisa le gouvernement à réquisitionner le blé, la farine et le charbon pour la population civile ; une loi du 20 avril 1916 permit la taxation de certains prix. Le dirigisme économique ne fut véritablement institué que par le gouvernement Clemenceau. Toute la flotte marchande, par exemple, fut alors placée sous le contrôle du gouvernement (décembre 1917), le rationnement fut généralisé.

Le rôle de l'État n'empêcha pas une collaboration souple avec l'initiative privée, dont la manifestation la plus importante fut la création des *consortiums*. Groupements de commerçants ou de fabricants d'une même spécialité, ils centralisaient les demandes, achetaient à l'étranger les matières premières nécessaires et les revendaient aux membres des groupements, sous le contrôle de l'État. La première ébauche de ce type d'organismes fut due, en novembre 1915, à l'initiative conjointe du Comité des forges et d'Albert Thomas, alors sous-secrétaire d'État à l'Artillerie et aux Munitions. Le Comité des forges créa un service de centralisation des commandes des industriels français et un bureau à Londres les répartit entre les fournisseurs possibles. C'est ainsi que, par l'intermédiaire des consortiums, le Comité des forges obtint successivement le monopole des importations des fontes, des fers blancs, des aciers. Robert Pinot, secrétaire général du Comité des forges, apparut comme une sorte de ministre officieux de l'Industrie.

Le développement des productions de guerre s'identifia à un homme politique, le socialiste Albert Thomas, successivement sous-secrétaire d'État à l'Artillerie et à l'Équipement militaire (18 mai 1915), sous-secrétaire d'État à l'Artillerie et aux Munitions (29 octobre 1915), ministre de l'Armement et des Fabrications de guerre (12 décembre 1916). Lorsque le refus des socialistes de continuer à participer aux gouvernements contraignit Albert Thomas à abandonner ses fonctions, en septembre 1917, il le fit avec regret. Outre l'efficacité de son action pour la défense nationale, même si elle pouvait paraître paradoxale — « Un pacifiste devient un fabricant de canons », titra le *Times* [1] —, il estimait qu'il s'agissait là d'une

1. Cité par Gerd Hardach, in « La mobilisation industrielle en 1914-1918 : production, planification et idéologie », *1914-1918. L'autre front*, *op. cit.*, p. 89.

économie « organisée » qui correspondait à ses aspirations politiques et idéologiques[1]. Louis Loucheur, qui le remplaça au ministère de l'Armement, était un industriel sans attache jusque-là avec la politique, et qu'Albert Thomas avait appelé au sous-secrétariat d'État aux Fabrications de guerre. Un autre « technicien », Albert Claveille, fut sous-secrétaire d'État aux Transports dans le gouvernement Ribot, avant de devenir ministre des Travaux publics et des Transports. Cette arrivée de « ministres-techniciens » fut finalement assez restreinte, elle matérialisa cependant l'intervention de l'État dans le domaine économique.

Cette intervention se traduisit aussi par un formidable *effort de reconversion industrielle*[2]. La mobilisation industrielle commença véritablement lors d'une conférence réunissant à Bordeaux, le 20 septembre 1914, le ministre de la Guerre Millerand et les principaux industriels du pays. Il fut décidé de porter la production d'obus de 75 à 100 000 par jour (on pouvait en produire 13 000 avant la guerre et cette production était tombée à 4 000 en octobre 1914). L'objectif général était d'ailleurs moins d'accroître la production industrielle que de l'orienter différemment pour la mettre au service des fabrications de guerre. Mais cette grande transformation économique ne pouvait se faire sans matières premières et énergétiques et sans main-d'œuvre. Pour les premières, la seule solution était d'évidence l'importation. En 1915 et 1916, les importations de charbon furent à peu près équivalentes à la production nationale, 19,6 et 20,3 millions de tonnes pour une production de 19,5 et 21,3 millions de tonnes. En 1913 la production charbonnière française avait été de 40,8 millions de tonnes, mais la consommation avait été de plus de 60 millions de tonnes, c'est-à-dire que les importations n'augmentèrent pas sensiblement. Conséquence : la population civile connut de graves pénuries de charbon. En 1917 et 1918, la production nationale de charbon augmenta, 28,9 et 26,3 millions de tonnes, mais la situation ne s'améliora pas pour autant, car

1. Voir Alain Hennebicque, « Albert Thomas et le régime des usines de guerre, 1915-1917 », in *Cahiers du Mouvement social*, *op. cit.*

2. Voir particulièrement Henri Morsel, « Le choc d'une guerre mondiale », in *Histoire économique et sociale du monde* (sous la direction de Pierre Léon), Colin, t. 5, 1977 ; François Caron et Jean Bouvier, « Guerre, crise, guerre », in (92) ; Hubert Bonin (94) ; Jean-Baptiste Duroselle (29), chap. 5.

le manque de tonnage disponible conduisit à restreindre les importations. Le problème de l'acier était encore plus sérieux dans la mesure où l'on n'avait guère la ressource — comme pour le charbon — de comprimer les utilisations domestiques. Pour les quatre années 1915, 1916, 1917 et 1918, la production nationale fut de 7 millions de tonnes, soit en moyenne 1,7 million de tonnes, alors qu'elle avait été de 4,7 en 1913. Les importations permirent à peu près de compenser cette différence, 9 millions de tonnes au total, mais si en 1916 et 1917 la France importa 3 millions de tonnes d'acier, le chiffre tomba à 1,9 million de tonnes en 1918, là encore faute de tonnage.

Les problèmes de main-d'œuvre furent réglés de différentes façons. A la suite de l'arrêt presque total des activités économiques dans les premières semaines de la guerre, on avait dénombré 1 900 000 chômeurs qui retrouvèrent assez rapidement un emploi, mais c'était tout à fait insuffisant, d'autant que les fabrications de guerre nécessitaient, au moins en partie, du personnel qualifié. Les industriels réclamèrent qu'on leur rende les ouvriers dont ils avaient besoin. Une loi proposée par le député radical-socialiste des Pyrénées-Orientales, Victor Dalbiez, et votée le 26 juin 1915, avait comme objectif de faire la chasse aux « embusqués », tout en réclamant une meilleure utilisation des hommes mobilisés et des mobilisables. Dans la pratique elle fut habilement utilisée par Millerand pour obtenir qu'un certain nombre de soldats, sans cesser pour autant d'être mobilisés, soient renvoyés à l'arrière. Ce sont ainsi environ 500 000 ouvriers qui furent récupérés par l'industrie et principalement par les usines de guerre. L'état-major estima qu'il ne pouvait faire davantage. On fit donc appel à la main-d'œuvre féminine. A vrai dire la main-d'œuvre féminine augmenta moins qu'on ne le croit habituellement. En 1913, 487 000 femmes travaillaient dans l'industrie et 627 000 en 1917, mais, tandis que la main-d'œuvre féminine diminuait dans ses emplois traditionnels comme par exemple le textile, elle augmentait dans des proportions considérables dans des secteurs qui lui étaient traditionnellement fermés comme la métallurgie, tout simplement parce que les salaires y étaient beaucoup plus rémunérateurs [1]. On fit appel à des ouvriers étrangers

1. Pierre Guillaume et Pierre Delfaud, *Nouvelle Histoire économique*, Colin, t. 2, 1987, p. 21. Voir également Mathilde Dubesset, Fran-

(espagnols, grecs, chinois...), coloniaux (« kabyles », « annamites »...), à des prisonniers de guerre, mais ils étaient peu nombreux et il était en principe interdit de les employer dans la fabrication d'armements. Au surplus l'agriculture les réclamait avec force.

Dès le début de 1917, les ouvriers au travail dans les usines françaises étaient plus nombreux qu'avant la guerre. En 1918, l'industrie d'armement employait 1 700 000 ouvriers dans 17 000 entreprises contre 50 000 avant la guerre qui se répartissaient ainsi :

497 000 militaires
430 000 femmes
425 000 ouvriers civils
133 000 jeunes gens de moins de 18 ans
108 000 étrangers
61 000 travailleurs coloniaux
40 000 prisonniers de guerre
13 000 mutilés [1].

Pour réaliser les programmes successifs de fabrications de guerre, toutes les entreprises métallurgiques furent mobilisées, quelle que soit leur taille. Pour ne prendre que quelques exemples, la société Commentry-Fourchambault-Decazeville reçut une première commande de 80 000 obus à 12,50 francs pièce, tandis qu'André Citroën obtenait en janvier 1915 un marché de plus d'1 million d'obus de 75, au prix de 24 francs pièce dans une usine à créer. Dans ce cas, l'État versait une avance considérable pour la construction de l'usine et l'achat des machines. Les entreprises déjà spécialisées avant la guerre dans la fabrication des canons, comme Schneider et Saint-Chamond, reçurent des commandes, mais la plus grande partie de l'artillerie était produite par les arsenaux. Le programme des arsenaux fut de 600 canons par mois à partir de décembre 1915 [2].

Dans un certain nombre de secteurs, l'effort industriel consista

---

çoise Thébaud et Catherine Vincent, « Les munitionnettes de la Seine », in *1914-1918. L'autre front*, *op. cit.* ; Françoise Thébaud, *La Femme au temps de la guerre de 14*, Stock, 1986.

1. Gerd Hardach, art. cité, p. 86.
2. *Ibid.*, p. 86.

surtout à développer dans des proportions considérables ce qui existait déjà ou ce que l'on savait faire. La guerre fit surgir toutefois des besoins nouveaux. Comme nous l'avons vu, la mitrailleuse Saint-Étienne se révéla trop fragile, on lui substitua une mitrailleuse beaucoup plus robuste due à une firme privée Hotchkiss. L'aviation existait déjà avant la guerre, mais, au début du conflit, la France ne disposait que de 148 appareils. L'industrie aéronautique, surtout concentrée dans la banlieue parisienne, connut un développement considérable : elle employait 186 000 ouvriers en 1918 dans des firmes comme Bréguet, Morane, Voisin, Caudron, Farman... La fabrication des chars d'assaut fut en revanche tout à fait nouvelle et lancée à partir de 1916, d'abord avec les chars lourds Schneider et Saint-Chamond qui ne donnèrent pas de bons résultats, puis avec les chars légers Renault construits en grande série, plus de 3 000 en 1918.

Le véritable exploit industriel de la guerre fut la fabrication de poudres en quantités suffisantes, en raison du retard de l'industrie chimique française qui dépendait en partie de l'industrie chimique allemande. Pour Alexandre Millerand ce fut « le tour de force le plus extraordinaire » : « improviser de toutes pièces une industrie sans personnel, sans matières premières, sans même pratique de fabrication » [1]. A Toulouse, la poudrerie qui employait 200 ouvriers avant la guerre en compta 20 000, dont une grande part d'ouvrières, en 1917 [2].

Ce développement industriel provoqua un gonflement considérable de la population de certaines villes. Lyon passa de 524 000 habitants en 1911 à 740 000 en 1918, Bordeaux de 262 000 à 325 000, Bourges de 46 000 à 110 000 [3]...

Deux régions industrielles toutefois constituèrent le cœur de l'industrie d'armement : la région parisienne, dont les deux plus grosses entreprises furent Renault avec 22 000 ouvriers et Delaunay-Belleville à Saint-Denis avec 12 000, et le bassin de Saint-Étienne. La population du département de la Loire doubla entre 1911 et 1917. Dans le seul arrondissement de Saint-

1. Cité par Jean-Baptiste Duroselle (29), p. 221.
2. Pierre Bouyoux, *L'Opinion publique à Toulouse pendant la Première Guerre mondiale*, Toulouse, 1970.
3. André Armengaud, « La mobilisation de la main-d'œuvre », in (92), p. 596-597.

Étienne, 108 000 ouvriers travaillaient pour la défense nationale, répartis dans 825 usines, dont 40 employaient plus de 300 ouvriers, 17 000 aux Forges et Aciéries de la Marine à Saint-Chamond, 10 000 aux Forges et Aciéries de Firminy, plus de 12 000 à la Manufacture nationale d'armes [1]...

L'effort industriel conduisit à des rythmes de fabrication étonnants : 971 canons par mois en 1918, 261 000 obus *par jour*...

Au total, à la fin de la guerre, la France avait produit :

300 millions d'obus
6,3 milliards de cartouches
2 375 000 fusils
90 000 mitrailleuses
225 000 fusils-mitrailleurs
17 350 pièces de campagne (75)
6 750 pièces lourdes
3 870 chars
51 000 avions
90 000 moteurs d'avion
40 000 tonnes de gaz de combat

sans compter les millions de mètres de fil de fer barbelé, les millions de casques et d'uniformes, les véhicules automobiles — l'armée en possédait 170 en 1914 et en faisait circuler 180 000 en 1918 —, et une infinité d'autres équipements.

Cette immense production ne fut pas seulement destinée à l'armée française, mais aussi aux armées russe, serbe, roumaine, italienne, américaine...

Finalement l'industrie française, réputée pour sa rigidité, avait fait preuve d'une remarquable souplesse d'adaptation. En revanche, cet extraordinaire coup de fouet pour les industries mécaniques, électriques, sidérurgiques, chimiques, ne se traduisit pas par beaucoup d'innovations techniques, mis à part la production en série et l'introduction du taylorisme. Les bénéfices réalisés furent substantiels — pour faire face aux besoins l'État n'avait pas été trop regardant sur les marchés —, encore que ces bénéfices avaient permis aux groupements industriels de financer leur reconversion vers l'économie de guerre. Les bénéfices

1. Jean-Jacques Becker (26), p. 250.

augmentèrent — semble-t-il — moins vite que les chiffres d'affaires et même que les prix de gros [1]. Les grandes entreprises avaient été favorisées, et certaines effectuèrent leur percée à l'occasion de la guerre (Citroën, Peugeot, Boussac...) : l'État avait intérêt, pour des raisons d'efficacité, à traiter avec elles.

Cet immense effort dans le domaine des fabrications de guerre eut comme contrepartie l'affaissement des industries qui ne travaillaient pas pour la guerre (habillement, textile, alimentation, bois...), et vers la fin de la guerre, en juillet 1918, la production industrielle était inférieure de 5 % par rapport à juillet 1914. En définitive « la guerre n'a pas été une période de prospérité, mais de redéploiement (éphémère ?) de l'appareil productif », a conclu Hubert Bonin [2].

Outre les immenses équipements dont les combattants avaient besoin, il fallut aussi les *nourrir* ainsi que les populations civiles [3].

L'agriculture se trouva presque immédiatement dans une situation difficile par suite de la mobilisation de pratiquement les trois quarts de sa main-d'œuvre active masculine et de la réquisition du tiers des chevaux — les plus vigoureux. Deuxième raison, la campagne de 1914 puis la guerre des tranchées se déroulèrent en partie dans des zones agricoles riches, et une partie des meilleures terres resta occupée par les Allemands. Avec des ressources diminuées, il fallut faire face à une demande accrue. Par la force des choses, si la qualité de la nourriture des soldats ne fut pas toujours bonne, l'armée n'en absorba pas moins d'énormes quantités de ravitaillement. Du jour au lendemain, a remarqué Michel Augé-Laribé, des millions d'hommes qui ne mangeaient de la viande que quelques fois dans l'année en reçurent des rations de 300 à 500 grammes par jour. La ration de vin fut portée progressivement à 1 litre de vin par jour et par soldat.

La solution ne pouvait se trouver dans l'amélioration des rendements. Pour cela il aurait fallu augmenter l'utilisation des engrais dont justement la quantité disponible diminua. La potasse

1. François Caron et Jean Bouvier, « La guerre et ses conséquences économiques », in (92), p. 635.
2. Hubert Bonin (94), p. 48.
3. Voir particulièrement Pierre Barral, « Les grandes épreuves : agriculture et paysannerie, 1914-1918 », in (92), p. 823 *sq.* et (121) ; Michel Augé-Laribé, *L'Agriculture pendant la guerre*, PUF, 1925.

venait en partie d'Alsace et les autres substances chimiques nécessaires furent employées à la fabrication des explosifs.

Dans un premier temps les problèmes de main-d'œuvre furent résolus par le dévouement des femmes et par le remarquable effort de solidarité qui, comme nous l'avons vu, se manifesta dans les campagnes. Mais un tel effort ne pouvait être prolongé indéfiniment. Dans les campagnes on ne cessa de se plaindre du manque de main-d'œuvre, et partant de son renchérissement. Ce ne fut qu'en juillet 1917 qu'on renvoya chez eux les agriculteurs des « vieilles classes » âgés de 47 à 50 ans, mais entretemps de nouvelles « jeunes classes » avaient été appelées... On utilisa aussi 150 000 travailleurs étrangers et des prisonniers de guerre [1]. En ce qui concerne ces derniers, les agriculteurs, qui avaient d'abord répugné à les employer, se mirent ensuite à les réclamer à cor et à cri. Une difficulté était leur petit nombre et qu'ils étaient aussi demandés dans d'autres secteurs de l'activité économique (ports, usines...). Le droit de priorité de l'agriculture fut réaffirmé à plusieurs reprises, mais au total, à la fin de la guerre, les prisonniers de guerre utilisés dans l'agriculture n'étaient pas plus de 60 000.

Malgré tous les efforts, malgré la volonté souvent manifestée du gouvernement de ne pas laisser une parcelle de terre improductive — le ministère de l'Agriculture, Jules Méline, le proclama à la Chambre des députés en mars 1916 —, volonté qui pouvait aller jusqu'à se substituer à la carence des propriétaires, la quantité des terres cultivées diminua : 9 100 000 hectares de céréales en 1918 contre 13 500 000 en 1913, 1 292 000 pour les tubercules au lieu de 1 600 000. Pour des raisons géographiques, les productions fourragères et les vignes furent moins touchées. Moins de terres cultivées, mais aussi des rendements en diminution : 8,7 quintaux à l'hectare pour le blé en 1917 contre 13,3 en 1913, 55 quintaux de pommes de terre en 1918 contre 88 en 1913. En 1918 la production de blé n'était plus qu'à l'indice 69, celle du maïs à 45, celle de la pomme de terre à 48, celle du vin à 45, celle de la betterave à sucre à 19. L'élevage fut moins touché autant qu'on le sache, car, pour être exact, il aurait fallu faire

1. Gérard Canini, « L'utilisation des prisonniers de guerre comme main-d'œuvre, 1914-1916 », in *Les Fronts invisibles*, Nancy, Presses universitaires de Nancy, 1984.

entrer en ligne de compte, non seulement le nombre, mais le poids des animaux. Les indices correspondants furent de 85 pour les bovins, 76 pour les ovins, 61 pour les porcins [1].

Beaucoup d'efforts furent déployés pour remédier à ces résultats décevants. En novembre 1915, le ministère de l'Agriculture créait un *Comité consultatif des questions agricoles* ; en février 1916, il instituait des *comités d'action agricole* dans les communes. Des prêts furent accordés pour acheter du matériel agricole, le ministre Étienne Clémentel voulut constituer des équipes de culture mécanique munies de tracteurs fournis par l'État, mais cela ne dépassa pas 400 tracteurs. D'ailleurs l'industrie aurait été bien en peine de fournir le matériel nécessaire.

En outre, à partir de 1916, les prix agricoles commencèrent à monter sérieusement, et pour y parer, en avril, le prix de nombreuses denrées fut taxé ce qui fut peu efficace — l'État n'avait pas les moyens de faire respecter ses réglementations —, tout en provoquant de vives protestations chez les cultivateurs.

Sans que les pénuries aient été en général dramatiques, assurer le ravitaillement de la population et de l'armée devint progressivement une affaire délicate, ce qui expliqua la création d'un ministère du *Ravitaillement* dans le deuxième cabinet Briand, confié à Édouard Herriot. Ce fut aussi le premier poste ministériel du maire de Lyon entre 1916 et mars 1917, une redoutable épreuve pour lui. Obligé de prendre des mesures de restriction, devant faire face au manque de charbon alors que l'hiver était particulièrement rude, interpellé à la Chambre, conspué dans la rue, Herriot considéra que son ministère avait été « un martyre de trois mois [2] ».

Jusqu'en 1917, les pénuries purent être limitées grâce au recours aux importations. Dès le début de la guerre, les lois protectionnistes avaient été levées. De grandes quantités de céréales, de viandes, de légumes secs, de vin également, furent achetées à l'extérieur. Mais, à la suite du déclenchement par les Allemands de la guerre sous-marine à outrance, les arrivages devinrent incertains et il fallut entrer progressivement dans la voie du rationnement. Le 1er mars 1917, la carte de sucre était instituée, et,

1. Pierre Barral (121), p. 182.
2. Jean-Baptiste Duroselle (29), p. 239. Voir également Serge Berstein (159), p. 54-61.

le 1er juin 1918, la « carte d'alimentation » fut étendue à l'ensemble de la France. A divers moments, des mesures comme des jours de fermeture pour les pâtisseries, des jours sans viande, furent instituées. Dans l'ensemble — et ce fut un thème de la propagande française —, par rapport à la situation allemande, les restrictions, sauf rupture locale d'approvisionnement, ne furent pas draconiennes.

Le troisième grand problème fut celui du *financement* de la guerre [1]. Avec quoi allait-il être possible de payer des dépenses aussi gigantesques ?

Dans la mesure où — faut-il le rappeler ? — la guerre devait être courte, les responsables des finances ne prirent que progressivement conscience de l'ampleur des dépenses. Ils ne disposèrent donc pas, au moment de prendre des décisions qui engageaient l'avenir, des données du problème à résoudre, ils ne pouvaient même pas les imaginer. On ne peut l'oublier quand on analyse leurs choix, et en particulier, comme nous l'avons vu, celui du ministre des Finances, Alexandre Ribot, de faire appel à l'emprunt immédiatement mobilisable plutôt qu'à l'impôt plus long par nature à mettre en œuvre. Cela a permis à Gaston Jèze d'affirmer par la suite que « la politique financière de la France pendant la guerre restera le modèle de ce qu'il ne faut pas faire [2] », ce qui n'est probablement pas faux, et il est à remarquer que d'autres belligérants ont fait davantage appel à la fiscalité que la France, mais aucun autre État important ne s'est trouvé dans la situation de la France, et il était plus facile de voir après ce qu'il aurait fallu faire.

Une convention établie le 11 novembre 1911 entre la Banque de France et l'État prévoyait qu'en cas de guerre la Banque lui avancerait immédiatement 2,9 milliards de francs, à quoi une nouvelle convention, le 21 septembre 1914, ajouta 3,1 milliards. Par ailleurs le gouvernement avait été autorisé, dès le 5 août, à engager des dépenses sans autorisation préalable du Parlement.

1. Voir principalement Jean-Baptiste Duroselle (29), « Les finances de guerre de la France », p. 206 *sq.* ; Gaston Jèze, *Les Dépenses de guerre de la France*, PUF, 1926 ; Henri Truchy, *Les Finances de guerre de la France*, PUF, 1926.

2. Gaston Jèze, *op. cit.*, p. 107.

A la fin du conflit, la France avait dépensé en moyenne chaque année de guerre 38 milliards de francs-or (le budget annuel de l'État était en 1913 de 5 milliards), soit environ 140 milliards. Ce fut donc un peu moins de 120 milliards supplémentaires qu'il fallut trouver (des calculs faits avant la guerre considéraient que la France pourrait au maximum consacrer 20 milliards à une guerre éventuelle !), pour payer les fournitures de guerre, l'entretien des soldats, les soldes des officiers, les allocations aux familles des mobilisés. Une loi du 5 août 1914 avait accordé une allocation de 1,25 franc par jour, plus une majoration de 0,50 franc par enfant au-dessous de 16 ans, à chaque famille nécessiteuse dont le soutien était mobilisé. Dans un premier temps la distribution de ces allocations avait été sérieusement contrôlée, pour devenir progressivement très libérale.

Environ 15 % des ressources nécessaires furent demandées à l'impôt (contre 28 % en Grande-Bretagne et 14 % en Allemagne), et davantage aux contributions indirectes qu'aux contributions directes. L'impôt sur le revenu voté en 1914 (avant le début de la guerre) et mis en place en 1916 rapporta moins d'1 milliard supplémentaire jusqu'à la fin de la guerre et un impôt extraordinaire sur les bénéfices de guerre, levé sans excès de curiosité envers les déclarations faites, 1,5 milliard. Malgré tout, grâce à l'alourdissement constant des impôts indirects, plus indolores, mais qui pesaient proportionnellement bien plus sur les pauvres que sur les riches, la masse des impôts ne cessa d'augmenter.

La deuxième méthode de financement de la guerre fut d'augmenter le nombre de billets en circulation grâce aux avances de la Banque de France. Employée avec prudence par Alexandre Ribot jusqu'en 1917, elle le fut avec beaucoup moins de retenue par le ministre des Finances du gouvernement Clemenceau, le député radical-socialiste de la Somme, Louis-Lucien Klotz. Pour 1914, 1915 et 1916, cette augmentation de la masse des billets atteignit 16,3 milliards, 12,5 pour 1917 et 17,7 pour la seule année 1918, soit 46,5 milliards (sans compter les 25,5 qui vinrent s'ajouter dans la seule année 1919, une fois la guerre terminée), à comparer avec les 6 milliards de billets en circulation avant la guerre. Grâce à la collecte de l'or détenu par les particuliers, la quantité d'or conservée par la Banque de France ne diminua guère malgré les paiements faits à l'étranger, mais la « couverture» de la masse monétaire était passée de 69,4 % en 1914 à 21,5 % en 1919.

La troisième solution fut l'émission de *bons de la défense nationale* (nouveau nom pour les anciens bons du Trésor), à 3,6 ou 12 mois rapportant 5 % d'intérêt (ce qui était considérable pour l'époque). Ces bons connurent un succès d'autant plus grand que l'épargne française disposait de très vastes disponibilités qui, dans les conditions de la guerre, ne trouvaient plus à s'employer. Ces émissions auraient pu être dangereuses si les souscripteurs avaient demandé ensemble le remboursement de leurs bons, c'est-à-dire s'ils ne les avaient pas renouvelés à échéance, mais, comme le phénomène de l'inflation n'était encore guère connu, il y avait peu de chances que cela se produise. La dévaluation — réelle — des bons n'était pas perçue, et, tout en faisant œuvre patriotique, les souscripteurs pouvaient penser faire une bonne affaire. Il y eut aussi accélération de l'émission des bons de la défense nationale au fur et à mesure de la guerre, environ 22 milliards pour les années 1914, 1915, 1916 et 29 milliards pour 1917 et 1918, au total 51 milliards (sans compter 25 milliards pour l'année 1919).

Le quatrième moyen utilisé, celui des *emprunts de la défense nationale*, fut le plus célèbre, parce que leur lancement fut chaque fois entouré d'une grande solennité, popularisé par des campagnes d'affiches auxquelles les grands artistes de l'époque collaborèrent. Dessinateurs, graveurs, peintres, caricaturistes rivalisèrent d'imagination pour composer les affiches destinées à stimuler le patriotisme et la générosité : «Pour le drapeau, pour la victoire», «On les aura», «Souscrivez»! Ces emprunts étaient dits «perpétuels», puisqu'il n'était pas prévu de les rembourser — ils exigeaient donc une solide confiance dans la monnaie —, ils avaient un taux d'intérêt avantageux, 5,73 % par exemple pour le premier, et ils furent payables en bons du Trésor, et même pour le dernier avec les coupons des emprunts russes. Ces grands emprunts de la défense nationale furent au nombre de quatre (novembre 1915, octobre 1916, octobre 1917 et octobre 1918) et rapportèrent respectivement 13,3 milliards, 10 milliards, 10,2 milliards, et 22,1 milliards pour le dernier dit *emprunt de la victoire*. En réalité l'apport en argent frais fut beaucoup plus faible : 6,2; 5,4; 5,1 et 7,2 et au total seulement 24 milliards.

Ainsi les emprunts placés en France rapportèrent pour l'ensemble de la guerre 75 milliards, un peu plus de la moitié des dépenses de guerre.

Le dernier moyen de financement de la guerre fut de faire appel aux emprunts étrangers, ce qui avait l'avantage de permettre de payer les importations sans épuiser les réserves en or de la France. Le solde négatif du commerce extérieur français s'éleva dans cette période à 62 milliards. Une partie en fut payée avec des ventes d'or, avec les revenus des capitaux placés à l'étranger et la liquidation d'une partie de ces avoirs, mais principalement par des emprunts. Jusqu'en 1917, le Royaume-Uni fut le principal créancier de la France, puis ensuite les États-Unis : 15,1 milliards pour le premier, 25,4 milliards pour le second, soit au total 43,5 milliards, en ajoutant quelques emprunts à d'autres pays. Environ 4 milliards ayant été remboursés pendant la guerre, ces emprunts extérieurs s'élevaient à la fin du conflit à 39,5 milliards. Les emprunts américains avaient d'abord été consentis par les banques, en particulier par la banque Morgan, ensuite par le gouvernement américain qui empruntait lui-même aux banques.

Les cinq méthodes utilisées permirent de couvrir les dépenses de la guerre, au-delà même si on fait le total des sommes collectées. En réalité, au fur et à mesure de la guerre, le franc n'avait cessé de perdre de sa valeur, d'où la différence avec les 140 milliards de francs-or dépensés. En effet, le financement de la guerre avait provoqué de fortes poussées inflationnistes, dont la hausse des prix fut la conséquence. Relativement contenue pendant les deux premières années du conflit, la hausse des prix fut de plus en plus forte ensuite, et se poursuivit, une fois la guerre terminée. Par rapport à l'indice 100 pour 1913, l'indice des prix de gros était en 1918 de 340, celui des prix de détail de 207, le pouvoir d'achat du franc avait été divisé par 3 [1]. On avait réussi à financer la guerre, mais elle laissait derrière elle « un héritage monétaire exceptionnellement lourd, rupture de l'étalon-or, franc-papier inconvertible, circulation fiduciaire inflationniste, État fortement débiteur envers la Banque centrale, situation périlleuse du franc sur le marché des changes [2] ». En réalité les cho-

1. Henri Morsel, in *Histoire économique et sociale du monde*, *op. cit.*, p. 52.
2. Jean Bouvier et François Caron, in (92), p. 638.

ses s'étaient passées comme si les gouvernements successifs avaient été convaincus qu'ils pouvaient faire appel presque sans limites à l'esprit de sacrifice des Français, sauf sur le plan financier. Les Français étaient prêts à se faire tuer pour la patrie, mais pas à lui donner leurs biens. Ils le firent tout de même, mais d'une autre façon... par le biais de l'inflation.

4

Cohésion et crise de la communauté nationale

La cohésion nationale qui s'était manifestée au moment de l'entrée en guerre ne pouvait manquer de subir des tensions et des transformations à partir du moment où la guerre se prolongeait.

1. Les forces politiques et spirituelles et l'évolution de l'union sacrée

Les organisations politiques étaient tombées en léthargie au début de la guerre, ne serait-ce que par une conséquence mécanique de la mobilisation. La politique avant 1914 était une affaire d'hommes, et pas seulement parce que les femmes ne votaient pas. Or une grande partie des hommes avaient été mobilisés, les électeurs, mais aussi les militants et les dirigeants... Néanmoins, assez rapidement, à moins de disparaître, les forces politiques se devaient de manifester un minimum d'activité.

La principale force politique de la France d'avant la guerre, le *Parti radical*, devait son importance à la fois à son rôle politique, à sa représentation parlementaire, mais aussi à la masse de ses militants, de ses comités, de ses fédérations. Même si les liens n'étaient pas très étroits entre les parlementaires et la « base » radicale, celle-ci n'était pas dénuée d'influence sur ses représentants. Toutefois, avec la guerre, l'organisation radicale avait littéralement disparu [1]. En 1919, 15 départements seulement

1. Serge Berstein (76), t. 1, chap. 2 ; « Le parti radical-socialiste durant la Première Guerre mondiale », in *1914-1918. L'autre front*, *op. cit.*

auront reconstitué une fédération ! Les organismes centraux, comme le Comité exécutif, ne se réunissaient pas non plus. Le président du parti, Joseph Caillaux, avait été conduit à une grande discrétion... Le premier congrès du Parti radical pendant la guerre n'eut lieu qu'en octobre 1917, et encore en dépit des réticences du principal journal radical, *La Dépêche de Toulouse*, qui estimait cette réunion inopportune.

Cette quasi-disparition du Parti radical n'empêcha pas la présence de ministres radicaux dans tous les gouvernements successifs, y compris dans le gouvernement Clemenceau, mais des cinq présidents du Conseil aucun ne fut radical. Cette diminution de son influence fut due, en fait, à sa perte d'identité liée à son incapacité à se dégager de l'union sacrée lorsqu'elle changea progressivement de nature. L'union sacrée au début de la guerre avait été une « pratique » imposée par les circonstances [1], une trêve dans l'activité des partis destinée à faciliter l'exercice de la défense nationale à laquelle la presque totalité de l'opinion s'était ralliée, une trêve justifiée au surplus par la courte parenthèse à laquelle elle devait correspondre. Mais cette pratique n'était pas une idéologie et les différents courants politiques continuaient d'exprimer, certes avec modération, leurs opinions. L'union sacrée des premiers temps ne fut aucunement une capitulation devant le nationalisme, et d'une façon plus générale devant les valeurs et les références de la droite.

Par la suite, il en fut différemment : il était inéluctable qu'avec la guerre longue les oppositions qui existent dans toute société se manifestent, que les tendances politiques souhaitent de nouveau affirmer de façon plus vigoureuse leur originalité, que les groupes sociaux défendent leurs intérêts. C'est alors que l'union sacrée a pris le sens qu'on lui a donné habituellement par la suite, et qu'elle a glissé d'une pratique à une idéologie, et à une idéologie condamnant les oppositions partisanes. Elle s'est de plus en plus référée à l'idéal social traditionnel de ceux qui entendaient « conserver » l'état social existant, c'est-à-dire que la prolongation de l'union sacrée conduisait fatalement à lui donner un contenu idéologique marqué à droite.

Cette évolution inévitable s'était faite de façon d'autant plus

1. Jean-Jacques Becker. « Union sacrée et idéologie bourgeoise », in *Revue historique*, juill.-septembre 1980.

progressive qu'on n'était pas passé brutalement de la conception d'une guerre courte à la conscience d'une guerre longue. Assez paradoxalement, pendant deux ans, les Français ne s'étaient pas installés dans la guerre longue, ils n'avaient cessé de considérer que la prochaine période de trois ou de six mois verrait la fin de la guerre. Au lieu d'être une courte parenthèse, la guerre était devenue une série de courtes parenthèses. Ce fut seulement en 1917 que la conscience de la guerre longue, voire interminable, s'installa, mais entre-temps l'union sacrée avait eu le temps de revêtir ses nouveaux habits. Or le Parti radical n'avait pas su, ou pas voulu se dégager de cette interprétation de « droite » de l'union sacrée. Les radicaux s'y étaient laissé enfermer, engluer. Ce glissement des radicaux vers l'inexistence provoqua la réaction d'une certaine fraction d'entre eux contre l'orientation conservatrice de l'union sacrée lors du congrès d'octobre 1917. Un sénateur du Nord, Charles Debierre, candidat de l'aile gauche du parti, en fut élu président. Des congressistes intervinrent pour réclamer la constitution d'un gouvernement de « démocratie sociale », c'est-à-dire un gouvernement radical et socialiste, mais ces velléités restèrent sans lendemain, d'autant que les grands bastions du radicalisme du Centre et du Sud-Ouest s'étaient désintéressés de ce congrès. D'ailleurs les classes moyennes dans lesquelles se recrutait le plus clair de l'électorat radical, et qui furent la véritable armature de l'union sacrée, se retrouvaient assez bien dans les positions des dirigeants radicaux. Le discrédit moral s'ajouta à l'effacement politique avec les « affaires » qui, à la fin de 1917, firent flotter autour du Parti radical les soupçons de trahison qui atteignirent deux de leurs plus importants dirigeants, Louis Malvy et Joseph Caillaux [1]. Les députés radicaux s'en désolidarisèrent, mais le radicalisme en fut considérablement affecté. Pour éviter d'être entraînés dans l'opprobre, les députés radicaux accentuèrent encore leur identification au programme politique de la droite.

La force montante de la gauche avant 1914 était le *Parti socialiste*. Accablés par la mort de Jaurès, les militants socialistes n'en

1. Voir ci-dessous, p. 117.

avaient pas moins continué dans la voie qui aurait été la sienne — pensaient-ils —, et ils avaient adhéré pleinement à l'union sacrée, avec la caution des deux grands dirigeants survivants, Édouard Vaillant et Jules Guesde. Agé (soixante-quatorze ans en 1914), miné par la guerre, Édouard Vaillant mourait au mois de décembre 1915, mais il n'avait cessé de défendre vigoureusement les principes de l'union sacrée, même s'il n'employait pas l'expression [1]. Dans *L'Humanité* du 11 septembre 1914, il avait écrit : « Question posée [...]. Dans cet accord unanime des Français [...], le Parti socialiste n'efface-t-il pas ses traits caractéristiques et ne se confond-il pas avec les partis bourgeois dont auparavant il tenait tant à se séparer ? Réponse : en luttant pour son indépendance, la France lutte pour la paix du monde, de sorte que devoir patriotique et devoir socialiste se fortifient l'un par l'autre. »

Quant à Jules Guesde, comme on sait, il était entré dans le gouvernement à la fin du mois d'août 1914 et il y resta jusqu'en décembre 1916. Malade, il n'allait plus jouer grand rôle ensuite.

Aussitôt la mort de Jaurès, le Parti socialiste avait réorganisé ses organismes dirigeants. Un Comité directeur dans lequel Pierre Renaudel eut un rôle prépondérant avait pris la direction de *L'Humanité*. Administrateur du journal et député du Var, Renaudel fut pendant la guerre l'homme fort du Parti socialiste qui, contrairement au Parti radical, avait continué de fonctionner [2]. Les organisations de base se réunissaient ainsi que les organismes dirigeants, pour s'occuper, il est vrai, davantage de questions humanitaires que de questions politiques. C'est ainsi que la Commission administrative permanente (CAP) ne publia aucune déclaration entre le manifeste du 27 août 1914, lors de l'entrée dans le gouvernement de ministres socialistes, et le 25 décembre 1914. Les militants étaient d'ailleurs réduits à un petit nombre. De 91 000 membres en juillet 1914, le Parti socialiste n'en comptait

1. Jean-Jacques Becker, « Édouard Vaillant... », art. cité, p. 280.

2. Pour l'étude du Parti socialiste pendant la guerre, l'ouvrage central est celui d'Annie Kriegel, *Aux origines du communisme français (1914-1920)* (45). Également d'Annie Kriegel, *Le Congrès de Tours* (64), Introduction ; Madeleine Rebérioux, « Le socialisme et la Première Guerre mondiale », in (47).

plus qu'un peu moins de 24000 en 1916, 28000 en 1917[1].

Dès les premiers mois de 1915, un mouvement de contestation se développa contre la politique de la direction du parti. La première manifestation publique notable en fut la diffusion par la fédération de la Haute-Vienne d'un texte critique, le 15 mai 1915. Les socialistes de ce département ne demandaient pas la paix à tout prix, mais ils rappelaient la motion du congrès de Stuttgart de la IIe Internationale, en 1907, suivant laquelle, en cas de guerre, les socialistes devaient s'entremettre pour la faire cesser « promptement ». Une tendance se constitua alors à l'intérieur du Parti socialiste, la « minorité », dont Jean Longuet, député de la Seine et petit-fils de Karl Marx, devint rapidement la figure de proue[2].

La CAP du Parti socialiste avait rejeté la position de la Haute-Vienne, car elle estimait qu'une paix prématurée serait une simple trêve et qu'il était nécessaire d'éliminer le militarisme prussien. Lors d'un Conseil national, le 14 juillet 1915, la minorité s'abstint sur le vote de la motion finale, marquant ainsi son existence, mais en réalité elle était encore très proche de la majorité. La différence essentielle était que les uns n'avaient pas d'états d'âme dans leur participation à la défense nationale, alors que les autres, sans la mettre en cause, ne se résignaient pas à ne rien faire de tangible pour trouver une issue à la guerre. D'ailleurs le manifeste adopté par le premier congrès socialiste de la guerre (du 25 au 29 décembre 1915), qui appelait à la victoire sur l'Allemagne par les armes et refusait de reprendre des contacts avec la social-démocratie allemande, tant qu'elle n'aurait pas montré par des actes sa rupture avec la politique de son pays, fut adopté à une immense majorité, 2736 voix contre 76 et 102 abstentions[3].

Au cours de l'année 1916, toutefois, la minorité se renforça. Une motion « minoritaire » présentée par Adrien Pressemane, député de la Haute-Vienne, rassembla 960 voix contre 1996 à

1. Annie Kriegel (45), p. 242.

2. Jean-Jacques Becker, « Jean Longuet et l'union sacrée », in *Jean Longuet, la Conscience et l'Action*, Éd. de la *Revue politique et parlementaire*, 1988.

3. *Pendant la guerre, le Parti socialiste, la Guerre et la Paix* (toutes les résolutions et tous les documents du Parti socialiste de juillet 1914 à fin 1917), Librairie de *L'Humanité*, 1918, p. 129-135.

la motion « majoritaire » au Conseil national d'avril 1916. Plusieurs publications, dont *Le Populaire du Centre* à Limoges, la soutinrent, auxquelles vint s'adjoindre un hebdomadaire, *Le Populaire*, lancé le 1er mai 1916. Jean Longuet y précisa la position des minoritaires : ils étaient toujours partisans de la défense nationale, ils étaient toujours partisans de voter les crédits militaires nécessaires, ils étaient toujours partisans de l'union sacrée, mais cela ne devait pas empêcher de rechercher les voies de la paix.

La minorité socialiste fit un bond en avant à la fin de l'année 1916. Elle obtint 1 407 voix contre 1 537 à la majorité lors du congrès des 24 au 30 décembre. Le 28 mai 1917, au cours du Conseil national, elle obtenait que le parti se prononce pour la participation à une conférence internationale socialiste prévue à Stockholm, décision qui ne manquait d'ailleurs pas d'ambiguïtés. Les majoritaires s'y étaient ralliés en espérant que cette conférence permettrait surtout de faire éclater la mauvaise foi allemande et renforcerait la volonté de la Russie (où la première révolution de 1917 venait d'avoir lieu trois mois plus tôt) de rester dans la guerre. Finalement, après que l'on en eut beaucoup parlé, la conférence de Stockholm ne put avoir lieu, les gouvernements alliés ayant refusé de donner des passeports à leurs nationaux.

Cette tentative de conférence à Stockholm eut pour principale conséquence, du moins en France, de provoquer l'éclatement de l'union sacrée sur le plan politique. Le gouvernement Ribot qui refusa les passeports comprenait, paradoxalement, un ministre socialiste, Albert Thomas, mais ce fut pour protester contre le maintien de Ribot aux Affaires étrangères dans le gouvernement Painlevé qui lui succéda en septembre 1917, que les socialistes refusèrent de participer au gouvernement ! Le Parti socialiste était en réalité en pleine confusion, d'où les obscurités de son congrès d'octobre 1917 où il confirma son adhésion à l'union sacrée, tout en refusant de participer au gouvernement.

La minorité devait finalement l'emporter nettement sur la majorité lors du Conseil national des 28-29 juillet 1918 (1 544 voix à une motion Longuet contre 1 172 à une motion Renaudel), et logiquement, quelques mois plus tard, au congrès d'octobre 1918, la minorité devenait la majorité et un « minoritaire », Ludovic Frossard, fut élu secrétaire du Parti socialiste. En fait, comme l'a montré Annie Kriegel [1], le gros du Parti socialiste s'était rassemblé dans un centre, composé des ex-minoritaires et d'une bonne partie des ex-majoritaires, flanqué sur sa droite du courant social-patriote ou jusqu'au-boutiste regroupé autour d'un journal, *La France libre* — ses positions étaient assez proches de celles des nationalistes —, et sur sa gauche d'un courant révolutionnaire. Le Parti socialiste s'était pour sa plus grande part rassemblé sur une plate-forme correspondant aux idées du président américain Wilson. Le wilsonisme avait surmonté les tendances [2].

Les discussions internes des socialistes n'ont pas eu une très grande influence sur le déroulement de la guerre, car, jusqu'au bout, ils sont restés massivement partisans de la défense nationale. Les faibles nuances qui les avaient séparés concernaient plus la façon de faire la paix que celle de faire la guerre ! D'ailleurs même les militants avertis avaient quelquefois du mal à suivre des discussions souvent très subtiles, auxquelles seul un petit nombre participait. Ces tensions n'avaient pas, au surplus, empêché le Parti socialiste de conserver son unité et lui avaient permis de pratiquer l'union sacrée sans se dissoudre en elle, contrairement au Parti radical.

Comme les partis, davantage encore dans la mesure où ils étaient surtout formés d'actifs en âge d'être mobilisés, les *syndicats* avaient été vidés de leur substance au moment de la mobilisation [3]. Certains conservèrent quelques activités, mais avec des effectifs squelettiques. Un grave conflit se développa très vite parmi les dirigeants de la CGT. Le secrétaire général, Léon Jouhaux, avait accepté un titre au contenu fort vague de « délégué à la Nation ». Quand il voulut quitter Paris pour Bordeaux en même temps que le gouvernement, le secrétaire de la fédération des Métaux, Alphonse Merrheim, s'opposa vivement à cette nouvelle fonction de Jouhaux. Il ne reniait pas l'adhésion à la défense nationale, mais il considérait que cela ne justifiait pas de passer aussi vite du syndicalisme révolutionnaire à la « collaboration de classes ».

1. Annie Kriegel (45), p. 232.
2. Madeleine Rebérioux in (47), p. 633.
3. Voir particulièrement Bernard Georges et Denise Tintant, *Léon Jouhaux, cinquante ans de syndicalisme*, t. 1, *Des origines à 1921*, PUF, 1962 ; Jean-Jacques Becker (26).

L'activité la plus originale de la CGT fut sa participation au *Comité d'action*[1]. Créé à son initiative au début du mois de septembre 1914, cet organisme était composé de syndicalistes et de socialistes. Divisé en 8 commissions, il s'occupa, en collaboration avec les pouvoirs publics, d'un certain nombre de problèmes posés par les débuts de la guerre, allocations, loyers, renseignements sur les soldats blessés et prisonniers, ambulances, approvisionnements. Une commission particulièrement active se consacra aux questions du travail et du chômage (au moment où, au début des hostilités, la vie économique était arrêtée). L'originalité du Comité d'action résida dans son principe plus que dans son activité elle-même. Le Parti socialiste et la CGT entretenaient avant la guerre des rapports souvent hostiles ; or, dans le prolongement de l'attitude commune que Jaurès avait réussi à lui faire accepter à la fin de la crise de juillet 1914, c'est la CGT qui avait proposé au Parti socialiste de travailler en commun. C'était un « sérieux accroc » à la charte d'Amiens (Annie Kriegel), c'était un véritable bouleversement des rapports traditionnels en France entre parti politique et syndicat. Il aurait été évidemment assez paradoxal que syndicalistes et socialistes puissent s'asseoir à la même table que des représentants de l'Action française et ne puissent pas se rencontrer entre eux, mais les conséquences en furent considérables. Les activités pratiques du Comité d'action diminuèrent quand les pouvoirs publics furent rentrés à Paris, mais il conserva une grande importance comme organisme de réflexion sur un programme de réformes applicables pendant et après la guerre. Progressivement les syndicalistes y avaient pris un rôle déterminant au détriment des socialistes. On peut considérer que le Comité d'action fut un des médiateurs qui fit passer la majorité de la CGT de l'idée révolutionnaire à l'idée réformiste.

Pendant que la majorité évoluait vers le réformisme, une opposition à l'union sacrée se développait progressivement comprenant des socialistes à côté de syndicalistes. Dès l'automne 1914, autour du journal syndicaliste *La Vie ouvrière* et de son directeur Pierre Monatte, qui venait des milieux anarchistes, un groupe

1. Voir principalement John Horne, « Le comité d'action (CGT-PS) et l'origine du réformisme syndical du temps de guerre (1914-1916) », in *Mouvement social*, janv.-mars 1983.

se forma avec Alphonse Merrheim, Louise Saumoneau, une militante socialiste, et surtout Léon Trotski. Surpris par la guerre en Autriche, celui-ci était arrivé en France, *via* la Suisse, au mois de novembre 1914. Il devait y rester jusqu'à son expulsion à la fin de 1916 et être le véritable animateur du groupe de *La Vie ouvrière*. Cette opposition nationale à l'union sacrée se coordonna avec un mouvement international. En dépit de l'hostilité du Bureau socialiste international, deux militants, le Suisse Robert Grimm et le menchevik russe Martov, prirent, avec le concours du Parti socialiste italien, l'initiative d'une réunion internationale dans un petit village de l'Oberland bernois, *Zimmerwald*, du 5 au 8 septembre 1915. Parmi les 38 participants appartenant à 11 nationalités, il y eut 2 Français, deux syndicalistes, Alphonse Merrheim et Albert Bourderon de la fédération du « tonneau ». Les grands partis socialistes des pays belligérants, le Parti socialiste français et le Parti social-démocrate allemand, avaient refusé d'y participer. Des discussions violentes n'en opposèrent pas moins une majorité qui entendait appeler à la fin de la guerre sur la base d'une paix sans annexions et une minorité révolutionnaire. Le manifeste de Zimmerwald, malgré sa relative modération, fut rejeté par le Parti socialiste qui le trouvait contraire aux nécessités de la défense nationale. Une seconde conférence du même type eut lieu du 24 au 30 avril 1916, également en Suisse, à *Kienthal*. Trois députés socialistes français y participèrent sans l'aval de leur parti, Alexandre Blanc, député du Vaucluse, Pierre Brizon, député de l'Allier, et Jean Raffin-Dugens, député de l'Isère. Les conclusions de cette deuxième conférence furent assez semblables à celles de Zimmerwald, mais la minorité révolutionnaire s'était renforcée. Ces deux réunions eurent peu d'écho dans les pays en guerre, elles furent cependant le point de départ d'une séparation des courants réformiste et révolutionnaire dans le mouvement ouvrier.

L'existence en France d'un courant zimmerwaldien fut à l'origine de la création de deux organisations, le *Comité pour la reprise des relations internationales* en janvier 1916, comprenant à la fois des militants syndicalistes et socialistes, et le *Comité de défense syndicaliste*, qui se sépara du premier pendant l'été 1916 et était animé par des syndicalistes en général libertaires. Ces deux groupements étaient très différents de la *minorité* socialiste. Ils n'étaient pas *défaitistes*, mais ils rejetaient l'union sacrée qu'ils considéraient comme une forme de collaboration de classes et ils réclamaient la paix de façon plus déterminée. Bien davantage que la tendance Longuet, ils étaient des « pacifistes ».

Ce courant pacifiste n'obtint pas une audience considérable dans le pays ; le *Comité de défense syndicaliste* fut incapable de conquérir la direction de la CGT sur la majorité acquise à l'union sacrée. Néanmoins, en janvier 1918, le journal *La Vague* lancé par Brizon connut un succès notable, et le *Comité de défense syndicaliste* fut, comme nous le verrons, à l'origine d'importants mouvements de grève.

En fait, la CGT avait connu une évolution assez semblable à celle du Parti socialiste, la majorité prenant progressivement ses distances avec l'union sacrée et évoluant vers une position centriste. Lors de la conférence confédérale de décembre 1917, la CGT réclama une conférence internationale ouvrière pour la paix et définit une politique de défense sans concessions des intérêts ouvriers. Paradoxalement, l'évolution vers le centre de la majorité de la CGT entraîna la désagrégation de la gauche syndicale qui se divisa entre les révolutionnaires, qui entendaient imiter les bolcheviks, et les simples pacifistes comme Merrheim. Ce dernier rejoignit la majorité confédérale lors du congrès de la CGT de juillet 1918, majorité qui l'emportait par 908 voix contre 253 et 46 abstentions [1].

Au cours de la guerre, le Parti socialiste, en dépit de son idéologie internationaliste, avait majoritairement tranché en faveur de la patrie, le sentiment national avait été le plus fort. La CGT, qui avant la guerre proclamait l'inexistence des patries, avait, elle, été surtout confrontée aux problèmes de classes plutôt qu'à ceux de l'internationalisme, et assez paradoxalement il lui avait été plutôt plus facile qu'aux socialistes de choisir entre la Patrie et la Révolution. En définitive, la grande révélation de la guerre avait été le poids du sentiment national dans le monde ouvrier. Cela n'avait pas empêché le mouvement ouvrier de se déporter progressivement vers la gauche par rapport à l'union sacrée du début.

Autant la guerre et l'union sacrée furent de redoutables épreuves — presque mortelles — pour le Parti radical, des épreuves

1. Annie Kriegel (45), p. 220-221.

difficiles pour le Parti socialiste et le syndicalisme, autant elles furent bénéfiques aux *droites*. Mis à part l'Action française qu'il faut analyser séparément, sauvegarder des organisations qui n'existaient guère ne fut pas un souci pour les partis de droite. Comme l'a fait remarquer René Rémond [1], les droites de cette époque n'avaient pas constitué des formations suffisamment cohérentes ou disciplinées, suffisamment consistantes, pour qu'on puisse parler à leur égard de partis politiques. Les vrais partis se trouvaient à gauche. La droite disposait de « structures d'encadrement », de réseaux d'influence qui lui rendaient inutiles les appareils permanents. Les « partis » de droite étaient au mieux des groupements de cadres, sans militants, des associations de parlementaires. Louis Barthou, un des dirigeants de l'Alliance républicaine [2] (une formation d'ailleurs plutôt située au centre et correspondant à l'aile droite des anciens « républicains de gouvernement » des années 1880-1890), n'avait éprouvé aucune gêne à constituer, en vue des élections de 1914, une organisation particulière, la *Fédération des gauches*, dont le programme consistait à peu près uniquement à défendre les trois ans. Dans ces conditions la léthargie politique qui avait frappé au début de la guerre les partis politiques n'avait que peu d'importance pour les droites. Une exception toutefois, l'*Action libérale populaire* de Jacques Piou et Albert de Mun qui avait eu l'intention de devenir un grand parti catholique. Déjà en déclin en 1914, elle vit sa désorganisation s'accentuer. En revanche, au fur et à mesure que l'union sacrée s'identifia avec les valeurs des droites, elle leur rendit plus facile de retrouver leur place dans le système politique français. N'oublions pas qu'avant la guerre la désignation du candidat des « républicains » à la présidence de la République, candidat qui était presque toujours élu (sauf dans le cas de Poincaré d'ailleurs), se faisait dans une assemblée préparatoire dont les droites étaient exclues ! La guerre permit une double évolution. Les députés de droite parvinrent à être considérés comme des « républicains » et, de leur côté, ils perdirent leurs préventions envers une République qui était capable

1. René Rémond (79), p. 393 *sq.*, « Les droites et leurs structures ».
2. Rosemonde Sanson, « Louis Barthou, leader de l'Alliance républicaine démocratique », in *Barthou, un homme, une époque, op. cit.*, p. 103 *sq.*

de mener la guerre. Quand Barthou, par exemple, donnait sa définition de l'union sacrée — « il n'y a plus de distinctions politiques, il n'y a plus de confessions religieuses, il n'y a plus de luttes de classes [1] » —, il ne pouvait que conforter des partis de droite partisans de cet unanimisme. Les droites cessèrent de s'opposer aux gouvernements républicains, elles en devinrent au contraire le soutien le plus solide, à l'inverse d'une fraction des députés de gauche, sauf lors du renversement du gouvernement Painlevé. Ce fut la traduction politique de l'attitude de leur plus illustre représentant, Maurice Barrès, décrivant *les diverses familles spirituelles de la France* [2] communiant toutes dans la France éternelle. Un nationalisme *œcuménique* avait succédé au nationalisme *d'exclusion* de l'avant-guerre. Pour le Barrès de la guerre, les diverses « familles » étaient complémentaires les unes des autres et, « en défendant la France, elles défend[ai]ent leur foi particulière [3] ».

La guerre redonna aux partis de droite une place perdue depuis plus de trente ans ; ils pouvaient de nouveau se considérer comme la France, sauf du moins au niveau des responsabilités politiques. La participation au gouvernement de certains dirigeants catholiques fut en effet assez brève, un peu moins de deux ans comme l'a fait remarquer Jean-Marie Mayeur [4]. Denys Cochin, devenu ministre en octobre 1915, abandonnait ses fonctions en août 1917 parce qu'il estimait que l'union sacrée n'existait plus et qu'il croyait distinguer des aspects anticléricaux dans la politique du gouvernement. Aucun homme politique catholique n'accepta de le remplacer.

Pour l'*Action française* [5], le problème de sa survie ressembla à celui des partis de gauche. Organisation de militants, sans représentation parlementaire au surplus, elle aurait été condamnée à disparaître en ne se manifestant pas pendant une longue période. Malgré tout, comme les autres partis politiques, ayant adhéré

1. Louis Barthou, *Sur les routes du droit*, Bloud et Gay, 1917, p. 58.
2. Maurice Barrès, *Les Diverses Familles spirituelles de la France*, Émile-Paul, 1917.
3. Gérard Cholvy et Yves-Marie Hilaire (134), t. 2, p. 246.
4. Jean-Marie Mayeur (59), p. 245-246.
5. Eugen Weber (86).

à l'union sacrée et, même, annoncé que son journal cesserait les allusions à l'affaire Dreyfus et éliminerait les propos antisémites, elle avait été peu active dans les premiers temps. De surcroît, son pamphlétaire le plus pugnace, Léon Daudet, en voulant se mettre à l'abri d'éventuelles représailles à la suite de la mort de Jaurès, avait été victime d'un accident de voiture et contraint à l'inactivité pendant un certain temps. Au printemps 1915, les groupes de l'Action française reprirent vie. Un des dirigeants royalistes, Henri Vaugeois, entreprit une tournée de propagande en province. Ce fut toutefois principalement par l'intermédiaire de son journal, et particulièrement des articles de Charles Maurras et de Léon Daudet, que l'Action française reprit sa place dans la vie politique. Jusque-là mouvement marginal, malgré son dynamisme, elle s'installa rapidement au cœur du dispositif politique français. Elle n'hésita pas à soutenir les gouvernements même quand ils étaient dirigés par des hommes comme Briand, qui, dans un passé récent, avaient été ses cibles favorites. Il est toutefois possible que certains membres de l'Action française n'eussent pas renoncé à profiter des circonstances pour s'emparer du pouvoir, et Eugen Weber considère [1] que les perquisitions ordonnées par le gouvernement Painlevé dans divers locaux et au domicile de nombreux dirigeants au mois d'octobre 1917 ne donnèrent pas des résultats si négligeables en armes et en documents, même si l'opération fut ridiculisée par l'Action française sous le nom de « complot des panoplies ». En réalité, mais c'est l'avenir qui le montra le mieux, ni Léon Daudet, ni Charles Maurras n'étaient des hommes d'action.

Sa violence habituelle, l'Action française l'avait surtout transférée dans la dénonciation de l'ennemi intérieur. Léon Daudet dénonçait à tour de bras, le plus souvent sans la moindre preuve ou en sollicitant de façon outrancière les éléments qu'il possédait, des traîtres quelquefois vrais, mais le plus souvent supposés. En n'arrêtant pas de dénoncer, il avait des chances de viser juste de temps à autre. Au surplus, profitant de renseignements confidentiels que les sympathisants de l'Action française lui fournissaient, par un effet de retour, il pouvait faire croire en des accusations, elles, dénuées de tout fondement. Il est sûr en tout cas que le journal *L'Action française* en recueillit une assez large

1. (86), p. 128.

prospérité. Marcel Proust, André Gide, Guillaume Apollinaire... en étaient des lecteurs assidus. Ses tirages montaient, ses souscriptions obtenaient du succès. Cette aisance financière se traduisit par l'installation du journal dans des locaux plus spacieux, rue de Rome, en face de la gare Saint-Lazare.

L'Action française était devenue une véritable puissance politique. La chute de Malvy fut le résultat des coups de boutoir que lui porta Clemenceau, mais les accusations incessantes de Daudet avaient largement préparé le terrain. Dans l'accession de Clemenceau au pouvoir, Eugen Weber voit une sorte de collusion avec l'Action française, même si, dans le passé, elle l'avait insulté de la façon la plus grossière. En 1916, il n'était encore que « cette vieille hargneuse carcasse », au début de 1917, « le sinistre vieux » de *L'Homme enchaîné*, il était, à la fin de la guerre, le symbole de la force morale [1].

Comme le mouvement ouvrier, l'*Église* relevait d'une double fidélité, fidélité envers la patrie, fidélité envers la papauté [2], et il pouvait être contradictoire d'être durablement fidèle en même temps à son pays en guerre et au pape qui proclamait la nécessité de la paix. Les catholiques dans leur masse étaient patriotes, voire nationalistes, et le sentiment national leur apparut comme leur fidélité première, même s'il fallait en passer par l'obéissance à un gouvernement détesté. Cela fut quelquefois difficile. Lors des funérailles du cardinal Amette, archevêque de Paris de 1908 à 1920, un de ses mérites fut rappelé : il avait su au moment du déclenchement du conflit « grouper autour de lui tous les fidèles, leur faire oublier toutes les rancunes et les maintenir, clercs et laïques, au service du gouvernement hostile, mais régulier, qui assumait à ces heures tragiques la défense de la Patrie... ». Quant à l'obéissance au pape, elle fut davantage du domaine de l'appa-

1. (86), p. 130.

2. Jean-Jacques Becker, « Sentiment national et doubles fidélités, l'exemple de la guerre de 1914 », in *Histoire sociale, sensibilités collectives et mentalités*. (*Mélanges Robert Mandrou*), PUF, 1985. Il faut voir particulièrement Gérard Cholvy et Yves-Marie Hilaire (134) ; Jean-Marie Mayeur, « Le catholicisme et la Première Guerre mondiale », in *Francia*, 1974, t. 2 ; et Annette Becker, « Les Églises et la guerre », in Jean-Jacques Becker (26).

rence. La presse catholique se contentait de publier des textes d'origine pontificale à fort contenu pacifique, mais la censure l'en empêcha assez rapidement, ce qui régla le problème au moins temporairement.

Le Saint-Siège avait bien conscience de la situation délicate où il mettait les catholiques. Toutefois Benoît XV, successeur de Pie X mort le 20 août 1914, l'affirma avec fermeté en consistoire en 1915 : « Le pontife romain en tant, d'une part, qu'il est le vicaire de Jésus-Christ mort pour tous les hommes et pour chacun, en tant, d'autre part, qu'il est le père commun des catholiques, doit embrasser dans un même sentiment de charité tous les combattants. Il a de chaque côté des belligérants un grand nombre de fils dont le salut doit lui causer une égale sollicitude... S'il se comportait autrement, non seulement il ne contribuerait pas à la paix, mais il attirerait à la religion des aversions et des haines et exposerait à des troubles fort graves la tranquillité et la concorde intérieure de l'Église. »

Benoît XV fut particulièrement conscient du drame que vivait l'Europe. Il évoqua ainsi « le carnage affreux » (22 janvier 1915), « l'horrible boucherie qui déshonore l'Europe » (25 mai 1915), « le suicide de l'Europe civilisée » (4 mars 1916), « la plus sombre tragédie de l'humaine démence » (30 juillet 1916) [1]. A deux reprises au moins, les interventions pontificales provoquèrent des troubles importants dans la communauté catholique française : une première fois lorsque, dans une interview de juin 1915, il mit pratiquement sur le même plan le torpillage du navire britannique *Lusitania* et le blocus que les Alliés faisaient subir aux puissances centrales, « condamnant à la famine des millions d'innocents » ; une deuxième fois le 1er août 1917, quand il lança un « appel aux chefs des peuples belligérants en faveur de la paix », appel qui apparaissait favorable à l'Allemagne en raison de la « carte de la guerre » à ce moment. Dans l'opinion anticléricale, les réactions furent très vives — Clemenceau traita Benoît XV de pontife allemand —, et elles ne le furent guère moins, même si exprimées différemment, dans les milieux catholiques. Dans le premier cas, le cardinal Amette fit part au pape de « la peine profonde » des catholiques, « clergé et fidèles » ; dans le second cas, comme l'a montré Pierre Renouvin [2], dans la

1. Gérard Cholvy et Yves-Marie Hilaire (134), p. 254.
2. Pierre Renouvin. « L'épiscopat français devant l'offre de paix du Saint-Siège », in *Mélanges G. Jacquemyns*, Bruxelles, 1968.

plupart des diocèses les réactions furent rarement approbatives. Les lettres lues par le contrôle postal témoignent de l'indignation de beaucoup de catholiques. Assez paradoxalement, le pape ne fut compris, au moins pendant un certain temps, que par l'Action française. Charles Maurras, dans une série d'articles réunis dans *Le Pape, la Guerre et la Paix*, essaya d'expliquer à ses lecteurs la position pontificale [1].

C'est avec indignation également que beaucoup de catholiques réagirent face à ce qu'on appela la *rumeur infâme*. Tout au long de la guerre, des propos colportés de-ci, de-là accusèrent l'Église d'être à la fois responsable de la guerre et de vouloir la défaite de la France. C'était en fait la conséquence du thème de la guerre-expiation, de la guerre-châtiment manié un peu imprudemment par certains ecclésiastiques, expiation et châtiment pour le régime que la France s'était donné et pour les persécutions que les catholiques avaient subies. C'était aussi la conséquence de la fidélité des catholiques envers la papauté réfractée à travers le regard des autres.

En définitive, là encore, malgré des accusations souvent pénibles à supporter, malgré la nécessité de ne pas rompre avec l'obéissance due au Saint-Siège, la masse des catholiques avait choisi et maintenu sans ambiguïtés son adhésion à la patrie, sans véritablement en recueillir l'avantage que certains avaient espéré au début de la guerre, un retour massif des Français à la foi. A l'inverse toutefois du mouvement ouvrier, les catholiques se reconnurent de mieux en mieux dans l'idéologie qui était devenue peu à peu celle de l'union sacrée.

Tout ce qui était du domaine de l'écrit était soumis à la censure, ce qui, dans une certaine mesure, rend difficile l'analyse de l'attitude des *écrivains* face à la guerre et à l'union sacrée [2]. Ils ont cependant été particulièrement concernés par une première forme de guerre totale impliquant leur « mobilisation », et aussi parce que beaucoup d'écrivains furent des combattants.

1. Gérard Cholvy et Yves-Marie Hilaire (134), p. 255.
2. Geneviève Colin et Jean-Jacques Becker, « Les écrivains, la guerre de 1914 et l'opinion publique », in *Relations internationales*, hiver 1980 ; Geneviève Colin, « Les écrivains et la guerre », in Jean-Jacques Becker (26) ; Maurice Rieuneau, *Guerre et Révolution dans le roman français de 1919 à 1939*, Klincksieck, 1974.

Les écrivains pendant la guerre ont pu être divisés schématiquement en quatre catégories. Un premier groupe a été constitué de ceux qui ont estimé avoir un devoir patriotique à accomplir, qu'ils devaient, comme l'a écrit Paul Bourget en 1917, maintenir dans le pays l'*esprit de guerre*. Maurice Barrès fut le type de ces écrivains et il accomplit pendant la guerre un fantastique effort en multipliant les articles qui, à eux seuls, ont constitué les *14* volumes des *Chroniques de la Grande Guerre*. Traité par Romain Rolland de *Rossignol des carnages*, il illustra particulièrement ce courant vigoureusement nationaliste et systématiquement optimiste dans la description de la guerre, à côté d'autres écrivains, comme Henri Lavedan, André Suarès, Pierre Loti, Charles Maurras... Un deuxième groupe d'écrivains fut en fait assez proche du premier par l'inspiration. Ils décrivirent une guerre glorieuse et héroïque, où les combattants tombaient des phrases patriotiques à la bouche, mais ils ne se donnèrent pas une mission particulière. Ils sont assez bien représentés par René Benjamin dont le roman *Gaspard*, publié en 1915, obtint le prix Goncourt et connut un grand succès de librairie. Un troisième groupe d'écrivains, en général composé de combattants, n'entendit pas non plus distribuer un message, mais ils présentèrent la guerre telle qu'elle fut, sans en dissimuler les horreurs. Georges Duhamel (*La Vie des martyrs*, publié en 1917, et *Civilisation 1914-1917* en 1918), Maurice Genevoix (*Ceux de 1914*), Roland Dorgelès (*Les Croix de bois*) les représentent assez bien.

Le quatrième groupe, le moins nombreux, opposa au nationalisme et au bellicisme des premiers le pacifisme et l'internationalisme. Ce groupe, lui aussi, avait un message à délivrer. Le symbole en fut Romain Rolland, qui, de Suisse où il était installé pendant la guerre, pouvait plus facilement exprimer sa pensée. Dès le début de la guerre, son article « Au-dessus de la mêlée », publié dans le *Journal de Genève*, provoqua contre lui de vives attaques dans la presse française. Une autre figure de proue en fut Henri Barbusse qui, malgré son état de santé, s'était engagé au début de la guerre, et, après avoir été réformé, publia *Le Feu, journal d'une escouade* (1916), où il décrivait l'horreur de la guerre et à la fin lançait un appel pacifiste. Après Benjamin, Barbusse obtint le prix Goncourt et un grand succès de librairie.

On peut ajouter un cinquième groupe d'écrivains composé de ceux qui restèrent silencieux ou à moitié silencieux, pour des raisons d'ailleurs très diverses, André Gide, Marcel Proust, Paul Valéry et dans une certaine mesure Anatole France.

Au début la tendance héroïque, nationaliste, régna à peu près sans partage, mis à part Romain Rolland. Les journaux où s'exprimaient les écrivains de cette tendance, *L'Écho de Paris*, *L'Action française*, virent leurs tirages augmenter. Par la suite un rééquilibrage se produisit. Ceux qui s'interrogeaient sur la guerre, ceux qui ne rejetaient pas par principe tout message internationaliste augmentèrent leur audience. Des journaux nouveaux apparurent qui dénonçaient le *bourrage de crâne*, comme *L'Œuvre* ou *Le Canard enchaîné*, le livre de Barbusse avait déjà été vendu à 200 000 exemplaires en juillet 1918.

La position de certains écrivains évolua : Anatole France — qui en 1914, à soixante-dix ans, avait voulu s'engager ! — écrivait à ses correspondants des remarques de plus en plus acerbes sur la guerre. Même Barrès confiait, au moins à ses *Cahiers* intimes en 1918, des notes d'un pessimisme tel sur les risques de se détruire qu'encourait la nation en voulant se sauvegarder, qu'écrites par d'autres elles auraient pu passer pour du défaitisme.

Néanmoins, en se limitant à ce qui fut réellement publié sur le moment, face au nationalisme vigoureusement proclamé des uns, le pacifisme des autres apparaît comme beaucoup plus modéré. Ni Romain Rolland méfiant envers la révolution bolchevique, dont il redoutait les conséquences militaires pour la France, ni Barbusse qui écrivait en 1918 : « Les soldats font leur devoir et le feront jusqu'au bout pour des raisons plus hautes que la peur de la misère, de la souffrance et de la mort », n'entendaient accepter la défaite de la France.

Les forces politiques, spirituelles, intellectuelles du pays ne restèrent pas inertes face à l'union sacrée. Elles n'ont cessé en quelque sorte de s'adapter. Le principe essentiel de l'union sacrée — la nécessité de la défense nationale — n'a jamais été remis en cause, sauf de façon tout à fait marginale, mais, au-delà de ce principe, les mouvements de fond ont été considérables et contradictoires. Au plan politique l'évolution s'est faite de la gauche vers la droite, la droite occupant de plus en plus de terrain, en même temps que ne cessaient de grossir les forces sociales qui supportaient impatiemment la guerre. Même différence entre l'Église catholique dont les positions patriotiques se raidirent et les écrivains qui s'interrogèrent de plus en plus après l'unanimité de départ. L'importance de ces évolutions ne mit pas en cause la cohésion de la communauté nationale, elle la mina suffisamment cependant pour que, les circonstances s'y prêtant, elle puisse connaître une grave crise.

2. La crise de la communauté nationale

La crise que la communauté nationale traversa tout au long de l'année 1917 fut en même temps une crise militaire, politique, sociale, morale, sans omettre les oppositions sur les buts de guerre. Ces différentes facettes de la crise s'imbriquèrent étroitement les unes dans les autres, mais, suivant les moments, un aspect ou un autre prit une acuité particulière.

Pierre Renouvin l'avait déjà constaté : « C'est à la fin de 1916 que la lassitude commença à se manifester en France[1]... » Annick Cochet en a fait la démonstration à partir des lettres lues par le contrôle postal. « En décembre 1916, le moral des soldats du front est assombri, parfois ébranlé[2]... », a-t-elle écrit. Le sous-préfet de Bressuire, pour ne prendre que cet exemple, signalait au mois de décembre 1916 que la « lassitude » des soldats venant en permission était telle qu'elle réagissait sur le moral de l'ensemble des populations des campagnes[3]. Au sentiment de l'impossibilité de vaincre sur le front occidental à la suite des batailles de Verdun et de la Somme, étaient venues s'ajouter les mauvaises nouvelles d'autres fronts. Le 20 août 1916, la Roumanie était entrée dans la guerre aux côtés des Alliés, mais, en quelques semaines, elle avait été écrasée par une offensive combinée des Bulgares au sud et des Austro-Allemands à l'ouest qui avaient conquis une grande partie du territoire roumain, dont la capitale Bucarest (6 décembre). Au même moment, l'armée

1. « L'opinion publique et la guerre en 1917 », in *Revue d'histoire moderne et contemporaine*, janv.-mars 1968 (l'année 1917), p. 14.
2. Annick Cochet (34), p. 129.
3. AD Deux-Sèvres, 4 M 6/29.

de Salonique, commandée par le général Sarrail, avait échoué dans une tentative d'offensive.

A vrai dire, le moral des soldats s'était nettement amélioré au début de 1917, ce qui n'empêchait pas leurs vigoureuses récriminations contre les parlementaires, la nourriture, les conditions de logement au repos, le froid, les « mercantis » qui sévissaient aux abords du front, les taxations et les réquisitions supportées par les cultivateurs... Ce redressement du moral de l'armée n'était pas dû, ou très peu, à la rupture des relations diplomatiques, le 3 février 1917, des États-Unis avec l'Allemagne, suivie de leur entrée en guerre le 2 avril, mais à la préparation d'une offensive dont — assez paradoxalement — les soldats étaient assez largement convaincus qu'elle serait décisive.

Il y avait sur le front occidental 152 divisions allemandes contre 180 alliées dont 110 françaises et 63 britanniques. 83 autres divisions allemandes se trouvaient sur le front oriental. Dans ces conditions — en raison de leur infériorité à l'ouest —, les Allemands ne pouvaient espérer rompre le front allié, à moins d'y ramener l'ensemble de leurs forces après avoir contraint la Russie à sortir de la guerre, ce qui n'était pas possible à bref délai. D'où l'idée pour le nouveau commandant en chef Hindenburg et son adjoint Ludendorff d'obliger le Royaume-Uni à négocier en l'asphyxiant par une guerre sous-marine totale annoncée le 31 janvier 1917.

En revanche, le nouveau commandant en chef français, Nivelle, fort de la supériorité numérique alliée, était persuadé, en appliquant en grand les méthodes qui lui avaient permis de reprendre Douaumont, de réaliser la percée. Son plan était le suivant [1]. Pendant qu'une première offensive franco-britannique « fixerait » les forces allemandes, l'attaque principale serait déclenchée sur l'Aisne, avec comme premier objectif

1. Fernand Gambiez et Marcel Suire (37), t. 2 ; Jean Delmas (général), « L'offensive Nivelle et la crise des mutineries », in *Images de 1917*, Musée d'histoire contemporaine et Bibliothèque de documentation internationale contemporaine, 1987 ; Henry Contamine, « De quelques problèmes militaires de 1917 » ; Guy Pedroncini, « Les rapports du gouvernement et du Haut Commandement en France en 1917 », in *Revue d'histoire moderne et contemporaine*, janv.-mars 1968 ; John Horne, « Information, opinion publique et l'offensive Nivelle du 16 avril 1917 », in *Images de 1917*, *op. cit.*

la conquête de la crête du *Chemin des Dames* par le groupe d'armées du général Micheler, comprenant l'armée du général Mangin à qui un rôle essentiel était dévolu. Mangin, le véritable vainqueur de Douaumont, était profondément admiré par le général Nivelle. Après que ce groupe d'armées eut réussi à forcer le passage et que l'artillerie lourde eut écrasé très en profondeur les arrières allemands, une armée « réservée » relaierait les premiers attaquants pour exploiter la percée.

Au plan technique, une innovation importante devait être l'emploi de chars d'assaut. Les Anglais avaient été les premiers à utiliser cette nouvelle arme en septembre 1916. En France, l'initiateur en avait été le colonel, puis général Estienne qui avait, non sans mal, réussi à imposer son idée.

L'offensive Nivelle rencontra, avant même d'avoir commencé, deux obstacles. Le premier fut la décision prise par le général Ludendorff de raccourcir le front allemand dans le but de diminuer le nombre des divisions en ligne. A partir du 11 mars, les Allemands se replièrent d'environ 40 kilomètres entre Arras et Soissons, modifiant ainsi complètement le terrain d'assaut prévu. Nivelle n'envisagea pas pour autant de retarder son attaque. Deuxième obstacle, une grande partie des généraux français, en particulier le général Pétain, mettaient tout à fait en doute la possibilité pour Nivelle de réussir, et dans les milieux politiques on partageait largement ce point de vue. Painlevé, ministre de la Guerre depuis le 20 mars 1916, n'avait aucune confiance dans le commandant en chef.

De très nombreuses réunions et conciliabules divers, officiels ou officieux, entre généraux et hommes politiques, et dont l'autorité du commandant en chef sortit très atteinte, eurent lieu avant que la décision de maintenir l'offensive fût prise.

Comme prévu, l'attaque britannique débuta le 9 avril dans la région d'Arras, et la grande attaque française sur le Chemin des Dames le 16 avril. Mais il apparut très vite que, malgré quelques succès obtenus au prix de très lourdes pertes, l'objectif recherché, la percée, était impossible à atteindre. En quinze jours, l'armée française avait perdu 147 000 hommes, dont environ 40 000 morts et 90 000 blessés. Plus de la moitié des chars engagés à Berry-au-Bac avaient été détruits. Sous la pression du gouvernement, le 15 mai, l'arrêt définitif des opérations était décidé et le général Nivelle cédait le lendemain son commandement au général Pétain [1].

Ce dernier était appelé au commandement d'une armée en pleine crise d'« indiscipline », comme il fut dit pudiquement. En fait l'armée était en partie mutinée [2]. Les premiers symptômes de désobéissance collective se manifestèrent dès le 17 avril, conséquence des pertes très lourdes subies le premier jour de l'offensive. « Les combattants avaient eu l'impression que le 16 avril avait été un jour de massacre », a écrit Jean-Baptiste Duroselle [3]. Mais, plus que tout autre, l'élément déclencheur des mutineries a été la fantastique désillusion entre les espoirs inconsidérés mis dans l'offensive Nivelle et la brutalité de l'échec. Les mutineries se développèrent principalement au mois de mai et de juin, pour ensuite s'apaiser progressivement. Il y eut encore des actes collectifs d'indiscipline au mois de janvier 1918, mais le mouvement était devenu à ce moment et depuis longtemps tout à fait marginal. On a dénombré 250 « mutineries » affectant 68 divisions (rappelons que l'armée française comptait alors 110 divisions sur le front occidental). 5 divisions furent particulièrement touchées, la 5e division d'infanterie, récemment encore commandée par le général Mangin, arrivant en tête du palmarès par le nombre et la gravité des actes d'indiscipline. Dans la plupart des cas, toutefois, ni une division, ni même un régiment ne furent affectés en entier. Au total, autant qu'il soit possible d'en faire un décompte — combien d'officiers ont fait le silence sur ce qui se passait pour éviter d'en être considérés comme responsables ? —, on a dénombré 40 000 « mutins », une minorité assez faible des effectifs combattants. La principale zone des mutineries s'étendit entre Soissons et Reims, mais il y en eut également — plus rarement — à l'est de Reims et à l'ouest de Soissons. Ce fut le secteur où s'était déroulée l'offensive du Chemin des Dames qui fut le plus concerné.

Un certain nombre de mutins défilèrent en brandissant des drapeaux rouges, en chantant *L'Internationale*, en criant « Vive la

1. Voir Guy Pedroncini (38).

2. Guy Pedroncini (35). Voir aussi Jean-Pierre Azéma, in « Pétain et les mutineries de 1917 », in *L'Histoire* (14-18, mourir pour la Patrie), janvier 1988.

3. Jean-Baptiste Duroselle (29), p. 173.

paix ! ». Des officiers furent insultés, et au moins un général, le général Bulot de la 41e division d'infanterie, gravement menacé. Dans une division on agita l'idée de marcher sur Paris. Toutefois la plupart des mutineries se traduisirent seulement par le refus de monter en ligne ou d'attaquer, les revendications des soldats portant sur l'arrêt des attaques sanglantes et vaines et sur l'amélioration de leurs conditions de vie, en particulier du régime des permissions. Les abandons de poste au sens plein du terme furent très rares, les soldats en ligne ne refusaient pas de se défendre, et on a relevé un seul exemple d'une unité qui ne voulut pas se porter au secours d'une autre unité en difficulté. La plus grande part des incidents se produisirent d'ailleurs à l'arrière.

La hiérarchie militaire affirma que ces actes d'indiscipline étaient dus à la mauvaise influence de l'arrière sur les combattants, en mettant en cause, comme le général Franchet d'Esperey, « l'humanitarisme », ou encore la faiblesse du pouvoir politique et très particulièrement du ministre de l'Intérieur Malvy, et enfin l'action pacifiste des « socialistes ». La propagande pacifiste n'était effectivement pas absente à l'armée, mais elle était faible, et ce ne fut pas dans les unités où elle était la plus présente que les mutineries se produisirent. L'analyse sociale ou politique des mutins poursuivis devant les conseils de guerre a montré que leurs origines sociales étaient d'une très grande variété, plutôt rurales, ce qui correspondait à la majorité des fantassins, et qu'il n'y avait guère de socialistes parmi eux. Le nouveau commandant en chef, le général Pétain, ne partageait d'ailleurs pas l'avis de ses pairs. Dans la recherche des causes de mutineries, il n'éliminait pas les facteurs extérieurs, mais pour lui les facteurs internes à l'armée, sans omettre les « fautes » de commandement, étaient les plus importants. Cette conviction orienta le choix des solutions qu'il mit en œuvre. Il fit mener une répression ferme — l'indiscipline ne pouvait être admise quelles qu'en soient les justifications. 3 427 condamnations furent prononcées dont 554 à la peine de mort, et au moins 49 exécutions eurent certainement lieu, auxquelles on peut en ajouter 18 avec moins de certitude. Mais, en plus de la décision d'arrêter les opérations offensives, il prit toute une série de mesures pour améliorer les conditions de vie des soldats : égalité stricte des tours de permission (10 jours tous les 4 mois), meilleures conditions de voyage des permissionnaires qui étaient particulièrement scandaleuses — certains passaient une grande partie du temps de permission en attente dans les gares —, meilleurs cantonnements au repos, meilleure nourriture, multiplication des coopératives militaires pour faire pièce aux « mercantis », mesures qui répondaient aux protestations des soldats.

Guy Pedroncini a synthétisé de la façon suivante les résultats de ce qu'il appelle l'« intermède Nivelle » : la percée était toujours impossible, d'autant que l'infanterie, après être restée si longtemps dans les tranchées, n'avait plus les qualités manœuvrières qui auraient été nécessaires. La possibilité d'un commandement unique, partiellement admise par les Anglais en faveur de Nivelle, s'était dissipée et le Haut Commandement français se trouvait amoindri à la fois par rapport aux Britanniques (qui continuèrent d'ailleurs d'attaquer pendant une grande partie de 1917) et par rapport au gouvernement. Ce double échec était en outre accompagné dans le pays d'« une crise du moral dont les mutineries ne [furent] que l'aspect le plus inquiétant [1] ».

La crise de 1917 fut ensuite une crise sociale [2] qui en fait se manifesta la première.

A la fin de 1916, l'activité syndicale — en demi-sommeil depuis les débuts de la guerre — avait connu une très nette reprise. Toutefois, jusqu'alors les mouvements de grève avaient été rares, et le nombre de grévistes très limité, 11 583 dans le département de la Seine au cours de 1916 [3]. En revanche, à peine l'année 1917 commencée, le 8 janvier, les ouvrières de deux maisons de couture, *Agnès*, rue Auber, et *Bernard*, rue de l'Opéra, se mirent en grève. Les « cousettes » réclamaient une augmentation de 1 franc par jour. En même temps des grèves avaient lieu dans

1. Guy Pedroncini, « Trois maréchaux, trois stratégies ? », in *Guerres mondiales et Conflits contemporains*, *La France dans la Grande Guerre*, janvier 1987, p. 52-53.

2. Voir Annie Kriegel (45), p. 157 *sq.* ; Jean-Jacques Becker (26), « Les grèves du printemps 1917 » ; Christine Morel, *Le Mouvement socialiste et syndicaliste en 1917 dans la région parisienne*, diplôme d'études supérieures, Paris, 1958 ; en attendant l'achèvement par Jean-Louis Robert de *Ouvriers et Mouvement ouvrier (août 1914-juillet 1919) : le cas parisien*.

3. Jean-Louis Robert, « Les grèves parisiennes (août 1914-juillet 1919) », in *Colloque du Groupe international des grèves*, Cortone, 1986. Annales de l'Institut Feltrinelli (à paraître).

des usines travaillant pour la guerre, comme Panhard-Levassor, Vedorelli-Priestlez, Malicet et Blin. Là encore ce sont les ouvrières qui lancèrent le mouvement, bientôt suivies par les ouvriers « civils », tandis que les ouvriers mobilisés ne s'associaient pas à ces grèves — au moins par prudence. Dans ces usines, les revendications étaient plus fortes, de 0,40 à 0,50 franc de l'heure. La plupart de ces mouvements furent très brefs, terminés rapidement par un compromis, encore qu'ils aient pu, pour les cousettes, s'accompagner de manifestations dans la rue et de heurts sérieux avec la police. Le conflit le plus long fut celui de Panhard, commencé en décembre et qui ne s'acheva que le 17 janvier. L'agitation sociale se fit sentir également dans d'autres secteurs, dans le bâtiment, chez les employés du gaz ou des transports parisiens...

Le gouvernement avait réagi très vite aux grèves dans les usines de guerre. Le ministre socialiste, Albert Thomas, institua un salaire minimal et une procédure d'arbitrage obligatoire en cas de conflit (17 janvier), qui rencontra d'ailleurs l'hostilité de la CGT, toutes tendances confondues, dans la mesure où cela pouvait apparaître comme une limitation du droit de grève.

Cette flambée sociale, même de faible ampleur, avait surpris puisque c'était la première fois que les ouvriers transgressaient véritablement la sorte d'interdit moral de faire grève en temps de guerre, surtout dans des entreprises travaillant pour la défense nationale. Elle pouvait toutefois s'expliquer. Jusqu'à la fin de 1916, si la hausse des prix ne s'était pas fait exagérément sentir, elle avait tout de même entraîné une baisse du niveau de vie de 10,5 % environ par rapport à 1914.

Malgré le rapide affaissement du mouvement de grève, encore que les soubresauts ne manquèrent pas dans les semaines suivantes, le feu continuait à couver sous la cendre, ne serait-ce qu'en raison de l'accélération de la montée des prix. L'indice du coût des 13 denrées alimentaires principales, qui, à Paris, n'était passé que de 100 en juillet 1914 à 136 en janvier 1916, après avoir connu une certaine stabilisation au cours de l'année 1916, sauta de 139 en janvier 1917 à 183 en juillet. Entre avril et juillet 1917, le rythme annuel d'augmentation fut de 100 %.

Le 1er mai témoigna de l'importance de la fermentation. Alors que les 1er mai 1915 et 1916 étaient passés à peu près inaperçus, à la surprise générale (y compris celle des syndicats) le nombre de grévistes fut important le 1er mai 1917. Un meeting convoqué par le *Comité de défense syndicaliste* de tendance pacifiste réunit entre 5 000 et 10 000 personnes. La réunion fut même suivie d'une manifestation de rue tumultueuse.

Quelques jours plus tard, le 11 mai, ce fut encore une maison de couture, *Jenny*, qui donna le signal de la grève, bientôt suivie par l'ensemble de la profession, 40 maisons et 10 000 grévistes. A la haute couture se joignaient toutes les corporations dont l'activité était plus ou moins en rapport avec l'habillement. Des employés de banque, des auxiliaires de la fonction publique dans certains ministères se mettaient également en grève. A l'extrême fin du mois de mai et au mois de juin, le mouvement gagnait les établissements qui travaillaient pour la défense nationale, entreprises fabriquant des équipements comme les casques ou les masques à gaz, usines de constructions aéronautiques particulièrement nombreuses dans la région parisienne. Au total 131 000 grévistes en mai-juin dans la région parisienne. Des grèves éclataient aussi dans d'autres régions de France ; on connaît bien, grâce à Pierre Bouyoux, celles qui au mois de juin à Toulouse affectaient particulièrement la poudrerie et la cartoucherie [1].

Le nombre de grévistes pourrait paraître faible, mais, comme en janvier, ces mouvements n'entraînèrent que rarement les ouvriers « mobilisés » — cela ne se produisit qu'à la fin de l'année 1917 et surtout en 1918 —, d'où la place considérable tenue par les femmes, même dans la métallurgie. Une grande partie de la spécificité de ces grèves leur a été due. Assez étrangères jusque-là au mouvement syndical, leurs grèves furent la plupart du temps spontanées — l'intervention de syndicats n'ayant lieu qu'après l'arrêt du travail —, très brèves, aucunement coordonnées, encore que ces ouvrières pratiquaient volontiers le « débauchage » dans les autres entreprises et la manifestation dans la rue, ce que ne faisaient pas les hommes. Leurs revendications étaient uniquement d'ordre professionnel, augmentation de salaire et obtention de la « semaine anglaise ».

Beaucoup de ces grèves se terminèrent par la satisfaction au moins partielle des revendications, et d'autant plus rapidement

1. Pierre Bouyoux, *L'Opinion publique à Toulouse pendant la Première Guerre mondiale*, *op. cit.*

que les pouvoirs publics faisaient vivement pression sur les entreprises privées pour qu'elles se montrent compréhensives, afin que la défense nationale ne fût pas compromise. Pour tous ceux qui les ont étudiées, ces grèves n'ont à peu près pas eu de caractère politique et n'ont été l'occasion, ni de mots d'ordre pacifistes, ni de mots d'ordre révolutionnaires.

Les manifestations du 1er mai avaient pourtant prouvé qu'une fraction — certes limitée — du monde ouvrier commençait à être sensible à des arguments politiques, et il peut paraître étrange de n'en retrouver aucune trace dans ce mouvement de grève. Jean-Louis Robert a montré [1] qu'on peut distinguer deux périodes différentes dans les grèves de mai-juin 1917, et qu'à partir du 30 mai les grèves, plus masculines, affectèrent davantage les usines de guerre, et que les revendications professionnelles étaient moins mises en avant. Pour lui, cette seconde vague de grèves ne fut pas de même nature que la première : elle eut une tonalité politique encore peu perceptible, mais qu'il faut mettre en rapport avec la vague de découragement qui touchait alors le pays.

La troisième crise de ce printemps 1917 fut une crise du moral. On la connaît particulièrement bien, car, au mois de juin, le ministre de l'Intérieur, Louis Malvy, inquiet de la situation des esprits, avait invité l'ensemble des préfets à établir un rapport sur l'état moral des populations de leur département. L'ensemble de ces rapports constitue une très significative photographie de l'opinion [2]. Première remarque : le moral des Français était très divers d'une région à l'autre et, dans un même département, d'un groupe social à un autre. A l'homogénéité de la première période de la guerre, s'était substitué un véritable kaléidoscope. Le moral était jugé bon dans *3* départements, assez bon dans *30*, médiocre dans *29*, et mauvais dans *8*, mais, pour les seuls citadins, il était médiocre ou mauvais dans *44* départements, soit *plus de la moitié de la France*. Outre la région parisienne, cette baisse du moral affectait un bloc particulièrement compact de

1. Jean-Louis Robert, art. cité.

2. Service historique de l'Armée de terre, 16 N 1538 ; Jacques Lacombe, *Le Moral des Français en juin 1917 d'après les rapports des préfets*, maîtrise d'histoire, Paris-X, 1984.

départements de l'Aube à la Méditerranée, englobant les principales régions de fabrication de matériel de guerre, Saône-et-Loire, Rhône, Loire... Situation d'autant plus inquiétante, dans certains cas, que les autorités ne disposaient que de forces de police extrêmement réduites : à Bourges, par exemple, le préfet ne se déclarait pas inquiet, il faisait néanmoins remarquer que dans une agglomération où, à la faveur de la guerre, la population avait bondi de moins de 50000 à 120000 habitants, il n'y avait que *12* agents de police « fatigués et âgés »... !

Les rapports des préfets insistaient particulièrement sur l'attitude du monde ouvrier. Sauf dans les départements où l'activité industrielle était négligeable, tous en faisaient mention et s'interrogeaient sur la signification des mouvements de grève. Ils considéraient de façon unanime que la hausse des prix — sans omettre que, là où la population ouvrière avait considérablement grossi, les conditions de logement étaient souvent très mauvaises — était la raison de cette poussée sociale. En revanche, les traces de défaitisme dans ces mouvements étaient très réduites, même si, en province, ils avaient souvent pour animateurs des ouvriers révolutionnaires venus de la région parisienne ou du Nord [1].

En fait il y avait une certaine ambiguïté dans les réponses des préfets, voire des contradictions. Aucun ne croyait au risque proche de mouvements révolutionnaires, mais ils pensaient aussi que la situation pouvait évoluer rapidement. Comme le résumait le préfet de l'Isère : « J'estime que la situation actuelle, tant au point de vue moral qu'au point de vue social, sans être inquiétante, est loin d'être bonne et qu'elle doit être envisagée comme sérieuse... »

La grande majorité des paysans restait vivement préoccupée par le manque de main-d'œuvre, ils supportaient mal les réquisitions. En contrepartie, les prix élevés des produits agricoles leur apportaient certaines satisfactions et étaient favorables au maintien d'un assez bon moral. Il n'y avait pas de crise dans les campagnes. Il n'y avait que 6 départements où les populations rurales étaient taxées d'un « mauvais » moral. La « lassitude » était pour-

1. Jean-Louis Robert, « Luttes ouvrières en France pendant la Première Guerre mondiale », in *Cahiers d'histoire de l'Institut Maurice-Thorez*, 1977, 4e trimestre.

tant profonde. La résolution du début avait fait place à la résignation.

Il est plus difficile de synthétiser l'attitude des classes moyennes : beaucoup de préfets n'en faisaient pas mention dans leurs rapports, ne serait-ce qu'en raison de leur extrême diversité. Les fonctionnaires — les familles continuaient à recevoir le traitement des mobilisés — souffraient de l'augmentation des prix. Pour les professions libérales, pour les employés des entreprises privées, les familles des mobilisés avaient perdu l'essentiel de leurs ressources, mal compensées par les soldes d'officiers, les grades des officiers réservistes étant en général peu élevés. De nombreux propriétaires avaient été atteints par le moratoire sur les loyers établi au début de la guerre pour les familles des mobilisés. La situation des commerçants était très variable, difficile dans les petites villes, meilleure et souvent prospère dans les grandes où la guerre avait rassemblé de grandes concentrations d'ouvriers. En moyenne, s'il est vrai que le patronat industriel réalisait souvent de très gros bénéfices, vite considérés comme « scandaleux », des fractions importantes de la « bourgeoisie » souffraient matériellement [1]. En revanche, quelle que soit également leur lassitude, quelles que soient leurs souffrances des atrocités de la guerre, ils avaient « conscience des valeurs en jeu » (André Latreille). Malgré le nombre des deuils, ils restaient très fermes.

Il n'y avait pas en juin 1917, à la lecture des rapports des préfets, de véritables risques d'éclatement de la communauté nationale. Son épine dorsale, les classes moyennes, tenait ferme. Néanmoins l'aspiration à la paix avait fait de très grands progrès. Faisant la recension de toutes les manifestations pacifiques en 1917, Jean-Baptiste Duroselle a pu parler de « tornade pacifiste », mais qu'en fut-il réellement au niveau de la masse de la population ? D'après le contrôle postal [2], l'immense majorité de l'opinion souhaitait la paix. Néanmoins les partisans de la paix *à tout prix*, c'est-à-dire les *défaitistes*, étaient très minoritaires, et leur nombre ne cessa de diminuer au cours de l'été après une pointe au mois de juin. Les partisans d'une *paix blanche*

1. Adeline Daumard, « La bourgeoisie française au temps des épreuves. 1914-1950 », in (92).
2. Archives du SHAT 7 N 985. Les synthèses réalisées par la commission du contrôle postal de Bordeaux sont particulièrement utiles.

étaient nettement plus nombreux, mais leur proportion diminua aussi pendant l'été. Quant aux partisans d'une paix *victorieuse*, ils représentaient toujours beaucoup plus que les deux catégories précédentes réunies. Mais plus nombreux encore étaient ceux qui ne disaient pas le type de paix qu'ils souhaitaient, et dont il est plus difficile d'interpréter la position. L'opinion, restée massivement patriote et confiante jusqu'au printemps 1917, avait sans aucun doute évolué. Elle était encore en majorité favorable à la paix par la victoire, mais, dans la balance entre l'idée de paix et l'idée de victoire, la place de cette dernière avait considérablement faibli. En outre, la minorité qui était « pacifiste » à des degrés divers était loin d'être négligeable.

Pendant l'été le moral était remonté — effet de la belle saison, arrêt des opérations offensives et retour à l'ordre de l'armée, apaisement du climat social —, mais il fléchit de nouveau au mois de septembre à l'approche du quatrième hiver de guerre. Cette inquiétude de l'opinion était d'abord le résultat des événements de Russie. La Révolution de février 1917 avait été bien accueillie par l'opinion : pour le camp des « démocraties », l'alliance avec le tsarisme était toujours apparue comme une tache par rapport aux idéaux qu'elles prétendaient défendre, mais plus encore l'opinion publique en France était convaincue qu'à un pouvoir incapable et soupçonné de germanophilie se substituerait un gouvernement efficace et capable de mener la guerre avec énergie. Il avait fallu assez vite déchanter, et au cours de l'été l'opinion française avait pris conscience qu'on ne pouvait plus guère compter sur l'allié russe. Il n'y avait pas eu besoin d'attendre la révolution d'*Octobre* pour comprendre que tout le poids de la guerre allait retomber sur le front occidental. Quelques semaines plus tard, la débandade de l'armée italienne à *Caporetto* (24 octobre) ne fit que rendre encore plus sombre la situation militaire, d'autant qu'on savait maintenant que le concours américain ne serait pas appréciable, du moins sur le champ de bataille, avant de nombreux mois...

Le dernier aspect de la crise de 1917 fut la *crise politique*. Elle prit racine dans la question des *buts de guerre* [1]. Entre

1. Voir Pierre Renouvin, « Les buts de guerre du gouvernement français (1914-1918) », in *Revue historique*, janv.-mars 1966.

août 1914 et juillet 1916, le gouvernement français avait évité d'en parler. Un consensus existait sur le retour de l'Alsace-Lorraine à la France. Comme l'a dit Marc Bloch [1], approuvé par Pierre Renouvin : « L'image de l'Alsace-Lorraine surgit brusquement, dès les premiers combats de 1914, de l'ombre discrète où, quelques jours plus tôt, on la voyait encore ensevelie. » En d'autres termes, alors qu'on ne pensait plus guère à la possibilité de recouvrer l'Alsace-Lorraine, la revendication de sa restitution apparut comme l'objectif sur lequel il ne pouvait y avoir aucun compromis. Ce fut en dehors des milieux gouvernementaux que des hommes comme Barrès firent allusion à la possible conquête de la rive gauche du Rhin. En revanche, à partir de juillet 1916, le gouvernement, présidé alors par Aristide Briand, s'engagea dans la voie de la définition de buts de guerre et les services de la censure n'empêchèrent plus les journaux d'en parler. Il n'y eut aucun débat parlementaire sur la question, mais différentes éventualités furent envisagées concernant la Sarre, la rive gauche du Rhin..., et le gouvernement souhaita des échanges de vue avec ses alliés, qui eurent lieu au moins avec la Russie peu de temps avant la révolution. Celle-ci et l'échec de l'offensive Nivelle firent immédiatement passer à l'arrière-plan une discussion sur les buts de guerre qui ne paraissait plus guère d'actualité. Dès son arrivée à la tête du gouvernement (20 mars 1917), Alexandre Ribot affirma, dans sa déclaration ministérielle, que la France voulait obtenir la restitution de l'Alsace-Lorraine « avec les réparations et les garanties nécessaires », mais en répudiant tout « esprit de conquête », formule contre laquelle Raymond Poincaré l'avait d'ailleurs mis en garde. En réalité ce passage à l'arrière-plan des « buts de guerre » n'était pas sans rapport avec le fait que, d'après les documents allemands, « une fraction importante du personnel politique songeait à la négociation avec l'Allemagne sans le dire ouvertement [2] ».

1. Marc Bloch, *L'Étrange Défaite*, Éd. Franc-Tireur, 1946, p. 155. Nous avons de notre côté montré que les mobilisés ne sont partis ni pour la Revanche, ni pour l'Alsace-Lorraine, mais simplement pour faire face à l'agression (voir Jean-Jacques Becker [22], chap. 5, p. 329 *sq.*).

2. Jacques Bariéty (compte rendu d'André Scherer et Jacques Grunewald, *L'Allemagne et les Problèmes de la paix pendant la Première Guerre mondiale*, t. 2 (1er février-7 novembre 1917), PUF, 1966, in *Revue historique*, avr.-juin 1968, p. 460. Voir également t. 1 (août 1914-31 jan-

C'était le cas de Joseph Caillaux au moins depuis 1916 — l'essoufflement économique et démographique des belligérants devrait les mener au compromis, estimait-il [1] —, c'était le cas de certains députés radicaux-socialistes qui eurent des contacts avec des émissaires allemands, ce fut le cas également d'Aristide Briand dans son projet de rencontre avec un diplomate allemand pendant l'été 1917, le baron de Lancken, ce fut aussi celui de Paul Painlevé en septembre 1917 alors qu'il était président du Conseil. Beaucoup plus qu'avec Caillaux, c'est avec Briand et Painlevé que les Allemands eurent un moment le sentiment qu'ils pourraient trouver une solution. En réalité tout cela était fort illusoire, dans la mesure où il n'était pas question du côté allemand de renoncer à l'Alsace-Lorraine [2].

Ces tentatives de contact restèrent d'autant plus secrètes qu'au même moment éclataient de véritables affaires de trahison marquées par l'arrestation du député radical-socialiste Turmel, d'un aventurier, Bolo, et d'un journaliste, Almereyda, qui avaient des liens avec Joseph Caillaux. Or, entre le contact exploratoire et la trahison, l'opinion, aiguillonnée par Léon Daudet et *L'Action française* [3], ne faisait guère la différence. Elles n'en étaient pas moins la traduction des doutes qui agitaient le monde politique, et un des éléments majeurs de la crise politique.

La démission du cabinet Aristide Briand avait été un peu fortuite — son ministre de la Guerre, le général Lyautey, avait provoqué la colère des députés en affirmant qu'on ne pouvait tout dire, même en comité secret, à moins d'« exposer la défense nationale à des risques ». Elle marquait déjà pourtant une « crise de confiance », comme l'a fait remarquer Jean-Marie Mayeur [4]. Les deux gouvernements suivants, gouvernement Ribot (20 mars 1917-7 septembre 1917) et gouvernement Painlevé

---

vier 1917) et l'article de Jacques Bariéty sous le même titre in *Revue historique*, avr.-juin 1965.

1. Jean-Claude Allain (155), p. 80.
2. Voir particulièrement Guy Pedroncini (50).
3. Alfred Kupferman, « Le rôle de Daudet et de *L'Action française* dans la contre-offensive morale (1915-1918) », in *Études maurrassiennes*, 1973.
4. (59), p. 244.

(12 septembre-13 novembre 1917), ne durèrent au total qu'un peu moins de huit mois. Une telle instabilité en période de guerre était évidemment signe d'une grave crise politique.

Ces deux gouvernements eurent une vie difficile. Dans le premier, orienté pourtant au centre droit, l'inamovible ministre de l'Intérieur, le radical-socialiste Louis Malvy, fut la cible de ceux qui le tenaient pour responsable du développement du pacifisme. Devant le Sénat réuni en comité secret, Clemenceau, le 22 juillet, l'attaquait très violemment, l'accusant de couvrir les menées pacifistes et d'avoir des liens avec des anarchistes et des antimilitaristes comme Almereyda. Ceci expliquait, affirmait l'orateur, qu'il n'ait pas voulu appliquer le *Carnet B* en 1914. Il terminait son discours véhément en lançant au ministre : « Je vous reproche de trahir les intérêts de la France [1]. » L'arrestation d'Almereyda (4 août), accusé d'intelligence avec l'ennemi, puis son suicide en prison dans des conditions troubles (20 août), acculaient bientôt Malvy à la démission (31 août), suivie de celle de l'ensemble du gouvernement. Le gouvernement Painlevé qui lui succédait avait un chef marqué à gauche, puisqu'il était républicain-socialiste, et il était d'ailleurs presque uniquement composé de radicaux et de républicains-socialistes ; il fut pourtant immédiatement en butte à l'hostilité de la gauche de l'assemblée, les socialistes et une fraction des radicaux. Pour la première fois depuis le début de la guerre, les socialistes refusèrent de participer au gouvernement, ce qui signifiait une rupture de l'union sacrée au moins au niveau politique. Les socialistes reprochaient à Painlevé d'avoir conservé comme ministre des Affaires étrangères Alexandre Ribot, qui avait refusé de leur délivrer les passeports nécessaires pour participer à la conférence socialiste internationale prévue à Stockholm. En fait ce gouvernement était très fragile. Quelques semaines plus tard, il était le premier et le seul de la guerre à être renversé, lorsqu'il demanda l'ajournement d'une interpellation sur les affaires judiciaires en cours.

Raymond Poincaré mit fin à la crise en se résignant à appeler à la direction du gouvernement Georges Clemenceau. Il le détestait, il craignait son caractère impulsif et il n'était pas sûr de la rectitude de son jugement, mais il n'avait plus le choix, ayant épuisé les autres possibilités, et il était convaincu également que

1. Georges Bonnefous (58), p. 303.

la violence des attaques de Clemenceau rendrait impossible la tâche de tout autre.

Depuis le début de la guerre, Clemenceau, dans son journal *L'Homme libre*, devenu *L'Homme enchaîné* après ses démêlés avec la censure, et en tant que président de la commission de l'Armée au Sénat, n'avait cessé de critiquer avec la plus grande vigueur à peu près tout ce qui se faisait. Tout au long de l'année 1917, dans les 306 articles qu'il écrivit en 332 jours entre le 1er janvier et le 16 novembre [1], il avait changé progressivement de registre : « Aux attaques contre les hommes en place, pour faiblesse, inertie, mollesse, absence de ligne politique, vont succéder, à partir de juin, et surtout avec le grand discours du 22 juillet, des accusations beaucoup plus graves [2]. » Clemenceau n'avait pas encore l'immense popularité qu'il allait connaître par la suite, mais, pour une opinion qui progressivement s'était reprise et pour les milieux politiques, il apparaissait comme l'homme indispensable.

Malgré l'hostilité particulièrement affirmée de la majorité des socialistes, Clemenceau obtint une très large majorité à la Chambre des députés, 418 voix contre 65 (dont 64 socialistes) et 40 abstentions (les autres socialistes et un certain nombre de radicaux). La majorité de Clemenceau était donc sensiblement déportée sur la droite, mais il composa son gouvernement essentiellement avec des radicaux. Clemenceau instaura un style de gouvernement moderne, à la fois autoritaire et personnalisé, tout en se soumettant autant de fois que nécessaire (comme nous le verrons) au contrôle du Parlement. Une caricature dans *Le Canard enchaîné* [3] montrait successivement Clemenceau en président du Conseil, en ministre de la Guerre, en ministre de la Justice, de la Marine, des Affaires étrangères. Présentée de façon humoristique, c'était l'idée que, dans ce ministère, il n'y avait que Clemenceau. Il était d'ailleurs vrai qu'il avait choisi, dans l'ensemble, des ministres assez pâles, en ne faisant appel à aucun ténor du Parlement. Laissant à ses ministres l'administration des affaires courantes [4], il gouverna avec un petit nombre de très

1. Jean-Baptiste Duroselle, « Le difficile avènement de Clemenceau », in *Historiens et Géographes*, juill.-août 1987.
2. *Ibid.*, p. 1520.
3. 28 novembre 1917.
4. David R. Watson (157), p. 275 *sq.*

proches collaborateurs, les sous-secrétaires d'État à la présidence du Conseil, Jules Jeanneney (Guerre) et Édouard Ignace (Justice militaire), son chef de cabinet civil, Georges Mandel, son chef de cabinet militaire, le général Mordacq, le préfet de police, Raux, ses secrétaires, Jean Martet et Georges Wormser. Il réunissait rarement le Conseil des ministres, préférant voir les ministres individuellement ; il n'informait guère le président de la République qui le constatait avec une certaine amertume [1]. Peut-on pour autant parler de l'établissement d'une sorte de dictature ? Sans aucun doute la forme démocratique fut respectée. Certes la censure contre laquelle Clemenceau avait tant protesté fut maintenue. D'après les instructions du 28 novembre 1917, elle devait être plus rigoureuse que jamais à propos des informations militaires, des grèves, du pacifisme, de la paix civile, mais en revanche « la liberté de discussion » était rétablie en matière politique, y compris en ce qui concernait les attaques contre les personnes. La censure était donc un peu desserrée, mais, sous la direction de Georges Mandel, elle devint plus cohérente, plus systématique dans de nombreux domaines.

Dès son accession au pouvoir, Clemenceau mit en application deux des formules de sa déclaration ministérielle : « Je fais la guerre » et « Le pays connaîtra qu'il est défendu ». L'ancien président du Conseil Joseph Caillaux, qui pouvait incarner une paix de compromis, était poursuivi dès le 11 décembre et arrêté le 14 janvier 1918. Clemenceau avait jeté toute son autorité dans la balance : « le gouvernement ne resterait pas une minute de plus », si la Chambre s'opposait aux poursuites [2]. L'ancien ministre de l'Intérieur, Louis Malvy, avait été entre-temps déféré devant la Haute Cour, à sa demande d'ailleurs. La peur que Clemenceau inspirait à certains parlementaires n'était probablement pas étrangère à leur soutien, mais ce n'était vraisemblablement que marginal. Comme le soulignait Pierre Renouvin : « La France est parmi les grands États belligérants » celui qui est resté « le plus fidèle à ses principes constitutionnels [3] ».

1. Raymond Poincaré (167), p. 391.
2. Gaston Monnerville, *Clemenceau*, Fayard, 1968, p. 578.
3. Pierre Renouvin (30), p. 147.

Militaire, sociale, morale, politique, la crise du printemps 1917 est devenue « classique », alors que la « rechute » de l'automne est restée beaucoup moins présente dans le souvenir historique. Cette différence tient à plusieurs causes. La première — considérable dans un pays en guerre — est que l'armée ne fut pas affectée. Le comportement des militaires en permission — qui avait tant frappé l'opinion — n'avait cessé de s'améliorer : tenue redevenue correcte, discipline à peu près observée, cas d'ivresse moins fréquents, incidents dans les trains et les gares rares. Des rapports du mois de décembre attribuèrent même un *moral élevé* aux soldats, supérieur à celui de l'*élément civil.*

La seconde, le calme social. Dans les entreprises, le travail avait repris normalement. Selon certains observateurs, ce calme était précaire et ils n'étaient pas persuadés que la crainte des ouvriers mobilisés d'être renvoyés au front et les augmentations de salaires seraient suffisantes très longtemps pour le maintenir. Effectivement, ce fut au mois de novembre 1917 qu'éclata pour la première fois un mouvement de grève dans la première région française d'industries de guerre, celle de Saint-Étienne qui jusqu'alors était restée en dehors des mouvements sociaux, et immédiatement s'y mêlèrent revendications syndicales et pacifisme. Quant à l'opinion globale, les appréciations que les observateurs portaient sur elle étaient fort contradictoires.

Dans ces conditions, il ne semble pas que l'on puisse parler d'une nouvelle crise à l'automne 1917, mais plutôt de l'établissement d'un nouvel équilibre caractérisé par la *morosité patriotique* : la prolongation de la guerre était déplorable, toutefois il n'y avait pas moyen d'y mettre fin parce qu'il n'était pas possible de vaincre, et qu'il restait toujours hors de question pour la grande majorité des Français d'accepter la défaite.

La masse de la population était donc résignée à continuer de *tenir* et, plus que d'un enthousiasme patriotique, le gouvernement Clemenceau était l'expression de cette volonté. Le vieillard de soixante-seize ans qui venait de prendre la direction du pays s'était refusé à faire le moindre geste pour demander le pouvoir parce qu'il « n'était pas sûr qu'au point où nous en sommes, nous ne puissions nous tirer de là [1] ». Pessimiste et inébranlable, il était véritablement l'homme de cette situation.

1. Jean Martet, *Le Silence de M. Clemenceau*, Albin Michel, 1929, p. 22-24, cité par Jean-Baptiste Duroselle, art. cité.

5
Le « dernier quart d'heure »

« La Russie nous trahit, je continue de faire la guerre. La malheureuse Roumanie est obligée de capituler, je continue de faire la guerre, et je continuerai jusqu'au dernier quart d'heure, car c'est nous qui aurons le dernier quart d'heure », s'écriait Georges Clemenceau le 8 mars 1918.

Cette certitude qu'il essayait d'insuffler à ses auditeurs, il ne pouvait quelquefois manquer d'en douter dans son for intérieur. Le 23 mars, au plus fort de l'offensive allemande, il disait à son chef de cabinet militaire, le général Mordacq : « ... il faut vraiment avoir l'âme fortement chevillée pour avoir encore confiance[1]. » Dans ce début de l'année 1918, à plusieurs reprises, la situation put paraître en effet presque désespérée.

1. L'ombre de la défaite

Lorsque s'ouvrit l'année 1918, l'issue de la guerre restait tout à fait incertaine et aucun des belligérants ne se serait risqué à en prévoir le terme. Dans chacun des deux camps, après l'échec des ébauches de contacts de 1917, la volonté de ne pas négocier était totale, sans que pour autant l'un ou l'autre eût possédé une supériorité lui assurant la certitude de la victoire. Pour les puissances centrales comme pour les Alliés et associés (Wilson avait voulu que les États-Unis soient seulement les associés de la France et du Royaume-Uni et non leurs alliés), la stratégie à suivre était pourtant claire.

Du côté allemand, à la suite de l'armistice conclu le 15 décembre avec la Russie soviétique, puis du traité signé le 3 mars 1918

1. Henri Mordacq (général) (170), p. 228.

à Brest-Litovsk, le commandant en chef Hindenburg et son quartier-maître général Ludendorff pouvaient espérer ramener à l'Ouest suffisamment de troupes du front oriental pour y disposer ainsi d'une large supériorité numérique. Du côté allié, en revanche, on ne pouvait guère espérer compter avant la seconde moitié de l'année 1918 sur des renforts importants de troupes américaines, d'autant que le commandant du corps expéditionnaire américain, le général Pershing, se refusait à intégrer ses forces dans les unités françaises et anglaises et souhaitait qu'elles soient utilisées de façon autonome, ce qui nécessitait encore davantage de temps.

Dans ces conditions la stratégie des Allemands devait être d'essayer de profiter de leur avantage momentané pour forcer la victoire, tandis que celle des Alliés devait être d'attendre que l'arrivée sur le champ de bataille de troupes américaines de plus en plus nombreuses leur assurent la supériorité et leur donnent la certitude que toutes les divisions « usées » pourraient être remplacées au fur et à mesure.

En ce début de 1918 [1], les Allemands disposaient sur le front français de 197 divisions dont 84 en réserve contre 175 divisions alliées dont 57 en réserve, donc d'une supériorité numérique assez sensible, à vrai dire en partie compensée par leur infériorité matérielle, en canons, en avions et surtout en chars : les Alliés avaient 3 000 chars contre 40 ! Le commandement allemand n'avait pas cru à cette arme nouvelle, et par ailleurs l'infériorité économique de l'Allemagne commençait à faire sentir ses effets et aurait rendu difficile de produire des chars en quantités suffisantes.

En revanche, Ludendorff avait mis au point une méthode d'attaque qui fit ses preuves. Pour la première fois depuis quatre ans (au moins sur le front occidental), il allait réussir à percer véritablement le front adverse. La méthode (inspirée de ce qui avait été réussi plusieurs fois sur le front oriental, dans les Balkans ou à Caporetto) consistait à attaquer par surprise après une préparation d'artillerie très brève. Sans souci de plans préétablis, des groupes d'assaut et des groupes de combat relativement autonomes allaient de l'avant et ne se préoccupaient pas d'alignement ou de liaison les uns avec les autres, en poussant

1. Fernand Gambiez et Marcel Suire (37), p. 164 ; Piero Melograni (42), t. 2, chap. 6, « La battaglia di Caporetto », p. 379 *sq*.

là où la résistance était la moins forte. C'était en quelque sorte la création d'un phénomène de marée montante qui permettait d'envelopper les nœuds de résistance plutôt que d'essayer de les briser de vive force, en se réservant de les submerger par la suite. De même Ludendorff ne s'encombrait pas d'une idée stratégique précise, la stratégie était subordonnée à la tactique : les attaques menées successivement dans des secteurs adverses faibles devaient provoquer l'écroulement général de l'adversaire. La faiblesse du système est qu'il exigeait beaucoup de savoir-faire des unités engagées, et que ce ne fut pas toujours le cas.

Une *première offensive* se déroula entre le 21 mars et le 5 avril sur le front de la Somme, tenu par les forces anglaises, et aboutit à la création d'une grande poche d'une profondeur d'une soixantaine de kilomètres, qui arrivait à proximité immédiate d'Amiens.

Une *deuxième offensive* eut lieu en Flandre sur le front de la Lys, tenu également par les Anglais et des troupes portugaises, entre le 8 et le 29 avril.

A l'issue de ces deux offensives, les pertes anglaises en hommes et en matériel étaient considérables, tandis qu'une partie notable des divisions françaises de réserve avaient dû être utilisées pour rétablir la situation. Avant de porter le coup de grâce à l'armée britannique, Ludendorff estima nécessaire une grande offensive contre l'armée française, afin d'« aspirer » vers le sud les réserves alliées que les dernières batailles avaient ramenées vers le nord.

Cette *troisième offensive* fut déclenchée le 27 mai sur le front du Chemin des Dames et les combats durèrent jusqu'au 15 juin. Franchissant rapidement l'Aisne, s'emparant de Soissons, les troupes allemandes atteignaient la Marne : en quelques jours, elles avaient établi une poche large de 70 kilomètres et profonde de 50. Les Allemands étaient de nouveau à 60 kilomètres de Paris que Pétain pressait le gouvernement de quitter.

Du côté allié, l'imminence du péril avait permis la réalisation du commandement unique : aussi étrange que cela puisse paraître, après plus de trois ans de guerre, les forces françaises et anglaises combattaient côte à côte, mais en quelque sorte chacune de leur côté. Au moment de l'offensive Nivelle d'avril 1917, les forces anglaises avaient été momentanément placées sous commandement français, et, en novembre 1917, un Conseil supérieur de guerre interallié (CSG) et un Conseil naval interallié avaient été créés. En janvier 1918, un Conseil exécutif du CSG, présidé par Foch, et comprenant le général britannique Wilson, le général américain Bliss et le général italien Cadorna, avait été constitué, mais ce n'était pas un organe de commandement. En fait il apparaissait impensable, pour des raisons d'ailleurs différentes, que des généraux français et britanniques combattent sous les ordres les uns des autres. Nécessité allait faire loi, et, lors de la conférence de Doullens le 26 mars réunissant chefs politiques et militaires alliés, à un des moments les plus tragiques pour l'armée britannique, les Anglais acceptaient le principe d'une coordination confiée au général Foch. Dans les jours suivants les pouvoirs de Foch furent précisés et augmentés, et, le 14 mai, il reçut le titre de « commandant en chef des forces alliées en France ». Les chefs des armées nationales, Pétain pour la France, Haig pour l'Angleterre, pouvaient toutefois en appeler à leurs gouvernements respectifs. Plus que du côté britannique, les réticences venaient maintenant du côté de Pétain, non pas sur le principe du commandement unique, mais sur les conceptions stratégiques du commandant en chef. Foch était persuadé que le prochain coup de boutoir allemand affecterait à nouveau le front britannique, alors que Pétain était convaincu que, après avoir aidé massivement les Anglais autant qu'il avait été possible (envoi de 40 divisions), il ne fallait pas découvrir Paris. Effectivement, l'offensive du 27 mai avait donné raison à Pétain et surpris complètement Foch. Les conséquences du « Caporetto français » ne furent relativement limitées que grâce à l'habile défensive de Pétain, malgré, là encore, des divergences avec certains de ses subordonnés. Le général Duchêne, commandant la 6e armée, appuyé par Foch, n'avait pas accepté, contrairement à ses ordres, de ne pas livrer bataille sur sa première position [1].

1. Sur ces questions, voir Jean-Baptiste Duroselle (29), p. 271 *sq.* ; Fernand Gambiez et Marcel Suire (37), p. 151 *sq.*, et surtout Guy Pedroncini (38), et « Trois maréchaux, trois stratégies », in *Guerres mondiales et Conflits contemporains (La France dans la Grande Guerre)*, n° 145, janvier 1987.

Les erreurs du général Foch avaient été l'occasion d'un vif débat parlementaire. Des interpellations socialistes sur l'offensive allemande du 27 mai étaient venues en discussion à la Chambre des députés le 4 juin. Clemenceau se refusa à engager un débat en pleine bataille et à désavouer les chefs militaires responsables. L'ajournement des interpellations fut voté par 377 voix contre 110, des socialistes en grande majorité (85) et un certain nombre de républicains-socialistes et de radicaux [1].

Le président du Conseil fit preuve dans cette période d'une immense activité, faisant front à la Chambre quand c'était nécessaire, n'hésitant pas à se rendre devant les commissions autant de fois qu'il le fallait, posant la question de confiance et obtenant toujours à peu près le même score, l'opposition ne dépassant guère la centaine de voix, principalement socialistes. Clemenceau fit de nombreux voyages au front pour rendre visite aux soldats, mais surtout pour aller dans les quartiers généraux, rencontrer les généraux et les hommes politiques britanniques. En fait, avec le concours de son chef de cabinet militaire, le général Mordacq, Clemenceau participa directement à la conduite des opérations. Jean-Baptiste Duroselle a compté que, entre le 16 novembre 1917 et le 11 novembre 1918, il a consacré à cette tâche 90 jours sur 360, soit un tiers de son temps [2].

Comment, dans cette période tragique, l'opinion avait-elle réagi ? Rentrant de la conférence de Doullens, le général Mordacq avait noté dans son journal : « En arrivant à Paris, nous apprîmes que pendant toute la journée, un véritable vent de panique avait soufflé dans les couloirs du Palais-Bourbon [...]. Dans Paris d'ailleurs le moral était bas : les rues se vidaient, l'on se précipitait vers les gares, les trains partaient bondés [3]. » Les raids de « gothas » sur la capitale avaient commencé dans la nuit du 30 au 31 janvier — 36 morts et 200 blessés dès ce premier raid — et durèrent pendant toute une partie de l'hiver et du printemps. Le 8 mars, le ministère de la Guerre, où les Allemands pouvaient supposer que le président du Conseil résidait, était tou-

1. Georges Bonnefous (58), p. 394.
2. Jean-Baptiste Duroselle (156), p. 655.
3. Henri Mordacq (170), p. 246.

ché pendant que 60 personnes périssaient étouffées ou piétinées dans la station de métro Bolivar. A partir du 23 mars, un obusier de 420 mm capable d'envoyer des projectiles à plus de 100 kilomètres commençait à tirer sur Paris à partir de la forêt de Saint-Gobain : surnommé (à tort d'ailleurs) la « Grosse Bertha » — c'était un autre canon qui avait été ainsi baptisé —, un de ses obus atteignait l'église Saint-Gervais en plein service du Vendredi saint, le 29 mars 1918, faisant 91 morts.

D'une façon générale les bombardements et les mauvaises nouvelles ne provoquèrent pas des effets de panique : une angoisse très forte sans doute, même de l'affolement qui précipita des milliers de personnes vers les gares au mois de mars, mais par la suite plus de calme : certains rapports font état de la fermeté des Parisiens. Fermeté tout de même relative, et les statistiques des chemins de fer montrent un gonflement considérable des départs, en particulier au mois de juin : une lente hémorragie de la population de la capitale se produisit, avec des poussées plus fortes de temps à autre. Les offensives allemandes du printemps s'accompagnèrent d'un certain affaissement du moral des Parisiens (comment aurait-il pu en être autrement ?), mais sans esprit de capitulation [1]. Le moral de la province, qui n'était pas soumise à la pression matérielle et psychologique des bombardements, avait assez faiblement subi les effets des offensives victorieuses allemandes. L'attitude la plus générale semble avoir été faite à la fois de résignation, d'indifférence au détail des événements et aussi de confiance.

Le témoignage peut-être le plus remarquable de cette confiance fut, aux pires moments du printemps 1918, le départ d'une nouvelle classe de « conscrits » dans de bonnes conditions. 1918 ne renouvelait pas 1917. La volonté de « tenir » n'était pas entamée. Le sentiment que le pays était maintenant dirigé d'une main ferme n'y fut pas étranger.

Ce fut paradoxalement pourtant le moment où une agitation de caractère révolutionnaire se développa véritablement pour la première fois depuis le début de la guerre. Là encore, 1918 ne fut pas 1917. L'attitude des ouvriers, en particulier ceux des usi-

1. Jean-Jacques Becker (26), « Le moral des Français en 1918 », p. 282 *sq*.

nes de guerre, fut une sérieuse préoccupation. Comme nous l'avons vu, la géographie industrielle de la France avait été profondément bouleversée, et, en dehors de la région parisienne, le bassin de la Loire était devenu le principal secteur de fabrication de matériel de guerre. Son arrêt prolongé aurait asphyxié l'armée [1]. Or, au mois de mai 1918, de graves troubles se produisirent dans les usines d'armement de la région parisienne et du bassin de la Loire [2], ainsi d'ailleurs que dans d'autres régions. Dans la région parisienne, la grève débutait aux usines Renault le 13 mai et faisait boule de neige. Dès le lendemain, il y avait plus de 100 000 grévistes dans la métallurgie parisienne, en particulier dans les usines d'aviation. Lorsque les délégués des grévistes votèrent la reprise du travail, le 18 mai, la grève débuta dans le bassin de Saint-Étienne après plusieurs mois d'une agitation de plus en plus forte. Très rapidement la grève gagna tout le bassin, mais, faute de soutien dans le reste de la France, le mouvement perdait de son intensité, et, le 28 mai, il était terminé. Dans ce même mois de mai, des grèves souvent très brèves, ou des périodes de grande agitation, eurent lieu en Seine-Inférieure, dans la Nièvre, à Bourges, à Lyon, dans le Gard... Le nombre d'ouvriers qui ont participé à ces mouvements fut souvent considérable.

Ce vaste mouvement social est resté assez largement ignoré, en particulier par l'historiographie, prouvant l'efficacité de la censure même *a posteriori* ! Il fut très différent de ceux de 1917 : pas d'aspect folklorique que le rôle des cousettes et une participation principalement féminine avaient pu donner l'année précédente, des catégories d'ouvriers et des régions géographiques autres et surtout des motivations très différentes. Les revendications salariales en furent à peu près absentes. Grèves *pour la paix*, grèves *jusqu'à la paix*, fut-il proclamé. Dans les discours des meneurs, la phrase révolutionnaire et les allusions à la révolution bolchevique furent fréquentes. Dans le bassin de la Loire,

1. Général Gouze, in *Revue historique de l'Armée*, 1963.
2. Jean-Jacques Becker (26), « Les ouvriers en 1918 », p. 235 *sq.* ; « Les classes populaires françaises et la guerre de 1914 », in *Bulletin du Centre d'histoire de la France contemporaine* (Université de Paris-X), n° 7, 1986. Voir également Jean-Louis Robert, « Les grèves parisiennes, août 1914-juillet 1919 », in *Colloque d'histoire internationale des grèves*, *op. cit.*

on fut quelquefois plus proche du début d'une insurrection que d'une grève traditionnelle.

Ces grèves n'avaient pas été « spontanées » : elles avaient été organisées par le Comité de défense syndicaliste, même s'il n'avait pas réussi à les coordonner comme il l'espérait.

L'attitude d'une fraction de la classe ouvrière face à la guerre était en train de se modifier substantiellement. Une vague révolutionnaire avait commencé à grossir, et elle était le fait de la catégorie ouvrière la plus directement impliquée dans les fabrications de guerre. Son échec fut d'abord le résultat de l'habileté du gouvernement. Bien loin de réprimer avec brutalité, au risque de provoquer des réactions imprévisibles, les représentants du gouvernement, le ministre de l'Intérieur Jules Pams, le sous-chef de cabinet du président du Conseil, Théophile Barnier, envoyé dans la Loire pour superviser les opérations, manœuvrèrent avec une très grande souplesse, faisant preuve de patience et de prudence. Ils avaient apprécié à sa juste valeur le caractère explosif de la situation. L'échec fut dû ensuite à l'étroitesse de la base sociologique du mouvement, presque uniquement le fait de métallurgistes, les autres corporations ouvrières, sauf dans quelques cas les mineurs ou des ouvriers des entreprises de textile, restant en dehors. Redoutable parce qu'il concernait au premier chef les usines d'armement, le mouvement trouvait aussi sa faiblesse dans ce qu'il n'avait pas assez recherché la participation des autres ouvriers, sans compter l'hostilité très nette du reste de la population... quand elle était informée. Néanmoins il fut principalement victime de ses ambiguïtés. Mettre fin à la guerre dans les circonstances présentes signifiait accepter la défaite devant l'Allemagne. Or, si les dirigeants étaient très vraisemblablement *défaitistes*, ils n'estimaient pas possible de le dire, conscients que les ouvriers qui les suivaient, certes sensibles au discours pacifiste, n'auraient pas accepté le discours défaitiste. Ce ne fut d'ailleurs pas par hasard si ces grèves, qui débutèrent après la fin de la deuxième offensive allemande, cessèrent au moment où commençait la troisième offensive. Le mouvement de grève a eu lieu dans un moment de moindre danger sur le front. Cette contradiction fut perçue dès l'époque et explique l'hostilité à ces grèves du syndicaliste « pacifiste » Alphonse Merrheim, et l'ironie des dirigeants majoritaires de la CGT envers des slogans comme « la grève jusqu'à la paix », dont ceux qui les lançaient ne voulaient pas tirer les conséquences logiques.

Après cette poussée de fièvre — en fonction aussi de la très grande inquiétude provoquée par la troisième offensive allemande —, le climat s'améliora considérablement dans les usines de guerre : un rapport du 12 juin 1918 sur celles de la région parisienne soulignait que « l'état d'esprit est excellent et le rendement égal, sinon supérieur à la moyenne [1] ».

2. Le retournement et la victoire

Les succès beaucoup plus importants que prévus obtenus par Ludendorff lors des trois premières offensives le conduisirent à changer ses plans. L'opération de diversion devenait l'opération principale et il décidait de lancer une nouvelle offensive dans la même partie du front tenue par l'armée française. Il avait estimé qu'il pouvait profiter de ses dernières victoires pour réduire le saillant de Reims, et — qui sait ? — faire écrouler le front français. Ce nouvel assaut devait débuter le 15 juillet. La bataille suscita tant d'espoirs du côté allemand qu'il avait été prévu que l'empereur Guillaume II viendrait y assister du haut d'un observatoire. Mais, contrairement aux offensives précédentes, sa préparation fut décelée. Quand les Allemands passèrent à l'attaque, ils ne parvinrent à progresser que faiblement, même si, à l'ouest de Reims, ils franchissaient la Marne. La surprise vint du côté français où la 10e armée, confiée au général Mangin (privé de commandement depuis l'échec du Chemin des Dames en 1917), avait reçu l'ordre de se préparer à contre-attaquer sur le flanc de l'adversaire le 18 juillet. Le général Pétain estimait prématurée cette contre-offensive et entendait conserver toutes ses forces pour protéger la route de Paris, mais le général Foch maintint son plan.

Le 18 juillet, sans préparation d'artillerie, 16 divisions, dont 3 américaines, débouchaient de la forêt de Villers-Cotterêts, enfonçaient les lignes allemandes et obligeaient les forces adverses à repasser la Marne et à se retirer en direction de l'Aisne. Cette *deuxième victoire de la Marne* a marqué le tournant décisif de la guerre, au plan numérique parce que la véritable entrée en ligne

1. Archives de la Préfecture de police, B a 1587.

des troupes américaines assurait chaque jour davantage la supériorité aux Alliés, au plan stratégique parce qu'elle leur a permis de reprendre l'initiative qu'ils ne perdirent plus, au plan technique par l'utilisation moderne des chars et de l'aviation.

Pratiquement ignorée au début de la guerre, l'aviation n'avait cessé de jouer un rôle croissant [1], et depuis 1916 aucun commandement ne mésestimait plus son importance. Tout au long de la guerre, les Alliés et les Allemands n'avaient cessé de prendre l'avantage à tour de rôle, mais, en 1918, la maîtrise de l'air était à peu près totale pour les Alliés, et en particulier pour la France, dont l'industrie aéronautique employait 186 000 ouvriers. Pendant la seule année 1918, l'industrie française produisit 24 652 avions et 44 563 moteurs ! Au plan strictement militaire, après bien des tâtonnements dans l'emploi de l'aviation, le 14 mai 1918, une division aérienne rassemblant 600 avions avait été créée qui prit une part directe à la deuxième bataille de la Marne.

Les troupes du général Mangin, lors de leur contre-offensive du 18 juillet, avaient en outre été précédées et accompagnées par plus de 1 000 chars, surtout des chars légers Renault. C'était leur premier emploi en masse.

Après la défaite du 18 juillet [2], le général Ludendorff sut qu'il n'avait plus la possibilité de vaincre à court terme, et il renonça à l'offensive qui était préparée dans les Flandres. En revanche il estimait que les Alliés n'étaient pas non plus en mesure de mener des offensives dangereuses. Il repoussa en conséquence les avis de ceux qui, comme le fils de Guillaume II, le Kronprinz de Prusse, poussaient à négocier en proposant une paix blanche à l'Ouest. De son côté, Foch ne croyait pas pouvoir porter à l'adversaire un coup décisif avant 1919. Dans une conférence tenue à Bombon, près de Melun, le 24 juillet, il exposait toutefois aux trois commandants des armées alliées (Pétain, Haig et

1. Voir en particulier Charles Christienne (général) et Simone Pesquiès-Courbier, « L'effort de guerre français dans le domaine aéronautique en 1914-1918 », in *Les Fronts invisibles*, *op. cit.*, p. 233-246 ; Claude Carlier, « L'aéronautique militaire française dans la Première Guerre mondiale », in *Guerres mondiales et Conflits contemporains*, janvier 1987 ; Jean-Marc Marill, *1914-1918. L'aéronautique militaire française, naissance de la cinquième arme*, thèse de troisième cycle, 1985.

2. Sur toute cette partie, voir Pierre Renouvin (51), p. 17 *sq*.

Pershing) un plan d'offensive à peu près continue sur l'ensemble du front permettant de refouler progressivement l'armée allemande, sans lui laisser le moindre répit. Dans l'immédiat la supériorité des Alliés n'était pas encore considérable, mais, grâce à l'arrivée de soldats américains au rythme de 250 000 par mois et aux chars qui permettaient d'attaquer sans préparation, ce programme pouvait être réalisé.

Le 8 août, Foch (devenu maréchal la veille) déclenchait l'attaque dans la région d'Amiens à la jointure des fronts français et anglais. Action limitée, elle remporta immédiatement de grands succès — « jour de deuil pour l'armée allemande », dont certaines unités avaient montré des signes de défaillance, a écrit plus tard Ludendorff —, et fut étendue vers le nord et vers le sud. A la fin du mois d'août, tout le terrain perdu au printemps avait été repris.

Après un relatif répit pendant les trois premières semaines de septembre — les Américains réduisirent la « hernie » de Saint-Mihiel à partir du 12 septembre —, le nouveau plan du maréchal Foch prévoyait que les armées françaises et américaines pousseraient en direction de Mézières, l'armée anglaise en direction de Valenciennes, et l'armée des Flandres (Français, Anglais et Belges) en direction de Bruges. Les trois offensives furent déclenchées les 26, 27 et 28 septembre : si, au sud et au nord, les Allemands reculèrent sans qu'il y ait rupture du front, il n'en fut pas de même au centre, où les Anglais s'emparaient de Saint-Quentin.

Au Grand Quartier général allemand, ce fut presque l'affolement, on craignait une catastrophe militaire imminente : le 28 septembre, Ludendorff pressait le gouvernement allemand de demander « la paix », puis quelques heures plus tard, de façon plus claire, l'armistice.

La gravité de la situation militaire sur le front occidental était d'autant plus angoissante pour les Allemands que, sur tous les autres fronts, la situation était aussi ou encore plus mauvaise : en Palestine, le front turc avait été enfoncé par les troupes anglaises du général Allenby le 19 septembre, dans les Balkans, l'armée alliée de Salonique, commandée par le général Franchet d'Espérey, était passée à l'attaque le 15 septembre, et, le 25 septembre, la Bulgarie avait demandé l'armistice. Les troupes alliées avançaient rapidement en direction des frontières méridionales de l'Autriche-Hongrie.

Le 1er octobre, le chancelier Hertling, qui n'était qu'un porte-parole du Grand État-Major, cédait le pouvoir au prince Max de Bade, qui avait la réputation d'être libéral, et ce fut lui qui, sous la pression constante de Ludendorff, fut obligé d'envoyer dans la nuit du 3 au 4 octobre une demande d'armistice, adressée, *via* la Suisse, au président des États-Unis.

La guerre devait encore durer plus d'un mois. Pendant le mois d'octobre, les forces alliées firent progressivement reculer le front allemand. Elles atteignaient en Belgique une ligne Gand-Mons ; tout le Nord de la France, dont Lille, était libéré ; plus à l'est, les troupes françaises et américaines avaient dépassé Mézières. Au-delà de la Meuse, une grande opération « stratégique » était en préparation : de grandes forces rassemblées en Lorraine devaient passer à l'attaque le 15 novembre, suivant un axe Nancy-Sarrebruck. En fait Foch ne croyait pas qu'elles puissent avoir l'ambition de prendre à revers les forces allemandes en retraite à travers la Belgique [1].

La progression des forces alliées avait été presque continuelle au cours de l'été et au début de l'automne, mais elle avait été assez lente. Malgré les chars, malgré la supériorité aérienne, ces forces — si on suit le général Gambiez et le colonel Suire [2] — se révélèrent incapables de manœuvrer « à l'allemande », c'est-à-dire d'utiliser la tactique par infiltration qui avait permis à l'infanterie allemande de progresser si rapidement lors des offensives de printemps. « Les malhabiles fantassins alliés avancent cinq fois moins vite que ne le faisait l'excellente infanterie allemande lorsqu'elle tenait l'offensive », ont écrit de leur côté Jean Doise et Maurice Vaïsse, et ils ont décrit cette avance « processionnelle » où on s'arrêtait sur chaque objectif en attendant de nouvelles instructions [3]. Trevor Wilson a également souligné l'incapacité des troupes anglaises à rompre le front adverse, à faire autre chose qu'un « lent travail de bûcheron [4] ».

L'avance alliée en fonction de cette méthode ne pouvait être qu'assez lente, sauf effondrement de l'adversaire. Or, si le nombre d'actes d'indiscipline se multipliait à l'arrière, pour l'essen-

1. (51), p. 100.
2. (37), p. 211 *sq.*
3. Jean Doise et Maurice Vaïsse (130), p. 260.
4. Trevor Wilson (41), p. 604.

tiel les unités allemandes, réduites à des effectifs squelettiques, ne cédaient le terrain que pied à pied, face à des adversaires fatigués. D'après Douglas Haig — dont l'impartialité est douteuse, souligne Jean-Baptiste Duroselle [1] —, seules les troupes britanniques étaient en état de conduire une grande offensive — il est vrai qu'elles avaient acquis un grand professionnalisme dans le problème des transports [2], alors que les troupes françaises, et encore davantage les troupes américaines, souffraient de graves faiblesses dans ce domaine. Les attaques américaines en particulier furent entravées par l'incapacité de leurs jeunes états-majors à éviter les embouteillages.

Au cours du mois d'octobre, la situation des puissances centrales s'était encore dégradée sur les autres fronts, rendant de plus en plus incertain qu'elles puissent attendre le répit que l'hiver aurait pu donner sur le front occidental même si Ludendorff s'était déjugé et avait souhaité la rupture des pourparlers d'armistice, peu avant d'être contraint à la démission le 26 octobre. L'Autriche-Hongrie, où des Conseils nationaux prenaient le pouvoir dans différentes régions (Pologne, Slovénie, Bohême...), était en train de se désagréger. Le 26 octobre, l'armée italienne passait à l'offensive sur la Piave et remportait la victoire de Vittorio Veneto ; le 28, la cavalerie de l'armée d'Orient arrivait sur les bords du Danube ; le 4 novembre, à Villa-Giusti, l'Autriche signait l'armistice. Le 30 octobre, la Turquie avait signé l'armistice de Moudros.

Du 5 au 23 octobre, les négociations d'armistice se déroulèrent uniquement entre le président Wilson et le gouvernement allemand [3] qui échangèrent une série de messages, à la grande surprise et au grand agacement des autres chefs alliés qui n'étaient même pas consultés. Qu'il l'ait fait consciemment ou non — les spécialistes en discutent encore —, Wilson amena progressive-

1. (29), p. 296.
2. Trevor Wilson (41), p. 604.
3. Le 8 octobre, Wilson répond à la note allemande du 5 octobre. Deuxième note allemande le 12 octobre, à laquelle répond une deuxième note américaine le 14 octobre. Troisième note allemande le 20 octobre, à laquelle répond une troisième note américaine le 23 octobre. Quatrième note allemande le 27 octobre.

ment ses correspondants allemands à accepter des conditions qui mettraient l'Allemagne dans l'impossibilité de reprendre la guerre et l'idée que les négociations ne pourraient avoir lieu qu'avec un gouvernement représentatif et en aucun cas, ni avec le pouvoir monarchique, ni avec le pouvoir militaire.

Face à l'évolution de la situation, quelle avait été l'attitude de l'opinion française [1] ? Au cours de l'été, elle s'était de plus en plus raffermie après les angoisses du printemps, mais elle ne s'attendait pas à la fin prochaine de la guerre. Les rapports des Renseignements généraux du 6 octobre se firent l'écho de la surprise générale à l'annonce de la demande d'armistice allemande. La première réaction fut majoritairement négative. L'opinion estimait qu'il était nécessaire d'avoir d'abord totalement chassé l'ennemi des territoires envahis avant d'accorder un armistice. Dans les jours suivants, l'opinion ne cessa de balancer entre deux attitudes contradictoires, d'un côté la fermeté envers l'Allemagne, la nécessité de l'écraser, de porter la guerre sur son territoire, de l'autre, la déception à l'idée que la guerre risquait encore de durer, quand on avait le sentiment que les négociations piétinaient, que l'armistice « s'éloignait ». Cette attitude était aussi celle de la presse. Pour la presse de droite, l'offre d'armistice risquait d'être un piège permettant à l'armée allemande de retrouver des forces, alors que la presse de gauche poussait à accepter, à partir du moment où des garanties suffisantes auraient été obtenues. De même, dans les milieux dirigeants, des attitudes contradictoires se manifestèrent, aboutissant à un véritable conflit entre le président de la République, Poincaré, mettant en garde Clemenceau contre « le danger de couper les jarrets à nos troupes » par une acceptation prématurée de l'armistice, et le président du Conseil peu enclin à poursuivre une guerre gagnée [2]. Les généraux, de leur côté, Foch ou Pétain, conscients de la dureté de la campagne et de la fatigue de leurs troupes, n'étaient pas jusqu'au-boutistes [3].

A vrai dire, plus que divisée, l'opinion était partagée en elle-même, comprenant l'un et l'autre point de vue. Au fur et à mesure que les jours passèrent, et qu'il apparut que les garan-

1. Jean-Jacques Becker (26), p. 295 *sq*.
2. Voir, sur ce conflit, Jean-Baptiste Duroselle (156), p. 709-710.
3. Pierre Renouvin (51), p. 262.

ties obtenues seraient considérables, ce fut l'attente de plus en plus impatiente de l'armistice qui l'emporta. A la fin du mois d'octobre, la conviction générale était que le terme de la guerre n'était plus qu'une question de jours et le 7 novembre, à l'annonce (fausse) de l'armistice, une joie délirante éclatait sur les Boulevards à Paris.

Effectivement, à la suite de la note allemande du 27 octobre, le président Wilson avait avisé ses *associés* européens qu'il était maintenant possible de préparer les conditions d'un armistice. Des discussions souvent orageuses se déroulèrent entre les Alliés — le président Wilson étant représenté par son conseiller, le colonel House. Si l'accord se fit sans trop de difficultés sur les conditions militaires, il n'en fut pas de même sur les conditions politiques. Wilson exigeait que les conditions de l'armistice impliquent que les 14 points qu'il avait énoncés le 8 janvier 1918 soient acceptés non seulement par les Allemands, mais par les Alliés ; or tant les Français que les Anglais faisaient un certain nombre de réserves.

Lorsque l'accord eut été réalisé, le gouvernement allemand fut averti le 6 novembre, par une quatrième note américaine, qu'il pouvait s'adresser au maréchal Foch pour recevoir les conditions de l'armistice. Il reçut cet avis avec d'autant plus de soulagement que des mouvements révolutionnaires se développaient en Allemagne. Entre les plénipotentiaires allemands conduits par un ministre, Erzberger, et le maréchal Foch, la première rencontre eut lieu dans la clairière de Rethondes, près de Compiègne, le 8 novembre. La situation en Allemagne ne permettait guère de discuter les conditions définies par les Alliés : le 9 novembre, l'empereur Guillaume II était contraint à l'abdication, la République était proclamée, le gouvernement Max de Bade cédait la place à un gouvernement dirigé par le socialiste Ebert, lui-même menacé sur sa gauche par la poussée révolutionnaire. Après que les représentants allemands eurent obtenu quelques atténuations destinées à permettre à leur gouvernement de conserver les moyens de lutter contre la menace d'une révolution bolchevique, l'armistice était signé le 11 novembre à 5 heures du matin, pour prendre effet à 11 heures.

Les principales clauses de l'armistice prévoyaient la livraison de matériel militaire (5 000 canons, 3 000 mortiers, 25 000 mitrailleuses, 1 700 avions, tous les sous-marins, une partie de la flotte de surface), de matériel de transport (5 000 camions, 150 000 wagons, 5 000 locomotives) qui mettaient l'Allemagne dans l'incapacité de reprendre la lutte, même l'aurait-elle voulu. Les territoires envahis devaient être évacués dans un délai fixé (quinze jours pour l'Alsace-Lorraine et les territoires encore occupés à l'Ouest). Les troupes allemandes devaient également évacuer la rive gauche du Rhin, une bande de 10 kilomètres de large sur la rive droite, de la Hollande à la Suisse, ainsi que trois têtes de pont d'un rayon de 30 kilomètres autour de Mayence, de Coblence et de Cologne, dans un délai de 31 jours. Les traités de Brest-Litovsk avec la Russie et de Bucarest avec la Roumanie étaient annulés [1].

L'annonce de l'armistice fut accueillie en France avec un enthousiasme souvent délirant. La joie que l'épouvantable épreuve soit terminée, combinée avec la fierté de la victoire, conduisit à une sorte de sommet de la communion nationale, dont le président du Conseil, accueilli à la Chambre des députés par des acclamations frénétiques, se fit le porte-parole :

« Honneur à nos grands morts qui ont fait cette victoire [...]. Grâce à eux, la France, hier soldat de Dieu, aujourd'hui soldat de l'Humanité, sera toujours le soldat de l'idéal. »

Une joie, un enthousiasme, une communion assombris par le souvenir des morts, dont on ne connaissait pas encore le chiffre terrifiant — le nombre des brassards noirs dans les foules célébrant la victoire en portait témoignage —, et aussi par les ravages de la grippe espagnole qui avait connu son apogée au mois d'octobre (200 000 morts en France, dont la moitié de soldats) [2].

1. Voir (51). Le texte complet des clauses d'armistice se trouve p. 415-422.

2. Jean-Jacques Becker, « 1918, la grippe espagnole », in *L'Histoire*, décembre 1981.

6
Le prix de la guerre, le triomphe, la crainte et l'amertume

Pour la France et les Français, la fin des combats posait un double problème, celui de l'établissement de la paix et celui du retour à la normale.

1. L'établissement de la paix

Il n'est pas sûr que Clemenceau ait été d'entrée, lorsqu'il devint président du Conseil, extrêmement populaire, et bien des indices montrent que Caillaux avait bien plus de soutiens dans l'opinion qu'il n'aurait pu sembler. Mais au fur et à mesure, la fermeté du président du Conseil, sa capacité à se consacrer sans limites à la tâche qu'il s'était fixée avaient impressionné, et la victoire lui avait assuré une immense popularité, en même temps que les surnoms qui devaient lui rester : *le Tigre*, *Père la Victoire*. Le Parlement vota que Georges Clemenceau et le maréchal Foch « avaient bien mérité de la patrie », l'Académie française l'élut de façon éclatante, alors qu'il n'avait même pas posé sa candidature. Les entrées dans les villes recouvrées d'Alsace et de Lorraine furent l'occasion d'autant de triomphes. Les autres personnalités politiques ne furent d'ailleurs pas sans éprouver quelque dépit de la concentration de la popularité sur le seul président du Conseil, en particulier Aristide Briand ou le président de la République [1].

1. Raymond Poincaré (167), t. 10, p. 414.

Poincaré n'en était certes pas encore à dire de Clemenceau, comme il le fit quelques mois plus tard, « ce fou dont l'opinion a fait un Dieu [1] », les relations n'en étaient pas moins fort acrimonieuses entre les deux hommes, même si, le 15 décembre, le jour où Pétain recevait à son tour son bâton de maréchal de France, Poincaré et Clemenceau se donnèrent à Metz recouvrée l'accolade au milieu d'« acclamations frénétiques [2] ».

L'armistice signé, Clemenceau était resté tout naturellement au pouvoir. Il n'y avait eu dans le gouvernement que quelques modifications de fonctions liées aux circonstances, Louis Loucheur abandonnant le ministère de l'Armement pour celui de la Reconstruction industrielle, ou Albert Lebrun, celui du Blocus pour se consacrer aux Régions libérées [3].

En raison de son extraordinaire popularité, le président du Conseil gardait une forte emprise sur la Chambre des députés. Le 29 décembre 1918, Clemenceau avait accepté un grand débat de politique étrangère qui dura du dimanche matin au lundi 30 au matin sans interruption — la religion du week-end n'existait pas encore ! — pour déclarer principalement qu'il ne pouvait déflorer devant la Chambre les arguments qu'il utiliserait pendant la négociation, en d'autres termes qu'il devait se taire. Contre un amendement socialiste qui réclamait une politique faite « en pleine lumière, en pleine clarté », il obtenait la confiance par 386 voix contre 89, seuls les socialistes votant dans leur grande majorité contre lui [4]. Clemenceau ne considérait d'ailleurs pas, contrairement à ce qui se fit dans le Royaume-Uni, qu'il était urgent de procéder à des élections, alors pourtant que les pouvoirs de la Chambre des députés étaient arrivés à expiration. Les élections législatives n'eurent lieu que le 16 novembre 1919 — plus d'un an après l'armistice ! — et, en attendant, la censure fut maintenue : elle ne fut levée que quelques jours avant les élections, le 12 octobre 1919. Cette attitude exprimait la conviction du chef du gouvernement que la guerre n'était pas terminée, et que, même au-delà de la signature des traités de paix, il était

1. (167), t. XI, *A la recherche de la paix* (publié en 1974 par Jacques Bariéty et Pierre Miquel), p. 321-323, cité par Jean-Baptiste Duroselle, (156), p. 750.
2. (167), t. X, p. 443.
3. Jean-Marie Mayeur (59), p. 251.
4. Édouard Bonnefous (58), p. 437 *sq*.

nécessaire pour le gouvernement de disposer des moyens de la guerre. En d'autres termes qu'il fallait « gagner » la paix, ce qui n'était probablement pas moins difficile, même si c'était moins sanglant, que de gagner la guerre. De ce point de vue, comme le souligne Jean-Baptiste Duroselle, « l'ivresse du 11 novembre ne devait pas être durable. Elle devait lentement se muer en morosité, en lassitude, en colère », au point qu'« on a coutume de dire, ajoute-t-il, tout en s'élevant contre cette formule sommaire : Clemenceau a gagné la guerre, mais il a perdu la paix » [1].

Pourquoi en fut-il ainsi ? Pierre Miquel [2] a bien montré que Clemenceau a été très gêné par ce qu'il a appelé les *illusions françaises*. L'opinion fut en proie à une double illusion : à gauche, principalement chez les socialistes, l'illusion du *wilsonisme*. Wilson apparaissait comme un nouvel apôtre de la paix qui savait se placer à l'écoute des peuples, qui saurait faire « la paix sans victoire » dont il avait parlé. Lorsqu'il arriva en France le 13 décembre, il fut reçu triomphalement. D'innombrables manifestations eurent lieu en son honneur, très souvent à l'initiative des socialistes ou des syndicalistes, inaugurations de rues, de places à son nom, hommages de toutes sortes envers sa personne [3]... Il reçut volontiers des délégations, des pétitions, il s'entretint avec le secrétaire général de la CGT, Léon Jouhaux, accompagné d'autres syndicalistes... On comptait sur lui pour faire justice des « nationalismes européens ». Il était le champion du pacifisme face à Clemenceau qui en avait été l'adversaire acharné. Son approche du bolchevisme, même si sur ce point les socialistes étaient loin d'être d'accord entre eux, était plus libérale que celle des Alliés européens. Le *wilsonisme*, ou du moins ce qu'on en imaginait, avait fourni aux socialistes une « excellente plate-forme idéologique de rechange [4] ». En réalité les 14 points de Wilson, qui entendaient établir la paix sur le droit des nations à disposer d'elles-mêmes, et conduisaient à un remaniement de l'Europe au détriment des anciennes « puissances centrales », étaient très loin de proposer la « paix sans victoire ».

1. Jean-Baptiste Duroselle (156), p. 729 et 720.
2. Pierre Miquel (52), 1re partie, « La double illusion du wilsonisme ».
3. (52), p. 44.
4. Madeleine Rebérioux (47), p. 633.

Dans une autre fraction de l'opinion, on croyait au contraire que, mis au contact des réalités qu'il ne pouvait distinguer depuis les États-Unis, Wilson allait se convertir à la « paix de justice ». En fait, d'un côté comme de l'autre, plus vite pour les derniers qui moquèrent bientôt la candeur et l'idéalisme du président américain, Wilson devait profondément décevoir, car il n'était pas ce que l'on avait cru.

Une autre partie de l'opinion française, une grande majorité, se berça d'une autre illusion. Clemenceau serait l'homme de la « paix française », la France obtiendrait toutes les satisfactions qu'elle souhaitait. Pour une opinion incapable de raisonner en termes de guerre mondiale, mais pour qui l'essentiel restait le duel franco-allemand, Clemenceau abattrait encore ses adversaires. Il serait toujours *Le Tigre* dans la paix. On n'avait pas remarqué une phrase du débat du 29 décembre où il avait déclaré qu'il ferait « tous les sacrifices au maintien de l'entente entre les quatre grands vainqueurs ». En outre, comme le souligne Jean-Baptiste Duroselle, dans une guerre menée par une coalition, personne n'est en mesure de dicter les conditions de la paix qu'il souhaite [1].

La conférence de la Paix fut ouverte le 18 janvier 1919 et s'acheva le 28 juin par la signature du traité dans la galerie des Glaces du château de Versailles. Elle comprenait les représentants des 27 États « vainqueurs » (dont beaucoup n'avaient joué aucun rôle dans la guerre). Les discussions eurent lieu d'abord essentiellement dans le *Conseil des dix* (2 représentants pour la France, les États-Unis, le Royaume-Uni, l'Italie et le Japon), puis dans le *Conseil des quatre* (Wilson, Clemenceau, Lloyd George, Premier ministre britannique, et Orlando, président du Conseil italien), éclairés par 52 commissions. Les collaborateurs du président du Conseil furent principalement Stephen Pichon, le ministre des Affaires étrangères, et André Tardieu, qui, élu député en 1914, entamait une grande carrière politique, après avoir tenu pendant dix ans la rubrique de politique étrangère du *Temps*. En revanche, et à son grand dépit, le président de la République (qui traditionnellement jouait un rôle important dans la poli-

1. Jean-Baptiste Duroselle (156), p. 720.

tique extérieure), trouvé trop nationaliste, trop rigide par Clemenceau, fut tenu à l'écart des négociations.

Pour les négociateurs français, outre la récupération de l'Alsace-Lorraine déjà réalisée au moment de l'armistice, les deux grandes questions furent celles de la sécurité et des Réparations [1]. Dans les deux cas, ils rencontrèrent de graves oppositions.

Les problèmes de sécurité concernèrent essentiellement la question de la rive gauche du Rhin. Séparer d'une façon ou d'une autre la rive gauche du Rhin de l'Allemagne était lui enlever une base de départ pour une « nouvelle » agression, et c'était en même temps l'affaiblir suffisamment pour que l'écart de puissance soit moins défavorable à la France. Dans cette perspective, le projet français était d'abord d'annexer (au moins partiellement) la Sarre, riche en mines de charbon, et dont une partie (pas la région des mines d'ailleurs !) avait fait partie de la France avant 1815. Les représentants américains refusèrent en faisant remarquer que les traités pouvaient réparer les torts faits en 1871, pas ceux de 1815 ! Il s'ensuivit un conflit très vif, à la suite duquel la propriété des mines fut transférée à la France en compensation des dommages subis dans les régions minières du Nord et du Pas-de-Calais, mais l'administration de la Sarre fut seulement confiée à la SDN (à la France dans la pratique) pour une durée de quinze ans. Les Sarrois seraient ensuite appelés à choisir leur destin.

Quant à la rive gauche du Rhin à proprement parler, dans deux notes adressées à Georges Clemenceau, le 27 novembre 1918 et le 10 janvier 1919, le maréchal Foch avait exposé qu'elle devait être enlevée à l'Allemagne, qu'elle devait être occupée militairement par les Alliés, qu'une ligne de douanes devait la séparer de l'Allemagne. En conséquence elle serait formée d'États autonomes nouveaux. Dans un premier temps, Clemenceau se rallia au point de vue de Foch, mais tant les Anglais que les Américains se montrèrent très hostiles à un projet qui, d'après eux, aurait créé une nouvelle question d'Alsace-Lorraine. Wilson et Lloyd George offrirent en compensation leur garantie militaire immédiate contre tout mouvement d'agression *non provoqué* de

1. Voir principalement André Tardieu (54), Pierre Renouvin (53), Jacques Bariéty (127), ainsi que Raymond Poidevin et Jacques Bariéty, *Les Relations franco-allemandes (1815-1975)*, Colin, 1977.

la part de l'Allemagne. Clemenceau dut se résoudre à un compromis laborieusement élaboré : la rive gauche du Rhin serait occupée pendant quinze ans, ainsi que trois têtes de pont sur la rive droite, Cologne, Coblence, Mayence, avec évacuation par tiers tous les cinq ans, dans la mesure où les Allemands rempliraient leurs obligations. Outre la rive gauche du Rhin, une bande de 50 kilomètres sur la rive droite serait démilitarisée. Ce compromis, auquel Clemenceau s'était résigné, souleva une violente opposition du maréchal Foch. Il la fit connaître publiquement dans la presse et en séance plénière (6 mai 1919) de la conférence de la Paix, au grand scandale des alliés anglo-américains peu habitués à voir des militaires s'ingérer dans les responsabilités du pouvoir civil, de sorte qu'au conflit entre Alliés vint s'ajouter un conflit Clemenceau-Foch. Foch refusait de considérer que l'obstination de la France sur cette question aurait provoqué la rupture de l'alliance, ce que Clemenceau ne pouvait évidemment admettre [1], tout en ne se faisant pas d'illusions sur la valeur à long terme des garanties anglo-américaines.

Déterminer ce que devraient être les *Réparations* payées par l'Allemagne (on se plaçait d'entrée dans une perspective très différente des guerres passées où le vaincu payait une *indemnité* au vainqueur) provoqua également de graves divergences. Pour André Tardieu, en particulier, il fallait entendre par là le remboursement par l'Allemagne et ses alliés de *tout* ce qu'avait coûté la guerre. Cette interprétation conduisait à des sommes gigantesques, et il n'était pas de l'intérêt de la France de maintenir une position qui aurait, dans la pratique, considérablement minoré sa part (les dépenses de guerre du Royaume-Uni et des États-Unis avaient été nettement plus élevées que les siennes). Aussi, dans un premier temps, les représentants français réclamèrent seulement la réparation des *dommages*, ce qui faisait de la France la bénéficiaire par excellence des Réparations, dans la mesure où la guerre avait eu lieu pour l'essentiel sur son sol. Dans un second temps, ils acceptèrent, à la demande des représentants britanniques, d'y ajouter le remboursement des pensions à verser aux veuves et aux orphelins. En revanche, les négocia-

1. Aux accusations de Foch d'avoir mal défendu la position française, Georges Clemenceau répondit en particulier dans *Grandeurs et Misères d'une victoire*, Plon, 1930.

teurs français refusèrent de tenir compte des *capacités de paiement* de l'Allemagne, d'autant que les chiffres des experts étaient extrêmement différents, et que soit fixée une fois pour toutes une somme forfaitaire. Le conflit le plus violent à propos des Réparations opposa André Tardieu et l'économiste britannique Keynes [1], pour qui il était particulièrement absurde de prétendre ne pas tenir compte des capacités de paiement d'un débiteur. La complexité de la question et la vivacité des discussions provoquèrent plus d'une centaine de réunions. La position française finalement l'emporta : il fut décidé que l'Allemagne verserait

> Les principales dispositions du traité de Versailles concernant particulièrement la France, outre la création de la Société des nations, étaient la restitution de l'Alsace-Lorraine, l'occupation de la rive gauche du Rhin pour quinze ans avec évacuation par tiers tous les cinq ans, la démilitarisation de la Rhénanie et d'une bande de 50 kilomètres le long de la rive droite, l'administration de la Sarre pendant quinze ans par la SDN, l'armée allemande réduite à 100 000 hommes sans armement lourd, sans aviation, sans service militaire, le paiement de réparations, plus toute une série de clauses économiques dont l'obligation pour l'Allemagne d'appliquer la clause de la nation la plus favorisée dans le domaine commercial. En outre, pour éviter que l'Allemagne puisse se renforcer territorialement, l'interdiction d'un rattachement de l'Autriche était absolue, et les colonies allemandes étaient confiées aux vainqueurs, sous mandat de la SDN.

dans les deux ans un « acompte » de 25 milliards de francs-or, à la suite de quoi une *commission des Réparations* fixerait le montant total des Réparations et des modalités de versement [2]. Les difficultés à se mettre d'accord sur les Réparations préfiguraient qu'elles seraient pendant plus de dix ans un des problèmes

1. Voir John Maynard Keynes, *Les Conséquences économiques de la guerre*, Gallimard, 1920.
2. Pierre Renouvin (53), p. 76.

majeurs des relations internationales et une des causes les plus sûres de la désagrégation des traités de paix, en maintenant à vif l'opposition franco-allemande, en nourrissant de façon constante le nationalisme allemand et en provoquant des divergences permanentes entre la France et ses alliés d'hier. La position de la France avait été rendue inévitable par l'état de ses finances et par l'attitude de l'opinion à la suite de l'affirmation maintes fois répétée que tous ses problèmes financiers seraient réglés par les contributions allemandes. Ainsi, lorsqu'il fut connu en février 1919 que le ministre des Finances, Lucien Klotz, préparait un impôt sur le capital pour équilibrer le budget, toute la presse, principalement de droite et du centre, prit littéralement feu sur le thème que le « Boche » devait payer [1], refusant d'entendre que, dans le meilleur cas, il ne pourrait le faire immédiatement. Le ministre fut obligé de reculer.

Une fois la rédaction du traité achevée, le texte en fut transmis au gouvernement allemand le 7 mai 1919. La réaction générale en Allemagne fut qu'il était inacceptable. Les « observations » établies par les autorités allemandes en mettaient en cause à peu près tous les articles. Du côté américain, on ne souhaitait pas recommencer une négociation qui avait été si difficile, on ne voulut pas tenir compte de la plupart de ces observations ; du côté français, on les rejeta en bloc par principe. En revanche, Lloyd George, de plus en plus obsédé par la crainte de provoquer l'anarchie en Allemagne et la victoire du bolchevisme, poussé par une opinion qui souhaitait tourner la page, aurait voulu d'importantes modifications. En fait la seule modification importante fut la décision de soumettre le sort de la Haute-Silésie à un plébiscite, plutôt que de l'attribuer purement et simplement à la Pologne. Dans ces conditions la résistance allemande faiblit, d'autant que l'Allemagne était évidemment incapable de reprendre la lutte, et le gouvernement allemand accepta de signer le traité (28 juin).

Au moment où le traité de Versailles, complété par les traités dits de la « banlieue parisienne » réglant le sort des anciens alliés de l'Allemagne (Autriche, Hongrie, Bulgarie, Turquie), fut enfin signé, l'opinion publique française était loin d'être satisfaite [2].

1. Pierre Miquel (52), p. 433 *sq.*
2. (52), conclusion et particulièrement p. 559 *sq.*

Dans une minorité, à gauche, on le trouvait trop dur, pas assez « wilsonien », dans une majorité, à droite, trop mou. Les précautions prises envers l'Allemagne ne paraissaient pas de nature à empêcher une éventuelle agression. Sur les deux chapitres essentiels, sécurité et Réparations, les dispositions prises étaient considérées comme très insuffisantes. Les débats de ratification au Parlement furent longs, souvent aigres. Louis Barthou, un ancien président du Conseil, très proche de Poincaré, qui n'avait d'ailleurs guère joué de rôle pendant la guerre, et Louis Marin, député très respecté et très patriote de Meurthe-et-Moselle, furent les opposants les plus pugnaces. Finalement, le 2 octobre 1919, une large majorité de députés acceptèrent de le ratifier, 372 contre 53 (dont 49 socialistes, Louis Marin, le radical Franklin-Bouillon) et 72 abstentions (dont 33 socialistes et 18 radicaux-socialistes à gauche, et quelques représentants de la droite, Maginot, Ybarnegaray) [1]. A vrai dire, la place relativement limitée que la presse accorda à ces débats fut assez significative du désintérêt que l'opinion française avait progressivement manifesté envers les traités. L'opinion n'avait plus envie d'épiloguer sur un traité dont il était évident qu'il n'était pas celui que la France avait voulu, mais qu'il avait été imposé par les Anglo-Saxons. Déception mêlée d'amertume, d'autant que la popularité de Clemenceau était encore telle que l'opinion était convaincue que, s'il n'avait pas obtenu mieux, c'est qu'il était impossible de le faire.

L'opinion publique ne croyait déjà plus guère à ce qui avait été un leitmotiv de cette guerre, qu'elle serait la dernière. Les Français étaient certes unis pour se réjouir d'en avoir fini, mais l'attitude complexe de l'opinion était bien traduite par la politique de la France, à la fois craintive et « revancharde », ce qui était assez paradoxal pour des vainqueurs. D'un côté la France manifestait une volonté d'application sourcilleuse des traités, expression d'un certain manque de confiance dans sa force et de la crainte du redressement allemand, de l'autre elle prenait l'allure d'un pays « militariste » [2] : avec ses 2 500 chars Renault, une flotte aérienne la première de tous les pays, 6 000 canons de 75 et 7 100 pièces lourdes, d'énormes réserves de munitions, 900 000 hommes encore sous les armes le 1er juillet 1920, l'armée

1. Jean-Marie Mayeur (59), p. 253.
2. Voir Jean Doise et Maurice Vaïsse (130), p. 267.

française était la plus puissante dans le monde, sans compter l'expérience inestimable acquise par ses cadres. Les militaires français étaient partout. Des États étrangers, Roumanie, Tchécoslovaquie, Brésil..., faisaient appel à la France pour organiser ou réorganiser leur armée. Des troupes françaises étaient sur le Rhin et sur les têtes de pont au-delà du Rhin, en Silésie, au Schleswig, à Memel, à Fiume, en Roumanie, sur les côtes de la mer Noire et à Mourmansk, sur les Détroits... Le général Berthelot à partir de la Roumanie envisageait une action de grand style en Russie avec 150000 hommes. Bientôt une mission française apporta son concours aux Polonais dans leur lutte contre la Russie soviétique. Sans compter les interventions outre-mer, en particulier pour établir le mandat sur la Syrie... En 1920, le maréchal Lyautey se plaignit qu'on avait endossé bien plus de charges qu'on ne pouvait en porter [1], mais, dans l'immédiat, « cette puissance et cette omniprésence de l'armée française inquiètent les Anglais qui redoutent une hégémonie française sur l'Europe et irritent les Américains qui ne comprennent pas comment un État peut consacrer tant d'argent pour ses dépenses militaires dans une période de paix, alors qu'il doit rembourser ses dettes de guerre [2] ».

2. Le retour à la normale et le bilan

Le retour à la normale, c'était d'abord de renvoyer dans leurs foyers l'énorme masse des hommes mobilisés. La question était redoutable. Le « marché du travail » risquait d'être brusquement engorgé, provoquant le chômage et des troubles sociaux. En réalité la *démobilisation* [3] a posé moins de problèmes qu'on ne pouvait le craindre. D'abord parce qu'elle se fit assez lentement. Fin avril 1919, l'armée comptait encore 2300000 hommes — d'importants effectifs avaient été conservés pour le cas où la

1. (130), p. 268.
2. *Ibid.*
3. Voir principalement Antoine Prost (114), t. 1, chap. 2, « La démobilisation », p. 47 *sq.*

guerre aurait repris —, et la démobilisation complète ne se fit qu'à partir de juillet. Sa lenteur provoqua d'ailleurs beaucoup de mécontentement chez les soldats pressés de rentrer chez eux, mécontentement accru par la lenteur supplémentaire des opérations administratives.

La réinsertion professionnelle ne posa pas de problèmes particuliers pour les agriculteurs et les fonctionnaires. Pour les autres, la loi prévoyait qu'ils devaient retrouver leur emploi, mais dans la pratique, au bout de quatre ans, il n'était pas simple de refaire « à l'identique » ce qui avait existé : des emplois pouvaient être occupés par d'autres (quand c'était des femmes, elles furent prestement licenciées) ou avoir disparu. Des milliers de démobilisés se retrouvèrent ainsi au chômage. La situation était explosive, et il n'est pas certain que le mécontentement de tant de mobilisés n'ait pas été un élément important des mouvements sociaux du printemps 1919. Néanmoins, pour désarmer leur colère et pour leur donner le temps de trouver du travail, des pécules assez substantiels leur furent accordés, les moratoires sur les arriérés d'impôts et sur les loyers furent prolongés, les associations d'anciens combattants qui se constituèrent rapidement, comme l'*Union nationale des combattants* (UNC), agirent avec efficacité pour régler le maximum de cas. En outre, comme l'a souligné Antoine Prost, les démobilisés étaient plus des « rouspéteurs » que des révolutionnaires. Ils estimaient dans leur grande majorité avoir surtout mérité de vivre une vie ordinaire.

Le bilan était lourd. Au 1er juin 1919, le nombre des morts [1] était de 1 383 000 (y compris 72 000 soldats des troupes « indigènes »), ce qui faisait de la France le pays le plus atteint parmi les belligérants, 34 morts pour 1 000 habitants contre 30 pour l'Allemagne qui arrivait ensuite. Les autres chiffres sont beaucoup plus incertains : on peut retenir ceux de 300 000 mutilés, de plus de 1 million d'invalides (au taux de plus de 10 %), 600 000 veuves, 700 000 orphelins [2].

1. Pierre Guinard, Jean-Claude Devos et Jean Nicot (4) ; Jean-Jacques Becker, « Mourir à Verdun », in *L'Histoire*, n° 76, mars 1985.

2. Malgré des recherches complexes — et même si cela peut apparaître paradoxal —, ces chiffres sont mal connus et très difficiles à établir. Cela tient à la complexité des lois sur les pensions et à la variation des chiffres d'une année à l'autre. Voir particulièrement Antoine Prost (114), p. 10 *sq.* ; rapport Louis Marin, in *Archives de la Grande Guerre*, t. 7,

LES DOMMAGES HUMAINS DE LA GUERRE

Profession	Population active masculine en 1913	Morts			Morts pour 1 000 actifs	Mutilés
		TUÉS	DISPARUS	TOTAL		
Agriculture	5 400 000	397 500	140 500	538 000	996	161 200
Industrie	4 730 000	306 900	108 500	415 400	877	123 300
Transports	580 000	35 100	12 400	47 500	810	13 400
Commerce	1 300 000	90 900	32 100	123 000	940	37 000
Professions libérales	310 000	24 500	8 700	33 200	1 070	10 000
Domestiques	160 000	12 100	14 300	16 400	1 025	5 100
Fonctionnaires	520 000	40 500	14 300	54 800	1 055	15 900
Armée active	100 000	50 000	16 800	66 800	—	22 900
Non déterminée						
Total	13 100 000	957 500	337 600	1 295 100	990	388 800

(D'après A. Sauvy, *Histoire économique de la France entre les deux guerres*, Paris, Fayard, 1965, t. I, p. 442.)

Le bilan démographique ne se résume pas aux pertes militaires : avec la surmortalité civile (il est peu probable que la grippe espagnole soit due à la guerre, mais les concentrations d'hommes ont concouru à la rendre plus meurtrière), les pertes globales de la période de la guerre atteignent le chiffre de 1 500 000. En outre, il faut tenir compte du déficit de naissances, environ 1 400 000 (déduites les « récupérations » ultérieures), soit à peu près autant que les pertes de guerre. La France avait donc perdu 3 millions de vies humaines, compensées partiellement par le retour des Alsaciens-Lorrains — 1 900 000 habitants. Ces pertes avaient évidemment touché davantage les adultes masculins jeunes et les enfants à naître, d'où une accentuation du vieillissement de la population, ce qui était grave pour la France dont la population était déjà plus « vieille » que celle des autres pays européens.

Les agriculteurs avaient été la fraction la plus touchée, environ les deux tiers des morts, mais les cadres intellectuels du pays avaient été aussi gravement décimés [1] : plus de 8 000 instituteurs tués (il y en avait 65 000 en 1914), 230 élèves ou anciens élèves de l'École normale supérieure, un très grand nombre d'écrivains parmi lesquels Pergaud, Péguy, Psichari, Alain-Fournier..., Guillaume Apollinaire, mort des suites de ses blessures.

Le bilan matériel n'était pas moins lourd. Il y avait d'abord les destructions. 10 départements avaient été partiellement ou totalement affectés par les opérations militaires, 11 000 édifices publics (mairies, écoles, églises...), 350 000 maisons avaient été détruits, 2 500 000 hectares de terres agricoles devaient être remis en état, 596 000 hectares de terrains bâtis, 62 000 kilomètres de routes, 1 858 kilomètres de canaux, plus de 5 000 kilomètres de chemins de fer étaient à refaire. D'après Alfred Sauvy [2], les différents ministères concernés estimèrent, en 1921, à 34 milliards de francs-or le coût des biens perdus et de leur remise en état. Cette estimation ne tenait pas compte des pertes de production agricole dues au manque de main-d'œuvre et au manque

---

Paris, 1921 ; Alfred Sauvy (93) ; Jean-Claude Chesnais, *Les Morts violentes en France depuis 1826. Comparaisons internationales*, Institut national d'études démographiques, PUF, 1976.

1. Pascal Ory et Jean-François Sirinelli (138), p. 62-63.
2. Alfred Sauvy (93), p. 24.

d'engrais et d'une production industrielle reconvertie en grande partie dans la fabrication de biens stériles... Les estimations de ce que la guerre a coûté sont tout à fait hasardeuses, mais, comme nous l'avons déjà vu, les strictes dépenses de guerre (matériel, allocations aux familles des mobilisés, entretien des soldats...) s'élevèrent à 140 milliards de francs-or, soit 120 milliards de plus que les dépenses ordinaires de quatre années. Si l'on tient compte d'environ 35 milliards de dettes interalliées que dans la pratique la France ne paiera à peu près pas et des 9 milliards de « réparations » que l'Allemagne lui a effectivement payées, on peut ramener cette « facture » à 80 milliards, soit l'équivalent de 16 années de budget ordinaire de l'avant-guerre. Le pays sortait considérablement appauvri de la guerre.

La France avait retrouvé l'Alsace et le Nord de la Lorraine. Son empire colonial avait « tenu » pendant la guerre [1], et les tentatives de soulèvement, comme en Indochine en 1916-1917 [2], ou de révoltes, comme en Volta en 1915-1916 [3], avaient pu être surmontées. Il avait même été sensiblement renforcé par l'attribution à la France, au titre de territoires sous *mandat* de la SDN, d'anciennes colonies turques ou allemandes, le Liban et la Syrie au Moyen-Orient, la plus grande partie du Cameroun et du Togo en Afrique, sans omettre la récupération de la partie du Congo cédée à l'Allemagne en 1911. En fait ce fut le moment où l'Empire atteignit sa plus grande extension, mais, comme l'a fait remarquer Pierre Renouvin, cette extension s'était faite « sans même que l'opinion en ait exprimé le souhait [4] » et sans en éprouver en conséquence de satisfaction particulière.

Pour le reste, il fallait bien constater que ni la puissance démographique, ni la puissance économique de l'Allemagne n'étaient sérieusement écornées, et que, comme l'écrivait Jacques Bainville, dans *L'Action française*, dès le mois de mai 1919 : « Soixante millions d'Allemands ne se résigneront pas à payer, pendant trente ou cinquante ans, un tribut régulier de plusieurs milliards à quarante millions de Français. Soixante millions

1. Henri Grimal, *La Décolonisation (1919-1963)*, Colin, 1965, p. 14.
2. Jean Chesneaux, *Contribution à l'histoire de la nation vietnamienne*, Éditions sociales, 1955, p. 193 *sq.*
3. Marc Michel, *L'Appel à l'Afrique*, Publications de la Sorbonne, 1982, p. 100-111.
4. Pierre Renouvin (123), p. 193.

d'Allemands n'accepteront pas comme définitif le recul de leur frontière de l'Est, la coupure des deux Prusses. Soixante millions d'Allemands se riront du petit État tchécoslovaque [1]. » Au surplus, la France avait perdu, du fait des circonstances, l'alliance de revers que constituait la Russie ; aucune des garanties obtenues, démilitarisation de la rive gauche du Rhin, désarmement de l'Allemagne..., ne pouvait être considérée comme intangible. Quant à la garantie des États-Unis, le rejet, le 20 novembre 1919, du traité de Versailles par le Sénat américain l'annula presque immédiatement.

Que valait en définitive une victoire arrachée à un tel prix ? La vague de pacifisme qui submergea les Français une fois la guerre terminée, le célèbre *plus jamais ça* n'en furent-ils pas consciemment ou inconsciemment la traduction dans une opinion où se mêlaient le triomphe, la crainte et l'amertume ?

1. Cité par P. Renouvin (123), p. 194.

2

Les années vingt

7
L'ombre portée de la guerre

S'il est un sentiment consensuel dans l'opinion publique française en ce 11 novembre 1918 où le clairon de l'armistice annonce la fin des combats, c'est bien la volonté de refermer la parenthèse ouverte en 1914, de mettre fin au cauchemar, de retrouver une vie « normale ». Forgé au cours des années de sang et de larmes que la France vient de vivre, le mythe de la « Belle Époque », de cet âge d'or supposé de la France du début du XXe siècle, est prêt à s'épanouir, porté par l'ardent désir de toute une population d'oublier la guerre pour goûter à nouveau aux joies paisibles d'une vie quotidienne sur laquelle ne pèseraient pas le grondement du canon et la peur qui tenaille... Or, toute cette génération qui a connu la Grande Guerre et aspire de tout son être à tourner la page va vivre, en fait, à l'ombre d'un conflit dont la présence obsédante envahit, vingt ans durant, tous les secteurs de la vie nationale.

1. Une population durablement marquée par le conflit

Une saignée démographique aux effets prolongés.

Sur une pyramide des âges de la France au XXe siècle, quelle que soit la date à laquelle on l'établit, le « coup de hache » de la Première Guerre mondiale demeure le phénomène le plus visible et le plus frappant, se manifestant par deux entailles caractéristiques. La première concerne les hommes (et uniquement eux) nés entre 1870 et 1899, c'est-à-dire la tranche d'âge qui a été mobilisée durant le conflit et qui a subi les lourdes pertes du temps de guerre (1 300 000 morts). Encore l'apport de population étrangère après le conflit a-t-elle tendance à masquer en partie le phénomène. La seconde, touchant également les deux sexes, illustre le déficit des naissances durant les années 1915-1919 et met en évidence les 1 400 000 naissances manquantes du fait de la guerre.

Or, ces conséquences démographiques de la guerre vont peser lourd sur la population de la France des années vingt. Le recensement du 6 mars 1921 permet de fixer la population du pays à 39 210 000 personnes, Alsace-Lorraine comprise. Mais si on se tient à l'intérieur des frontières de 1871, le chiffre n'est plus que de 37 500 000, c'est-à-dire un nombre qui ne dépasse guère celui de 1876. Le conflit a donc eu pour effet d'annuler la croissance démographique de la France des quarante dernières années. De surcroît, la forte mortalité militaire a bouleversé l'équilibre entre les sexes. En 1911, il y avait en France 1 035 femmes pour 1 000 hommes ; en 1921, la proportion est de 1 103 pour 1 000. Encore ce chiffre moyen est-il trompeur, car le déséquilibre est beaucoup plus important parmi les jeunes adultes : 1 200 pour 1 000 de 20 à 24 ans, 1 323 pour 1 000 de 25 à 29 ans, 1 253 pour 1 000 de 30 à 34 ans...

Ce déficit d'hommes adultes est porteur de conséquences démographiques et économiques qui vont directement contribuer à dessiner le visage de la population française dans les années vingt. En premier lieu, il est facteur de diminution de la nuptialité et de la natalité. Si, au cours des années qui suivent immédiatement la guerre, on constate, par un classique mouvement de compensation, un accroissement du nombre des mariages et des naissances, qui représente un rattrapage, ce mouvement est de courte durée. Dès 1923, les taux de mariage et de naissance baissent, retrouvant des chiffres comparables à ceux de l'avant-guerre :

	Nombre de mariages *moyenne annuelle*	**Nouveaux mariés** *pour 10 000*
1921-1925	381 000	19,1
1926-1930	339 000	16,5

Pyramide des âges
de la France en 1931

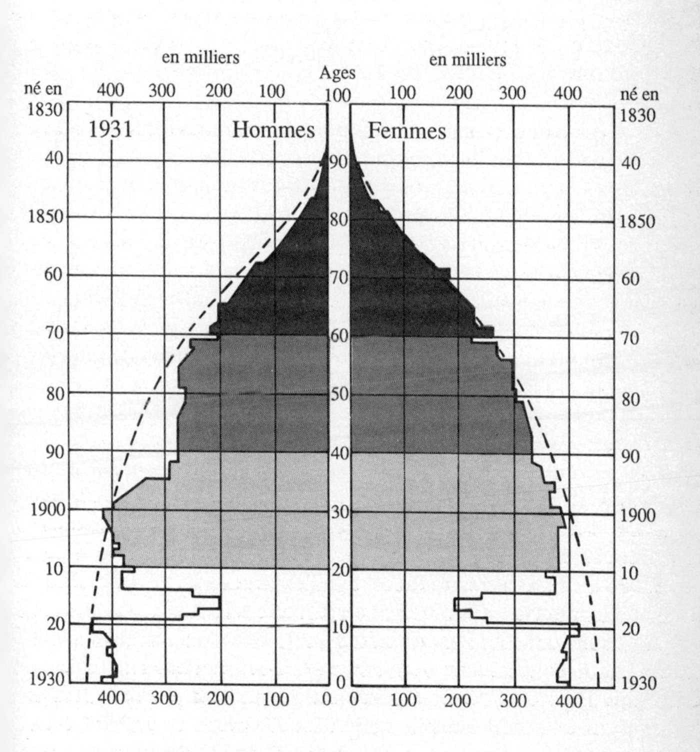

		Nombre des naissances *moyenne annuelle*	Naissances pour 1 000 habitants
sans l'Alsace-Lorraine	**1906-1910**	783 200	19,9
	1911-1914	748 000	18,6
	1915-1919	449 200	11,3
avec l'Alsace-Lorraine	**1920-1925**	781 700	19,7
	1926-1930	748 100	18,2

A ces signes inquiétants qui font que l'Alsace-Lorraine recouvrée permet tout juste de combler les pertes du reste de la population, s'ajoutent deux faits qui ont pour résultat d'en aggraver les conséquences et qui ne résultent que partiellement de la guerre, mais probablement davantage d'une évolution des mœurs de plus longue durée : l'accroissement du nombre des divorces (qui, en moyenne annuelle, passe de 16 106 en 1911-1913 à 24 604 en 1921-1925 et à 22 316 en 1926-1930) et la chute de la fécondité des couples, le taux de fécondité légitime (naissances annuelles pour 1 000 femmes mariées de 15 à 49 ans) tombant de 117 en 1911-1913 à 104 en 1930-1932.

Cette évolution défavorable de la démographie française est enfin complétée par la lenteur de la diminution du taux de mortalité. Sans doute, la tendance à la baisse déjà constatée avant la guerre se poursuit-elle au lendemain de celle-ci, tombant de 18,1 ‰ en 1911-1913 à 17,2 ‰ en 1921-1925 et 16,8 ‰ en 1926-1930. Mais la France est l'un des pays où la mortalité diminue le moins et elle diminue de manière sélective : la mortalité infantile, celle des femmes connaissent des baisses sensibles, alors que l'on constate une aggravation de la surmortalité masculine. Faut-il voir dans ces traits spécifiques un effet différé de la guerre qui aurait compromis la santé des survivants et accéléré leur mort ? Ce n'est pas certain si on tient compte du fait que, par rapport aux pays voisins, la surmortalité masculine en France était déjà nettement marquée avant la guerre. L'insuffisance de l'hygiène et la fréquence de l'alcoolisme sont sans doute des facteurs explicatifs à prendre en compte.

La guerre laisse ainsi peser un lourd héritage sur la population française. Le trait majeur en est le vieillissement, qui s'est

La démographie française
de 1910 à 1930

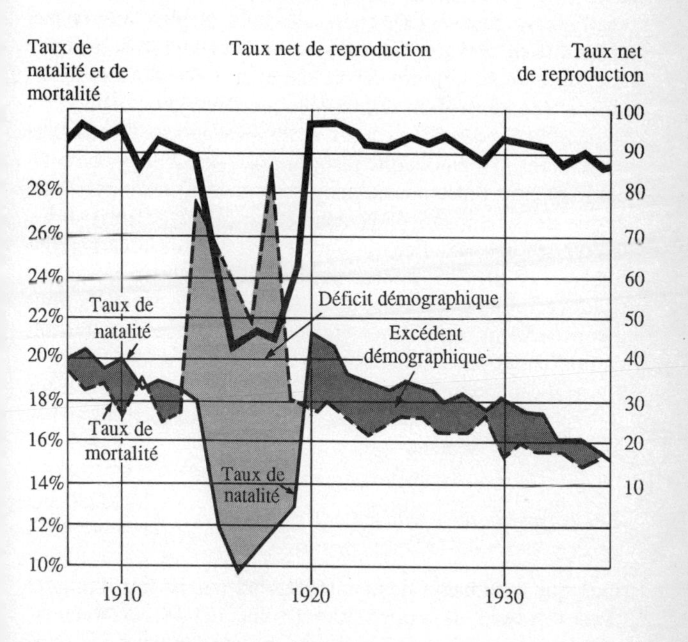

Source : D'après *Histoire du peuple français*, t. V, *Cent ans d'esprit républicain*, par Jean-Marie Mayeur, François Bédarida, Antoine Prost et Jean-Louis Monneron, Nouvelle Librairie de France, 1965, hors-texte.

accéléré par le conflit. Par rapport à 1911, la proportion des jeunes de moins de 20 ans ne cesse de décroître, tombant de 33,6 % à 31,3 % de la population en 1921 et à 30 % en 1931. Au contraire, la proportion des plus de 65 ans s'accroît aux mêmes dates de référence, passant de 8,6 % à 9,2 %, puis à 9,6 %. Et surtout, les effets de ce vieillissement agissent sur le long terme. Dès 1921 commence à jouer le phénomène des « classes creuses », du fait de l'arrivée dans la vie de la nation des faibles contingents d'enfants nés durant la guerre. Il se manifeste tout d'abord par une baisse des effectifs scolaires, suivie à partir de 1929-1930 par une diminution de la main-d'œuvre disponible sur le marché du travail qui va peser sur les coûts salariaux. A plus long terme, on constate en 1935 une chute du nombre des conscrits, puis une baisse notable du nombre des mariages et de la natalité, répercutant à une génération d'intervalle les effets du conflit.

Toutefois, les conséquences du vieillissement ne se limitent pas aux éléments pris en compte jusqu'alors. Alfred Sauvy a fortement insisté sur l'idée que ce vieillissement serait responsable du manque de dynamisme de la société française de l'entre-deux-guerres, de l'absence d'esprit d'entreprise qui aurait caractérisé ses hommes d'affaires, du malthusianisme qui aurait marqué ses attitudes économiques, voire de la timidité et des contradictions qui sous-tendent sa politique étrangère [1]. Hypothèses difficiles à démontrer et sur lesquelles nous aurons à revenir.

Il serait cependant erroné de considérer que la guerre a légué à la France une population vieillie, sans qu'aucun correctif vienne freiner ce vieillissement.

Les correctifs au vieillissement de la population : l'immigration.

Bien que la faiblesse de la natalité n'ait pas permis d'assurer le renouvellement de la population (le taux net de reproduction, c'est-à-dire le nombre de filles mises au monde par un groupe de 100 femmes, compte tenu de la mortalité de ces femmes, se situant à 93 en 1930), on constate cependant un accroissement de la population française entre 1921 et 1931, accroissement

1. Alfred Sauvy, « Les problèmes économiques, sociaux et politiques de population », in Alfred Sauvy (93), t. 3.

non négligeable puisque, de 39 210 000, le nombre des Français passe à 41 835 000. A quoi tient cette augmentation de la population ?

La politique gouvernementale n'y a aucune part. Depuis 1896, existe en France une prise de conscience des risques que représente la stagnation démographique. Cette année-là, le Dr Bertillon crée l'*Alliance nationale pour l'accroissement de la population française*. Mais l'intérêt pour la reprise démographique est le fait d'une minorité qui se recrute dans les milieux politiquement conservateurs et chez les catholiques sociaux. Aussi la politique démographique suscite-t-elle la méfiance des partis d'extrême gauche, qui y soupçonnent des arrière-pensées économiques (créer une main-d'œuvre abondante qui diminuerait le poids relatif des salaires) et politiques (assurer le recrutement des armées). Quant aux gouvernements, ils n'envisagent pas de véritables mesures de politique démographique. Les seules décisions prises pour encourager une reprise de la natalité sont si modestes que leurs effets ne peuvent être que limités : octroi durant la guerre d'une petite indemnité aux fonctionnaires chargés de famille, institution en 1920-1921 d'une faible allocation à la naissance pour les parents non assujettis à l'impôt sur le revenu et dépôt par Poincaré d'un projet de loi généralisant les initiatives privées pour accorder des bonifications de salaires aux ouvriers chargés de famille. Finalement, la principale mesure législative est la loi du 31 juillet 1920 réprimant toute propagande en faveur de la contraception, interdisant toute vente de matériel contraceptif et renforçant la répression de l'avortement. Loi coercitive qui semble avoir relativement ralenti le déclin de la natalité, mais était évidemment impuissante à provoquer cette reprise qui aurait pu corriger les effets du conflit.

Dans ces conditions, le véritable correctif au déclin démographique français a été le recours à l'immigration [1]. La saignée de la guerre coïncide en effet avec un ensemble de facteurs qui rendent dramatique le manque de main-d'œuvre : la nécessité de reconstruire les régions dévastées, l'expansion économique de l'après-guerre, le vote en avril 1919 de la loi de 8 heures. L'appel

1. Sur les problèmes de l'immigration, on consultera *Vingtième Siècle, Revue d'histoire*, n° 7, juill.-septembre 1985, « Étrangers, immigrés, français », numéro spécial ; Pierre Milza (111) ; Janine Ponty, *Polonais méconnus*, Publications de la Sorbonne, 1988 ; Ralph Schor (112).

Les étrangers en France en 1931

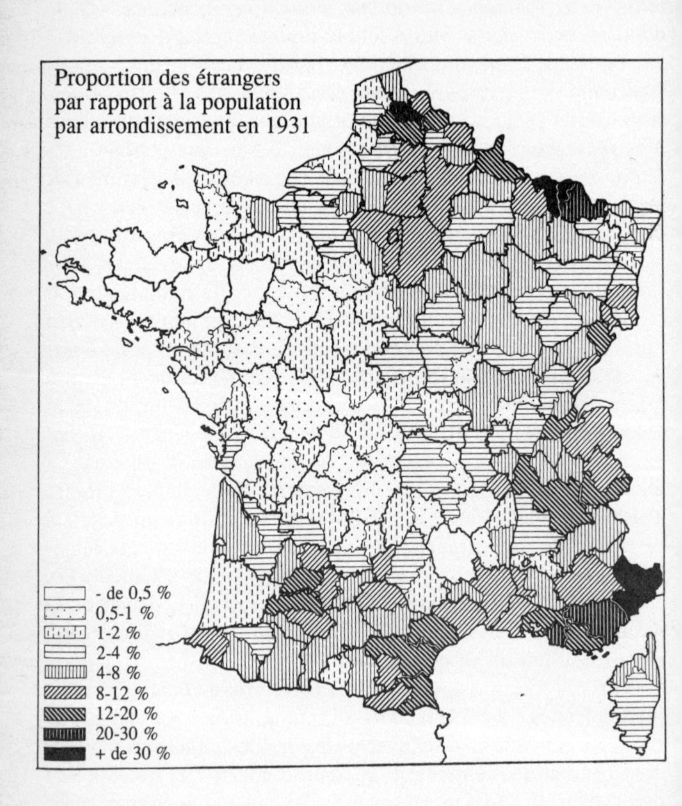

Source : D'après l'*Atlas national*, in *Histoire du peuple français*, t. V, *Cent ans d'esprit républicain*, par Jean-Marie Mayeur, François Bédarida, Antoine Prost et Jean-Louis Monneron, Nouvelle Librairie de France, 1965, p. 323.

aux travailleurs étrangers est le résultat, soit de l'arrivée spontanée de ceux-ci à la recherche d'emplois, soit d'une véritable politique de recrutement conduite par des entreprises envoyant des agents à l'étranger afin d'en ramener une main-d'œuvre munie de contrats de travail (le plus souvent fort avantageux pour l'employeur). Le flux des étrangers, contrôlé par les services administratifs — Service de la main-d'œuvre agricole, Service de la main-d'œuvre étrangère —, épouse étroitement les fluctuations de la conjoncture et donne au marché du travail une souplesse considérable. Les années de forte croissance voient une arrivée massive alors que le ralentissement de la conjoncture (1920-1921 ou 1927) entraîne des sorties. Mais, globalement, les années vingt sont une période de forte croissance du nombre des étrangers présents sur le sol national.

Les étrangers en France

	NOMBRE D'ÉTRANGERS	ÉTRANGERS POUR 1000 HABITANTS
1911	1160000	2,9
1919	1417000	3,7
1921	1532000	3,9
1926	2409000	5,9
1931	2715000	6,4

Encore la présence des étrangers sur le sol national ne traduit-elle qu'imparfaitement le poids de l'immigration puisque, en 1931, la France compte 316000 naturalisés.

Cette immigration est notablement différente de celle de l'avant-guerre, composée principalement d'Italiens, d'Espagnols, de Belges et de Suisses. Les contingents en provenance de ces pays ont désormais tendance à s'amenuiser, même si les Italiens (avec 808000 représentants) demeurent en 1931 la colonie étrangère la plus nombreuse. A partir de 1919, de nouveaux flux, venus d'Europe centrale et orientale, s'ajoutent aux précédents et les Polonais (508000) dépassent Belges et Espagnols à la fin des années vingt. Plus nettement qu'avant la guerre, cette population a tendance à s'éloigner des frontières pour se répartir à l'intérieur du territoire national, d'autant qu'une bonne part est employée dans les départements ruraux comme la Nièvre ou le Tarn-et-Garonne, pour y remplacer les paysans fauchés sur les champs de bataille. Par sa structure démographique, cette population étrangère se différencie considérablement de la population française : les hommes y sont en forte majorité (58 pour 42 femmes en 1926), le groupe des 20-39 ans y est prépondérant (45 %), enfin la proportion de célibataires y est beaucoup plus élevée que dans la population française (53 % contre 44 % en 1926). En dépit de ce fait, la natalité y est très forte; vers 1927, elle est de l'ordre de 23 ‰ contre 18 ‰ dans la population française. Si bien que l'essentiel de la croissance démographique française est assuré par l'apport des étrangers.

Cet effet indirect de la guerre que représente la proportion croissante d'étrangers sur le sol national pose évidemment le problème des relations qu'entretiennent avec les Français ces groupes d'immigrés. L'acceptation des étrangers par les Français est très directement liée à leurs possibilités d'assimilation. Ralph Schor a montré que les contingents les plus proches sur le plan ethnique ou par les habitudes culturelles étaient aussi les mieux considérés, ceux qui s'assimilaient le plus rapidement grâce à l'école, au service militaire ou aux mariages mixtes : Belges, Suisses, Italiens, Espagnols. En revanche, les immigrants d'Europe centrale, coupés de la population française par leur langue, leurs coutumes et parfois par l'action de leur gouvernement ou d'institutions nationales (par exemple l'action, étudiée par Janine Ponty, du gouvernement de Varsovie ou du clergé polonais pour éviter l'assimilation de leurs ressortissants), créent de véritables ghettos, cibles de comportements xénophobes. C'est surtout contre eux que s'exercent les récriminations des travailleurs dénonçant la pression exercée sur les salaires par les contrats léonins acceptés par les immigrés, ou les accusations de l'opinion dénonçant la criminalité ou les conditions sanitaires défectueuses des quartiers d'immigrés. La xénophobie n'est pas un fait nouveau dans la France des années vingt, mais elle va se trouver stimulée par la croissance rapide du nombre des étrangers et donner lieu périodiquement à des incidents liés à des procès pour crimes politiques, voire à une véritable poussée populaire hostile aux étrangers durant l'été 1926. Sans revêtir la gravité qu'elle aura à la fin des années trente, elle s'installe solidement avec la prise de conscience d'un affaiblissement national et à l'occasion du flux d'immigration qui suit la guerre.

Le peuple des anciens combattants et victimes de guerre.

Si l'ombre de la guerre demeure sensible durant les années vingt par ses effets démographiques directs ou indirects, elle est encore plus présente dans la société française par le nombre de ceux que la guerre a durablement touchés dans leur vie personnelle ou familiale, qu'elle a marqués dans leur chair, ou sur lesquels elle a laissé une empreinte morale ineffaçable. Dans la France des années vingt apparaissent de nouvelles catégories, inconnues hier, les anciens combattants et victimes de guerre, auréolés d'une parcelle du caractère sacré que revêt désormais tout ce qui rappelle le grand sacrifice consenti au salut de la Patrie.

La thèse d'Antoine Prost nous permet de mieux connaître ce groupe fondamental de la société française [1]. Combien sont-ils en 1920, au sortir du conflit ? Parmi les hommes qui sont allés au front, c'est-à-dire ceux nés entre 1870 et 1899, qui ont donc à ce moment entre 20 et 50 ans, on compte 6 441 660 survivants, soit 60 % de la population masculine adulte, mais 90 % de la génération concernée, celle des hommes d'âge mûr des années vingt qui vont progressivement devenir les décideurs de la France de l'époque et constituer le gros bataillon des actifs. On ne saurait comprendre la France de l'après-guerre sans tenir compte de ce fait majeur : la plupart des hommes qui gouvernent, qui font l'opinion, qui dirigent les entreprises, qui forment les cadres des forces politiques ou des syndicats ont connu de plus ou moins près l'horreur de la guerre.

Un certain nombre d'entre eux en portent, le reste de leur existence, les marques dans leur chair. La moitié des démobilisés, soit 3 220 000 personnes, ont été blessés durant la guerre. Sans doute les blessures sont-elles plus ou moins graves, laissent-elles plus ou moins de traces. Pour 1 100 000 d'entre eux, elle a donné lieu au versement d'une pension d'invalidité. Durant toute la durée de l'entre-deux-guerres le mutilé dans son fauteuil roulant, la « gueule cassée », l'amputé se déplaçant sur ses béquilles ou

1. Antoine Prost (114) ; voir aussi, du même auteur (113).

dont la manche vide est glissée dans la poche de sa veste font partie de l'environnement de la société française, portant quotidiennement témoignage des conséquences de la guerre.

En dehors des combattants eux-mêmes, le reste de la société est également marqué par les conséquences du conflit. La mort de nombre de combattants a laissé sans ressources leurs ascendants trop âgés pour pouvoir travailler. Ces vieillards douloureux, terminant leur existence dans le souvenir muet du disparu et dont 800 000 vivotent grâce à la pension versée par l'État, sont partie intégrante du paysage social. Comme les 700 000 veuves de guerre non remariées dont les vêtements de deuil rappellent jour après jour l'épreuve que vient de subir le pays. Comme les 760 000 orphelins qui perçoivent une pension jusqu'à 18 ans et dont l'enfance sera marquée par l'absence du père. Pour ces quelque 2 millions de victimes de guerre se posent des problèmes d'insertion sociale, de survie, d'obtention de droits, mais aussi de reconnaissance dans une société mal préparée à intégrer des groupes nouveaux, nés de la guerre et sans véritable équivalent dans le passé.

Ce qui explique que, très tôt, et en commençant par les mutilés dont la situation est la plus délicate, ces anciens combattants et victimes de guerre aient éprouvé le besoin de s'organiser pour résoudre les multiples problèmes qu'ils rencontraient. Ainsi naissent durant le conflit de nombreuses associations qui vont peu à peu se regrouper en quelques grandes organisations séparées, soit par leurs choix politiques, soit par la nature de leurs adhérents. Les associations générales sont dominées par l'*Union nationale des combattants* (UNC), dont la sensibilité politique est clairement marquée à droite, et par l'*Union fédérale* (UF), qu'on pourrait classer au centre gauche. Mais les communistes rassemblent leurs sympathisants au sein de l'*Association républicaine des anciens combattants* (ARAC), cependant que radicaux et francs-maçons créent en 1922 la *Fédération nationale des combattants républicains* (FNCR). Par ailleurs, existent de nombreuses associations spécialisées : l'*Union nationale des mutilés et réformés* (UNMR), l'*Association générale des mutilés de guerre* (AGMG), l'*Union des aveugles de guerre*, la *Fédération nationale des trépanés et blessés de la face*... En 1927, à l'instigation du président de l'UF, Pichot, l'ensemble des associations accepte de se rassembler dans une « Confédération de la France meurtrie » qui va se charger de représenter les anciens combattants et victimes de guerre au plan national. Le problème que pose à la nation l'existence d'un groupe qui représente en 1920 près du quart de la population française (même si les diverses associations ne rassemblent guère plus de 3 millions d'adhérents) explique la création en janvier 1920, par le gouvernement Millerand, d'un *ministère des Pensions, Primes et Allocations de guerre* dont le titulaire sera jusqu'en 1924 le mutilé de guerre André Maginot.

Outre leurs activités d'assistance à leurs membres, de démarches en leur faveur, d'interventions auprès des pouvoirs publics, les associations d'anciens combattants vont jouer un double rôle qui prolonge l'impact de la guerre sur la société française. D'une part, se réclamant de la reconnaissance morale que leur voue la nation, et que résume la célèbre formule : « Ils ont des droits sur nous ! », ils vont s'ériger en censeurs sourcilleux et exigeants de l'action des gouvernants. Pour la sauvegarde de la patrie, de son unité, de son intégrité, n'ont-ils pas sacrifié de longs mois de leur existence, des années de leur vie familiale et professionnelle et accepté d'avance le risque de la mort ? Ayant survécu à l'épreuve, ils se considèrent comme les garants du dépôt sacré qu'ils ont remis aux mains des gouvernants et observent d'un œil critique la manière dont ceux-ci gèrent le pays. Le milieu ancien combattant constitue ainsi un foyer d'antiparlementarisme latent. Parlement et gouvernement sont l'objet dans ce milieu d'un discours critique fondé sur le fait qu'ils sont les représentants de partis qui divisent une entité nationale que la guerre et l'union sacrée avaient su rassembler, de même qu'on leur reproche un bavardage et un verbalisme opposés au sobre sacrifice des combattants, et qu'on juge insupportables les « affaires » politico-financières qui compromettent quelques hommes politiques et qu'on étend abusivement à l'ensemble du personnel gouvernemental, réputé ainsi corruptible, alors que les poilus ont, sans espoir de récompense, fait à la Patrie le sacrifice de leur vie. En dépit de la diversité de leurs opinions politiques, les anciens combattants participent donc d'un état d'esprit qui fait d'eux un vivier dans lequel les adversaires du régime parlementaire peuvent à l'occasion puiser [1]. Sans doute, la plupart du

1. Nous ne partageons pas sur ce point l'avis émis par Antoine Prost pour qui le discours antiparlementaire des anciens combattants serait uniquement rhétorique, simple concession à l'« air du temps ».

temps, cet antiparlementarisme demeure-t-il verbal et contribue-t-il tout au plus à miner la confiance accordée par les Français aux institutions républicaines (si on se souvient que, dans les années vingt, République et parlementarisme sont synonymes). Mais certains hommes politiques de droite, dirigeants d'associations d'anciens combattants, ont songé à utiliser l'esprit « ancien combattant » pour conduire une action politique orientée contre le régime. Ce sera le cas des dirigeants de l'UNC, Jean Goy, Henri Rossignol ou Georges Lebecq, professionnels de l'activisme d'extrême droite, et qui réussiront jusqu'à un certain point en baptisant « Action civique » leur action politique visant à faire de cette association un groupe de pression favorable à la droite, voire à l'extrême droite. La dérive sera encore plus nette pour l'*Association des Croix-de-Feu*, à l'origine association d'anciens combattants décorés au feu et qui deviendra une ligue dans les années trente. A l'inverse, un mouvement nettement politique marqué à l'extrême droite comme les *Jeunesses patriotes* privilégiera, en se fondant sur cet antiparlementarisme des anciens combattants, son recrutement dans ce milieu en décidant que seuls ces derniers pourront siéger dans son comité directeur.

Au-delà de ce rôle critique dans le champ du politique, les associations d'anciens combattants vont se muer en collèges de prêtres voués au culte du souvenir de la guerre. Désormais, et dans chaque cérémonie officielle, ils sont présents avec leurs drapeaux, témoins obligés et respectés du grand drame dont ils ont été les acteurs, indispensable caution du caractère national de la célébration. Plus spécifiquement, ils ont leur grande liturgie, la fête du 11 Novembre où on célèbre les absents qui ont donné leur vie, par un défilé, une minute de silence qui permet le recueillement, un dépôt de gerbe. Liturgie qui est aussi celle de la parole : le 11 Novembre constitue une leçon de civisme pour les générations futures et, sous la conduite de leurs maîtres, les enfants des écoles viennent écouter les discours prononcés au pied du monument, réciter les poèmes patriotiques qu'on leur a appris, chanter les hymnes à la patrie, à la justice ou à la paix. Pour souligner ce rôle de prêtres de la cité désormais dévolu aux anciens combattants, il ne manque même pas les lieux de culte où se déroulent ces célébrations. Au niveau national, c'est la tombe du soldat inconnu, finalement placée sous l'Arc de Triomphe et où, depuis 1923, brûle la flamme, quotidiennement ranimée par les anciens combattants afin de signifier symboliquement que le souvenir du sacrifice reste vivant. Enfin, au centre de chaque village, dans la clôture de l'espace sacré ainsi délimité, sont érigés les monuments aux morts, lieu central des célébrations civiques et patriotiques, et, avant tout, celle du 11 Novembre.

Présente par les anciens combattants et victimes de guerre dans la société des années vingt, la guerre l'est aussi dans le paysage national.

2. Les traces de la guerre

La guerre dans le paysage de la France des années vingt.

Il faut se souvenir que, la guerre terminée, d'innombrables séquelles des combats se dressent aux yeux des contemporains du moins dans la France du Nord et de l'Est : usines en ruine, maisons éventrées, ponts effondrés, monuments mutilés, sans compter ces champs de morts truffés d'obus où les cadavres se mêlent à la terre et qui apparaissent désormais impropres à toute exploitation, autour de Verdun, sur la Somme, en Champagne, dans ces hauts lieux des combats de la « Grande Guerre ». Écrivant en 1920 *Le Déclin de l'Europe*, Albert Demangeon dépeint ainsi la catastrophe : « Dans la France du Nord, c'est un cataclysme qui a tout renversé ; on ne déplore pas seulement la dévastation des forêts, des usines, des mines, des maisons, volontairement accomplie par l'ennemi ; il faut encore revoir par la pensée cette zone, longue de 500 kilomètres, large de 10 à 25, qui suit le front de la bataille et que le manque de culture joint à la destruction de la bonne terre a transformée en désert, en une steppe sauvage, en un champ d'éruptions. »

Dans cette zone ravagée, certains villages sont rayés de la carte et le resteront, une simple pancarte marquant le lieu de leur passé mort. Pour les départements du Nord et du Nord-Est qui connurent l'invasion et où se déroulèrent les batailles, les ruines font, durant l'ensemble des années vingt, partie du paysage, puisqu'il faut attendre 1931 pour que la reconstruction soit considérée comme achevée.

Marche de la reconstruction
en pourcentage reconstitué
par rapport aux destructions

	1925	1931
Habitations	52	88
Bâtiments agricoles	67	100
Édifices publics	44	99
Usines	87	90
Routes	79	99
Voies ferrées (intérêt général)	100	100
Sols	92	100
Terres de culture	100	100

Certaines villes particulièrement éprouvées, comme Reims, ne sont plus qu'un champ de débris, et la cathédrale elle-même est durement touchée, portant longtemps les cicatrices qui rappellent le martyre de la ville des sacres. Les photographies des voyages officiels des gouvernants dans la France des années vingt représentent des cortèges cheminant au milieu des traces toujours visibles de la tempête que le pays vient de subir.

A mesure que la reconstruction fait disparaître ces séquelles des combats, la mémoire de la guerre est remplacée dans le paysage par ces monuments aux morts destinés à commémorer le souvenir de ceux qui sont tombés pour la patrie. Dans toutes les communes de France, les municipalités décident l'érection de stèles accompagnées ou non de sculptures, qui, par dizaines de milliers, vont couvrir le territoire national et devenir les hauts lieux du culte civique et patriotique dont sont chargées les associations d'anciens combattants. Modestes plaques portant le nom de ceux qui sont tombés, monuments civiques surmontés de la croix de guerre et dressés dans les lieux publics, au centre des villages, près de la mairie ou de l'école, monuments patriotiques exaltant le sacrifice consenti au pays, monuments funéraires plus sobres mettant en valeur le deuil et la douleur, monuments à caractère religieux célébrant à la fois la mort et le patriotisme autour du rappel de l'exemple de Jeanne d'Arc, et parfois même monuments pacifistes mettant en accusation la guerre, faucheuse d'hommes... A la multiplicité des formes répond la variété des messages. Car, dans ces monuments dressés au centre de chaque village, les morts de la Grande Guerre entretiennent avec les survivants un dialogue permanent [1].

Non, décidément, les Français des années vingt ne sauraient oublier la guerre, présente dans les ruines des villages touchés par les combats, mais aussi, même loin de la zone de front, par la statue du Commandeur dressée au centre de la cité, le poilu de bronze ou de pierre, derrière qui se dresse, invisible, la masse des disparus dont les noms sont portés sur la stèle et qui adressent aux vivants un message explicité par les cérémonies et le discours officiel.

Mémoire de la guerre : la littérature et le cinéma.

Perceptible dans ses effets démographiques, quotidiennement visible dans le paysage ou la société, la guerre est encore présente dans l'univers des hommes des années vingt par les récits sans cesse renouvelés de ce que fut la vie au front ou des conséquences du conflit.

La mémoire de la guerre se transmet d'abord oralement. Il n'est guère de Français qui n'ait, parmi ses proches, un ancien combattant ayant subi l'épreuve des tranchées, des attaques meurtrières, de la mort toujours présente. Sans doute, dans leur volonté d'oublier le cauchemar, beaucoup évitent-ils de s'appesantir sur un passé où le souvenir de la peur quotidienne, de la boue, du froid ou des rats tient plus de place que les actes d'héroïsme. Pourtant, le silence n'est pas total et, jusque dans la confidence à demi consentie, l'interlocuteur sent passer le frisson de l'horreur : comment dire l'indicible ? Pour toute la génération née à partir de 1905 et qui n'a pas fait directement la guerre, le souvenir de l'épouvante des aînés à l'évocation, même partielle, de ce qu'ils ont vécu, va nourrir, colorer le souvenir du conflit récent.

D'autant que les détails que les combattants ne veulent, ne

1. La sémiologie des monuments aux morts a été esquissée par Antoine Prost dans (114). Poursuivant dans cette voie, Annette Becker a consigné le résultat de ses recherches dans *Les Monuments aux morts. Mémoire de la Grande Guerre* (153).

peuvent ou ne savent pas exprimer sont présents dans les innombrables témoignages littéraires que la guerre a fait naître. On continue à lire dans les années vingt la profusion d'œuvres de circonstance, de médiocre qualité, qui évoquent le conflit en développant indéfiniment les mêmes poncifs : la barbarie du Teuton, la gloire du poilu, le génie de la France... Mais les témoignages dans leur brutale réalité ont définitivement balayé la littérature des « bourreurs de crâne » de la guerre ou l'héroïsme facile ou lyrique d'une Anna de Noailles ou d'un Fernand Gregh. Qui admettrait encore en 1920 qu'évoquant la « mort du héros » ce dernier écrive :

> Et que perd-il ? Un peu de notre sort vulgaire
> C'est en vivant qu'il perdrait plus.

Désormais, dans la description de ce que fut le conflit, c'est le réalisme qui l'emporte, même quand il s'exprime dans une forme poétique comme les *Calligrammes* d'Apollinaire :

> Il y a dans le ciel six saucisses et la nuit venue on dirait
> des asticots dont naîtraient les étoiles
> Il y a un sous-marin ennemi qui en voulait à mon amour
> Il y a mille petits sapins brisés par les éclats d'obus autour de moi
> Il y a un fantassin qui passe aveuglé par les gaz asphyxiants
> Il y a que nous avons tout haché dans les boyaux de Nietzsche,
> de Goethe et de Cologne...

Mais surtout, à partir de 1916, paraissent une série d'œuvres qui vont constituer une des colonnes vertébrales de la culture des années vingt et qui consistent dans l'évocation naturaliste et sans concession de ce que fut l'expérience de la guerre, avec souvent, une accusation implicite ou non, par les combattants des tranchées, de la société bourgeoise et capitaliste, qui a rendu le massacre possible, du militarisme, du nationalisme cocardier, dont les effets se soldent par les souffrances vécues des poilus. L'œuvre pionnière dans ce domaine est le livre d'Henri Barbusse *Le Feu*, paru en 1916, et qui oppose aux horreurs de la guerre la fraternité des combattants. Dans la même lignée paraissent, en 1917, *Vie des martyrs* et, en 1918, *Civilisation*, tous deux de Georges Duhamel. En 1919, avec *Les Croix de bois*, c'est avant tout l'expérience directe du champ de bataille dont rend compte

Roland Dorgelès, promu par ce livre représentant type de l'ancien combattant écrivain. La série continuera d'ailleurs dans les années trente avec des œuvres qui montrent que le temps n'amortit nullement le souvenir du cauchemar, le *Verdun* des *Hommes de bonne volonté* de Jules Romains, *L'Été 14* des *Thibault* de Roger Martin du Gard, ou le *Voyage au bout de la nuit* de Céline.

Il est vrai que, si la plupart des ouvrages qui traitent du conflit le voient comme un cauchemar dont il est impossible de se débarrasser, le thème de la guerre n'apparaît pas toujours comme un élément négatif. Évoquant dans *Le Songe*, en 1922, le passage d'un jeune homme du collège aux champs de bataille, Henry de Montherlant voit dans celle-ci une héroïque aventure, l'expérience virile par excellence, permettant à l'homme de se dépasser, de vivre une ascèse, de sortir de la médiocrité en affrontant la mort : « Elle était pareille à la nef Argo la profonde voiture où dans l'ombre on ne voyait briller que les reflets bleus des fusils, les boîtes de métal des masques, les têtes casquées qui, face à face, émergeaient des fenêtres comme dans un dessin de coupe grecque les têtes des héros hors les hublots de la nef ; elle était une belle chose guerrière qui, dans le silence de la nuit finissante, roulait vers la dure bataille. » Différente est l'approche d'un Drieu La Rochelle. Assoiffé d'héroïsme individuel, ardemment désireux de révéler au monde le chef qu'il sent en lui, il avait espéré la guerre qu'il concevait comme le théâtre d'exploits tirés d'un Moyen Age de roman. Déçu par la forme moderne et scientifique, peu propice à l'héroïsme, qu'elle a revêtue dans la réalité, il ne cesse de revenir sur l'expérience vécue, cherchant à discerner dans la confusion des événements la trace de l'occasion perdue. Héros en disponibilité d'une guerre imaginaire, il oppose le conflit rêvé à la réalité de l'expérience. C'est la trame d'une série d'ouvrages allant d'*Interrogations* (1917) au *Jeune Européen* (1927) en passant par *Fond de cantine* (1920).

Enfin, même lorsque la guerre n'est pas le sujet de l'œuvre littéraire, elle en constitue souvent le cadre ou l'explication, soulignant ses effets sur la société. Nous reviendrons sur l'abondante (et souvent médiocre) littérature mettant en scène « nouveaux riches » et « nouveaux pauvres », un des thèmes majeurs de la réflexion sur les bouleversements sociaux provoqués par le conflit. Mais, plus directement, on peut évoquer le scandale suscité par le thème tabou de la longue séparation des couples durant le conflit et des conséquences qu'elle comporte. En 1921, les Parisiens font un succès à la pièce de J.-J. Bernard, *Le Feu qui reprend mal*, évocation d'un ménage que la démobilisation ne peut ressouder après la coupure du conflit. Sur un thème voisin, *Le Diable au corps* du jeune Raymond Radiguet publié en 1923, l'année même de la mort de son auteur, fait scandale parce qu'il aborde trois problèmes insupportables pour une société qui confère aux anciens combattants un caractère sacré : la sexualité des épouses de mobilisés, l'adultère dont les poilus sont les victimes, l'adolescent remplaçant l'homme mûr en train de combattre, dans le cœur et le lit de son épouse.

Présente dans la littérature, la guerre l'est aussi dans cet art nouveau qui commence son extraordinaire expansion, le cinéma. Déjà pendant les années 1914-1918, les salles avaient présenté, outre les bandes d'actualités relatant les grandes batailles en cours, une série de films patriotiques (*Pour la France*, *Le Fusil de bois*, *Sous l'uniforme*...) destinés à consolider le moral de l'arrière. Durant les années vingt, les traces de la guerre demeurent présentes, directement ou indirectement, dans les films projetés. On ne sera pas surpris que, de ce point de vue, la décennie s'ouvre sur le film d'Abel Gance, *J'accuse*, conçu dès 1917, et finalement présenté en 1919. L'œuvre se veut une dénonciation des horreurs de la guerre ; elle est sans doute plus encore une illustration de l'esprit « ancien combattant » qui entame sa carrière, la noblesse des guerriers s'opposant à l'esprit de jouissance, de cupidité, d'immoralité de l'arrière. La scène centrale du film voit les morts de la guerre appuyer le réquisitoire dressé par le cinéaste contre la femme adultère, le fils paresseux, les déserteurs, les lâches, dénoncés devant le village tout entier, symbolisant la communauté nationale. A dire vrai, l'évocation directe de la guerre s'atténue plus vite au cinéma que dans la littérature, peut-être parce que le besoin de distraction, d'évasion commande ici plus directement la production. Mais le souvenir de la guerre est en fait, subtilement présent, dans des productions qui n'ont rien à voir avec elle. Ainsi, du film historique dont c'est une des premières grandes époques, construit à base d'allusions qui rapprochent le spectateur de la réalité vécue et font apparaître tous les épisodes de l'histoire nationale comme des jalons vers une issue dont la Grande Guerre serait l'aboutissement : le pays ravagé du *Jeanne d'Arc* de Marc de Gastyne n'évoque-t-il pas les récents champs de bataille, et les « adieux de Fontainebleau » de *L'Agonie des aigles* de Bernard Deschamps (1921) la démobilisation ? De la même manière, c'est l'union sacrée du temps de guerre et ses prolongements dans la paix qu'entendent signifier les grandes scènes de réconciliation nationale du *Miracle des loups* de Raymond Bernard. Plus peut-être que les films de 1928 réalisés à l'occasion de la célébration du 10e anniversaire de l'armistice, *La Grande Épreuve* et *Verdun, visions d'histoire*, de Léon Poirier, c'est une grande partie de la production commerciale qui se lit à la lueur du conflit que viennent de vivre les Français et dont la mémoire demeure présente, que l'expression en soit explicite ou non [1].

Une génération traumatisée par la guerre.

Que la guerre ait été vécue — par les combattants des tranchées — ou qu'elle ait été simplement perçue — par les récits des poilus, les relations littéraires ou cinématographiques, les effets visibles qu'elle entraîne dans la société et la vie quotidienne —, elle a provoqué un très profond traumatisme sur la société des années vingt. Ce traumatisme se traduit pour la quasi-unanimité de la population par le désir prioritaire, profond, viscéral de ne jamais revoir un conflit de cet ordre avec les souffrances qu'il entraîne, les malheurs de tous ordres dont il est porteur, les menaces permanentes qu'il fait peser sur tous. S'il est un sentiment unanime dans la France des années vingt, un mot d'ordre catégorique, rendant toute autre préoccupation secondaire, c'est bien celui-là. Sans doute les modalités de mise en œuvre du principe diffèrent-elles selon les sensibilités politiques et idéologiques : pour les uns, la paix éternelle sera assurée par des mesures qui garantiront la suprématie de la France victorieuse sur l'Allemagne vaincue ; pour d'autres, il s'agira avant tout de faire régner dans le monde une idéologie nouvelle, appuyée sur les principes wilsoniens, qui fera reculer le risque de guerre. Pour les générations les plus anciennes qui ont vécu

1. Sur le poids de la guerre dans le cinéma des années vingt, nous suivons ici les analyses de Marcel Oms, « Histoire et géographie d'une France imaginaire », *Les Cahiers de la cinémathèque* (144).

l'époque des combats pour le triomphe de la République, la paix universelle réside dans l'extension au monde entier des conceptions de démocratie parlementaire qui sont le soubassement du modèle républicain [1], alors que, pour les plus jeunes, c'est en renonçant aux vieux mythes éculés pour ne plus considérer que les réalités qu'on évitera un nouveau massacre. Mais, sur la volonté d'éviter celui-ci, il n'existe aucune discordance.

Antoine Prost a montré quelle place le pacifisme tenait dans l'idéologie des anciens combattants, qui répudient (sauf quelques groupuscules) le nationalisme étroit et cocardier, le faux courage de l'arrière qui ignore les souffrances du front, et toute attitude belliqueuse. De même la célébration de la fraternité des tranchées s'accompagne du rejet du militarisme, de la discipline mécanique et de l'obéissance passive, et entraîne une incontestable méfiance envers la morgue cassante et orgueilleuse d'officiers peu ménagers du sang de leurs hommes. Enfin, les anciens combattants s'assignent une mission civique, celle d'éduquer les générations montantes dans l'horreur de la guerre en la montrant sans concession telle qu'elle fut vraiment et en développant *a contrario* l'idée d'entente entre les peuples, en appuyant l'action de la Société des Nations, en multipliant les conférences, les meetings, la propagande en faveur de la paix. L'UF et ses principaux dirigeants, René Cassin, Henri Pichot, Marcel Blanchard, jouent dans cette action de propagande un rôle de tout premier plan. Leur objectif ultime, c'est d'inculquer aux Français l'idée que la guerre n'est en rien un phénomène inéluctable et qu'il existe toujours un moyen politique d'éviter un conflit, qui est la plus mauvaise des issues. Autour des anciens combattants se développe donc un pacifisme patriotique, ardemment attaché à la défense nationale, mais non moins ardemment à la paix.

Dans les générations plus jeunes, le pacifisme n'est pas moindre, encore amplifié peut-être par le fait qu'il apparaît comme une priorité qui n'est pas contrebalancée par d'autres impératifs idéologiques. L'attachement à la République parlementaire y existe sans doute, mais il ne revêt pas le caractère passionnel qu'on trouve dans la génération des années 1870 qui a vécu le boulangisme et l'affaire Dreyfus. Le patriotisme y est certes pré-

1. Sur ce point, Serge Berstein et Odile Rudelle (sous la direction de), *Le Modèle républicain* (à paraître).

sent, mais moins uniformément que chez les hommes qui ont accepté dans les tranchées le sacrifice de leur vie pour sauver la patrie. On peut avoir une idée du pacifisme de la génération née autour de 1905, trop jeune pour avoir fait la guerre, à travers l'étude que Jean-François Sirinelli a consacrée à une partie d'entre elle, celle qui, au début des années vingt, entrait en khâgne ou intégrait l'École normale supérieure [1]. A travers une série d'itinéraires individuels, à travers l'étude des groupes politiques présents dans les khâgnes ou à l'École normale supérieure, l'auteur y démontre qu'on est en présence d'une génération pacifiste qui baigne dans une atmosphère favorable à la Société des nations, marquée par l'attachement à l'esprit de Genève et qui est assumée par les deux groupes dominants dans cette micro-société, les socialistes (organisés par Marcel Déat, jeune ancien combattant) et les élèves d'Alain, véritable professeur de pacifisme. Sans doute cette serre pacifiste, à forte tonalité antimilitariste, abrite-t-elle quelques plantes rares qu'on ne saurait assimiler à toute la population française, à la différence des anciens combattants, mais leur influence est considérable dans l'enseignement, la presse, la littérature, la politique, et leurs idées seront d'autant plus volontiers accueillies qu'elles s'adressent à une population disposée à les recevoir.

Oublier la guerre ?

On ne saurait comprendre la France des années vingt sans prendre en compte la présence permanente de la guerre dans la vie quotidienne des Français. Parce que cette guerre a été pour tous, au front ou à l'arrière, traumatisme profond, la volonté majeure des Français est de la rejeter au plus profond du passé, de refermer la parenthèse, de retrouver la joie des plaisirs simples, du labeur quotidien, de la vie facile qu'on imagine, après coup, avoir été celle de la « Belle Époque ».

Mais comment cet oubli serait-il possible dès lors que la guerre est présente dans chacun des lieux de vie, dans les ruines en voie de déblaiement, dans les monuments aux morts en voie d'érection ? Quelle joie de vivre quand, à chaque heure du jour, on croise les mutilés ou les veuves pour qui le bonheur s'est arrêté

1. Jean-François Sirinelli (141).

un jour sur un champ de bataille ou les orphelins dont l'avenir est hypothéqué ? Peut-on vivre une vie normale lorsque les défilés d'anciens combattants rappellent, chaque jour à l'Arc de Triomphe sur la tombe du soldat inconnu, les morts de la Grande Guerre, quand chaque cérémonie exige le passage au monument aux morts, quand la littérature et le cinéma évoquent encore et encore l'insupportable cauchemar ?

Sans doute, à mesure que l'on s'éloigne de la guerre, le souvenir de celle-ci se fait-il moins vif. Malgré tout, la vie reprend ses droits, sans que le souvenir de la guerre soit oblitéré. Mais, à mesure qu'on entre ainsi dans l'univers de normalité qu'on aspire à retrouver, de nouveaux obstacles s'opposent au retour à l'âge d'or. La France découvre progressivement, à mesure que le bouleversement dû au conflit est intégré par la société, que les quatre années de guerre lui ont légué d'irréversibles mutations de ses structures, dans l'ordre financier, dans l'ordre social, dans les mentalités et les conceptions politiques. Et c'est en en prenant la mesure qu'elle comprendra l'inanité de ses espoirs de retour au passé, ouvrant ainsi la voie à une crise profonde, dès 1925-1926, crise qui s'épanouira durant les années trente.

C'est dans cette dialectique entre une volonté viscérale de retour au passé pour oublier la guerre et l'impossibilité pratique de ce retour du fait des bouleversements dus au conflit que réside pour l'essentiel, l'histoire de la France des années vingt, et c'est par elle que s'expliquent les aléas de la vie politique comme les transformations de la société et des mentalités.

8

La France du Bloc national

1919-1924

A l'issue de la guerre, le désir de retour à l'âge d'or de l'opinion publique se heurte aux dures réalités que connaît le pays. L'inflation, née du conflit, pèse sur les finances publiques et entretient une agitation sociale, stimulée par ailleurs par l'exemple de la révolution russe. Les négociations de Versailles ont mis en évidence l'incompatibilité entre les vues des Français sur la paix et les conceptions en la matière de leurs alliés du temps de guerre, Américains et Britanniques. Décevante pour l'opinion, la paix de Versailles paraît en outre difficile à mettre en œuvre. Cette situation de trouble va être l'apanage dont hérite la majorité issue des élections de 1919, celle du Bloc national.

Peu de périodes de notre histoire ont conservé une image aussi négative que celle durant laquelle le Bloc national gouverne la France [1]. On en retient généralement le caractère réactionnaire d'une politique qui se caractérise par la répression du mouvement ouvrier, le nationalisme agressif manifesté par Poincaré lors de l'occupation de la Ruhr, les décrets-lois de la fin de la période... Bien entendu, les faits sont réels et le jugement fondé. Mais l'appréciation de l'action du Bloc national ne serait pas complète si l'on ne prenait en même temps en compte le contexte dans lequel elle s'inscrit : la poussée révolutionnaire en Europe, le très large consensus de l'opinion sur la nécessité de lutter contre le bolchevisme, et de faire payer l'Allemagne, fût-ce par la force, la gravité d'une crise financière que l'esprit public ne peut accepter.

1. Dans *Notre Siècle* (8), René Rémond souligne avec raison que les historiens ont vu le Bloc national avec les yeux de ses adversaires.

De surcroît, l'expression « Bloc national » est de celles qui recèlent de considérables ambiguïtés. Pour restituer la réalité, il faudrait prendre en compte les quatre nuances suivantes, sans lesquelles la période devient incompréhensible et qui représentent quatre acceptions différentes du terme « Bloc national » :

— Dans son intention première, le Bloc national n'est rien d'autre que la volonté de prolonger durant la paix l'union sacrée du temps de guerre, c'est-à-dire le rassemblement de la plus grande partie des forces politiques autour d'objectifs nationaux communs.

— Dans sa mise en œuvre en vue des élections de 1919, il se ramène à une acception beaucoup plus étroite, l'union du centre droit et de la droite, à laquelle participent *individuellement* des hommes jusqu'alors classés au centre gauche.

— Au lendemain des élections, on parle d'une majorité de Bloc national à la Chambre. Or, jusqu'en 1923 cette majorité est ambiguë, puisqu'elle comporte à la fois les élus du rassemblement politique baptisé « Bloc national », mais aussi une partie des radicaux et des socialistes indépendants qui n'ont pas figuré sur les listes du Bloc national. Ce n'est qu'en 1923, après la rupture des radicaux avec la majorité, que la configuration de celle-ci est approximativement à l'image de la coalition victorieuse aux élections de 1919.

— Enfin, on appelle aussi Bloc national l'ensemble des gouvernements qui dirigent le pays de 1920 à 1924. Or, on pourrait faire à leur propos une remarque identique à celle qui vient d'être faite pour les majorités. Tous les présidents du Conseil successifs ont pour préoccupation majeure de ne pas être les otages de la majorité de droite issue des élections et ils y parviennent, au moins jusqu'en 1923.

C'est en tenant compte de ces évolutions qu'on peut tenter de saisir ce que fut l'action des gouvernements confrontés, de 1919 à 1924, à l'impossible tâche de conduire vers un avenir incertain un peuple qui, de toutes ses forces, aspirait à retrouver un passé qu'il refusait de considérer comme révolu.

1. L'agitation sociale et la « grande lueur à l'Est »

De novembre 1918 à janvier 1920, c'est le gouvernement Clemenceau qui continue à gérer la situation nationale, dans l'attente d'une reprise de la vie politique normale dont le préalable est de nouvelles élections législatives. En attendant, l'exercice du pouvoir revêt toujours la forme d'une « dictature parlementaire », le président du Conseil faisant marcher au canon une Chambre dont l'autorité est d'autant plus faible que ses pouvoirs sont arrivés à expiration au printemps 1918, imposant silence au chef de l'État, et arguant de l'urgence des problèmes qu'il doit traiter pour ne pas accepter de se laisser distraire par d'interminables débats parlementaires.

Outre le règlement de la paix [1], le problème fondamental que doit affronter le gouvernement est celui de l'agitation sociale, inextricablement liée à la révolution russe.

Alors que les Français aspirent, après les misères de la guerre, à retrouver la joie de vivre dans une société d'abondance, ils doivent affronter hausse des prix et pénurie. Le retour de la paix n'a pas permis que, d'un coup de baguette magique, la production retrouve son rythme d'avant-guerre. Le manque de personnel, de chevaux et d'engrais dans l'agriculture, la priorité donnée dans l'industrie aux fournitures à l'armée entraînent un cruel déficit de denrées alimentaires et de produits de première nécessité. Alors que la production de blé était de 87 millions de quintaux en 1913, elle n'est que de 61 millions en 1918, de 50 millions seulement en 1919. Pour le bétail, la perte des effectifs par rapport à 1913 est, en 1918, de 17 % pour les bœufs, de 44 % pour les ovins, de 43 % pour les porcs. Globalement, la production agricole s'établit en 1918 à 60 % de ce qu'elle était avant la guerre. Dans le domaine industriel, on considère qu'au début de 1919 l'indice de la production n'est qu'à 55 pour une base 100 en 1913 ; la crise de 1920-1921 le fera tomber sur la même base à 50 en juillet-septembre 1921. Cette chute considérable de la production fait régner la pénurie et, à son tour, celle-ci a tendance à provoquer la hausse des prix.

1. Voir ci-dessus chap. 6.

Dans ce contexte de ravitaillement difficile, la hausse des prix est alimentée en outre par l'abondance de la monnaie en circulation. En 1919, les billets en circulation, émis par la Banque de France pour financer le conflit, représentent un montant de 35 milliards contre 6 en 1913.

Peu éclairés sur les explications économiques, les Français sont en revanche sensibles aux difficultés qui résultent de cette situation dans leur existence quotidienne. La fin de 1918 et le printemps 1919 sont une période noire pour le ravitaillement : « Le charbon est rare, le beurre introuvable, il est difficile de se procurer des œufs ; le sucre est un objet de haut luxe, la viande renchérit sans cesse et tout est hors de prix. On ne trouve rien ou presque aux Halles. C'est le triomphe du commerce clandestin, de la corruption, de l'accaparement, du péculat. La crise des transports est aiguë à ce point qu'on n'arrive pas à ravitailler les régions libérées. Le désordre règne partout [1]. »

Dès novembre 1918, on constate que les prix de détail sont en moyenne à un niveau deux fois et demi supérieur à ce qu'ils étaient avant-guerre, seuls les loyers et quelques tarifs étant maintenus par blocage à leur niveau antérieur. Or, contrairement aux espoirs des Français, la paix ne fait pas disparaître la hausse des prix. Bien au contraire, elle l'aggrave. Pendant l'année 1919, l'indice des prix à la consommation passe de 238 à 289 et le mouvement se poursuivra en 1920 sous l'effet de la hausse à l'étranger et de la détérioration du cours du franc sur le marché des changes.

Les mesures prises par le gouvernement pour tenter d'enrayer la vie chère apparaissent comme dérisoires, compte tenu des raisons économiques qui expliquent pénurie et hausse des prix : installation à Paris des « baraques Vilgrain » (du nom du sous-secrétaire d'État au Ravitaillement) qui vendent des denrées bon marché pour casser la hausse des prix ; adoption à la Chambre, en février 1919, d'un projet de loi contre la vie chère qui renforce les pénalités en matière de spéculation et d'accaparement. Rien n'y fait, la France va vivre jusqu'en 1920 dans des conditions difficiles, la pénurie disparaissant peu à peu, mais la hausse des prix ayant pour sa part tendance à s'accentuer.

1. Témoignage de Louis Marcelin, *Politiques et Politiciens après la guerre*, La Renaissance du Livre, cité in Édouard Bonnefous (58), t. 3.

Cette situation est génératrice d'un malaise social qui touche particulièrement le monde ouvrier. Celui-ci revendique pour obtenir des avantages sociaux divers : augmentation des salaires et des indemnités, allocations de vie chère, amélioration des retraites. La politique de hauts salaires pratiquée durant la guerre, sous l'influence d'Albert Thomas, ministre socialiste de l'Armement, dans les arsenaux et les usines travaillant pour la défense nationale, stimule les revendications des salariés du privé qui réclament les mêmes traitements. Enfin, le rôle joué durant le conflit par la CGT comme conseiller du gouvernement pour les affaires sociales, et qui lui a permis d'obtenir de l'État de réels avantages pour une partie des salariés, a abouti à un gonflement de ses effectifs. Ne rassemblant avant le conflit qu'une « minorité agissante », elle est devenue au cours de celui-ci un mouvement de masse, revendiquant 2 400 000 adhérents en 1919 (les statistiques officielles lui en reconnaissent 1 600 000). Or, si Léon Jouhaux et les dirigeants de la CGT, conscients des bénéfices qu'ils ont tirés durant la guerre de leur intégration à la société et du dialogue avec le pouvoir, sont prêts à poursuivre dans cette voie, ce réformisme de fait est vivement contesté par une minorité révolutionnaire, rassemblant des syndicalistes révolutionnaires d'avant-guerre et des admirateurs de la révolution bolchevique, conduits par Monatte. Pour ces derniers, le devoir de l'heure est d'étendre, en se servant des revendications sociales, le mouvement révolutionnaire qui, parti de Russie, s'étend en Europe, touchant particulièrement l'Allemagne, puis la Hongrie. Aussi se saisissent-ils des mécontentements provoqués par la vie chère pour déclencher des mouvements sociaux de grande ampleur, débordant la direction de la CGT, contrainte de suivre le mouvement pour ne pas perdre le contact avec sa base ouvrière. En janvier 1919, se déclenchent des grèves dans les transports publics et chez les cheminots, en mars, l'agitation gagne les fonctionnaires...

Inquiets devant l'extension en France d'un mouvement qu'il interprète comme le déferlement de la vague révolutionnaire européenne, Clemenceau décide, à la veille de la célébration du 1er mai 1919, de lâcher du lest et de tenter de désamorcer l'agitation en lui faisant une concession de taille. Malgré l'opposition d'une partie du patronat, il propose au Parlement l'adoption de la loi de 8 heures. Définitivement votée le 23 avril 1919, la réforme ne met cependant pas fin à l'agitation sociale. C'est autour des modalités d'application de la loi (qui prévoyait une réduction par étapes de la journée de travail après accord de toutes les parties concernées et secteur par secteur, alors que les syndicalistes auraient souhaité une application immédiate dans tous les secteurs) que la CGT mobilise ses troupes le 1er mai. Interdite par le gouvernement, la manifestation connaît un immense succès et se solde par des heurts violents entre policiers et manifestants.

En fait, stimulée par la révolution russe et alimentée par les difficultés de la vie quotidienne, l'agitation sociale revêt de plus en plus nettement le caractère révolutionnaire qu'avait discerné Clemenceau. Au sein de la CGT, comme au sein du Parti socialiste SFIO, des minorités sont à l'œuvre, brûlant du désir d'imiter la révolution russe, perçue par la masse des démobilisés comme un mouvement messianique qui rendrait désormais la guerre impossible. Or, la CGT, en raison du rôle nouveau qu'elle a joué durant la guerre, la SFIO, parce qu'elle est le seul grand parti qui ait rompu l'union sacrée et se soit, à la fin du conflit, prononcé pour une paix rapide, apparaissent comme les grands bénéficiaires de la période de guerre et connaissent un afflux de nouveaux adhérents, attirés non par leur conception de la société ou leur programme, mais par la volonté d'œuvrer pour un monde de paix perpétuelle. Et beaucoup de ces nouveaux adhérents, dépourvus de véritable culture ouvrière, jugent que la solution de leurs espoirs réside dans le renversement de la société bourgeoise et capitaliste et son remplacement par une société socialiste, sœur de celle qui s'édifie en Russie, et qui fera régner tout à la fois la paix et la justice sociale. Cette aspiration ne saurait se satisfaire d'une concession mineure comme la journée de 8 heures, puisque c'est un monde nouveau qu'il s'agit d'édifier.

Si bien qu'entre les dirigeants du mouvement ouvrier, rompus aux réalités sociales, conscients des difficultés et des contraintes et ayant la mémoire des tentatives révolutionnaires avortées du début du siècle, et les nouveaux adhérents mus par leur rêve utopique, mais profondément enraciné par la volonté de paix, le fossé se creuse de plus en plus nettement. La coupure est plus nette à la CGT dont, derrière Jouhaux, les dirigeants ont accepté jusqu'au bout l'union sacrée et la collaboration avec l'État, qu'au Parti socialiste où l'ancienne majorité d'union sacrée a perdu la direction en 1918 et dont les nouveaux responsables sont des adversaires de la guerre à outrance. En juin 1919, rejetant un accord signé par Merrheim, responsable de la fédération CGT de la métallurgie, les révolutionnaires minoritaires déclenchent un mouvement de grève que la direction de la centrale refuse de soutenir. Entre la direction de la CGT et les admirateurs de la révolution bolchevique, la lutte est désormais ouverte.

Le lien étroit qui existe entre la révolution soviétique et l'agitation sociale en France est encore souligné par le problème posé par l'intervention alliée en Russie, à laquelle la France participe. Depuis décembre 1918, la flotte française mouille devant Odessa et, sous le commandement de Franchet d'Esperey, une quarantaine de milliers d'hommes occupent la région d'Odessa et une partie de la Crimée (cependant que des contingents de treize autres nations occupent d'autres régions du pays). Sans intervenir directement contre le gouvernement bolchevique, les Français apportent leur aide et leur soutien aux généraux blancs qui le combattent. Cette expédition militaire au lendemain de la guerre suscite de fortes réticences dans l'opinion publique. Certes, une partie d'entre elle verrait avec faveur étouffer dans l'œuf le foyer révolutionnaire qui menace d'incendier l'Europe, mais beaucoup redoutent que la France soit entraînée dans un nouveau conflit. Et surtout, la majorité du monde ouvrier manifeste sa colère de voir la France républicaine apporter son soutien à l'entreprise rétrograde et contre-révolutionnaire des généraux blancs. Dans l'ensemble, et quelles que soient les réserves manifestées à l'égard de l'expérience bolchevique, le monde ouvrier se montre solidaire de « la grande lueur à l'Est » et met en œuvre la formule lancée par le vieux Jules Guesde : « monter la garde autour de la révolution russe ». Avec quelques nuances toutefois. L'ancien ministre socialiste Albert Thomas approuve, par exemple, l'intervention en Russie pour contraindre le gouvernement bolchevique à se plier « aux règles des nations civilisées » et verrait avec faveur abattre le bolchevisme pour sauver les chances d'un véritable socialisme. Au sein de la CGT, Léon Jouhaux décommande une manifestation organisée en juillet 1919 par la minorité probolchevique du syndicat contre l'intervention des Alliés en Russie et en Hongrie. L'événement décisif est cependant la mutinerie d'une partie de la flotte française de la mer Noire qui se produit en mars 1919, à l'instigation de l'ingénieur mécanicien André Marty. Le gouvernement, redoutant une extension du climat révolutionnaire qui l'inquiète, renonce à l'intervention directe. Le corps expéditionnaire est rembarqué et le ministre des Affaires étrangères de Clemenceau, Stephen Pichon, se rallie à la politique d'isolement de la Russie bolchevique par le « cordon sanitaire ».

Jusqu'en 1920, l'agitation sociale entretenue par la vie chère et la pénurie, par la volonté révolutionnaire stimulée par l'exemple bolchevique ou par un mouvement profond de rejet d'une société qui a permis les horreurs de la guerre, constitue la toile de fond de la vie politique nationale et rend compte de nombre d'aspects de la politique, à commencer par la naissance du Bloc national.

2. Le Bloc national et les élections de 1919

Genèse du Bloc national.

A l'origine du Bloc national, on trouve tout à la fois la volonté d'inscrire désormais les structures de la vie politique dans les cadres hérités de la période de guerre et une tentative de récupération électorale de cette aspiration par le centre droit.

Si l'opinion publique française aspire à oublier les horreurs et les souffrances du temps de guerre, elle ne souhaite pas pour autant effacer toutes les novations introduites entre 1914 et 1918 et dont certaines apparaissent comme positives. C'est le cas pour l'union sacrée qui a vu l'apaisement des luttes politiques au profit de la constitution d'un consensus national. Sans doute les socialistes se sont-ils en 1917 écartés de ce consensus. Mais toutes les autres forces politiques y ont participé, de la droite nationaliste aux radicaux. Il a permis l'intégration au régime des catholiques, en marge de la République jusqu'en 1914, voire d'une partie des représentants du monde ouvrier si l'on tient compte du fait qu'une importante fraction des syndicalistes en a accepté les règles du jeu, de même que nombre de socialistes comme Albert Thomas, Bouisson ou Compère-Morel, ces deux derniers membres du gouvernement Clemenceau jusqu'en avril 1919, au titre respectivement de commissaire à la Marine marchande et à l'Agriculture. La plupart des parlementaires, partisans de l'union sacrée, envisagent positivement une poursuite de cette coalition qui leur permettrait, face à leurs électeurs, de capitaliser en termes électoraux leur participation à la victoire du pays. Mais pas plus que l'union sacrée n'avait été exempte d'arrière-pensées partisanes [1], cette stratégie électorale n'est pure d'intentions précises. Il s'agit en fait de récupérer politiquement la popularité chez les Français du thème de l'union nationale. Les stratégies divergentes de la gauche et de la droite le montreront à l'évidence. Mais, dans un premier temps, la volonté des parlementaires de se présenter aux élections comme les champions de l'union sacrée maintenue conduit à l'adoption d'une loi électorale propre à favoriser cette stratégie.

Dans les années précédant la Première Guerre mondiale s'était développé un fort courant tendant à la suppression du scrutin d'arrondissement accusé de favoriser ces « mares stagnantes » du suffrage universel dénoncées jadis par Briand, pour lui substituer le scrutin de liste, à la représentation proportionnelle (la « RP »), paré de toutes les vertus (un mode de scrutin honnête, interdisant la corruption, demandant à l'électeur de se prononcer sur des idées et non de choisir entre des individus). L'attrait du scrutin de liste à la RP repose à la fois sur le fait qu'il est souhaité par les socialistes et par la droite conservatrice qui, situés aux extrêmes et ne bénéficiant des désistements de second tour que dans une assez faible mesure, peuvent en espérer une meilleure représentation à la Chambre, et, par ailleurs, sur le désir du centre droit d'aboutir par ce moyen à la fin de la « discipline républicaine » (les désistements entre le centre gauche et la gauche) qui favorise surtout les radicaux. Cette conjonction d'intérêts divers, joint au désir d'éviter un affrontement droite-gauche, rend compte du fait que la Chambre des députés se saisit, le 14 mars 1919, du projet de réforme électorale préparé par la commission du Suffrage universel de la Chambre. Mais ce projet ne se contente pas d'instituer la RP. Il l'assortit d'une clause majoritaire permettant à une liste ayant obtenu la majorité absolue des suffrages d'enlever la totalité des sièges de la circonscription. Clause destinée à l'évidence à favoriser l'union des divers partis, assurés ainsi de pouvoir se partager la majorité des sièges disponibles. Dans l'esprit de la plupart des députés qui adoptent définitivement la loi en juillet 1919, elle

1. Voir ci-dessus chapitre 4.

devrait aboutir à la constitution de listes d'union sacrée, allant des radicaux et des socialistes indépendants aux nationalistes républicains comme Barrès, en n'excluant à l'extrême gauche que les socialistes qui ont rompu l'union sacrée et sont travaillés par le bolchevisme et, à l'extrême droite, l'Action française hostile à la République. Perspective qui est reçue bien différemment par la gauche et par la droite.

La conjoncture politique est en effet presque opposée selon le secteur de l'échiquier politique concerné. La gauche se présente aux élections profondément divisée.

Alors même que les discussions sur la loi électorale sont engagées, le Parti socialiste réunit à Paris son congrès extraordinaire du 20 au 22 avril 1919. Celui-ci voit s'affronter les partisans d'une prise du pouvoir révolutionnaire sur le modèle bolchevique et les adeptes de l'action légale, l'opposition des deux groupes se cristallisant sur la rupture avec la IIe Internationale (souhaitée par les premiers) ou sur le maintien des liens avec elle (défendu par les seconds). Les clivages sont tels que le parti semble proche de l'éclatement. Pour préserver l'unité, le congrès décide de présenter aux futures élections législatives un programme révolutionnaire, et, surtout, il vote à l'unanimité la « motion Bracke » qui rejette tout accord avec les « partis bourgeois », c'est-à-dire concrètement avec les radicaux. L'unité du Parti socialiste est ainsi provisoirement maintenue, mais au prix de son isolement. A moins d'une poussée considérable dans l'opinion, qu'espèrent, il est vrai, les membres de la SFIO, le risque est grand, compte tenu de la loi électorale (que les socialistes ont votée par hostilité au scrutin d'arrondissement), d'une défaite aux futures élections.

Le vote de la motion Bracke, s'il isole la SFIO, diminue la marge d'action du Parti radical. Pour lui, la voie de l'alliance à gauche est désormais fermée. Ses vœux vont alors vers une formule de rechange, la concentration, rassemblant autour des radicaux les hommes du parti de centre droit qu'est l'Alliance démocratique et les républicains-socialistes situés au centre gauche, sur un programme de défense de la République et de la laïcité. Cette alliance rejetterait par conséquent à gauche les socialistes qui viennent de voter la motion Bracke et à droite les « réactionnaires » et les « cléricaux », c'est-à-dire les hommes situés à la droite de l'Alliance démocratique. Après de longues négociations, un accord est signé en septembre 1919 avec ces deux formations pour une alliance centriste baptisée *Union nationale d'action républicaine*, beaucoup plus restreinte que l'union sacrée qui s'étendait jusqu'aux catholiques de l'Action libérale, aux hommes de droite de la Fédération républicaine et aux nationalistes barrésiens. Cette alliance est favorable au Parti radical, qui constitue l'élément axial et le ciment de ce rassemblement centriste.

Mais, parallèlement, va se produire une autre initiative visant à un rassemblement beaucoup plus large, reproduisant la configuration de l'union sacrée, et dont la paternité paraît revenir à Alexandre Millerand, commissaire du gouvernement en Alsace-Lorraine depuis mars 1919. Se réclamant du parrainage de Georges Clemenceau, il propose le rassemblement sur des listes uniques de toutes les forces politiques qui sont restées solidaires jusqu'à la fin de la guerre. Sur la base de ce projet, Adolphe Carnot, président de l'Alliance démocratique, ouvre alors des négociations avec l'Action libérale, la Fédération républicaine et un certain nombre de personnalités nationalistes, invitant à ces négociations des responsables radicaux. Ainsi naît, en octobre 1919, le *Bloc national* qui s'étend loin à droite dans l'échiquier politique. Tout naturellement, Adolphe Carnot tente alors de rassembler les deux alliances qu'il a conclues, rassemblement qui permettrait à l'Alliance démocratique de devenir le pivot d'une vaste union nationale reconstituant l'union sacrée.

L'opposition à ce projet du nouveau président du Parti radical, Édouard Herriot, partisan de l'alliance à gauche ou, à défaut, de la concentration, fait échouer le projet. Il refuse que son parti perde toute identité au sein d'une union qui comprendrait des hommes fortement marqués à droite et des catholiques. Mais, de crainte de l'isolement, il accepte un compromis : la Fédération républicaine pourrait entrer dans l'alliance, mais simplement comme fraction de l'Alliance démocratique qui serait seule signataire du texte [1].

Dans les faits, il existe deux alliances différentes qui vont coexister dans les diverses circonscriptions. L'une à laquelle le Parti radical a donné son adhésion et qui s'arrête à droite à l'Alliance démocratique. Cette « Union nationale d'action républicaine », ou « Cartel républicain », publie une charte qui

1. Ce point est développé in Serge Berstein (76), t. 1.

condamne la réaction comme la révolution, affirme la laïcité absolue de l'État et de l'école, demande le respect et le développement des lois sociales et des libertés syndicales et exprime son attachement à la Société des nations. L'autre est le Bloc national, au sens strict du terme, s'étendant aux nationalistes, aux catholiques et aux hommes de la Fédération républicaine, et son manifeste diffère du premier par l'accent mis sur l'anticommunisme (« Défense de la civilisation contre le bolchevisme qui n'est qu'une des formes du péril allemand et la négation même de tout progrès social ») et surtout par la phrase concernant le problème de la laïcité, rédigée par les leaders de l'Action libérale, Jacques Piou et le comte Xavier de La Rochefoucauld, avec l'accord du cardinal Amette : « Le fait de la laïcité de l'État doit se concilier avec les droits et les libertés de tous les citoyens, à quelque croyance qu'ils appartiennent », ce qui ouvre la porte à des dérogations concernant les lois scolaires et la séparation de l'Église et de l'État [1].

L'ambiguïté entre les deux alliances (qui fait qu'elles ont été souvent confondues) est encore accentuée par le fait que, dans la pratique, des accords locaux multiplient les cas de figure différents, que des radicaux ou des socialistes indépendants figurent tantôt sur des listes de Bloc national avec la droite, tantôt sur des listes de concentration avec l'Alliance démocratique, tantôt encore sur des listes homogènes, situées plus à gauche. Au sens strict du terme, le Bloc national n'est réalisé que dans la Seine (où Millerand conduit dans le 2e secteur une liste comprenant à la fois deux députés sortants radicaux et les nationalistes Maurice Barrès et l'amiral Bienaimé), en Alsace et dans un nombre limité de circonscriptions. Globalement, le Bloc national, conçu à l'origine comme la poursuite en temps de paix de l'union sacrée, se réduit à l'alliance du centre droit et de la droite, avec l'intégration des nationalistes et des catholiques. Mais, dans la pratique, la confusion est grande et la diversité des listes en présence ne permet pas de ramener les élections de 1919 à l'affrontement entre la droite (le Bloc national) et la gauche (radicaux et socialistes) que l'on y voit traditionnellement.

1. Édouard Bonnefous (58), t. 3.

Les élections de 1919 :
une incontestable poussée à droite.

En fait, les résultats des élections de 1919 trouvent leur explication dans le contexte politique du moment. Les débats d'avant-guerre (laïcité, fiscalité, durée du service militaire) paraissent désormais dépassés, alors que de nouveaux enjeux font leur apparition dans les professions de foi : mise en pratique du traité de Versailles, vie chère, agitation sociale, crise financière liée à l'inflation... Plus directement, deux problèmes retiennent l'attention : les rapports avec l'Allemagne, et l'agitation socialiste qui constitue la toile de fond sur laquelle se déroulent les élections. Le premier de ces problèmes favorise tout naturellement l'union nationale puisqu'il s'agit de permettre au pays, grâce au rassemblement des Français de toute opinion, d'obtenir le paiement des Réparations et les garanties de sécurité indispensables, comme l'union sacrée du temps de guerre a permis d'assurer la victoire. C'est d'ailleurs sur cette dimension qu'insiste l'appel aux électeurs du Bloc national, constitué pour prolonger « dans la paix l'union si heureusement réalisée dans la guerre » et dont la première rubrique revendique la protection du territoire « contre toute agression par la stricte exécution du traité de Versailles ».

Mais le facteur probablement le plus déterminant de la victoire électorale du Bloc national réside dans l'utilisation faite par ce rassemblement de l'agitation sociale. Présentée comme la version française de la révolution bolchevique, elle permet de faire des socialistes les fourriers du bolchevisme et du Bloc national le seul barrage efficace contre le risque de subversion sociale. Cette propagande est illustrée par la célèbre affiche de « l'homme au couteau entre les dents », représentant un moujik hirsute serrant entre ses dents un poignard encore sanglant. Éditée à des milliers d'exemplaires, elle est l'œuvre de l'*Union des intérêts économiques*, organisation patronale créée en 1910 pour défendre la liberté du commerce et de l'industrie et l'initiative privée, et qui, sous la direction d'Ernest Billiet, devait se faire, en novembre 1919, le bailleur de fonds des candidats du Bloc national. C'est également cette organisation qui, par l'intermédiaire de sa filiale, le « Groupement économique des arrondissements de Sceaux et de Saint-Denis », publie une brochure, *Comment voter contre le bolchevisme*, longue diatribe contre celui-ci, assimilé au socialisme, et qui ramène l'enjeu électoral à une alternative simple : « Voter *contre* le bolchevisme ou *pour* le bolchevisme. » Le *la* étant ainsi donné, la campagne électorale reprend la même antienne. Le 3 novembre, à Strasbourg, le président du Conseil Clemenceau, se présentant en garant du Bloc national, place également le futur scrutin sous le signe de la lutte contre le bolchevisme : « Sus aux bolchevistes ! », reprochant aux socialistes d'être « des inspirateurs avoués d'un régime de sang comme il ne s'en vit jamais ». Enfin, les professions de foi des listes de Bloc national, mais aussi de nombreuses listes de concentration, voire de centre gauche, constituées par les radicaux et les socialistes indépendants, condamnent le bolchevisme en termes plus ou moins vifs.

Il n'y a pas lieu, dans ces conditions, d'être surpris par les résultats des élections des 16 et 30 novembre 1919. Ces élections marquent une poussée à droite fort nette en raison de quatre facteurs : la grande discipline de la droite qui, dans chaque circonscription, présente une liste unique, qui est soit celle du Bloc national, soit une liste de concentration ; la volonté de lutte contre le bolchevisme qui détourne nombre d'électeurs des listes de gauche, en particulier de celles conduites par les radicaux, tenus pour des complices involontaires du bolchevisme par faiblesse et laxisme ; le vote des électeurs favorable aux candidats anciens combattants et mutilés, nombreux sur les listes de droite, et qui va aboutir à une hécatombe de sortants ; enfin, le système électoral qui favorise les listes de large rassemblement, c'est-à-dire en l'espèce la droite, au détriment d'une gauche divisée. Compte tenu de la présence de listes composites, tout décompte des voix apparaît vain, de même que toute tentative de donner une estimation de l'audience des diverses forces politiques à partir des résultats électoraux et en se fiant aux étiquettes des candidats, qui ne donnent qu'une approximation hasardeuse de leur véritable couleur politique. Une seule exception à ce flou politique qui entoure les élections de 1919, celle qui concerne le Parti socialiste SFIO, le seul à avoir constitué des listes homogènes. En rassemblant 1 700 000 voix (contre 1 398 000 en 1914), la SFIO enregistre un gain spectaculaire. Mais ce gain s'accompagne d'une défaite politique. En raison du mode de scrutin, la Chambre ne comprend plus que 68 élus socialistes contre 102 en 1914 : le superbe isolement voulu par la motion Bracke débouche sur un net échec électoral.

L'audience du Parti socialiste SFIO aux élections de 1919

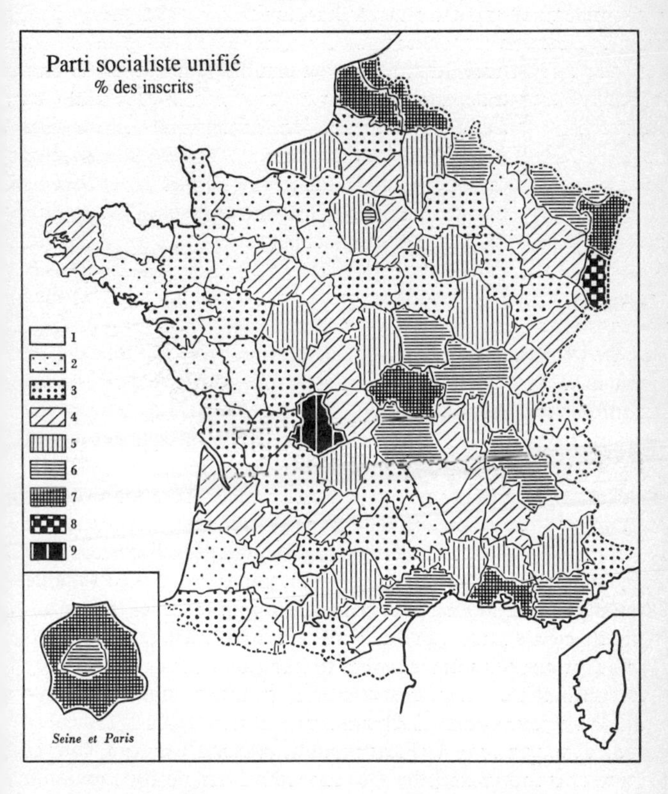

1. Néant
2. Moins de 5 % des inscrits
3. De 5 à 10 % des inscrits
4. De 10 à 15 % des inscrits
5. De 15 à 20 % des inscrits
6. De 20 à 25 % des inscrits
7. De 25 à 30 % des inscrits
8. De 30 à 35 % des inscrits
9. De 35 à 40 % des inscrits

Source : François Goguel, *Géographie des élections françaises sous la Troisième et la Quatrième République*, Presses de la Fondation nationale des sciences politiques, Cahier 159, 1970, p. 77.

Quant aux autres partis, il faut attendre la constitution des groupes, en janvier 1920, pour avoir une idée précise de leur représentation à la Chambre. De la droite à la gauche, les 616 députés (4 d'entre eux, élus sénateurs, n'ayant pas encore été remplacés) se répartissent en 9 groupes.

	Groupe	Élus
Majorité du Bloc national	Entente républicaine démocratique	183 élus
	Indépendants	29 élus
	Action républicaine et sociale	46 élus
	Républicains de gauche	61 élus
	Gauche républicaine démocratique	96 élus
	Parti radical et radical-socialiste	86 élus
	Parti républicain-socialiste	26 élus
	Parti socialiste SFIO	68 élus
	Non-inscrits	21 élus

De l'Entente républicaine démocratique aux « républicains de gauche », le Bloc national (au sens strict du terme) peut ainsi compter sur une majorité de 319 sièges, dépassant la majorité absolue (environ 310 sièges). Cette nette majorité de droite a pour noyau dur le groupe de l'*Entente républicaine démocratique*, présidé par François Arago, où les conservateurs sont majoritaires et qui va constamment œuvrer pour que les gouvernements s'appuient sur la majorité du Bloc national. Mais il existe en fait une majorité alternative qui, excluant tout ou partie de l'Entente républicaine démocratique, pourrait s'appuyer sur les trois groupes de centre et de gauche, la *Gauche républicaine démocratique* (formée d'un bon nombre de radicaux ou de radicalisants qui ont adhéré à l'union sacrée et dont certains ont été élus sur des listes comportant des hommes de droite), le Parti radical et radical-socialiste et le Parti républicain-socialiste (qui, l'un et l'autre, comprennent des élus issus des listes de Bloc national ou de concentration). Or, jusqu'en 1923, la majorité des divers gouvernements juxtaposera les deux formules sans vraiment trancher entre elles.

Si, au niveau des résultats électoraux, la victoire du Bloc national est incontestable et représente une authentique poussée à droite, l'existence sur le papier de cette majorité n'implique nullement qu'elle soit cohérente, ni que les gouvernements aient songé à s'appuyer sur elle.

Retour au politique : l'élection de Deschanel à la présidence de la République et le ministère Millerand.

En fait, nul ne peut ignorer que la « Chambre introuvable » de 1919, que les contemporains baptiseront la « Chambre bleu horizon » (couleur de l'uniforme des « poilus ») en raison de la présence d'un très grand nombre d'élus anciens combattants, ne représente qu'un aspect de l'opinion française à ce moment. Les élections municipales et cantonales de novembre et décembre 1919 laissent en place la plupart des élus de 1914 ou désignent des hommes de couleur politique identique, ce qui se solde par un maintien de la suprématie des radicaux et des « républicains de gauche » (dénomination électorale des hommes de l'Alliance démocratique). Il en va de même du renouvellement du tiers du Sénat, en janvier 1920, qui maintient dans la Haute Assemblée (avec laquelle il faut nécessairement composer puisqu'elle a en matière de vote des lois et du budget les mêmes prérogatives que la Chambre des députés) une forte majorité centriste, laquelle porte à sa présidence le radical Léon Bourgeois. Si la Chambre a une majorité de droite, la France profonde demeure centriste et radicalisante.

Ce sont ces réalités, mal perçues par l'opinion, qui rendent compte des résultats inattendus de l'élection présidentielle de 1920, puis de la formation du premier gouvernement de Bloc national. Pour l'élection de janvier 1920 à la présidence de la République, l'opinion et le monde politique s'attendent à voir Georges Clemenceau, encore auréolé de son action à la tête du gouvernement victorieux, remplacer à l'Élysée Raymond Poincaré, parvenu au terme de son mandat. Mais cette perspective, vraisemblable dans l'euphorie patriotique de 1918, se heurte aux réalités dès lors qu'à l'occasion des élections le combat politique reprend ses droits. Pour la majorité du Bloc national, dans laquelle les catholiques sont désormais nombreux, le président du Conseil a le défaut d'être un vieil anticlérical, qui a fait connaître son opposition à toute reprise des relations diplomatiques avec le Vatican. Par ailleurs, une partie des députés radicaux ne lui pardonnent pas d'avoir dénoncé comme traîtres et traîné en Haute Cour Malvy et Caillaux (dont le procès doit s'ouvrir en février 1920). De la droite à la gauche, nombreux sont les parlementaires qui, la victoire obtenue, reprochent à Clemenceau ses méthodes de gouvernement autoritaires, le dessaisissement de fait du Parlement et le style personnel de son gouvernement. Il s'y ajoute enfin l'hostilité unanime et déterminée des socialistes et les rancœurs de nombre de parlementaires, victimes des mots d'esprit du vieux polémiste ou qui ont été, d'une manière ou d'une autre, soumis à la méfiance, à la vindicte ou aux brimades du chef du gouvernement. Le plus actif dans ce domaine est sans doute Aristide Briand, dont Clemenceau a fait connaître que, s'il était élu à l'Élysée, il attendrait sept ans à la porte du palais s'il souhaitait être désigné comme président du Conseil. Afin d'éviter cette horrible perspective, Briand se répand en propos dissuasifs auprès des députés catholiques, évoquant la perspective d'un enterrement civil si Clemenceau devait mourir dans l'exercice de ses fonctions. C'est cette conjonction d'oppositions qui explique que, lors de la réunion préparatoire des « groupes républicains » du Sénat et de la Chambre (dont le vote n'a qu'un caractère indicatif), Clemenceau soit devancé par le président de la Chambre, Paul Deschanel. Le lendemain 17 janvier, Clemenceau ayant retiré sa candidature, Deschanel est élu au premier tour de scrutin président de la République par les deux Chambres réunies en Assemblée nationale. Ce républicain modéré est la vivante antithèse de Clemenceau. Ayant orienté toute sa carrière politique vers son élection à l'Élysée (il était déjà candidat en 1913), il s'est gardé durant la plus grande partie de sa vie politique de se faire des ennemis en évitant toute position trop tranchée, de même qu'il a décliné pour des raisons identiques toute offre de portefeuille ministériel. En choisissant un chef de l'État dans la lignée du décoratif, mais passif Armand Fallières, les parlementaires manifestent avec éclat leur volonté de mettre fin à la période exceptionnelle de la guerre et d'en revenir aux traditions antérieures. L'échec de Clemenceau prouve ainsi que l'esprit du Bloc national est mort-né.

Sans attendre l'entrée en fonctions de Deschanel, Georges Clemenceau, mortifié de son échec, présente aussitôt sa démission au président de la République encore en fonctions, Raymond Poincaré. Et celui-ci désigne, pour lui succéder à la tête du gouvernement, l'homme qui est apparu comme le maître d'œuvre du Bloc national et comme l'un des chefs de la nouvelle majorité, le commissaire général en Alsace-Lorraine, Alexandre Millerand. Or, le gouvernement que constitue celui-ci n'est nullement à l'image de la majorité du Bloc national telle qu'elle est sortie des élections, mais beaucoup plus proche de l'acception du terme qui en fait une large union nationale. Les hommes de droite n'y occupent qu'une place mineure, l'Entente républicaine démocratique ne recevant qu'un ministère, celui du Commerce et de l'Industrie (confié à Isaac), et le sous-secrétariat d'État aux Régions libérées, et l'Action républicaine et sociale ayant droit au même traitement. En revanche, deux traits majeurs caractérisent le gouvernement Millerand. En premier lieu, la présence massive, inhabituelle dans un ministère, de ministres n'appartenant pas aux formations politiques (Millerand lui-même est non inscrit), voire non parlementaires (le ministre des Finances François-Marsal, banquier de son état, ou le ministre de l'Agriculture, Ricard). En second lieu, parmi les hommes politiques, Millerand privilégie les hommes du centre sur ceux du Bloc national : membres de la gauche républicaine démocratique, républicains de gauche, radicaux, socialistes indépendants forment les gros bataillons des ministres et, parmi eux, le radical Steeg, au ministère clé de l'Intérieur. Millerand inaugure ainsi une ligne qui sera celle de tous ses successeurs : s'appuyer sur le centre pour éviter de devenir l'otage du Bloc national en attirant les radicaux et les radicalisants dans la majorité gouvernementale. Politique qui n'est pas acceptée sans mauvaise humeur par une droite dont la victoire électorale ne débouche pas sur l'exercice du pouvoir. C'est ainsi que l'Entente républicaine démocratique vote une motion constatant que « la composition du nouveau ministère ne répond pas à la volonté d'union nationale républicaine et sociale, affirmée par le pays le 16 novembre », et que, lors de la déclaration ministérielle présentée à la Chambre fin janvier, le royaliste Léon Daudet et des députés de l'Entente interpellent le président du Conseil sur la présence d'un radical au ministère de l'Intérieur, alors que la révolution sociale paraît menaçante [1].

En fait, le choix centriste d'Alexandre Millerand sera imité par tous ses successeurs de la législature 1919-1924. Lorsqu'en septembre 1920 le président de la République Paul Deschanel,

1. Édouard Bonnefous (58), t. 3.

dont la santé mentale laisse à désirer, est contraint de démissionner, l'Assemblée nationale lui donne pour successeur le président du Conseil en exercice. Mais Millerand, qui n'entend nullement se laisser enfermer dans un rôle décoratif, nomme alors comme président du Conseil son ami Georges Leygues, à travers lequel il entend continuer à diriger le gouvernement et qui maintient en place le cabinet précédent. Devenu président du Conseil en janvier 1921, Aristide Briand, porté par ses choix personnels à la concentration, décide lui aussi de faire du centre la colonne vertébrale de son gouvernement en s'appuyant sur les radicaux, les radicalisants et les modérés de l'Alliance démocratique. Raymond Poincaré, qui lui succède en janvier 1922, tout en rééquilibrant son gouvernement vers le centre droit, n'agit pas autrement. Et il s'efforcera de maintenir le cap lors du remaniement de mars 1924, alors que les radicaux sont passés à l'opposition, en plaçant au gouvernement un radical qui passe outre au veto de son parti, Daniel-Vincent, ministre du Travail et de l'Hygiène, et des hommes aussi clairement marqués au centre gauche que le sénateur Henry de Jouvenel (Instruction publique et Beaux-Arts), ou les députés Maurice Bokanowski (Marine) et Louis Loucheur (Commerce, Industrie, Postes et Télégraphes).

Il faut se rendre à l'évidence : les ministères dits du Bloc national sont en fait des gouvernements centristes. Mais la politique qu'ils mettent en œuvre, fondée sur la poursuite en pleine paix de la thématique de l'union sacrée selon la lecture clémenciste, apparaît *a posteriori* comme une politique réactionnaire, bien que, sur le moment, elle ait été conçue comme la traduction du consensus national forgé durant le conflit.

3. Une politique de droite?

Une politique intérieure de droite.

L'ambiguïté d'une situation qui voit des gouvernements centristes s'appuyer sur une majorité allant de la droite conservatrice à la gauche modérée des radicaux et des socialistes indépendants s'explique par le fait que le programme des ministères successifs n'est rien d'autre que celui qui, jusqu'en 1918, a constitué la clé de voûte de l'union sacrée : lutte contre les défaitistes, réconciliation nationale, opposition à la vague révolutionnaire européenne.

La lutte contre le défaitisme est illustrée par le procès de Joseph Caillaux qui se déroule de février à avril 1920, devant le Sénat constitué en Haute Cour. Arrêté le 14 janvier 1918 sur ordre de Clemenceau, l'ancien président du Parti radical voit enfin, au bout de deux ans, s'ouvrir son procès. Procès politique s'il en est. Rien au cours des débats ne permet d'établir fût-ce l'ombre d'un soupçon de trahison (alors que durant deux années Clemenceau et la presse gouvernementale ont assimilé à propos de Caillaux sa volonté de paix à une trahison). Mais comme acquitter purement et simplement l'ancien président du Conseil reviendrait à mettre en question les finalités de la politique d'union sacrée à laquelle les sénateurs ont largement adhéré, la Haute Cour, à la fois juge et partie, considère que la correspondance entretenue par Caillaux avec des « agents de l'ennemi » ou des « neutralistes avérés » a pu fournir à l'Allemagne des renseignements nuisibles à la situation politique et militaire de la France ou de ses alliés... Attendus d'une grande imprécision qui permettent de reconnaître Caillaux coupable avec circonstances atténuantes, de le condamner à trois ans de prison (à peu près couverts par la détention préventive, ce qui permet en fait de le libérer), mais de l'éliminer politiquement en le condamnant à cinq ans d'interdiction de séjour et à dix ans de privation de ses droits civiques. Jugement ratifié par un nombre important de sénateurs radicaux ou proches du Parti radical, qui ont voté la condamnation de Caillaux, cependant que la direction de ce parti refuse, pour ne pas rompre le consensus national, d'entreprendre la campagne pour la réhabilitation de Caillaux réclamée par son aile gauche. C'est à gauche, chez une minorité de radicaux, chez les socialistes, à la Ligue des droits de l'homme, que Caillaux trouvera des défenseurs qui considèrent comme inique le jugement qui le frappe, évoquent à ce propos une « nouvelle affaire Dreyfus » et annoncent leur intention d'entreprendre un combat pour l'amnistie. En condamnant Caillaux, les sénateurs ont à coup sûr donné satisfaction à une fraction majoritaire de l'opinion publique qui entend justifier *a posteriori* la lecture nationaliste de l'union sacrée.

C'est encore la postérité de la politique d'union sacrée, en ce qu'elle signifiait la réintégration des catholiques dans la société politique française, qui rend compte des aspects de la politique gouvernementale concernant la question religieuse. Globalement, les gouvernements du Bloc national sont décidés à donner des satisfactions aux catholiques, membres à part entière de la majorité du Bloc national, nombreux dans les groupes de l'Entente et de l'Action Républicaine et sociale, afin de consolider le consensus né de la guerre, mais sans pour autant porter atteinte à la laïcité de l'État. Cette volonté d'apaisement de la querelle religieuse se manifeste sur trois terrains, d'inégale importance.

En premier lieu, dans la pratique de la politique laïque, le gouvernement ferme les yeux sur le retour des congrégations religieuses non autorisées expulsées lors de la poussée anticléricale du début du siècle. Il est vrai que beaucoup de leurs membres étaient rentrés en France pour combattre lors de la guerre et qu'il aurait sans doute été difficile de procéder à l'expulsion de ceux qui venaient de verser leur sang pour la patrie.

En second lieu, la bonne volonté du pouvoir sur les problèmes religieux se manifeste à propos des départements recouvrés d'Alsace et de Moselle. Au cours du conflit, une conférence d'Alsace-Lorraine a examiné les modalités du retour à la France des trois départements et a opté pour l'introduction des lois républicaines, mais en respectant les traditions et les coutumes locales [1]. En fait, les généraux et les premiers administrateurs des départements libérés, conscients de l'inquiétude de populations très attachées à leur religion (le catholicisme pour la majorité, mais avec une forte minorité de protestants), ont promis le maintien du statut religieux et scolaire existant en 1871. C'est la solution à laquelle se tient le pouvoir, d'autant que Millerand a exercé les fonctions de commissaire général en Alsace-Lorraine et qu'il connaît la situation locale. Au vif déplaisir des radicaux, des socialistes et d'un certain nombre de laïques modérés, l'Alsace-Lorraine continue donc à vivre sous le régime du Concordat, l'État rétribuant les ministres des cultes reconnus ; les trois départements ont donc un statut religieux différent du reste de la France où s'applique la séparation de l'Église et de l'État. Il en va de même du statut scolaire. Les lois laïques ne s'applique-

1. François-Georges Dreyfus (89).

ront pas dans les trois départements : l'école y reste confessionnelle et l'enseignement religieux y est obligatoire.

Mais la pièce maîtresse de cette politique de rapprochement avec les catholiques est la décision, prise par les gouvernements du Bloc national, de rétablir l'ambassade de France auprès du Vatican, supprimée en 1904. La guerre a montré tout l'intérêt du rétablissement des relations diplomatiques avec le Saint-Siège et nombre d'hommes politiques se prononcent en faveur du retour du nonce à Paris. L'opposition de Clemenceau, qui apparaît comme un obstacle majeur, est levée par son élimination de la vie politique en janvier 1920. Millerand, président du Conseil, ouvre aussitôt des négociations avec Rome et, en mars 1920, dépose à la Chambre un projet de loi prévoyant le rétablissement des relations diplomatiques entre la République et le Vatican. L'opposition déterminée des socialistes et des radicaux, qui trouvent un porte-parole en Édouard Herriot, président du Parti radical qui fait à cette occasion sa première grande intervention publique, a pour effet de retarder jusqu'à fin novembre 1920 l'adoption du projet à la Chambre et surtout de provoquer au Sénat une véritable tactique d'obstruction. Devenu président du Conseil, Aristide Briand passe outre en prenant une mesure d'autorité : le 17 mai 1921, il nomme ambassadeur de France auprès du Saint-Siège un des dirigeants de l'Alliance démocratique, Charles Jonnart, qui s'était prononcé pour une politique d'apaisement religieux. En dépit de la mauvaise humeur manifestée par les sénateurs, ils finissent, en décembre 1921, par accepter à leur tour le rétablissement de l'ambassade au Vatican, une partie des sénateurs du centre gauche s'étant, pour l'occasion, dissociés de leurs collègues radicaux, membres comme eux du puissant groupe de la Gauche démocratique mais opposés à la restauration des liens avec le Saint-Siège, pour approuver le gouvernement. Pendant ce temps, l'ambassadeur Jonnart à Rome, le nonce Ceretti à Paris négocient la solution du contentieux né au début du XXe siècle entre la France et le Vatican : le pape accepte un droit de regard politique du gouvernement sur les nominations épiscopales, en dépit de la loi de Séparation ; il admet la création d'associations diocésaines qui auront pour charge de gérer les biens ecclésiastiques. Les gouvernements du Bloc national mettent ainsi fin à un conflit de vingt ans avec l'Église catholique, sans renoncer ni à la législation laïque ni au principe de la séparation de l'Église et de l'État. Cette issue est conforme à l'évolution de l'esprit public qui souhaite, la guerre achevée, mettre fin à des querelles que le grand drame vécu par le pays fait apparaître désormais comme dépassées. Mais cette constatation ne doit pas faire oublier que ces mesures d'apaisement sont aussi destinées à désamorcer la mauvaise humeur d'une droite — dans laquelle les catholiques sont nombreux — qui estime ne pas avoir reçu la part de pouvoir que pouvait lui faire espérer sa victoire électorale. En tout cas, la gauche radicale et socialiste voit dans cette politique la preuve du caractère réactionnaire de la majorité du Bloc national et de la volonté du gouvernement de lui donner des gages.

La répression de l'agitation sociale.

Le même caractère ambivalent de mise en œuvre du consensus national né de l'union sacrée et de satisfaction donnée à la droite se retrouve dans la lutte contre l'agitation sociale qui, sans avoir jamais cessé, connaît au printemps 1920 une brutale poussée.

Celle-ci s'explique à la fois par le maintien des conditions économiques difficiles, déjà évoquées, et par la lutte qui se poursuit, au sein du Parti socialiste comme au sein de la CGT, entre partisans de la révolution de type bolchevique et tenants du socialisme et du syndicalisme traditionnels. L'échec des seconds lors des élections de 1919 ouvre la voie, en 1920, à la solution révolutionnaire préconisée par les premiers. Dans ces circonstances, c'est la minorité de la CGT qui va jouer le rôle essentiel. Organisée en *Comités syndicalistes révolutionnaires* (CSR), elle déclenche, sur l'initiative de Gaston Monmousseau, une grève générale dans les chemins de fer le 25 février 1920. Celle-ci est brisée par l'énergique réaction du gouvernement Millerand, qui fait voter par le Parlement une loi permettant la mobilisation de certains secteurs des réseaux de chemin de fer. Cette première escarmouche annonce à coup sûr une épreuve de force à laquelle se préparent le gouvernement et le patronat, d'une part, les révolutionnaires de la CGT entraînant une direction confédérale réticente, de l'autre. Dès le début du mois de mars, des grèves éclatent dans les mines du Pas-de-Calais et du Nord qui se prolongent jusqu'à la fin mai. Pour le 1er mai, les minoritaires de la CGT déclenchent une nouvelle grève générale dans les chemins de fer et obtiennent du Bureau confédéral de la CGT une grève « par paliers » qui devra éclater successivement dans les ports, les bâtiments, les mines. A Paris, le 1er mai 1920, se produisent des échauffourées sanglantes entre grévistes et policiers. La réaction du pouvoir et du patronat est d'une extrême vigueur : la réquisition des chemins de fer est décrétée ; des volontaires, ouvriers non grévistes, élèves des grandes écoles, étudiants, ingénieurs, remplacent les grévistes sur les locomotives ; les compagnies de chemin de fer révoquent 15 000 cheminots. Gaston Monmousseau est incarcéré et des poursuites judiciaires sont déclenchées contre la CGT. Le 21 mai, la CGT donne l'ordre de reprise du travail, à la grande colère des révolutionnaires qui l'accusent de trahison [1].

Le bilan des grèves révolutionnaires de 1920 est très lourd pour le mouvement ouvrier. Non seulement les grèves ont échoué et nombre de grévistes ont été révoqués, mais elles ont révélé que seule une minorité d'ouvriers (20 % environ) ont suivi les mots d'ordre de la CGT. Celle-ci, qui s'est laissé déborder par les petits groupes révolutionnaires, paie durement le prix de son échec : paraissant avoir partie liée avec les extrémistes, elle voit une grande partie de ses nouveaux adhérents l'abandonner, et ses effectifs tombent à 600 000. L'action judiciaire entamée contre elle, malgré l'opposition de la gauche radicale et socialiste, aboutit à sa dissolution par le tribunal correctionnel de la Seine en janvier 1921. Mais elle fait appel, ce qui suspend *sine die* l'application du jugement, et le gouvernement, peu désireux de se lancer dans une nouvelle épreuve de force, se garde bien de poursuivre son action, préférant laisser l'épée de Damoclès de la dissolution suspendue au-dessus du syndicat affaibli. Et surtout, l'échec des grèves de 1920 a pour conséquence directe l'éclatement du mouvement ouvrier français.

1. Georges Lefranc (119).

4. L'éclatement du mouvement ouvrier français

Le congrès de Tours [1].

Le Parti socialiste SFIO est sorti de la guerre profondément divisé. Entre ceux qui ont accepté de soutenir l'effort de guerre et de participer jusqu'en 1917 à l'union sacrée pour défendre le pays agressé et ceux pour qui admettre la poursuite du conflit représente une trahison du socialisme, le fossé n'a cessé de se creuser. En octobre 1918, lors du congrès national tenu à Paris, ces derniers, conduits par Jean Longuet, conquièrent la majorité aux dépens des partisans de la défense nationale, dirigés par Pierre Renaudel. Il en résulte un changement à la tête du parti, Louis-Oscar Frossard accédant au secrétariat général et Marcel Cachin devenant à la place de Renaudel directeur de *L'Humanité*. Mais ce retournement n'a d'autre effet que de confirmer la rupture de la SFIO avec la majorité d'union sacrée. De fait, entérinant le changement de majorité, le Parti socialiste rejette le « social-patriotisme », entend revenir à la voie révolutionnaire, à la lutte des classes, au rejet du réformisme, à la méfiance envers les pratiques parlementaires. En février 1919, un Conseil national intime aux élus socialistes l'ordre de rejeter le vote des crédits militaires et de refuser toute dépense de guerre.

C'est dans ce contexte de retour aux sources pacifistes et révolutionnaires du socialisme que se pose le problème de l'adhésion des socialistes français à la IIIe Internationale que Lénine fonde à Moscou en janvier 1919. Dans un premier temps, la nouvelle majorité manifeste sa préférence pour le maintien du parti dans une IIe Internationale épurée et revenue à sa vocation de révolution sociale. Mais les atermoiements de l'Internationale socialiste, qui résiste à toute tentative de réorganisation, l'échec électoral de 1919, qui montre le caractère illusoire de la prise du pouvoir par les urnes, et surtout l'enthousiasme déchaîné chez les nouveaux adhérents de la SFIO, largement issus du monde rural et dépourvus de culture socialiste, par la révolution réus-

1. La question est étudiée avec précision in Annie Kriegel (45). Du même auteur, on consultera avec profit *Le Congrès de Tours* (64).

sie en Russie, créent une irrésistible dynamique. Pour la plupart des membres du Parti socialiste, ce n'est pas le contenu doctrinal ou pratique du bolchevisme qui compte. Au demeurant, ce qui se passe en Russie est largement inconnu ou fait l'objet d'interprétations erronées, chacun projetant ses propres aspirations sur un événement mythifié et croyant y discerner, qui une expérience libertaire fondée sur les cellules autonomes que seraient les soviets, qui une société syndicaliste proche des vues du syndicalisme révolutionnaire. Mais, au-delà de toutes ces interprétations, l'élément majeur est la conviction que s'élabore en Russie un monde nouveau, balayant le vieux monde bourgeois responsable de la tuerie de 1914-1918, et où régneront la justice dans la liberté, la satisfaction des besoins de tous, la paix fraternelle entre les peuples. Dès lors, comment demeurer à l'écart de la construction de ce monde nouveau ? Sans doute ne s'agit-il nullement de se mettre à la remorque de la révolution bolchevique, mais d'en réaliser l'équivalent français. C'est ce que tente de mettre en œuvre, entre février et mai 1920, la minorité révolutionnaire de la CGT.

L'échec des grèves de 1920, venant après la défaite électorale de 1919, laisse le mouvement ouvrier français dans l'impasse. C'est pour en sortir que les dirigeants du Parti socialiste SFIO vont envisager une possible adhésion à l'Internationale communiste. La première étape de la démarche intervient au congrès de Strasbourg de février 1920. A cette date, une minorité de la SFIO, celle qui a adopté pendant la guerre une position de défense nationale et qui est conduite par Pierre Renaudel, Marcel Sembat et Léon Blum, souhaite le maintien dans la IIe Internationale ; une seconde minorité, beaucoup plus consistante, suit Loriot, Souvarine et Monatte pour préconiser une adhésion immédiate à la IIIe Internationale. Mais la majorité adopte les vues de la direction du parti avec Paul Faure, Frossard et Longuet pour voter la rupture avec la IIe Internationale, mais appeler de ses vœux la reconstruction d'une nouvelle Internationale unifiée rassemblant les IIe et IIIe Internationales. C'est l'évolution de ces « reconstructeurs » qui va déboucher sur la création du Parti communiste. Après l'échec du mouvement de grèves de février-mai 1920, la direction de la SFIO décide d'envoyer en juillet Frossard et Cachin au 2e congrès de l'Internationale communiste, qui se tient à Moscou, afin d'examiner dans quelles conditions les socialistes français pourraient y adhérer. Les deux délégués en reviennent convaincus qu'il est souhaitable d'adhérer au Komintern et qu'il sera possible autour de lui de reconstruire l'unité socialiste internationale. Mais à cette adhésion Lénine et Zinoviev imposent d'abord 9, puis 21 conditions dont chacune apparaît comme la négation absolue des traditions et des pratiques du socialisme français : soumission totale de la presse à la direction du parti, exclusion des réformistes et des centristes (Longuet est nommément visé), création d'une organisation clandestine capable d'agir dans l'illégalité, appui systématique aux mouvements nationalistes favorables à l'indépendance dans les colonies, noyautage des syndicats, organisation du parti sur le modèle léniniste du centralisme démocratique impliquant « une discipline de fer confinant à la discipline militaire », obéissance absolue aux décisions de l'Internationale communiste, etc.

Le Parti socialiste français est-il prêt à passer sous les fourches caudines des 21 conditions pour bénéficier de l'élan révolutionnaire venu de Moscou ? Pour l'aile du parti qui a accepté durant la guerre l'intégration à l'union sacrée et qui est pétrie de culture socialiste, la réponse est évidemment négative. Albert Thomas, Renaudel, Jules Guesde, Léon Blum rejettent les 21 conditions et créent un *Comité de résistance socialiste* à l'adhésion, faisant connaître qu'ils refuseront de s'incliner devant le verdict de la majorité. A l'autre extrémité du parti, les amis de Loriot et de Souvarine (alors incarcérés) acceptent une adhésion immédiate et inconditionnelle, comme l'acceptent la plus grande partie des adhérents de fraîche date. Ce mouvement profond de la base du Parti socialiste SFIO va couper en deux la majorité des « reconstructeurs » : Longuet et Paul Faure, en dépit de leur aversion pour la tendance Renaudel, jugent les 21 conditions inacceptables et refusent l'adhésion ; Cachin et Frossard s'y rallient, mais dans l'ambiguïté. Le discours de Frossard, secrétaire général et chef de file des partisans de l'adhésion au Congrès de Tours de décembre 1920, révèle qu'il considère les 21 conditions comme une simple clause de style que les communistes français pourront à leur gré appliquer ou ignorer ; d'emblée, il affirme son intention de ne pas subordonner le mouvement syndical au parti, de ne créer aucune organisation clandestine, de n'accepter aucune exclusion... L'avenir montrera que l'Internationale communiste n'entendait nullement laisser au nouveau parti la marge d'autonomie qu'exigeait ainsi Frossard.

Ces subtilités qui divisent les dirigeants, les parlementaires, les intellectuels socialistes paraissent cependant peu de chose auprès de la volonté de la masse du parti de se placer dans le sillage de la révolution russe. Le mercredi 29 décembre 1920, les trois quarts des mandats représentés au congrès de Tours se prononcent pour l'adhésion à la IIIe Internationale, donnant naissance au Parti communiste français, section française de l'Internationale communiste. De son côté, le Comité de résistance socialiste décide de maintenir le Parti socialiste SFIO. Le mouvement socialiste est désormais coupé en deux partis rivaux.

La scission de la CGT.

Si la guerre a provoqué la crise du Parti socialiste SFIO, elle a, par ailleurs, profondément transformé le paysage syndical. Alors qu'avant le conflit on comptait un unique syndicat, la CGT, nantie d'une doctrine majoritairement acceptée, celle du syndicalisme révolutionnaire, l'immédiat après-guerre voit apparaître trois centrales et le syndicalisme révolutionnaire semble moribond.

Il faut d'abord citer la naissance, en mars 1919, de la *Confédération française des travailleurs chrétiens* (CFTC), fondée à partir des solides syndicats chrétiens d'Alsace-Lorraine, jusqu'alors confédérés en Allemagne, et du *Syndicat des employés du commerce et de l'industrie* créé depuis 1887 [1]. Sous la direction de Gaston Tessier et de Jules Zirnheld, la nouvelle confédération s'inspire de l'encyclique *Rerum Novarum* et de la doctrine du christianisme social pour rejeter la lutte des classes et rechercher la solution des problèmes sociaux dans la collaboration des patrons et des ouvriers reliés par des organisations mixtes. A sa fondation, la CFTC compte environ 150000 adhérents (dont un tiers d'employés). Socialement, elle recrute dans les catégories de salariés proches des classes moyennes par leur culture et leurs aspirations. Géographiquement, elle trouve ses zones de force dans les régions de tradition chrétienne, comme l'Ouest ou l'Est, ou dans les zones en voie de rechristianisation, comme les bassins houillers du Nord et de la Loire. Même si cette nouvelle centrale recrute des travailleurs fort éloignés de ceux

1. Sur le syndicalisme chrétien, voir la thèse de Michel Launay (120).

que syndique la CGT, sa présence interdit à celle-ci de se présenter comme la seule organisation syndicale du monde ouvrier.

D'autant que, plus encore qu'au Parti socialiste, les divisions nées de la collaboration de la direction de la centrale à l'union sacrée, puis de l'appréciation portée sur la révolution bolchevique, mettent la grande confédération ouvrière en état de scission larvée. En 1919-1920, la CGT tirant les conséquences de son attitude au cours de la guerre, a pratiquement répudié la vieille doctrine du syndicalisme révolutionnaire selon laquelle le syndicat, représentant du seul prolétariat, se fixe comme objectif l'appropriation au profit de celui-ci de l'instrument de production. Cette doctrine, symbolisée par le mot d'ordre « La mine aux mineurs ! », est abandonnée au profit de la prise en compte par le syndicat du fait national dans sa globalité. Ce que réclame désormais la centrale, c'est la participation des travailleurs à la prise de décision économique, par la limitation de l'omnipotence du capitalisme sur les moyens de production. Deux formules nouvelles symbolisent cette volonté d'intégrer la classe ouvrière à une communauté nationale maîtresse de son destin économique : les nationalisations et le contrôle ouvrier. Les nationalisations doivent permettre de transférer à la collectivité tous les grands services nationaux, qui seront gérés de manière tripartite par des représentants de l'État, des travailleurs et des consommateurs (il ne s'agit donc ni d'une étatisation, ni d'une expropriation au seul profit du prolétariat) [1]. Quant au contrôle ouvrier, son but est d'intégrer le monde salarial à la communauté nationale en donnant aux travailleurs un pouvoir de cogestion dans l'entreprise : des délégués d'entreprise contrôleront l'embauche, le licenciement, l'application des conventions collectives, des lois sociales, voire la gestion commerciale et financière. Cette nouvelle ligne d'intégration à la nation suivie par la CGT mécontente bien entendu les tenants de la vieille doctrine du syndicalisme révolutionnaire, encore présents parmi les cadres ou les adhérents de la centrale. Mais surtout, elle accentue les divergences entre les membres de la minorité révolutionnaire, organisatrice des grèves de 1920, et la direction qui a dû suivre le mouvement, contrainte et forcée. Pour les premiers, la nationalisation (sur

1. Sur les origines de l'idée de nationalisation, voir la première partie de Claire Andrieu, Lucette Le Van et Antoine Prost (100).

laquelle ils se montrent généralement réservés) peut à la rigueur être considérée comme une étape vers la « révolution pure et simple », alors que la seconde y voit une forme d'organisation de la société future où le capitalisme sera contrôlé, mais non exproprié : Jouhaux se montre partisan du rachat des entreprises. De même, la majorité voit dans le contrôle ouvrier un moyen d'améliorer concrètement le sort de la classe ouvrière, alors que la minorité juge qu'il s'agit là de l'embryon des futurs soviets où se formeront « sur le tas » les cadres de l'État socialiste de demain. En fait, entre Léon Jouhaux et la direction de la CGT, gagnés au réformisme, et les révolutionnaires, regroupés autour de Monatte et qui rassemblent à la fois les partisans de la révolution bolchevique et les tenants du syndicalisme révolutionnaire (comme Besnard), la lutte est désormais ouverte. Elle est aggravée par le refus de Jouhaux de poursuivre l'action révolutionnaire en mai 1920 et par la scission de Tours de décembre 1920. En application de la tactique du noyautage définie par la neuvième des 21 conditions, les minoritaires ont constitué des *Comités syndicalistes révolutionnaires* (CSR). Or, à chaque congrès de la CGT (Lyon en 1919, Orléans en 1920, Lille en 1921), ils ne cessent de gagner des mandats. En 1921, ils contrôlent 26 unions départementales et 5 fédérations (dont les cheminots, les métaux, le bâtiment). Tout paraît indiquer que la CGT s'apprête à suivre l'exemple du Parti socialiste et que le congrès de 1922 risque d'être fatal au pouvoir de Jouhaux et de ses partisans. Pour éviter cette issue, ceux-ci décident de prendre les devants : en septembre 1921, le Comité confédéral national décide l'interdiction des CSR et les organisations qui refusent de s'incliner sont exclues de la CGT. Les minoritaires décident alors de précipiter l'épreuve de force ; ils réclament un congrès extraordinaire de la Confédération. Mais la majorité, redoutant de se trouver désavouée, refuse. Les révolutionnaires n'ont plus comme issue que de quitter la CGT et de constituer une nouvelle confédération en décembre 1921. Ils lui donnent le nom de *Confédération générale du travail unitaire* (CGTU), afin de rejeter sur la direction de la CGT la responsabilité de la scission. A ce moment, la CGTU est maîtresse de 17 fédérations et est sans doute majoritaire en adhérents.

A la fin de l'année 1921, la crainte de la révolution sociale, qui avait été le problème clé de l'immédiat après-guerre, paraît définitivement écartée. Le fiasco des grèves de 1920 a fait tourner l'épreuve de force à l'avantage du gouvernement. La division du monde ouvrier en deux partis et trois syndicats rivaux, séparés par de profondes divergences d'analyse et d'inexpiables haines, affaiblit pour longtemps toute possibilité révolutionnaire ou tout mouvement revendicatif de grande ampleur. Les années vingt seront, après la période chaude des origines, des années de calme social que ne viennent pas rompre les tapageuses manifestations du Parti communiste, plus bruyantes que véritablement menaçantes, et qui ont surtout pour effet de dissuader les travailleurs de s'engager dans la voie révolutionnaire.

La retombée de l'agitation sociale permet aux gouvernements du Bloc national de se consacrer aux deux problèmes clés du pays au début des années vingt, le problème extérieur et le problème financier. Et, comme nous l'avons déjà constaté pour les questions de politique intérieure, la politique suivie en ce domaine par le Bloc national apparaît tout à la fois comme la poursuite du consensus de la période de guerre et, très vite, s'individualise aux yeux de ses adversaires comme une politique de droite.

5. La politique extérieure du Bloc national : l'exécution intégrale du traité de Versailles

Le problème extérieur est dominé par la question des rapports avec l'Allemagne [1]. L'opinion publique française, on l'a vu, a considéré le traité de Versailles comme un pis-aller fort éloigné de la paix espérée, ménageant l'Allemagne à l'excès et négligeant les justes aspirations de la France. De surcroît, au cours de l'année 1920, les déceptions se sont accumulées : les États-Unis n'ont ratifié ni le traité de Versailles, ni le traité de garantie militaire à la France en cas d'agression allemande. Du même coup, le Royaume-Uni, prétextant que sa propre garantie militaire était

1. Pour l'étude du problème allemand, on suivra la thèse de Jacques Bariéty (127).

solidaire de celle des États-Unis, décide de s'en dégager. Le gouvernement français considère donc qu'il ne peut plus compter sur ses alliés du temps de guerre. Du moins, et avec le très large appui de l'opinion, qui, là encore, retrouve ses réflexes consensuels du temps de guerre, entend-il exiger l'exécution intégrale du traité de Versailles, c'est-à-dire le paiement des Réparations et les garanties de sécurité. A dire vrai, ces deux exigences, présentées comme complémentaires, peuvent en fait apparaître comme contradictoires. Dans le domaine des Réparations, il était prévu que la commission des Réparations aurait à en fixer le montant après enquête, l'Allemagne devant, en attendant, verser un acompte de 25 milliards de francs-or et livrer du charbon à la France. La question de la sécurité est liée au désarmement allemand et à l'occupation de la zone rhénane, médiocre compensation à la volonté française de désarmer l'agressivité allemande en détachant la Rhénanie de l'Allemagne. Toutefois, selon les gouvernements, l'accent est mis sur l'une ou l'autre des exigences françaises. Avant tout préoccupé de la sécurité du pays, Clemenceau considérait comme probable le non-paiement des Réparations par l'Allemagne, et s'en consolait en considérant que cette carence permettrait à la France de prolonger l'occupation de la Rhénanie, voire d'y créer, à travers la *Haute Commission interalliée des territoires rhénans* (HCITR), présidée par le Français Tirard, une situation favorable à l'influence française.

En revanche, sous l'influence de Millerand, président du Conseil, puis président de la République, les nécessités de la reconstruction et l'urgence de la crise financière font passer au premier plan la question des Réparations, le gouvernement français se préoccupant alors de ne pas trop affaiblir l'Allemagne afin de lui permettre de tenir ses engagements et paraissant renoncer à la « politique rhénane », à la grande colère des nationalistes Barrès et Léon Daudet qui interpellent le gouvernement, mais aussi de modérés comme Barthou et Tardieu. Toutefois, la chute de Leygues et son remplacement par Briand, en janvier 1921, relancent la perspective d'une action destinée à détacher la Rhénanie du Reich. Le nouveau président du Conseil met en effet l'accent, dans les conférences interalliées, sur le non-respect par l'Allemagne des clauses du traité de Versailles qui impliquaient son désarmement, puisque, en raison des troubles révolutionnaires de 1920, le Reich conserve 200 000 hommes sous les drapeaux, sans compter les effectifs des formations paramilitaires. En 1920, pour protester contre l'entrée de l'armée allemande dans la zone démilitarisée de la rive droite du Rhin, les Français ont provisoirement occupé Francfort et Darmstadt et s'y sont maintenus jusqu'à l'évacuation de la zone démilitarisée. En mars 1921, Briand réédite l'opération en occupant Düsseldorf, Ruhrort et Duisbourg, avec l'accord du Conseil suprême interallié, en raison du refus allemand d'accepter le montant des Réparations exigé par les Alliés. Et, en accord avec le maréchal Foch, le président du Conseil envisage d'étendre à la Ruhr tout entière l'occupation commencée et de pratiquer en commun avec les Alliés l'exploitation économique du bassin.

Il est donc clair que, jusqu'au printemps 1921, il existe deux politiques françaises qui, sans être antithétiques, mettent l'une l'accent sur les Réparations en faisant passer au premier plan les préoccupations financières, l'autre davantage sur la sécurité dont la clé de voûte serait de se servir de la conjoncture favorable que constitue l'occupation pour parvenir à détacher la Rhénanie du Reich. Mais cette seconde politique se heurte, comme d'ailleurs la première, à l'hostilité de plus en plus nette du gouvernement britannique. Opposé aux sanctions exigées par la France, celui-ci s'est efforcé, lors des conférences interalliées destinées à fixer le montant des Réparations, de limiter les prétentions du gouvernement français. En 1920, lors des conférences de San Remo, Boulogne et Bruxelles, la France a avancé le chiffre de 230 milliards de marks-or de réparations, destinés à financer la reconstruction française, mais aussi à affaiblir durablement l'Allemagne, alors que la Grande-Bretagne souhaite que le montant des Réparations soit évalué en tenant compte de la capacité de paiement du vaincu. Finalement, fin avril 1921, la commission des Réparations fixe à 132 milliards de marks-or le montant total de celles-ci, montant qui sera acquitté par des annuités dont l'importance variera en fonction des progrès des exportations allemandes. L'Allemagne se déclarant hors d'état de payer plus de 30 milliards, les Français reprennent leurs menaces de sanction. Pour éviter l'occupation de la Ruhr, les Britanniques obtiennent alors que les Alliés adressent, le 5 mai 1921, un ultimatum à l'Allemagne, lui enjoignant d'accepter « l'état des paiements » sous menace de cette occupation. L'acceptation par le gouvernement Wirth de « l'état des paiements » a pour effet de porter un coup mortel à la politique rhénane envisagée par le maréchal Foch et une partie du monde politique français. Dès octobre 1921, le ministre allemand de la Reconstruction Walther Rathenau tente de résoudre l'insoluble question des Réparations en proposant aux Français, par les accords de Wiesbaden, de faire reconstruire, par des entreprises allemandes, les biens français détruits, la valeur de ces opérations étant imputée sur le montant des Réparations. Du coup, celles-ci cesseraient de représenter un prélèvement sur la fortune allemande et prendraient le caractère d'une subvention de l'Allemagne à sa propre industrie, qui se verrait ainsi ouvrir le marché français. Solution habile qui séduit le président du Conseil, Aristide Briand, lequel abandonne dès lors la « politique rhénane » de saisie d'un « gage productif » : en septembre 1921, il accepte la suppression de la frontière douanière intra-allemande, aux limites de la zone d'occupation, et amorce une tentative de rapprochement avec l'Allemagne, en partie fondée sur la constatation qu'il est impossible de compter sur l'Angleterre pour appuyer une politique de sanctions contre l'ennemi d'hier. Mais, à peine esquissée, la politique de réparations en nature décidée à Wiesbaden est déjà dépassée. Devant la crainte d'un rapprochement franco-allemand, l'Angleterre, en cet automne 1921, fait choix d'une nouvelle politique : la révision en baisse des Réparations, qui aurait pour double avantage de provoquer un rééquilibrage de la politique allemande vers la Grande-Bretagne et de favoriser les achats germaniques à l'industrie anglaise. Au début de décembre 1921, Briand est saisi d'une offre britannique qui manifeste cet infléchissement : si la France acceptait de soumettre à une conférence internationale la question du montant des Réparations (autrement dit, si elle acceptait son amputation probable), les Britanniques accepteraient de garantir leur intervention en cas d'agression allemande. Briand, en dépit des réticences de la majorité du Bloc national, accepte de négocier sur ces bases, aux applaudissements des radicaux et des socialistes, et c'est dans cette intention qu'il se rend à la conférence de Cannes où il doit rencontrer le 4 janvier 1922 le Premier ministre britannique Lloyd George et les diplomates italiens, belges et japonais. L'évolution des négociations laisse peu de doute sur le fait que Briand a modifié la politique étrangère de la France : il est passé de la politique d'exécution intégrale à la politique de négociation sur les Réparations.

La majorité du Bloc national, élue sur l'exécution intégrale du traité de Versailles, est-elle prête à le suivre dans cette voie ? L'expérience va prouver qu'il n'en est rien. Briand se heurte d'abord au président Millerand, fermement décidé à ne pas rester passif face à ce problème clé. Il inonde Briand de télégrammes comminatoires l'invitant à ne rien céder sur les Réparations, rejetant les décisions internationales qu'accepte le président du Conseil, et, surtout, réunit en l'absence de celui-ci le Conseil des ministres pour lui faire prendre une position contraire à celle que le chef du gouvernement adopte à Cannes. Briand est l'objet de critiques sévères d'un certain nombre de ministres, ainsi que de nombreux parlementaires du Bloc national. Les commissions des Affaires étrangères de la Chambre et du Sénat s'indignent d'être tenues à l'écart des négociations. Au Sénat, Poincaré se fait le procureur de la politique de Briand. Comme de surcroît la gauche ne lui a pas pardonné le rétablissement de l'ambassade au Vatican, sa position apparaît très menacée. Conscient des dangers qui pèsent sur son gouvernement, du fait de la rentrée parlementaire qui a eu lieu le 10 janvier 1922, Briand quitte Cannes pour Paris le 11. Il se rend très vite compte que la situation est irréversible et, le 12 janvier, après avoir exposé à la Chambre l'évolution des négociations de Cannes, annonce brusquement sa démission : « Voilà ce que j'ai fait. Voilà où nous en étions quand j'ai quitté Cannes. D'autres feront mieux. »

La chute de Briand atteste qu'au début de 1922 la France n'est pas prête à renoncer à la politique d'exécution intégrale. Celle-ci va connaître son sommet avec l'occupation de la Ruhr.

L'occupation de la Ruhr.

Les circonstances de la démission d'Aristide Briand conduisent Millerand à lui donner pour successeur l'ancien président de la République Raymond Poincaré, redevenu sénateur de la Meuse et président de la commission des Affaires étrangères du Sénat. Lors de la présentation du gouvernement à la Chambre, la déclaration ministérielle de Poincaré met l'accent sur la politique étrangère en insistant sur la priorité que constitue pour le gouvernement le paiement par l'Allemagne des Réparations, tout en manifestant son souci de maintenir l'accord avec les Alliés, et particulièrement avec la Grande-Bretagne.

A la différence de l'attitude adoptée par Briand à partir de décembre 1922, Poincaré n'entend nullement accepter une renégociation du montant des Réparations, mais en obtenir le paiement intégral. Toutefois, au départ, c'est sur la négociation qu'il compte pour parvenir à son but. C'est ainsi qu'il s'efforce dès son arrivée au pouvoir de faire entrer en vigueur la politique des réparations en nature décidée à Wiesbaden, qu'il laisse s'opérer de discrètes approches pour une entente entre les sidérurgies française et allemande, et qu'il se montre, dans un premier temps, favorable à l'idée d'un emprunt international lancé par l'Allemagne pour redresser son économie. Mais cette politique de négociation va rapidement achopper sur la détérioration de la situation internationale. Le 16 avril, la signature entre l'Allemagne et la Russie des soviets du traité de Rapallo provoque en France une émotion considérable, moins parce que le traité viole plusieurs des clauses du traité de Versailles que parce qu'il prouve que l'Allemagne a retrouvé une certaine marge de manœuvre internationale. Mais surtout, le refus de l'Allemagne de s'acquitter des Réparations, ses demandes successives de moratoire en mars et en juillet 1922, les efforts qu'elle fait pour obtenir une renégociation du montant des Réparations persuadent Poincaré de la mauvaise volonté manifeste du gouvernement du Reich qui, à ses yeux, met le pays en faillite avec l'aide des industriels pour obtenir la suppression des Réparations. Cependant, la demande de sanctions présentée par Poincaré aux Britanniques (rétablissement de la frontière douanière intra-allemande à la limite de la zone d'occupation ; gages fournis aux Alliés sur les biens domaniaux allemands ou les actions des entreprises de produits chimiques...) se heurte à une fin de non-recevoir de Lloyd George en août 1922. Dès lors, et après plusieurs semaines d'hésitation, Poincaré se résout à l'application du plan que lui proposent les membres du groupe favorable à la « politique rhénane », rassemblés autour du maréchal Foch et de Tirard : la saisie du gage productif, l'occupation de la Ruhr.

Le 11 janvier 1923, deux jours après la constatation par la commission des Réparations d'un nouveau manquement de l'Allemagne, concernant une livraison de bois, les troupes françaises et belges entrent dans la Ruhr cependant qu'une *Mission internationale pour le contrôle des usines et mines* (MICUM) s'installe à Essen. L'Allemagne rappelle ses ambassadeurs à Paris et Bruxelles et décrète la « résistance passive » dans la Ruhr. Le but du gouvernement français ne semble alors nullement être l'annexion de la Ruhr que dénoncent les Allemands, mais de s'assurer en nature des réparations que la France ne parvient pas à se faire octroyer : « Nous allons chercher du charbon et voilà tout », affirme Poincaré à la Chambre. Mais il ajoute aussitôt : « Si cette recherche nous fournit l'occasion de causer demain ou plus tard avec une Allemagne devenue plus conciliante ou avec des industriels moins exigeants, nous ne fuirons pas la conversation », ce qui est montrer que la France continue à voir dans la négociation internationale la clé du problème et qu'elle pense s'assurer une carte maîtresse dans la future négociation en détenant la principale région houillère allemande.

Jusqu'en août 1923, Poincaré semble l'emporter. Sans doute les industriels allemands ont-ils soustrait leurs archives au contrôle de la MICUM et les ouvriers allemands se mettent-ils en grève, mais la réplique des Alliés est énergique. Dans les territoires rhénans, la HCITR saisit les douanes, les forêts domaniales, l'impôt sur le charbon. La Ruhr est isolée du Reich et ne peut plus expédier vers celui-ci ni charbon, ni coke, ni produits métallurgiques et fabriqués. L'abstention des autorités allemandes fait de Tirard et de sa HCITR le véritable pouvoir en Rhénanie et dans la Ruhr, et ils se comportent désormais comme si cet ensemble constituait un territoire indépendant détaché de l'Allemagne. La HCITR y prend des décisions et des ordonnances afin de briser la « résistance passive », contrôle les biens domaniaux, fixe les droits de douane entre les territoires qu'elle gère et le Reich d'une part, les Alliés de l'autre, décide l'expulsion de fonctionnaires agents de la résistance passive, s'efforce de faire adopter une réforme monétaire aboutissant à l'établissement d'une unité différente du mark en Rhénanie et dans la Ruhr, crée en mars 1923 une régie des chemins de fer. Même si la politique de Poincaré n'est nullement une politique à but annexionniste, ses effets aboutissent à mettre en place une entité dont les liens avec le Reich s'amenuisent chaque jour.

Il ne s'agit pas là du seul effet de l'occupation de la Ruhr. La résistance passive, financée par le gouvernement allemand, fait naître une inflation qui débouche sur l'effondrement du mark. Privée du charbon de la Ruhr, l'industrie allemande paraît condamnée à la paralysie. Enfin, la lassitude de la population s'accompagne de mouvements d'agitation qui menacent la république de Weimar d'une véritable décomposition. Le 13 août 1923, le chancelier allemand Cuno, qui apparaît comme le grand vaincu de l'opération, se démet. Il est remplacé par Gustav Stresemann, qui décide de mettre fin à la résistance passive.

A cette date, Poincaré semble l'avoir emporté et paraît maître du jeu. La suite des événements va montrer qu'il ne s'agit là que d'une victoire apparente et que l'occupation de la Ruhr sonne le glas de la politique d'exécution intégrale du traité de Versailles.

L'échec de l'occupation de la Ruhr.

Immédiatement saisi par Stresemann d'une proposition de négociations bilatérales, Poincaré refuse net. Durant plusieurs semaines, il se garde bien d'ouvrir des conversations et de faire connaître les conditions de la France qui se trouve en position de force. Les raisons d'un silence qui s'étend d'août à octobre 1923 continuent à poser un problème historique. Il est possible que Poincaré, qui ne songeait en janvier 1923 qu'à obtenir le paiement des Réparations, se soit alors aperçu que l'occupation de la Ruhr offrait des perspectives politiques qu'il n'avait pas retenues jusqu'alors, celles qui consistaient à mettre en œuvre la « politique rhénane » : encouragée par des industriels et des hommes d'affaires, souhaitée par Tirard et les dirigeants de la HCITR, favorisée par le général Degoutte qui commande les troupes d'occupation dans la Ruhr, l'idée de république rhénane autonome paraît alors faire son chemin. Mais, le 21 octobre, des bandes séparatistes s'emparent des bâtiments publics d'Aix-la-Chapelle et y proclament une « République rhénane ». Cette initiative (peut-être encouragée par certains milieux nationalistes belges) prend de court le gouvernement français, la HCITR et les séparatistes rhénans favorables à la France conduits par Dorten. Dans les jours qui suivent, le mouvement fait tache d'huile dans les territoires occupés. Le gouvernement français décide alors de l'appuyer (et se rallie donc à l'idée d'une Rhénanie séparée du Reich), mais timidement et sans contrôler ni organiser une initiative visiblement improvisée. Pendant que se développe cette aventure dont nul ne peut prévoir l'issue (et qui s'effondrera peu après), le gouvernement britannique prend l'initiative de propositions pour la solution de la crise, que Poincaré n'a pas jusque-là formulées. Le 20 octobre 1923, le gouvernement britannique propose de soumettre à un comité d'experts la capacité de paiements de l'Allemagne en matière de réparations. Depuis son arrivée au pouvoir, Poincaré s'est vigoureusement opposé à cette suggestion qui ne peut déboucher que sur un amenuisement des sommes que l'Allemagne devra payer. Or, alors que se développe l'affaire rhénane qui paraît ouvrir à la France des perspectives infiniment plus larges que des rentrées monétaires, Poincaré, apparemment vainqueur, décide, vers le 25 octobre, d'accepter cette suggestion.

Comment expliquer ce retournement qui fait de l'occupation de la Ruhr, décidée pour contraindre l'Allemagne à remplir ses obligations telles que les fixent les conférences internationales, un échec, puisque Poincaré accepte en octobre 1923 ce qu'il se refusait obstinément à accepter depuis 1922 ? L'explication traditionnelle [1] rendait compte de ce retournement par trois facteurs : la difficulté d'exploitation du gage productif dès lors qu'avaient été saisis et vendus les stocks trouvés sur les carreaux des mines de la Ruhr, la crainte d'un isolement diplomatique grandissant de la France compte tenu de l'hostilité de la Grande-Bretagne et des États-Unis à la politique d'occupation de la Ruhr ; et surtout les difficultés financières de la France dont la monnaie se détériore et qui, pour la redresser, doit compter sur les marchés financiers de Londres et de New York, lesquels n'accepteront de s'ouvrir que si Paris cesse de conduire en Allemagne une politique de force, par ailleurs défavorable aux intérêts anglais et américains. Pour Jacques Bariéty [2], aucune de ces trois explications n'apparaît suffisante : il propose de recourir à une autre thèse selon laquelle, en raison d'une mauvaise interprétation des propos du secrétaire d'État américain Hughes au chargé d'affaires français aux États-Unis Laboulaye, Poincaré aurait cru pouvoir conclure que le projet d'expertise établirait un lien entre les Réparations allemandes et les dettes interalliées, lien que la France tentait vainement d'obtenir depuis 1919. Quoi qu'il en soit, même si Poincaré se rallie volontairement (et non sous la pression des Alliés et de la crise financière) à la négocia-

1. Elle est illustrée par l'ouvrage classique de Pierre Renouvin (123).
2. Jacques Bariéty (127).

tion proposée, il n'en reste pas moins que cette issue marque la fin de la politique d'exécution intégrale qui avait été l'idée force de la majorité du Bloc national et des gouvernements successifs de la France (à l'exception de celui de Briand dans les dernières semaines de son ministère). Quelle qu'en soit la raison, cette politique débouche sur un échec. Elle montre que, contrairement aux illusions répandues depuis 1919, la France n'a plus les moyens de mener seule et contre l'avis de ses alliés une politique de force en Europe. Du moins lui reste-t-il la possibilité de jouer un rôle à la mesure de son nouveau statut en assurant sa sécurité par la constitution d'alliance de revers destinées à encercler l'Allemagne, et de tenter de favoriser l'expansion économique en exploitant tous les acquis de la victoire de 1918.

La sécurité et ses moyens.

L'occupation de la Ruhr est sans doute dans l'attitude internationale de la France un moment atypique, le dernier soubresaut du gigantesque effort consenti durant la guerre. Au demeurant, l'opération a provoqué des sentiments mitigés dans une opinion publique qui s'inquiète de voir ses enfants appelés à partir outre-Rhin dans un milieu hostile et le pays affronté à une crise internationale peut-être grosse d'un nouveau conflit. Si l'opposition violente des communistes, qui n'hésitent pas à aller dans la Ruhr encourager les ouvriers allemands à résister à l'armée française, a été très généralement désavouée par les Français, ceux-ci ont mieux compris l'hostilité plus mesurée des socialistes et les réserves des radicaux, qui taisent leur réprobation et se contentent de s'abstenir pour ne pas affaiblir le pays dans l'épreuve où il est engagé.

A dire vrai, sortie exsangue de la guerre, la France est plus inquiète pour sa sécurité que disposée à se lancer dans des actions expansionnistes, et ce facteur a probablement pesé dans la décision de Poincaré de tenter de sortir de l'impasse qu'était devenue l'occupation de la Ruhr. La véritable aspiration des Français est de vivre dans la paix, en sécurité, sous la protection des Alliés et d'une armée défensive et de profiter des avantages, en particulier économiques, que peut procurer la paix retrouvée.

Cette politique se manifeste tout d'abord par la volonté de rassembler autour d'elle les autres États bénéficiaires de la paix de 1919-1920 et, avec leur aide, de constituer un système permettant d'encercler l'Allemagne révisionniste. La France est ainsi l'alliée de la Belgique qui a les mêmes intérêts qu'elle. En 1921, elle signe une convention militaire, dirigée contre l'Allemagne, avec la Pologne qu'elle vient d'aider à se débarrasser de la menace soviétique. Enfin, elle apparaît comme la protectrice de la « Petite Entente » qui s'est constituée en 1921 entre la Tchécoslovaquie, la Yougoslavie et la Roumanie, également inquiètes des velléités révisionnistes de la Hongrie des Habsbourg. Mais la constitution de ce réseau d'alliances apparaît quelque peu formel : la France assure plus une protection politique qu'elle ne promet une aide militaire. Et, au demeurant, la politique qu'elle suit dans ce dernier domaine apparaît davantage marquée par l'esprit défensif que par la volonté d'action au-delà des frontières. En fait, en matière militaire, deux conceptions se heurtent [1]. La première est celle de Foch, qui plaide pour une armée offensive, fortement appuyée sur la ligne du Rhin et qui aurait les moyens de faire prévaloir une politique de coercition, en particulier en jouant sur la menace de l'occupation de la Ruhr. La seconde est défendue par le maréchal Pétain, qui, tirant les leçons du conflit passé, place en priorité le souci d'épargner les vies humaines et, pour cette raison, donne le pas à la défensive qui permet d'user l'ennemi et d'éviter les saignées de la Grande Guerre. Dans cette optique, Pétain pose en dogme l'« inviolabilité absolue du territoire ». Or, entre les deux thèses, celle de Pétain est victorieuse. Dans la réorganisation de l'armée d'après-guerre, le maréchal dispose des postes stratégiques : vice-président du Conseil supérieur de la guerre en 1920, nommé en 1922 inspecteur général de l'armée, c'est lui qui détient le commandement. Les chefs d'état-major généraux, les généraux Buat et Debeney, font partie de la clientèle de Pétain. Ce sont donc ses idées qui triomphent et qui vont modeler l'armée française de l'entre-deux-guerres. L'*Instruction provisoire sur l'emploi tactique des grandes unités* (IGU), édictée en 1921, met en œuvre cette volonté défensive ménagère du sang des hommes en insistant sur la nécessité de rendre inviolables par des fortifications appropriées les frontières du Nord et de l'Est. Au Conseil supérieur de la guerre, Pétain convainc aisément les responsables politiques de l'oppor-

1. Sur la politique militaire, on suivra l'ouvrage de Jean Doise et Maurice Vaïsse (130).

tunité d'une stratégie si profondément adaptée à un pays qui vient de subir une terrible saignée et en redoute par-dessus tout le retour. Dès le début des années vingt, la quasi-totalité du personnel politique et parlementaire de droite et de gauche plébiscite la stratégie défensive, et Pétain y gagne une audience qui fait de lui le grand prophète militaire de la France de l'après-guerre. Dès lors, c'est selon ses principes que s'opère la réorganisation de l'armée française dans les années vingt, qui en fait, selon la forte expression de Maurice Vaïsse, « une armée en trompe-l'œil [1] » : libération anticipée des classes 1919 et 1920, loi de 1923 ramenant de trois ans à dix-huit mois le service militaire, avant sa fixation à un an en 1928, absence de coordination entre les trois armées, dilution de l'autorité et de la responsabilité. Au total, on est en présence, non d'une force offensive d'intervention, mais « d'un cadre d'instruction qui n'est même pas apte à la défensive [2] ». Dès lors, quelle peut bien être la signification des alliances passées par la France avec la Belgique, la Pologne ou les pays de la Petite Entente, puisque l'armée française est dans l'incapacité pratique de leur porter secours en cas d'agression ?

Peut-être faut-il voir dans cette diplomatie active de la France moins l'application d'une politique cohérente de sécurité que la volonté de favoriser, en se servant des atouts de la victoire de 1918, l'expansion économique des firmes françaises ?

Un impérialisme économique français ?

L'un des traits dominants de la politique étrangère de la France dans les années vingt est le rôle primordial tenu par l'État, et en l'espèce par les diplomates, hauts fonctionnaires, ministres, dans une stratégie de pénétration économique hors de métropole qui les associe aux hommes d'affaires, mais leur laisse le plus souvent l'initiative des actions entreprises. C'est ce rôle majeur de l'État qui a permis à Georges Soutou de parler d'« impérialisme du pauvre » (en particulier en Europe centrale), par comparaison avec celui des Britanniques ou des Américains qui est le fait des entreprises privées, sans aide significative de l'État.

1. *Ibid.*, p. 263.
2. *Ibid.*, p. 275.

Quatre projets se dessinent ainsi au début des années vingt, associant des groupes privés aux représentants du pouvoir (association parfois conflictuelle, l'objet des premiers étant de réaliser des profits, celui des seconds d'accroître l'influence française par la pénétration économique)[1]. Le premier, spécialement étudié par Jacques Bariéty[2], consiste à s'appuyer sur les clauses du traité de Versailles pour construire une puissante industrie de l'acier, capable de concurrencer celle de l'Allemagne : mise sous séquestre des entreprises allemandes en Moselle, cession à la France des mines de la Sarre, livraisons de charbon, entrée en franchise en Allemagne des produits d'Alsace-Lorraine et de Sarre. L'enjeu sidérurgique explique en partie l'âpreté du conflit franco-allemand en matière de réparations : c'est le marché européen de l'acier qui en constitue l'objet. Le second projet, largement mis en œuvre avec l'aide du gouvernement, est la pénétration économique de la France dans les États successeurs de l'Autriche-Hongrie en Europe centrale. Profitant de la mise en liquidation des entreprises autrichiennes et allemandes dans ces États, entreprises et banques françaises s'implantent ou prennent des participations en Tchécoslovaquie, Roumanie, Yougoslavie, Pologne, mais aussi Autriche et Hongrie. Le principal instrument de cette pénétration économique est la firme sidérurgique Schneider, appuyée sur la banque de l'Union parisienne, avec laquelle elle crée en 1920 une société holding, l'*Union européenne industrielle et financière* chargée de regrouper les participations dans cette zone géographique. Schneider devient l'actionnaire majoritaire des entreprises tchèques Škoda, des mines d'Ostrawa, des usines métallurgiques Trinec. Il est présent dans une foule d'entreprises ou de banques en Pologne, Autriche, Hongrie.

Le troisième projet porte sur les pétroles. Afin de tenter d'assurer à la France son indépendance d'approvisionnement en ce domaine, le sénateur Henry Bérenger inspire une politique de prise en main des ressources pétrolières. La France réussit à obtenir, après de difficiles négociations avec l'Angleterre, la part que détenait l'Allemagne, soit 25 %, dans la *Turkish Petroleum Company* qui exploite les champs pétrolifères de Mésopotamie.

1. On suit ici l'analyse de René Girault et Robert Frank (125).
2. Jacques Bariéty (127).

Elle obtient des participations dans les pétroles de Galicie polonaise et de Roumanie. En 1924, Poincaré inspire la création de la *Compagnie française des pétroles*, compagnie privée, qui doit devenir l'instrument des ambitions françaises en ce domaine.

Enfin, il existe un quatrième projet, mais qui ne donne lieu qu'à des réalisations décevantes, c'est celui qui consiste à mettre en valeur le domaine colonial français en établissant des liens plus étroits entre les économies coloniales et celle de la métropole. Ministre des Colonies pendant la plus grande partie de la législature du Bloc national, le radical Albert Sarraut joue un rôle pionnier dans cette politique. En 1921, il fait adopter par le Parlement un plan de mise en valeur des colonies qui prévoit 4 milliards de dépenses à investir dans l'Empire, plan qu'il popularisera en 1923 dans son livre *La Mise en valeur des colonies françaises*. En réalité, si quelques capitaux privés encouragés par le gouvernement vont s'investir en Indochine, au Maroc ou dans les nouveaux mandats de la Syrie et du Liban, les dépenses de l'État sont très inférieures aux crédits votés. La France demeure peu intéressée par son domaine colonial, se contentant de considérer sa possession comme un acquis justifié par la position de grande puissance du pays. Quant à l'investissement colonial, il passe au second plan dans une nation agitée en permanence par l'angoissant problème de la crise des finances publiques.

6. Le Bloc national face à la crise des finances publiques

La guerre a laissé, on l'a vu, un lourd héritage sur le plan monétaire et financier [1]. Pour combler les déficits cumulés des années 1914-1918, l'État s'est tout d'abord considérablement endetté. La dette extérieure représente 39,5 milliards de francs-or, dus pour l'essentiel aux États-Unis et au Royaume-Uni. La dette intérieure est passée de 31 milliards en 1913 à 75 milliards en 1919 en raison de l'émission des grands emprunts de la défense nationale, et son

1. Voir ci-dessus chap. 3.

service obère lourdement le budget national. Plus dangereuse encore est la « dette flottante », constituée des émissions quasi permanentes de « bons de la défense nationale » à 3, 6 ou 12 mois portant 5 % d'intérêt et qui ont constitué durant le conflit la solution des difficultés de trésorerie. Au total, ils représentent une masse considérable de 51 milliards dont les souscripteurs ont la faculté de demander à échéance le remboursement ou le renouvellement. Comme le profit qu'ils en tirent est considérable, l'éventualité des demandes massives de remboursement est à écarter, mais le raisonnement ne vaut que tant que la confiance dans la monnaie subsiste, ce qui, pour des raisons sur lesquelles nous reviendrons, est le cas durant le conflit. Mais qu'une crise de confiance se produise, et l'épée de Damoclès des demandes massives de remboursement risque de s'abattre sur la trésorerie de l'État, mettant celui-ci en faillite. Le très large recours aux emprunts extérieurs et intérieurs et aux facilités offertes par les bons a ainsi largement déstabilisé les finances publiques, seule la confiance permettant que les effets n'en soient point manifestes.

Or, les conditions objectives de la confiance, c'est-à-dire la croyance en la stabilité de la monnaie dont la valeur n'a pas changé depuis germinal an XI (1803, date à laquelle le franc a été défini par un poids d'or fin de 322,5 mg), sont en fait atteintes par l'accroissement de la quantité de billets en circulation permis par les avances de la Banque de France à l'État durant le conflit. De 6 milliards en 1913, la masse des billets en circulation passe à 35 milliards en 1918. La quantité d'or détenue à la Banque de France demeurant stable, la couverture de la monnaie n'est donc plus assurée qu'à 21,5 % en 1919 contre 69,4 % avant la guerre. Du même coup, on constate une décote du franc par rapport à la livre et au dollar qui est, fin 1918, de l'ordre de 30 %, mais le phénomène n'est perceptible que sur les places financières des pays neutres, qui ne sont pas les plus importantes.

Les experts sont aujourd'hui d'accord pour considérer qu'une remise en ordre réaliste des finances publiques en 1918 aurait exigé une dévaluation (c'est-à-dire une diminution du poids d'or de la monnaie) d'environ 40 %. Or, cette solution n'est nullement envisagée par les responsables, ni par l'opinion. Les effets psychologiques de la longue stabilité du franc conduisent à concevoir, en ce domaine comme en d'autres, la remise en ordre sous la forme d'un retour à la situation d'avant-guerre : le franc serait maintenu à sa valeur officielle, les avances de la Banque de France à l'État remboursées, la dette peu à peu amortie. Cette illusion d'un « retour à la normale » dans le domaine monétaire est d'ailleurs entretenue par les facilités et les artifices comptables hérités de la guerre et de l'après-guerre. Jusqu'au printemps 1919, la décote du franc a été considérée comme un phénomène passager et accidentel parce que, sauf sur les places financières neutres, il était impossible de la constater. La loi du 5 août 1914 a instauré le cours forcé de la monnaie fiduciaire, c'est-à-dire que le franc n'est plus convertible en or, ce qui permet à la Banque de France de conserver ses réserves. De surcroît, une loi d'avril 1918 a institué le contrôle des changes, en vertu duquel la Banque centrale peut surveiller les mouvements de devises. Enfin, durant le conflit, les Alliés ont eu une trésorerie internationale commune, c'est-à-dire que si l'un des pays de la coalition manquait de devises, les autres les avançaient, si bien que, dans la pratique, la Grande-Bretagne et les États-Unis ont servi de banquier à la France et que, dans ces conditions, la valeur du franc par rapport à la livre et au dollar demeure officiellement inchangée par rapport à 1913.

De même que les accords interalliés permettent de dissimuler la détérioration de la position internationale de la France et les menaces pesant sur la monnaie, les artifices comptables s'efforcent de masquer les déséquilibres budgétaires nés du conflit. L'initiative en ce domaine revient au ministre des Finances de Clemenceau, le député radical de la Somme, Louis-Lucien Klotz, que ses successeurs François-Marsal (janvier 1920-janvier 1921), Paul Doumer (janvier 1921-janvier 1922) et Charles de Lasteyrie (1922-1924) suivront sur ce point : il imagine de présenter le budget en deux parties, le « budget des dépenses ordinaires » couvertes par les recettes traditionnelles de l'État, et qui est approximativement équilibré, et celui des « dépenses extraordinaires », dépenses militaires et exceptionnelles qu'on entend couvrir par l'emprunt en 1919, 1920 et 1921, puis « dépenses recouvrables » de 1920 à 1924, c'est-à-dire pour l'essentiel les frais de reconstruction, avancés par l'État, mais qui devaient être ultérieurement recouvrés sur l'Allemagne au titre des Réparations.

Cet artifice comptable et la solidarité interalliée que l'on espère prolonger vont constituer le paravent à l'abri duquel Klotz (et, avec certaines nuances, ses successeurs) pratique une politique de facilité qui, à partir de 1919, va considérablement aggraver les tensions inflationnistes nées de la guerre. Car l'héritage n'est pas seul en cause. Sans doute, comme nous l'avons vu, l'insuffisance de la production, que les destructions de la guerre ne permettent pas d'accroître rapidement, et l'abondance de la demande née des besoins de la guerre en biens de consommation et d'équipement font naître une situation inflationniste que nourrissent les énormes capacités d'achat créées par l'accroissement de la circulation monétaire. Mais à cette cause en quelque sorte mécanique de l'inflation s'ajoute une incontestable politique de facilité, très perceptible durant l'année 1919, et dont les effets vont se prolonger jusqu'en 1926 : pour financer la reconstruction, accompagner la croissance, tenter de résoudre les tensions sociales, le gouvernement dépense largement et se montre généreux. Et, pour financer cette générosité, Klotz a largement recours à l'emprunt (25 milliards de bons du Trésor sont émis en 1919) et à la planche à billets (la circulation fiduciaire s'accroît de 25,5 milliards durant la même année).

Or cette situation de fragilité du franc, qui va conduire les spéculateurs à considérer sa dépréciation sinon sa dévaluation comme inévitable, va se trouver brusquement révélée par la décision prise en 1919 par les Alliés de mettre fin aux accords du temps de guerre sur la solidarité entre les devises et la trésorerie commune.

Les deux premières crises des changes (1919-1921 et 1923-1924).

En mars 1919, les Britanniques décident de cesser l'appui automatique accordé à la monnaie française, et ils sont imités en juillet par les Américains. Si bien que dès mars 1919 commence la « première crise des changes » : la valeur de la monnaie française se détériore par rapport à la livre et au dollar. Alors qu'avant la guerre 1 dollar valait 5,18 francs et 1 livre 25,5 francs, les cours des deux monnaies décrochent brutalement et la détérioration va se poursuivre jusqu'en décembre 1920. En décembre 1919, le dollar vaut 10,87 francs et la livre 41,8 francs ; en décembre 1920, les valeurs respectives sont à 15 et 59 francs.

Cette crise, qui traduit la dépréciation de la monnaie française sous l'effet de facteurs intrinsèques à la France, est généralement interprétée dans l'opinion et les milieux politiques comme résultant de la spéculation étrangère, en particulier d'origine anglaise et américaine, et la solution proposée par les experts est de ramener le franc à sa valeur d'avant-guerre par une revalorisation progressive !

C'est d'ailleurs ce que va tenter le gouvernement. En décembre 1920, il passe une convention avec la Banque de France prévoyant de ramener les avances de la Banque à l'État de 27 à 25 milliards en 1921, puis de les diminuer ensuite régulièrement de 2 milliards par an. La crise économique de 1920-1922 en ralentissant l'activité donne l'impression d'un redressement : les cours de la livre et du dollar se replient. En même temps, les prix baissent en 1922 (de 23 %) et la baisse se prolonge en 1923. En avril 1922, la livre est revenue à 48 francs. Cette année 1922 est un moment d'euphorie dans la crise financière. L'opinion ne doute pas que le processus du retour à la situation d'avant-guerre, si ardemment espéré, est désormais en route.

Mais, dès 1923, ce rêve est anéanti. Les illusions sur le paiement par l'Allemagne des Réparations s'évanouissent. Au demeurant, l'occupation de la Ruhr, en provoquant l'effondrement de l'économie allemande, aggrave de ce point de vue la situation en rendant fort improbable la reprise des paiements. Il serait cependant illusoire de mettre en étroite corrélation la seconde crise des changes, qui commence à l'automne 1923 et dure jusqu'en mars 1924, avec l'événement politique que représente l'occupation de la Ruhr et de voir dans la spéculation qui se déclenche alors contre le franc une inspiration politique. L'occupation date de janvier et la spéculation se déclenche en octobre 1923, c'est-à-dire au moment où Poincaré accepte l'idée de la réunion d'une commission d'experts sur les Réparations. En fait, la tension internationale a contribué à aggraver des inquiétudes nées de la détérioration des finances françaises, de la reprise économique mondiale qui, en poussant les étrangers à rapatrier leurs capitaux à court terme, affaiblit la base du franc, de la valse des capitaux flottants détenus par des Français et des étrangers et qui vont de place en place pour bénéficier des variations de change qui jouent au détriment du franc. L'occupation de la Ruhr a pour effet d'attirer l'attention sur la maladie structurelle du franc. La décision prise en janvier 1924 par Poincaré de rétablir l'unité du budget en fondant dans le même ensemble le budget des dépenses ordinaires et celui des dépenses recouvrables va, enfin, aggraver la situation en révélant tout à coup dans toute son ampleur un déficit budgétaire jusque-là partiellement dissimulé. Le résultat en est une crise d'une grande ampleur, provoquée par une poussée spéculative de vendeurs qui jouent à la baisse du franc. Au début de mars 1924, la livre frôle les 125 francs et le spectre de l'effondrement monétaire fait trembler les Français.

La crise monétaire de 1923-1924
cours moyen mensuel à Paris

	COURS DE LA LIVRE	COURS DU DOLLAR
sept. 1923	77,83	17,14
oct. 1923	76,02	16,80
nov. 1923	79,72	18,22
déc. 1923	82,92	19,02
janvier 1924	91,20	21,43
février 1924	95,52	22,65
mars 1924	93,19	21,69
(8 mars 1924)	(122,60)	(28,74)

Dans ces circonstances, l'opinion réagit en évoquant des images empruntées à la guerre récente. L'offensive contre le franc est assimilée aux grandes offensives de la Marne ou de Verdun menaçant le territoire national. Dans cette atmosphère dramatique, Poincaré réagit par des mesures de salut public.

Dès janvier 1924, il annonce son intention de rétablir l'équilibre du budget, désormais unifié, par une série de décisions draconiennes : la réalisation de 1 milliard d'économies grâce à des réformes et à des simplifications administratives réalisées par décrets-lois, la création d'une caisse d'amortissement des pensions de guerre et surtout l'institution d'un « double-décime » sur les contributions, autrement dit une augmentation de 20 % des impôts directs. Mais ces mesures, adoptées par la Chambre fin février, si elles traduisent la volonté d'un assainissement monétaire dans la rigueur, ne peuvent, dans l'immédiat, mettre fin à la grave crise des changes qui se déroule parallèlement. Pour arrêter la spéculation et sauver le franc, le ministre des Finances Lasteyrie négocie un prêt auprès de la banque Morgan de New York (après que les gouvernements américain et britannique eurent opposé un refus aux demandes françaises) afin d'intervenir sur les marchés des changes et de faire remonter la devise française. La banque accepte d'intervenir à deux conditions (visiblement inspirées par le gouvernement des États-Unis) : que les projets fiscaux soient votés par le Sénat et que la France accepte les conclusions de la commission d'experts présidée par le général Dawes sur le problème des Réparations. A ce niveau, le problème financier constitue le moyen de pression qui permet à l'étranger de faire triompher ses vues sur la politique extérieure de la France.

Le Conseil des ministres du 9 mars 1924 voit le président du Conseil et le ministre des Finances prendre des engagements sur le redressement de la situation financière. La Banque d'Angleterre et la banque Morgan décident aussitôt de prêter à la France respectivement 4 millions de livres et 100 millions de dollars à 6 %, et, sans attendre la mobilisation de cet emprunt, la Banque de France intervient aussitôt sur les marchés des changes. Dès le 12 mars, la reprise du franc est spectaculaire. Pour l'opinion, Poincaré a remporté la victoire : il est l'auteur du « Verdun financier de 1924 », celui qui a su vaincre la spéculation contre le franc, comme les généraux avaient su, durant le conflit, vaincre les assauts de l'ennemi. Il est désormais auréolé de la réputation de grand thaumaturge des finances françaises qui le suivra jusqu'à la fin de sa carrière politique.

En fait, on peut se demander si la victoire financière de 1924 n'est pas une victoire à la Pyrrhus. D'une part, en révélant la fragilité financière de la France, elle a conduit à l'échec la politique de force en matière internationale représentée par l'occupation de la Ruhr et contraint Poincaré à accepter en matière d'affaires étrangères, une attitude plus souple, que celle défendue depuis 1919. En d'autres termes, elle sonne le glas de la politique allemande du Bloc national. D'autre part, elle s'appuie sur une politique de rigueur : adoption de décrets-lois pour réaliser des économies, augmentation de 20 % des impôts à quelques semaines des élections législatives. Et cette politique, nécessairement impopulaire, va fournir à l'opposition en pleine renaissance les armes nécessaires pour conduire la lutte politique contre la majorité sortante.

7. La renaissance de l'opposition

Le Parti communiste.

Sans doute, depuis 1919, le Bloc national doit-il compter avec l'opposition de l'extrême gauche. Ayant rompu l'union sacrée dès 1917, le Parti socialiste a refusé d'emblée tout contact avec les partis bourgeois et s'est affirmé comme une force hostile aux regroupements politiques opérés en vue des élections, qu'il s'agisse du « Cartel républicain » ou du « Bloc national ». Mais le cinglant échec de la SFIO aux élections de novembre 1919 puis le congrès de Tours et la scission qui s'ensuit révèlent une crise si profonde de l'extrême gauche que, durant des années, celle-ci cesse d'être une force politique crédible.

Né de la scission de Tours, le Parti communiste français représente sur le papier une force considérable puisqu'on estime que 120 000 des adhérents du Parti socialiste d'avant Tours ont opté pour le nouveau parti [1]. Mais, d'emblée, le caractère dangereux pour la majorité du Bloc national qu'aurait pu revêtir la naissance du Parti communiste se trouve écarté par les quatre causes fondamentales de faiblesse de la nouvelle formation. La première tient au fait que, si la plus grande partie des adhérents est venue au Parti communiste, celui-ci manque cruellement de cadres. La très grande majorité des élus est restée à la SFIO : 54 députés sur 68, la plupart des conseillers généraux et des maires (sauf ceux de la région parisienne). Si les communistes ont pu s'emparer de *L'Humanité*, le choix majoritaire des journalistes et des élus conserve à la SFIO *Le Populaire* et la plupart des quotidiens et hebdomadaires.

Seconde cause de faiblesse, l'hétérogénéité des militants. Si ceux-ci ont en commun leur fidélité à la classe ouvrière, la haine de la guerre et l'admiration pour une révolution bolchevique mal

1. Sur les premières années du Parti communiste, voir Philippe Robrieux (61), Jean-Paul Brunet (60) et surtout (63).

connue, ils forment, selon l'expression d'Annie Kriegel, une « bigarrure » regroupant des strates aux motivations différentes : vieux militants socialistes pétris de culture marxiste ou ouvrière comme Cachin, Frossard, ou Renoult ; « nés de la guerre », mus par une volonté avant tout pacifiste, à l'image d'un Vaillant-Couturier, d'un Doriot ou d'un Duclos ; héritiers des luttes ouvrières du début du siècle comme Monatte, Frachon venus du syndicalisme révolutionnaire ; intellectuels admirateurs de la révolution comme les historiens Albert Mathiez et Charles-André Julien, voyant dans le communisme l'apogée de l'humanisme à la manière d'Anatole France, journalistes de gauche, etc. Cette hétérogénéité fait du jeune Parti communiste, qui, en vertu des 21 conditions, aurait dû adopter les structures du centralisme démocratique, un parti de tendances, opposées et divergentes, qui ne cessent de se combattre. Jean-Paul Brunet distingue ainsi, au lendemain de la scission de Tours, quatre grandes tendances : une droite qui désire un rapprochement avec les socialistes et qui est conduite par Verfeuil et Henri Fabre ; un centre, dirigé par Frossard, regroupant des hommes décidés à maintenir l'originalité du nouveau parti, mais en lui donnant les traits d'un « bolchevisme à la française » qui ne serait pas aux ordres de l'Internationale et n'appliquerait qu'autant qu'il le souhaiterait les 21 conditions ; une gauche acquise à l'obéissance à l'Internationale mais divisée entre ceux qui, comme Vaillant-Couturier et Amédée Dunois, acceptent l'accord avec le centre, et les amis d'Albert Treint qui souhaitent une nouvelle scission ; enfin une extrême gauche qui recrute chez les partisans du syndicalisme révolutionnaire, se montre méfiante envers l'Internationale et souhaite un rapprochement avec les syndicalistes.

Liée à cette hétérogénéité, la troisième cause de faiblesse pour le Parti communiste est la suite de dissentiments qui l'oppose à l'Internationale communiste. Dès l'été 1921, l'Internationale, qui a exigé l'exclusion des réformistes de la SFIO et la répudiation de toute alliance avec la gauche républicaine contre le « Bloc national », exige de chaque section la constitution d'un « front unique prolétarien » avec les socialistes. En dépit des pressions de Moscou, des efforts de Jules Humbert-Droz, représentant du Komintern à Paris, des objurgations de Boris Souvarine, représentant du parti français à Moscou, la direction française conduite par Frossard refuse de s'incliner. Au congrès de Marseille de 1921, Souvarine n'est pas réélu à son poste et le Comité directeur vote une motion déclarant le « front unique prolétarien » inapplicable en France. La lutte est désormais ouverte entre le Parti communiste français et l'Internationale. Toute l'année 1922 se passe en conflits entre Moscou et les communistes français, exaspérant les luttes internes entre ceux-ci. Répugnant à prendre une mesure d'autorité en chassant Frossard de la direction du parti, le Komintern va se servir d'un biais inspiré par Trotski pour faire plier les Français : il exige, fin 1922, la mise à l'écart d'un certain nombre de rédacteurs de *L'Humanité* et de dirigeants du parti membres de la franc-maçonnerie ou de la Ligue des droits de l'homme. En janvier 1923, Frossard, lui-même franc-maçon, quitte le secrétariat général du Parti communiste, puis le parti lui-même, laissant la direction de la SFIO à l'aile dure de la gauche conduite par Treint, déjà cosecrétaire général. Derrière lui, quittent le parti, exclus ou démissionnaires, des journalistes de *L'Humanité*, Henry Torrès, Victor Méric, Georges Pioch, des parlementaires, des élus municipaux de banlieue. Désormais, et jusqu'à la fin des années vingt, l'histoire du Parti communiste se confond avec celle des crises et des exclusions qui la marquent. En 1924, les effectifs du Parti communiste dépassent tout juste les 40 000 adhérents.

Cette chute des effectifs peut aussi s'expliquer par l'image que le Parti communiste offre à la société française. Globalement il se présente comme un contre-modèle radical par rapport au consensus national que l'on peut constater à la sortie de la guerre [1]. Il conteste en effet point par point, et avec une volonté délibérée de provocation, les éléments du modèle politique que l'opinion française admet. La référence obligée à la Révolution française est rejetée avec dédain comme la trace d'une révolution bourgeoise qui a étranglé la tentative démocratique des Montagnards, laquelle trouve seule grâce à ses yeux. Les libertés fondamentales conquises lors de la Révolution et consolidées par la République ne sont pour lui que « libertés formelles » jouant en faveur des plus riches et des plus puissants qui ont ainsi la liberté d'opprimer les pauvres. Le suffrage universel, tenu pour la garantie de la démocratie, fait figure aux yeux du Parti communiste d'un simple miroir aux alouettes idéologique qui permet

1. Cet aspect est développé in Jean-Jacques Becker et Serge Berstein (70), t. 1.

de tromper le prolétariat en le faisant voter pour la bourgeoisie. Quant au patriotisme, les communistes en dénoncent les pièges qui ont conduit aux aberrations de l'union sacrée, et ils vont diriger en particulier leur action contre l'institution qui le symbolise, l'armée, dans laquelle ils voient l'instrument fondamental de la défense de l'État bourgeois. La première grande irruption du Parti communiste sur la scène politique nationale va émouvoir jusqu'au scandale l'opinion publique française. Il s'agit de la campagne entreprise par le Parti communiste, sous la direction de Treint et de Cachin, contre l'occupation de la Ruhr et marquée en particulier par l'apposition d'affiches des Jeunesses communistes, conduites par Jacques Doriot et Gabriel Péri, invitant les soldats français qui occupent la Ruhr à fraterniser avec le prolétariat allemand. Pour l'opinion publique, la trahison des communistes français qui choisissent l'Allemagne contre leur pays est un fait attesté. En janvier 1923, Marcel Cachin et une vingtaine de dirigeants communistes sont incarcérés, puis déférés en mai devant le Sénat, constitué en Haute Cour de justice, sous l'accusation d'atteinte à la sûreté intérieure et extérieure de l'État. Ce premier grand procès contre le communisme débouche d'ailleurs sur une impasse, le Sénat se déclarant incompétent. Mais le tribunal militaire de Mayence se montre plus ferme en condamnant à des peines de prison les membres des Jeunesses communistes qui ont conduit la propagande dans la Ruhr.

Le cycle des provocations et des procès est ouvert. En fait, l'action des communistes sert le Bloc national plus qu'elle ne le gêne. Les manifestations spectaculaires et bruyantes de ce qui n'est plus qu'une petite secte, corps étranger dans la nation, ont pour effet de détourner d'elle la plus grande partie de l'opinion publique, de placer en position inconfortable une gauche qui n'approuve pas les positions communistes mais ne peut que réprouver la répression qui atteint les militants du PC, et de permettre enfin au pouvoir de dénoncer dans cette gauche des complices inconscients d'un communisme diabolique.

Le Parti socialiste SFIO [1].

Profondément ébranlé par le congrès de Tours, le Parti socialiste SFIO va connaître une reconstruction relativement rapide. Au lendemain de la scission, il n'a probablement pas plus de 30 000 à 35 000 militants. Mais il a conservé la plupart des cadres : députés, maires, conseillers généraux, secrétaires de fédérations. Entre les « reconstructeurs » placés en position dominante et la droite du parti, la fusion se fait plus aisément que prévu. Sous la direction de Paul Faure, secrétaire général, les fédérations sont méthodiquement reconstruites, rejointes par une partie des exclus du Parti communiste (souvent après un transit par le petit *Parti d'unité prolétarienne* — PUP). Progressivement, d'anciens militants tentés par le communisme ou des jeunes rejoignent la SFIO. Dès 1924, elle dispose d'environ 60 000 adhérents et s'affirme, par son audience, comme une force nettement supérieure à celle du Parti communiste.

Pourtant cette reconstruction qui fait à nouveau de la SFIO des années vingt un parti de large audience, capable de prendre des positions nationales, de drainer des voix aux élections, ne peut dissimuler le problème fondamental qui est le sien et qui consiste à ne pas oser choisir entre sa vocation initiale de parti révolutionnaire et une évolution qui pourrait le conduire à être un parti de gouvernement.

Sans aucun doute, la SFIO s'affirme au lendemain de la scission de Tours comme une force d'opposition résolue au Bloc national, mais pratiquant, à la différence des communistes, une opposition légale. C'est ainsi que, contre le gouvernement, la SFIO défend l'unité allemande, dénonçant les velléités d'État rhénan autonome. De même rejette-t-elle les actions de force destinées à obtenir le paiement des Réparations, qu'il s'agisse de l'occupation de Düsseldorf, Ruhrort et Duisbourg ou de celle de la Ruhr. Elle s'oppose nettement à toute croisade antibolchevique et demande la reprise des relations avec l'URSS. Critiquant la politique financière du Bloc national, les socialistes préconisent l'institution d'un impôt sur le capital et, dans le domaine économique, ils se rallient, comme la CGT, à l'idée de nationalisations. Ils s'opposent vigoureusement au projet, un moment

1. Tony Judt (75).

envisagé par Poincaré, d'abandon du monopole des allumettes et se retrouvent aux côtés des radicaux pour pratiquer une « défense laïque » sérieusement mise à mal par la majorité du Bloc national. Du début à la fin de la législature, la SFIO s'affirme ainsi comme une force d'opposition déterminée à la politique suivie depuis 1919.

Mais le Parti socialiste reconstruit à partir de 1921 souffre, du fait de l'existence et de la surenchère des communistes, d'un problème d'identité dont il ne parvient pas vraiment à trouver la solution. Dénoncé par le Parti communiste comme « social-traître », accusé de réformisme impénitent, assimilé à la bourgeoisie, le Parti socialiste SFIO est conduit à affirmer contre les communistes sa fidélité au marxisme et à l'idée révolutionnaire. Les guesdistes qui le dirigent, autour de Paul Faure, jugent ainsi qu'il n'y a pas lieu de doter la SFIO d'une nouvelle doctrine puisque le parti entend rester fidèle à celle adoptée en 1905. En fait, beaucoup plus qu'avant la guerre, les socialistes font du marxisme la base même de leur comportement. Et face aux accusations communistes, ils affirment leur fidélité aux perspectives révolutionnaires, rejetant comme en 1905 le ministérialisme et prônant la lutte des classes et l'opposition systématique. Faisant paraître en 1921 une brochure, *Socialisme et Bolchevisme*, dont l'objet est d'expliquer ce qui sépare communistes et socialistes, Compère-Morel condamne les premiers au nom du marxisme, rejetant comme hétérodoxes les thèses sur la révolution violente et immédiatement déclenchée, sur la nécessité d'établir une dictature politique et économique à l'image de celle imposée en Russie, enfin sur la transformation immédiate et complète du régime capitaliste en régime communiste.

Il reste que, si cette attitude de marxisme intransigeant est capable d'enthousiasmer les militants dans les congrès, elle pose le problème de l'utilité pratique de siéger au Parlement et de l'attitude à adopter face aux réformes que pourrait pratiquer un gouvernement de gauche. En d'autres termes, il s'agit de répondre au problème, fort concret celui-là, d'une éventuelle alliance avec les radicaux : fallait-il en rester pour les élections de 1924 à la motion Bracke et refuser, au nom de la pureté doctrinale et de l'antiministérialisme, toute entente avec Herriot et son parti ? Ou fallait-il considérer que le réformisme pratiqué à court terme n'excluait pas la perspective révolutionnaire à long terme ?

Synthèse habile, quoique rhétorique et qui semble tenter Léon Blum, lequel affirme, après Jaurès, le caractère révolutionnaire des réformes.

En fait, le problème se trouve compliqué par le fait que chacune des thèses en présence possède des champions décidés à ne pas accepter une quelconque transgression. La pureté révolutionnaire excluant toute participation à une majorité bourgeoise va être exprimée par les guesdistes comme Lebas, Bracke, Pressemane et Paul Faure, vivement hostiles à toute entente avec les radicaux. Ils sont bientôt rejoints par un homme qui rassemble autour de lui l'extrême gauche du parti, Jean Zyromski. Pour eux, une entente avec les radicaux serait une trahison, exposant le parti à perdre au profit des communistes sa base prolétarienne. En revanche, la participation est le fait de l'aile droite ; des hommes comme Albert Thomas, Paul-Boncour, Pierre Renaudel, Alexandre Varenne préconisent un accord de gouvernement avec les radicaux, à la grande indignation de leurs adversaires qui les désignent à la vindicte des militants et souhaitent (au moins pour l'extrême gauche) les exclure du parti. Afin de préserver l'unité, un centre, dont Léon Blum est le chef de file, ne voit donc d'autre solution que de se maintenir dans une opposition qui représente le moindre risque. Le refus de se confronter au réel, le choix de la pureté doctrinale sur les compromis que nécessiterait l'action conduisent donc la SFIO à l'impuissance.

La manière dont se pose le problème des alliances électorales pour 1924 est une parfaite illustration de la paralysie que connaît alors la SFIO. Le congrès de 1923 devait discuter de la tactique électorale du Parti socialiste. En raison des divisions prévisibles, il se saisit du prétexte qu'offre l'occupation de la Ruhr pour différer ce débat. En fait l'alternative est simple : la loi électorale demeurant pour l'essentiel inchangée, le Parti socialiste peut, soit préserver sa pureté doctrinale, se présenter seul à la bataille et se faire tailler en pièces comme en 1919, laissant ainsi la droite se perpétuer au pouvoir, soit s'entendre avec les radicaux — mais quel serait alors l'avenir de cette alliance puisque la perspective de gouverner avec des bourgeois est la grande crainte de la majorité du parti ? Le congrès extraordinaire de la SFIO réuni à Marseille du 30 janvier au 2 février 1924 fait le choix d'une simple alliance tactique, décidée sous la contrainte de la loi électorale. « Cartel d'une minute, temps suffisant aux électeurs d'avant-garde », selon Compère-Morel, il se limitera au moment du scrutin, mais il ne saurait être question d'un programme de gouvernement avec les radicaux. Pour la suite, Léon Blum préconise le « soutien sans participation » : les radicaux disposeraient des voix socialistes tant que les mesures qu'ils prendront auront l'agrément de la SFIO. Situation qui ne comporte que des avantages, puisque les socialistes n'auront pas à assumer les responsabilités du pouvoir, mais qu'ils exerceront de l'extérieur une véritable censure sur celui-ci. En dépit de cette solution confortable, le Cartel est considéré par les socialistes comme un pis-aller : « Nous n'allons pas au Cartel de gaieté de cœur, affirme Blum. La pilule est amère : ce n'est que par devoir que nous l'avalerons. »

Le Parti socialiste refusant d'emblée un pouvoir qu'il devrait partager avec les radicaux, c'est donc sur ces derniers que reposent les chances de l'opposition aux élections de 1924.

Le Parti radical[1].

Parler du Parti radical comme un parti d'opposition n'apparaît nullement comme une vérité d'évidence. On a vu dans quelles conditions ambiguës ce parti, désorganisé par la guerre, ayant perdu toute identité dans l'union sacrée, réduit à ses seuls parlementaires, s'était engagé dans les élections de 1919, n'acceptant en principe que des alliances de concentration, mais fermant les yeux sur les entorses à ce principe faites par certains de ses membres qui adhèrent aux listes du Bloc national. Au demeurant, on a pu s'interroger sur les chances de survie de ce parti après les élections. Président sans autorité d'une formation moribonde, Herriot doit déjouer les tentatives de ceux qui entendent s'emparer des dépouilles du radicalisme. Par exemple Bokanowsky, élu comme député radical en 1919, et qui tente de constituer un groupe parlementaire réunissant radicaux, modérés et socialistes indépendants, celui de l'*Union républicaine et sociale* ; c'est avec difficulté que le président du Parti radical parvient à rassembler dans un groupe parlementaire autonome 86 des 139 élus qui ont pris l'étiquette radicale. Plus dangereuse encore est la

1. Sur la reconstruction et le passage à l'opposition du Parti radical, voir Serge Berstein (76), t. 1.

tentative lancée en 1920 par le nouveau président de l'Alliance démocratique, Charles Jonnart, qui propose de réunir les radicaux et les membres de son parti au sein d'un *Parti républicain démocratique et social*, fondé en juin 1920 et dont lui-même prend la présidence. Herriot résiste à l'absorption, mais ne peut empêcher le départ d'un certain nombre de parlementaires vers cette nouvelle formation. Ce n'est que très progressivement, avec l'aide efficace de Félix Bouffandeau, secrétaire général, qu'Herriot, la tempête passée, s'attelle à la reconstruction du Parti radical. Très lentement, fédérations départementales et comités locaux se reconstituent, les militants retrouvent le chemin des comités, des hommes jeunes remplacent les vieux cadres tentés par l'alliance au centre. Et ce Parti radical, en voie de lente reconstitution, retrouve la tradition des origines : structures lâches laissant une très grande autonomie aux comités, doctrine floue, coexistence au sein de l'organisation de tendances divergentes. Toutefois, Herriot ne dissimule pas sa volonté de conduire le parti dont il vient de prendre en main les destinées vers l'alliance à gauche traditionnelle, rompue par l'union sacrée et les positions prises par les socialistes. C'est aussi vers la gauche que penchent une majorité des jeunes parlementaires élus en 1919, comme les militants qui, peu à peu, reviennent au bercail. Vers 1924, le parti a retrouvé environ 70 000 adhérents, regroupés en quelque 500 comités, et, à ce moment, le poids du radicalisme de base devient considérable. Mais on peut estimer que, jusqu'en 1922, le rôle des militants est très limité et qu'Herriot doit par conséquent tenir compte du poids des parlementaires et des grands notables du radicalisme attachés à l'union sacrée et à ses prolongements.

Si bien que l'évolution du Parti radical à l'égard du Bloc national permet de prendre une assez juste mesure de l'évolution de la signification de celui-ci pour l'opinion publique. De 1920 à 1923, le Parti radical apparaît dans une position ambiguë. Peu actif sur la scène politique (il est affaibli et en voie de reconstitution), il est à la fois présent au gouvernement, dans la mesure où celui-ci entend poursuivre la politique d'unanimité nationale de l'union sacrée et recherche une caution de gauche que lui fournissent les « valoisiens », et membre de l'opposition puisqu'il ne se reconnaît nullement dans un Bloc national dominé par l'Entente républicaine démocratique de François Arago. Comme partie intégrante de la *majorité gouvernementale*, il dispose de ministres au sein de chacun des gouvernements de la première législature et vote les ordres du jour de confiance au gouvernement, dont il prend parfois l'initiative. Comme membre de l'*opposition parlementaire*, il combat le projet Noblemaire de rétablissement de l'ambassade auprès du Vatican (c'est l'occasion du premier grand discours d'Herriot à la Chambre), proteste contre la dissolution de la CGT, tout en condamnant les grèves de 1920, critique la politique financière du gouvernement et en particulier la politique d'emprunts à jet continu, mais sans jamais refuser de voter le budget. Cette politique d'équilibre instable permet à Herriot de conserver dans le parti à la fois les partisans de l'alliance au centre que sont Albert Sarraut, Théodore Steeg ou Paul Laffont et les champions de l'union des gauches représentés par les amis de Caillaux ou les rédacteurs du journal *L'Ère nouvelle*.

Mais il est clair que cette position, difficile à tenir, n'est que provisoire. Entre 1922 et 1924, le Parti radical va rompre progressivement ses liens avec le Bloc national et passer à l'opposition. Trois facteurs expliquent cette évolution.

Le premier est la reconstitution du Parti radical. Appuyé sur une base militante effective, et généralement orientée vers l'alliance à gauche, Herriot peut passer outre l'opposition des vieux parlementaires et des grands barons du radicalisme pour prendre ses distances vis-à-vis du gouvernement.

Le deuxième est l'occupation de la Ruhr qui fait voler en éclats l'unanimité de l'union sacrée. Sans doute celle-ci avait déjà été mise à mal par le rétablissement de l'ambassade au Vatican et par les mesures prises contre la CGT. Dès 1920-1921, ces mesures révélaient que l'union nationale proclamée avait une forte acception de droite. Mais l'évolution de Briand en matière de politique étrangère à la fin de 1921 avait été applaudie par les radicaux, qui y avaient vu l'amorce d'une plate-forme acceptable pour la gauche et qui lui permettrait de retrouver une identité perdue. Aussi Herriot saisit-il l'occasion de l'occupation de la Ruhr pour définir, en janvier 1923, la nouvelle attitude des radicaux : opposants responsables, ils refusent de condamner un gouvernement engagé dans une délicate épreuve de force internationale et se contentent de s'abstenir (Herriot précise néanmoins que l'abstention est une nuance de l'opposition), mais ils font connaître leur proposition d'une politique de rechange : rétablissement de la solidarité avec les Alliés et, en accord avec eux, mise en tutelle des finances allemandes afin de rétablir le crédit et d'acquitter la dette, la France obtenant des garanties sur les Réparations et pouvant ainsi mobiliser sa créance.

Enfin, le troisième facteur qu'on ne saurait négliger, est la proximité des élections législatives de mai 1924. S'il entend s'allier, comme le veut la tradition républicaine, à la SFIO désormais libérée des communistes, il ne peut le faire qu'en ayant clairement rompu avec le Bloc national.

Ce passage à l'opposition se fait en juin 1923. Herriot dépose un ordre du jour hostile au gouvernement, voté par la majorité des radicaux. A la demande de clarification de Poincaré, le président du Parti radical répond par un discours de nette rupture avec la majorité. Dès lors, le Parti radical conduit une politique d'opposition sans concession à tous les aspects de la politique gouvernementale : opposition au décret Bérard tendant à rendre obligatoire pour tous les élèves de l'enseignement secondaire l'enseignement du grec, du latin et des sciences, rejet du retour en France de certaines congrégations et de la création des associations diocésaines, refus déterminé des projets financiers de Poincaré et Lasteyrie au début de 1924, enfin violente campagne contre les décrets-lois demandés par Poincaré, le vote contre ceux-ci devenant l'un des critères de l'investiture radicale pour les élections de 1924. En mars 1924, les ministres Albert Sarraut et Paul Laffont, ainsi qu'un certain nombre de députés, sont exclus du Parti radical pour avoir voté les décrets-lois.

La voie est donc libre pour la constitution de ce Cartel des gauches avec la SFIO qu'on évoque depuis 1922, après l'échec de la tentative de constitution d'une *Ligue de la République* en 1921-1922 avec les républicains-socialistes, rassemblement de centre gauche qui se révèle trop étroit pour être électoralement porteur. Mais si la constitution du Cartel paraît indispensable pour éviter une nouvelle défaite électorale, encore faut-il que les divers partenaires s'y prêtent. Or, s'il est clair que les radicaux, qui ont brûlé leurs vaisseaux en juin 1923, l'attendent avec espoir, en y voyant la reconstitution de la traditionnelle union des gauches, on a vu que les socialistes y étaient pour le moins réticents. Finalement, après l'acceptation contrainte du congrès extraordinaire de la SFIO, le petit congrès du Parti radical accepte à son tour, le 6 février 1924, la constitution du Cartel des gauches aux cinq conditions posées par Herriot : le respect des lois sociales, notamment de la loi des 8 heures ; le respect et l'application stricte de l'impôt sur le revenu ; l'acceptation sincère et loyale de la Société des Nations ; le respect de la laïcité de l'État et de l'école ; l'opposition aux décrets-lois Poincaré. Le Cartel des gauches est né en principe : simple accord électoral, sans programme de gouvernement, conçu à contrecœur chez les socialistes, il n'est rien d'autre qu'une alliance électorale, sans aucun prolongement gouvernemental. A la différence de celles de 1919, les élections de 1924 vont se faire droite contre gauche.

Cette issue est en elle-même la preuve de l'échec du Bloc national. On pourrait même parler d'un double échec. Conçu à l'origine comme la prolongation en temps de paix de la pratique et de l'idéologie de l'union sacrée, comme la poursuite dans la paix du consensus du temps de guerre, il s'est révélé au fil des mois comme une formation dominée par la droite et pratiquant une politique de droite. Ainsi révèle-t-il après coup les caractères mal perçus sur le moment de l'union sacrée elle-même. Plus profondément, ce premier échec du Bloc national pose le problème de savoir si l'unanimité du temps de guerre autour de la patrie menacée constitue la base possible d'une politique du temps de paix, si elle est suffisante à alimenter une vie politique normale et à constituer le soubassement du débat démocratique ou si, la paix revenue, la nature des enjeux se modifiant, elle n'est pas dépassée et inadéquate. Dans ces conditions, le pari unanimiste du Bloc national était peut-être perdu d'avance. Le second échec tient à la volonté du Bloc national, traduisant les aspirations de l'opinion, d'un retour vers la vie supposée facile de la « Belle Époque ». Or, à cet égard, le Bloc national a échoué sur tous les plans. Il n'a réussi ni à maintenir sur le plan international la prépondérance de la France, ni à résoudre la crise monétaire née de la guerre, ni à faire payer l'Allemagne, ni à maintenir l'unité nationale. La déception des Français va les conduire à tenter l'expérience que leur propose la gauche, en dépit des hypothèques qui pèsent sur le Cartel en constitution.

9

L'expérience manquée du Cartel des gauches

1924-1926

1. La victoire ambiguë du Cartel

Les élections de 1924 : droite contre gauche.

Si les élections de 1919 se font dans le contexte de la poursuite de l'union sacrée du temps de guerre, en dépit des divisions qui se profilent, rien de semblable pour celles de 1924. Le principal ciment du Cartel des gauches étant l'hostilité à la majorité sortante du Bloc national, la coupure droite-gauche domine l'affrontement électoral, même si aucun des deux camps ne présente une unité sans faille. Du côté de la droite, les adversaires de la République font naturellement bande à part : les monarchistes présentent un certain nombre de listes conservatrices et, de son côté, *L'Action française* constitue ses propres listes dans quelques circonscriptions. Mais le Bloc national ne se montre pas davantage uni et, à dire vrai, sa spécificité tend à s'estomper. Président du Conseil depuis 1922, Raymond Poincaré, qui jouit d'une réelle popularité dans le pays, refuse d'apparaître comme l'homme d'un parti ou d'une majorité et entend incarner l'union nationale qu'il a prônée durant la guerre ; par ailleurs, acceptant l'apaisement religieux pratiqué par la majorité sortante, il demeure un laïque qui ne se résigne pas, malgré leur passage à l'opposition, à la rupture avec les radicaux. Aussi se refuse-t-il, comme on l'en presse, à prendre nettement la tête de la majorité sortante, à s'affirmer comme le chef du Bloc national.

Son analyse de la situation est celle d'une bonne partie des membres de l'Alliance démocratique, ces « républicains de gauche » dont la formule politique de prédilection est la concentration. C'est aussi celle que choisissent les radicaux démissionnaires ou exclus de leur parti pour avoir refusé l'alliance avec la SFIO au sein du Cartel. Derrière Poincaré se rassemble donc un centre droit qui a fait partie de la majorité du Bloc national, mais qui n'entend pas s'identifier à elle. Ce rôle de chef de file du Bloc national que récuse Poincaré est au contraire revendiqué par le président de la République, Alexandre Millerand. En octobre 1923, rompant avec la tradition de neutralité dans les débats de politique intérieure que s'imposent les chefs de l'État depuis 1877, Millerand, en visite à Évreux, prononce un discours qui est une apologie de la politique du Bloc national depuis 1919, politique financière, religieuse, étrangère. En même temps, et comme pour montrer que l'entorse aux principes « républicains » est délibérée, le chef de l'État réclame un rééquilibrage des pouvoirs : « Que le pouvoir législatif se contente de légiférer et de contrôler », proclame-t-il, souhaitant un renforcement du pouvoir exécutif qui donnerait au gouvernement plus de stabilité. Enfin, il lance une série d'accusations contre les socialistes, soupçonnés de négliger les intérêts nationaux. Cette incartade du chef de l'État fait scandale à gauche où elle est considérée comme une déclaration de guerre à la tradition républicaine d'effacement du chef de l'État, et des accusations de bonapartisme sont lancées contre lui. Elle provoque la gêne de l'aile centriste de la majorité, qui y discerne une tentative de marginalisation du président du Conseil. En revanche, elle fait de Millerand l'idole du noyau dur du Bloc national, des hommes de l'Entente républicaine démocratique et des catholiques de l'Action libérale et sociale qui vont s'unir sur des listes d'« Union républicaine » et de « Concorde nationale », représentant une droite conservatrice et cléricale. Même en faisant abstraction de la droite extrême, il existe donc au moins deux sensibilités politiques différentes au sein de la droite.

La cohésion de la gauche est, dans l'ensemble, plus forte. Sans doute les communistes présentent-ils des listes séparées, sous le nom de *Bloc ouvrier et paysan*, qui n'ont, bien entendu, aucun rapport avec le Cartel des gauches. En revanche, le Cartel des gauches a été réalisé dans plus des trois quarts des circonscriptions (74 sur 97) : 57 listes unissent radicaux et socialistes, 14 voient les radicaux se présenter seuls mais sans concurrents socialistes, dans 3 cas les socialistes vont seuls à la bataille, mais sans adversaires radicaux. Il reste que, dans 23 circonscriptions, socialistes et radicaux s'opposent, ce qui signifie que les accords à gauche n'ont pu se réaliser, parfois du fait des socialistes (Saône-et-Loire par exemple), parfois par la faute des radicaux (Aube ou Aude). A cette imparfaite mise en œuvre du Cartel s'ajoutent les réticences évidentes des socialistes qui ont leurs répercussions dans la campagne électorale et qui transparaissent dans les professions de foi. Pour l'essentiel, la constitution du Cartel n'a pas donné lieu à la rédaction de professions de foi communes. Parfois, les radicaux et les socialistes ont juxtaposé les programmes de leurs partis respectifs. Le plus souvent, ils se contentent de dresser un violent réquisitoire contre la politique du Bloc national, ne se définissant pas par d'autre élément que par l'opposition à celui-ci. Là où un véritable programme est proposé, c'est celui des radicaux (laïcité, réformes scolaires, abrogation des décrets-lois, retour au scutin d'arrondissement, amnistie, confiance à la SDN, maintien ou renforcement des monopoles d'État mais attachement à la propriété individuelle), comme si les socialistes, contraints par la loi électorale à une alliance qui leur répugne, s'étaient désintéressés de tout programme de gouvernement, laissant le soin aux radicaux de formuler celui-ci [1].

Si les états-majors sont réticents, l'opinion de gauche va appuyer le Cartel avec un véritable enthousiasme, y voyant souvent, à l'instar des radicaux, la reconstitution de la tradition républicaine, de ce Bloc des gauches du début du siècle qui demeure le modèle : socialistes, radicaux, modérés républicains unis contre la réaction et le cléricalisme. Cette position en retrait des dirigeants de la SFIO, jointe aux carences d'organisation traditionnelles chez les radicaux, va conduire à un phénomène inattendu : la direction de la campagne électorale à gauche par des journaux qui s'autoproclament directeurs de conscience du Cartel, comme *Le Progrès civique*, hebdomadaire radicalisant dirigé par Henri Dumay et Pierre Bertrand, et surtout *Le Quotidien*, fondé en 1923, à l'initiative des dirigeants du *Progrès civique*, grâce à des souscriptions, qui tire son prestige de quelques grandes signatures radicales, comme l'historien Aulard ou Ferdinand Buisson, et qui va s'instituer l'inspirateur de la campagne électorale du

1. L'étude des professions de foi cartellistes est faite dans Serge Berstein (76), t. 1.

Cartel. Cette mobilisation, à la base, débouche sur une victoire ambiguë du Cartel des gauches.

La victoire ambiguë du Cartel.

Les élections du 11 mai 1924 ont entraîné une forte participation électorale. Le pourcentage des abstentions n'atteint que 17 % contre 29,3 en novembre 1919.

La première surprise des élections vient du fait que le scrutin révèle une droite majoritaire dans le pays en termes d'addition de voix. En se fondant sur la moyenne des suffrages obtenus par les diverses listes, on parvient aux résultats suivants :

Bloc national	Conservateurs et Action française	328 003
	Union républicaine et Concorde nationale	3 190 831
	Républicains de gauche et radicaux nationaux	1 020 229
	Cartel des gauches	2 644 769
	Socialistes SFIO	749 647
	Communistes	875 812
	Divers	89 235

Le rassemblement des trois premières listes, constituant la majorité du Bloc national, atteint en effet un total de 4,5 millions de voix alors que l'addition des listes de Cartel et des listes socialistes n'atteint pas 3,4 millions de voix. Même en comprenant les voix communistes (pour avoir une évaluation globale des suffrages de gauche), on n'arrive qu'à 4,2 millions de voix. Mais, à la différence de ce qui s'était passé en 1919, le système électoral, qui favorise les rassemblements à la fois par le jeu de la prime à la majorité absolue et par celui de la répartition des restes à la plus forte moyenne, joue cette fois en faveur de la gauche. Globalement, elle bénéficie d'un gain d'une cinquantaine de sièges par rapport à l'application de la proportionnelle intégrale. Si bien qu'en termes de sièges, et une fois constitués les groupes parlementaires, on peut considérer que, distancée en voix, la gauche l'emporte en sièges :

	Parti communiste	26
Cartel des gauches	Socialistes SFIO	104
	Républicains-socialistes	44
	Radicaux-socialistes	139
	Gauche radicale	40
	Démocrates de gauche	14
	Gauche républicaine démocratique	43
	Républicains de gauche	38
	Union républicaine démocratique	104
	Non-inscrits	29

Sur 610 parlementaires, la gauche, qui en compte 353, est majoritaire, alors que la droite, ramenée à 228 élus, est nettement battue. Toutefois, les 26 communistes, se situant hors du jeu politique, ne sauraient être considérés comme membres de la majorité. Dès lors, celle-ci se réduit à 327 députés et elle n'existe pas sans les 40 membres de la gauche radicale. Or, ceux-ci sont des modérés dont la plupart ont été élus sur des listes non cartellistes (de même d'ailleurs qu'un petit groupe de radicaux) et leurs positions politiques sont antagonistes de celles de la SFIO, membre essentiel de la majorité cartelliste. Réduite à ses éléments incontestables, SFIO, républicains-socialistes, radicaux, elle ne comporte que 287 élus et ne saurait se prévaloir d'être majorité. En d'autres termes, les 40 membres de la gauche radicale sont les arbitres de la situation.

L'ambiguïté de la victoire du Cartel est enfin révélée par le fait que le Sénat, en majorité centriste, se montre au moins aussi réservé vis-à-vis du Cartel qu'il s'est montré méfiant envers le Bloc national, et l'élection présidentielle de 1924 va mettre en évidence ce décalage entre la Chambre et le Sénat.

La crise présidentielle de 1924.

A peine le résultat des élections acquis, *Le Quotidien* lance une campagne d'opinion pour obtenir la remise complète du pouvoir au Cartel. Il inaugure son action le 12 mai en titrant : « Le Bloc national est écrasé ! Présidents, allez-vous-en ! », et il récidive le lendemain en précisant : « Millerand doit, comme Poincaré, se démettre. » Or, s'il est légitime et constitutionnel que le président du Conseil remette sa démission au chef de l'État au lendemain d'élections législatives, celles-ci ne sauraient concerner le président de la République, constitutionnellement irresponsable. Mais il est clair qu'une partie de la nouvelle majorité considère que Millerand a outrepassé ses fonctions en se présentant, lors du discours d'Évreux, comme le chef de la majorité sortante et entend sanctionner ce manquement à la « tradition républicaine ». Au demeurant, les partis de la majorité sont ici quelque peu débordés par la presse de gauche, qui emboîte le pas au *Quotidien* et exerce sur eux une véritable dictature morale. C'est ainsi que le journal « désigne » Herriot pour la présidence du Conseil, Painlevé pour celle de la Chambre ou pour la magistrature suprême et dicte au Cartel la tactique à suivre pour se débarrasser de Millerand, celle-là même qui avait jadis contraint Grévy à la démission : le refus par les dirigeants de la nouvelle majorité de constituer un gouvernement tant que le président n'aurait pas quitté l'Élysée. Or, le Parti socialiste SFIO se rallie à cette tactique et, dès la rentrée des Chambres, le groupe radical vote une motion réclamant le départ de Millerand. Au Sénat, la gauche démocratique prend la même attitude. En revanche la majorité sortante, les autres groupes du Sénat et le président lui-même font valoir que sa démission pour cause de changement de majorité ferait du pouvoir exécutif, dans son élément permanent, une simple annexe du législatif.

Après la démission de Poincaré, le président Millerand appelle Édouard Herriot à l'Élysée, demandant au chef du parti le plus nombreux de la majorité cartelliste de former le gouvernement. Mais le président du Parti radical, comme il était prévisible, décline l'offre, rappelant au chef de l'État l'exigence de la gauche de le voir quitter l'Élysée. Pendant cinq jours, Millerand se débat pour échapper à l'issue exigée par le Cartel, consultant largement, s'offrant à former un ministère très orienté à gauche, et se résignant finalement à constituer un gouvernement à seule fin que puisse être lu devant les Chambres un message présidentiel plaçant les parlementaires devant leurs responsabilités. Tel est le sens de la désignation de son ami François-Marsal qui constitue, le 8 juin 1924, un ministère de droite et de centre droit, lequel n'a, bien entendu, pas la moindre chance de recevoir la confiance de la nouvelle majorité. Mais son but est de provoquer un large débat sur la question présidentielle et, peut-être, d'obtenir du Sénat une approbation du maintien en place de Millerand. Or, la tactique échoue sur toute la ligne. Le Sénat refuse de se prononcer en votant une motion d'ajournement et la Chambre, n'acceptant pas d'entrer en relation avec le gouvernement François-Marsal « qui, par sa composition, est la négation même des droits du Parlement », adopte à son tour un texte, signé par Herriot et Blum, ajournant la discussion jusqu'à la présentation d'un gouvernement constitué conformément à la volonté souveraine du pays. Désormais, le sort de Millerand est scellé. Le 11 juin 1924, il donne sa démission.

Si le Sénat a laissé la majorité nouvellement élue de la Chambre sacrifier le président, il n'entend pas pour autant approuver la volonté des vainqueurs du 11 mai de monopoliser les pouvoirs de la République. Le 12 juin, les groupes parlementaires de la majorité désignent le républicain-socialiste Paul Painlevé comme « seul candidat de la discipline républicaine au congrès de Versailles ». Mais le même jour, les groupes anticartellistes décident de soutenir la candidature du président du Sénat, le radical très modéré Gaston Doumergue, et, malgré deux démarches des dirigeants du Cartel, celui-ci refuse de se retirer. Le 13 juin 1924, au premier tour de scrutin, Gaston Doumergue est élu président de la République par 505 voix contre 309 à Paul Painlevé. Il est clair qu'outre les groupes de la Chambre hostiles au Cartel, la quasi-totalité des sénateurs (y compris les radicaux) ont porté leur voix sur le président du Sénat. Le Cartel, seulement majoritaire à la Chambre (à condition que la gauche radicale lui apporte ses voix), prend donc la mesure de la limite de ses possibilités. Les conditions de la formation du gouvernement vont, en outre, révéler ses faiblesses.

Le gouvernement Herriot[1].

Comme chacun s'y attend, le nouveau chef de l'État demande au président du Parti radical, Édouard Herriot, de former le gouvernement. A cinquante-deux ans, le maire de Lyon a désormais une stature politique nationale forgée par les années durant lesquelles il a reconstruit le Parti radical et fait passer celui-ci, avec un sens politique aigu, de l'association aux gouvernements du

1. Pour la formation du gouvernement et les problèmes qu'elle pose, voir Serge Berstein (76), t. 1.

Bloc national à l'opposition. Son grand problème est celui de la participation socialiste, et, derrière leur président, les radicaux entament une vaste campagne pour l'obtenir, en dépit de la décision contraire du congrès de Marseille. Pour fixer les conditions de la participation, ou au moins, en cas de refus des socialistes, du soutien parlementaire au futur gouvernement, le président du Parti radical propose à la SFIO un contrat de gouvernement en dix points.

Le gouvernement se propose d'abord de prendre une série d'actes symboliques destinés à effacer la politique du Bloc national : suppression des décrets-lois, amnistie générale des condamnations du temps de guerre, sauf pour les insoumis et les traîtres, réintégration des cheminots révoqués en 1920. Il annonce son intention de revenir à la politique de laïcité par la suppression de l'ambassade au Vatican et l'application de la loi sur les congrégations. Il entend abolir le décret Bérard sur l'obligation du grec et du latin dans l'enseignement secondaire, premier pas vers l'établissement de l'école unique. Dans le domaine financier, il se prononce pour le rétablissement de l'équilibre budgétaire après inventaire du budget et de la trésorerie, et prévoit de dégager des ressources nouvelles par l'application rigoureuse de l'impôt sur le revenu et la lutte contre la fraude. Son programme social comporte le respect de la loi de 8 heures et des droits syndicaux (qui seront reconnus aux fonctionnaires), ainsi que l'application des assurances sociales. Enfin, en matière de politique étrangère, Herriot affirme vouloir étendre et fortifier le rôle de la SDN, rétablir des relations normales avec la Russie soviétique, régler la question des Réparations sur la base du « rapport des experts » en renonçant à toute politique de force unilatérale, mais en n'acceptant l'évacuation de la Ruhr que contre des garanties sur les versements et sur le désarmement allemands. Et la conséquence de cette nouvelle politique étrangère devrait être la réduction de la durée du service militaire.

Programme incontestablement réformiste, conforme à celui proposé par les listes cartellistes et qui est à même de satisfaire les socialistes les plus pragmatiques, mais dont l'adoption comme base de participation provoquerait immanquablement les protestations des doctrinaires et, sans doute, l'éclatement du parti. Aussi, après avoir reconnu qu'un puissant mouvement d'opinion souhaite un gouvernement commun des radicaux et des socialistes, Blum, transmettant à Herriot la réponse de son parti, propose au gouvernement un simple « soutien sans participation ». Solution qui n'est heureuse que pour les socialistes. Les témoins ont raconté ce que fut l'épuisante expérience Herriot de ce point de vue : des journées passées à gouverner, à convaincre la Chambre ou le Sénat, à négocier avec les représentants des pays étrangers, puis d'interminables nuits passées à expliquer le sens de la politique gouvernementale aux dirigeants de la SFIO et à tenter d'arracher leur adhésion afin de conserver une majorité, combat perpétuel, renouvelé jour après jour.

En attendant, c'est un gouvernement à ossature radicale avec la participation de républicains-socialistes et de membres de la gauche radicale que constitue Édouard Herriot, gouvernement dans lequel siègent pour la première fois Camille Chautemps (Intérieur) et Édouard Daladier (Colonies), deux proches d'Herriot que l'opinion baptisera « les enfants d'Édouard ». Gouvernement qui va s'efforcer de pratiquer la politique de gauche annoncée par son programme et qui, de fait, tranche assez nettement avec celle du Bloc national, sinon dans ses objectifs, du moins dans ses moyens. C'est probablement dans le domaine de la politique étrangère que le tournant est le plus net.

2. Une politique étrangère de gauche

Le problème des Réparations.

Si l'on met à part la brève période de la fin du ministère Briand, la politique du Bloc national s'est caractérisée par la volonté d'obtenir, par la négociation ou par la force, l'exécution intégrale des obligations allemandes nées du traité de Versailles. Or, Herriot a applaudi à l'infléchissement de cette politique par Briand entre octobre 1921 et janvier 1922, et c'est une attitude conforme aux idées de Briand qu'il définit à l'époque de l'occupation de la Ruhr, voie médiane entre les solutions de force débouchant sur l'isolement international de la France qu'ont prônées les gouvernements du Bloc national et l'abandon unilatéral des Réparations défendu par l'extrême gauche.

Dans la négociation sur les Réparations, Herriot, qui cumule la présidence du Conseil et le ministère des Affaires étrangères, est, par ailleurs, tributaire d'un double héritage : celui de l'échec de Poincaré, confirmé par l'acceptation par celui-ci en octobre 1923 du recours aux experts sur le montant des Réparations ; celui de l'attachement de l'opinion publique aux « justes compensations », sentiment qu'exaspèrent les atermoiements allemands. Dans ces circonstances, Herriot a défini lors de l'occupation de la Ruhr la politique étrangère de son parti, qui n'est, au demeurant, que celle qu'avait esquissée Briand à la fin de son ministère : puisque la France ne peut, par ses seuls moyens, faire payer l'Allemagne, il faut contraindre celle-ci à reprendre les versements sous la pression de l'opinion internationale et, en particulier, en renouant les liens avec les alliés du temps de la guerre, Américains et surtout Britanniques. C'est grâce à l'aide de ceux-ci, dont la France ne peut se passer, qu'elle obtiendra le paiement des Réparations, et cette priorité (qui dépasse de loin les questions financières) vaut le prix à payer que Briand, puis Poincaré en octobre 1923, ont implicitement accepté : l'aménagement (c'est-à-dire la diminution) du montant des Réparations. La fin de l'isolement international de la France, né de l'occupation de la Ruhr, devenant le maître-mot de la politique étrangère du nouveau gouvernement, Herriot la met aussitôt en œuvre en se rendant en Angleterre, fin juin 1924, pour y rencontrer aux Chequers le Premier ministre travailliste Ramsay MacDonald avec lequel il entend nouer des relations personnelles.

Celles-ci établies, Herriot se rend à la conférence de Londres où, du 16 juillet au 25 août, il atteint la plupart des objectifs qu'il s'était fixés : la France renoue ses liens avec les Alliés et, d'abord, avec les Britanniques ; l'évacuation de la Ruhr est décidée dans un délai d'un an, dégageant la France du guêpier dans lequel l'avait placée la politique de force ; le plan Dawes règle provisoirement la question des Réparations, l'Allemagne, qui reçoit un prêt lui permettant de relever son économie, reprenant durant cinq ans des versements progressifs jusqu'à un nouveau constat qui devra être définitif, en 1929 ; comme le souhaitaient les Français, ces versements sont garantis par des prélèvements opérés par un agent général des Réparations, siégeant à Berlin, sur les impôts indirects allemands, et par des hypothèques sur les chemins de fer du Reich et sur la grande industrie allemande.

Ces résultats spectaculaires sont perçus par l'opinion publique comme un succès contrastant avec les échecs du Bloc national en la matière, et Herriot est acclamé à son retour de Londres le 18 août 1924. L'historiographie actuelle ne ratifie pas ce jugement des contemporains, accusant Herriot de s'être laissé abuser par Ramsay MacDonald, de ne pas avoir pris l'avis des diplomates de carrière, d'avoir fait montre d'amateurisme dans la négociation et, au total, d'avoir, dans l'euphorie de la conférence, tout cédé aux Britanniques, le principal des « abandons lyriques » (Jean-Noël Jeanneney) qui lui est reproché étant de n'avoir pas obtenu que soient liées Réparations et dettes de guerre [1]. Outre le fait que Britanniques et surtout Américains ont constamment refusé ce lien, à Clemenceau en 1919 comme aux gouvernements successifs du Bloc national par la suite, ce jugement suppose implicitement que les objectifs d'Herriot étaient ceux de la droite qui a gouverné jusqu'en 1924, c'est-à-dire la mise au premier plan des questions financières et le règlement des problèmes par la force si l'adversaire ne s'incline pas et si les Alliés sont réticents. On a vu qu'il n'en était rien. Par rapport aux priorités qui sont désormais celles de la gauche, la conférence de Londres est un succès qui assure tout à la fois à la France le versement de Réparations pendant cinq ans et la fin de son isolement. D'autant que ce résultat n'apparaît pas comme un fait unique, mais comme le premier résultat de la nouvelle philosophie des relations internationales qu'entend mettre en œuvre le Cartel.

Reconnaissance des soviets et sécurité collective.

Substituer à la vieille politique d'alliances et de surarmement une politique nouvelle fondée sur la solidarité des peuples, le règlement des conflits par l'arbitrage et la sécurité collective, tel est le projet que la nouvelle majorité entend mettre en œuvre et dont la conférence de Londres a fourni un premier exemple. La reconnaissance *de jure* du gouvernement soviétique, le 28 octobre 1924 (qui réserve les droits des titulaires d'emprunts russes), est également une application du nouveau principe. Peut-

1. Le réquisitoire contre Herriot est dressé par Jacques Bariéty (127), Denise Artaud (126), Jean-Noël Jeanneney (90).

être Herriot s'est-il engagé auprès du Premier ministre travailliste Ramsay MacDonald, en butte aux critiques de l'opposition conservatrice pour avoir reconnu l'Union soviétique, à imiter son geste. Mais celui-ci est aussi conforme aux convictions du président du Parti radical. Dès 1922, revenant d'un voyage en Union soviétique, il professe qu'il n'est pas possible de cantonner derrière le cordon sanitaire un peuple de 200 millions d'hommes. Par ailleurs, adversaire d'un régime qu'il réprouve totalement, il juge que c'est en réinsérant la Russie soviétique dans le concert des nations qu'on facilitera un dialogue qui permettra de faire évoluer le régime vers un retour à la démocratie libérale, qu'il estime — à tort — engagé avec la NEP. Dès juin 1924, la déclaration d'investiture d'Herriot comporte l'engagement de reconnaître l'Union soviétique sur les bases ainsi définies.

Mais l'aspect probablement le plus symbolique de la nouvelle politique extérieure de la gauche est la volonté de mettre en œuvre de façon efficace la politique de la sécurité collective incluse dans les principes de la Société des Nations. Il s'agit de trouver une pratique qui permette de concilier l'idéal pacifiste de la gauche avec les nécessités de la sécurité nationale qu'aucun patriote ne peut se permettre d'ignorer. Le but est donc d'assurer la sécurité française en se fondant, non sur les alliances et l'armement, mais sur une garantie internationale mise en œuvre par la SDN. Entouré d'une délégation où figure en bonne place Léon Bourgeois, père de l'idée de sécurité collective en France, Herriot expose le 5 septembre 1924 devant une SDN enthousiaste le « protocole » qu'il propose, fondé sur le triptyque « arbitrage, sécurité, désarmement » : signature d'un protocole d'arbitrage obligatoire entraînant, en cas de refus, des sanctions des États membres de la SDN, la sécurité ainsi garantie par l'organisation internationale permettant d'envisager un désarmement généralisé. Accepté à l'unanimité le 6 septembre, le « protocole de Genève » représente la seule tentative sérieuse pour faire sortir les principes wilsoniens du domaine de la phraséologie et les faire entrer dans la sphère du concret. En fait, les réticences britanniques à s'engager dans un processus de sanctions automatiques, puis le retour au pouvoir des conservateurs au Royaume-Uni à l'automne 1924, enterreront définitivement le grand dessein du Cartel, mais il est clair que celui-ci a une politique de rechange à proposer en matière internationale.

La nouvelle politique qu'Herriot met en œuvre en 1924 va d'ailleurs devenir, pour l'essentiel, jusqu'en 1934, la politique extérieure permanente de la France. Règlement négocié des Réparations, rapprochement avec les Alliés, conciliation avec l'Allemagne, confiance en la sécurité collective sont désormais les traits majeurs de la diplomatie française. Après la chute d'Herriot, les gouvernements cartellistes la poursuivent, comme la continueront les gouvernements d'union nationale des années 1926-1928 et les gouvernements de droite qui suivront. Inamovible ministre des Affaires étrangères de 1925 à 1931, Aristide Briand attache son nom à cette ligne nouvelle où conciliation et détente sont les axes autour desquels s'organisent les relations internationales de la France.

Toutefois, avec Briand et son homologue allemand Stresemann, l'accent est mis sur le rapprochement franco-allemand. L'événement majeur dans ce domaine est le traité de Locarno, signé en octobre 1925 et par lequel l'Allemagne, la France et la Belgique acceptent le *statu quo* frontalier issu du traité de Versailles, mais aussi le statut de démilitarisation de la Rhénanie. Toutefois, si l'Allemagne accepte ainsi volontairement de reconnaître à Locarno les clauses qui lui ont été imposées unilatéralement par le « diktat » de Versailles, cet accord ne concerne que ses frontières occidentales, le Reich refusant d'admettre ses frontières orientales, ce qui ne laisse pas d'inquiéter Pologne et Tchécoslovaquie. De sorte que si l'esprit nouveau triomphe à Locarno, il est complété par un renforcement du système traditionnel : le jour même de la signature du pacte de Locarno, la France signe des pactes d'assistance avec la Pologne et la Tchécoslovaquie.

Les accords de Locarno ouvrent en Europe une période d'euphorie diplomatique dont le point d'orgue sera, en septembre 1926, l'entrée de l'Allemagne, patronnée par la France, à la Société des Nations, cérémonie qui est l'occasion d'émouvants discours pacifistes et de la célèbre péroraison de Briand : « Arrière les fusils, les mitrailleuses, les canons ! Place à la conciliation, à l'arbitrage et à la paix ! » C'est le début d'une « ère Briand-Stresemann », où les deux hommes d'État paraissent s'entendre pour assurer la paix par la détente et où les bons sentiments dont ils font étalage remplacent, devant un parterre genevois ravi, le froid réalisme qui est généralement l'apanage des diplomates.

Ce qui conduit l'extrême droite monarchiste (Briand est la cible principale de l'Action française) et une partie de la droite à accuser le ministre français des Affaires étrangères d'ingénuité coupable pour s'être laissé prendre aux roueries de son homologue allemand et avoir ainsi désarmé la vigilance du peuple français à l'égard de l'« ennemi héréditaire ». Il est vrai que les nationalistes allemands adressent les mêmes accusations à Stresemann.

En fait, s'il est peu douteux que les deux hommes se sont complu dans le rôle de « pèlerins de la paix » que leur attribue l'opinion, il est non moins évident que leurs politiques s'inspirent du plus grand réalisme. Stresemann accepte la négociation dans les domaines où il ne peut, compte tenu du rapport de forces, espérer modifier l'état de choses existant : Eupen et Malmédy, l'Alsace-Lorraine ; pour le reste, il compte sur la réinsertion de l'Allemagne dans le concert des nations et sur les gages de bonne volonté qu'il donne, pour obtenir des Alliés, avec l'accord d'une France dont la méfiance est désarmée, la suppression des clauses les plus contraignantes du traité de Versailles concernant l'occupation du territoire allemand ou le statut des Réparations. Quant à Briand, il s'est convaincu dès son passage au pouvoir, en 1921, que la France n'avait pas les moyens de conduire seule une politique de force : « Je fais la politique de notre natalité », jettera-t-il aux députés qui lui reprochent la politique de détente. L'impasse de l'occupation de la Ruhr lui confirme la justesse de ses vues. Dès lors, il accepte la politique de la gauche, non par fidélité à des vues idéologiques (comment supposer que ce vieux routier de la politique se soit, sur le tard, converti au culte des grands principes ?), mais parce qu'il juge que la France n'est pas l'État puissant et dominateur qu'ont imaginé les dirigeants du Bloc national et qu'il n'est par conséquent pas d'autre politique possible. Dans le sillage d'Herriot, il saura, quelques années durant, obtenir de la bonne volonté allemande, moyennant compensations accordées à Stresemann, la satisfaction des deux objectifs fondamentaux de la politique extérieure de la France : la sécurité (en convertissant les hommes de Weimar à la sécurité collective et aux principes genevois), les Réparations (que l'Allemagne accepte de verser selon les conclusions du plan Dawes, puis, en 1929, du plan Young).

Si le gouvernement du Cartel a ainsi su innover en matière de politique étrangère et définir les approches qui conviennent à l'Europe apaisée des années 1924-1929, il se montre en revanche aveugle (à l'image de l'opinion publique tout entière) face aux premiers craquements qui secouent l'Empire colonial français.

Premiers craquements de la domination coloniale.

La France sort du premier conflit mondial plus que jamais persuadée que la possession de son empire colonial est une sorte de droit, rançon de son statut de grande puissance. Aux colonies et protectorats conquis au XIXe siècle ou dans les premières années du XXe, se sont ajoutés les mandats confiés par la Société des Nations, les anciennes colonies turques de la Syrie et du Liban, les anciennes colonies allemandes du Cameroun et du Togo. L'opinion ne prend guère conscience que la guerre, conduite au nom des grands principes de liberté et de droit des peuples à disposer d'eux-mêmes (guerre à laquelle l'Empire a participé par l'envoi d'hommes et de marchandises), suscite dans les colonies une forte aspiration à l'autonomie, voire à l'indépendance. Pour les dirigeants politiques, à l'image d'un Albert Sarraut, le seul problème qui se pose est celui d'une mise en valeur effective des colonies au profit de la métropole. Quant aux aspirations des populations, elles ne reçoivent que des réponses dérisoires, telles que par exemple l'abolition des impôts indigènes en Algérie en 1919 ou l'octroi du droit de vote à quelques musulmans anciens combattants, propriétaires ou fonctionnaires.

Aussi n'y a-t-il pas lieu de s'étonner que le début des années vingt voie la naissance de mouvements de révolte dans les territoires soumis à l'administration française. Les plus graves ont lieu au Maroc et dans les mandats du Levant.

Au Maroc où, sous l'autorité du maréchal Lyautey, résident général depuis 1912, la résistance armée contre le protectorat n'a guère cessé, affectant successivement le Sud marocain, le Moyen-Atlas et les confins sahariens, une révolte née en 1921 dans le Maroc espagnol, autour d'Abd el-Krim, déferle sur la zone française au printemps 1924 au moment même où le Cartel parvient au pouvoir. L'extension de la révolte au début de 1925 pousse le maréchal Lyautey à demander des renforts et des crédits supplémentaires. La gauche, qui n'apprécie guère les attitudes de proconsul du maréchal, fait alors pression sur le président du

Conseil Paul Painlevé pour obtenir le rappel de Lyautey. Le gouvernement décide de confier au maréchal Pétain la direction des opérations militaires, ce qui provoque la démission de Lyautey, lequel se juge, à juste raison, désavoué. La répression de la révolte exigera la présence au Maroc de plus de 100 000 hommes, et ce n'est qu'en 1926 que des opérations combinées franco-espagnoles permettent à Pétain de venir à bout de l'insurrection. La fin des opérations militaires laisse cependant subsister les séquelles d'une opposition qui, désormais, prend un tour politique. Autour d'Allal el-Fassi, une bourgeoisie musulmane, animée par des étudiants gagnés au réformisme musulman et aux idées panarabes, constitue un môle de résistance au développement de l'administration directe que met en place le successeur de Lyautey à la Résidence, Théodore Steeg. Et cette bourgeoisie trouve un appui dans une population atteinte par le déclin des activités traditionnelles (agriculture ou artisanat), rançon de la modernisation économique.

Le second foyer d'agitation se situe dans les mandats du Levant acquis par la France en 1919. Jusqu'en 1922, Syrie et Liban vivent sous un régime d'occupation militaire, sous l'autorité d'un haut-commissaire français dont la tâche essentielle est de lutter contre les partisans de Faïçal, fils du chérif de La Mecque, qui rêve de se constituer sous la protection britannique un vaste royaume incluant l'Irak, la Syrie et le Liban. En 1923 éclate une révolte des Druses, fidèles à Faïçal, provoquée par l'autoritarisme du haut-commissaire, le général Sarrail, et par son militantisme laïque qui lui fait multiplier les maladresses à l'encontre des convictions religieuses des musulmans de Syrie. La révolte fait tache d'huile de 1923 à 1925. En octobre 1925, elle gagne Damas que le haut-commissaire évacue et fait bombarder. Pour ramener le calme, le gouvernement Painlevé rappelle Sarrail et nomme à sa place le sénateur Henry de Jouvenel qui apaise la révolte et fait préparer des statuts organiques, adoptés en 1926 pour le Liban et en 1928 pour la Syrie (après de multiples incidents avec les nationalistes).

Sans aller jusqu'à la révolte ouverte, la fièvre nationaliste gagne l'Indochine où se développent des protestations contre la prépondérance des fonctionnaires français dans l'administration, le système d'enseignement, uniquement destiné à créer des cadres subalternes, ou l'exploitation économique qui aboutit à des pratiques comme celles de la corvée. Ainsi naissent en 1923 le *Parti constitutionnaliste*, formé par la bourgeoisie annamite, qui réclame la création d'un Conseil national consultatif, en 1925 le *Parti communiste indochinois*, créé par Nguyên Ai Quôc (le futur Hô Chi Minh), demandant la nationalisation des grands domaines, la suppression des dettes, la journée de 8 heures, et l'autonomie politique du Viêt-nam, du Laos et du Cambodge. S'y ajoutent bientôt le Parti nationaliste VNQDD, constitué de commerçants, d'intellectuels et de fonctionnaires, inspiré par le Guomindang chinois et qui appelle de ses vœux une république indépendante, puis la secte politico-religieuse des cao-daïstes.

Cette naissance d'un nationalisme indigène trouve peu de relais dans une opinion métropolitaine qui n'envisage nullement de remettre en cause la souveraineté française. Le cas du Parti communiste constitue à cet égard une exception qui contribue à le marginaliser vis-à-vis de la société politique. Il soutient en effet les revendications des peuples colonisés, adresse à Abd el-Krim un télégramme de félicitations après ses premières victoires sur les troupes espagnoles, et envoie au Maroc Jacques Doriot à la tête d'une délégation chargée d'aller porter aux insurgés africains le témoignage de la solidarité des travailleurs français (délégation qui n'atteindra d'ailleurs pas son objectif). En dehors du Parti communiste s'élèvent quelques voix isolées pour protester contre la domination coloniale. Celle, peu connue à l'époque, d'André Malraux qui anime à Saigon le journal anticolonialiste *L'Indochine* ; celle d'André Gide, plus prestigieuse, mais venant d'un auteur qui se plaît à scandaliser : son *Voyage au Congo* (1927), écrit à la suite d'un périple de deux années, est un réquisitoire contre l'exploitation coloniale.

Le gouvernement du Cartel des gauches n'est certes pas prêt à suivre dans cette voie les adversaires de la colonisation. Aux révoltes armées, il répond par une répression sans faille, au Maroc comme en Syrie. En revanche, il est prêt à admettre que des réformes sont nécessaires dans le domaine colonial français. Aussi n'hésite-t-il pas à envoyer outre-mer des gouverneurs réformateurs. C'est le cas de Maurice Viollette, nommé en 1925 gouverneur général de l'Algérie, et que sa volonté réformatrice fait surnommer par les colons le « gouverneur des Arabes ». C'est aussi le cas d'Alexandre Varenne, envoyé la même année en Indochine et qui, lui aussi, entreprend quelques réformes. L'un et l'autre se heurtent sur place aux colons européens, bien décidés à ne pas tolérer un quelconque amenuisement de leur suprématie, et les pressions des Européens aboutiront au rappel des deux gouverneurs par le ministère Poincaré, Viollette en 1927, Varenne en 1928.

Ces difficultés coloniales, porteuses de crises à venir, ne sont cependant perçues par les contemporains que comme des incidents mineurs. Les véritables difficultés du Cartel des gauches vont venir de la politique intérieure et des problèmes financiers.

3. Une politique intérieure de gauche

Plus encore que dans le domaine de la politique étrangère, Édouard Herriot, à son arrivée au pouvoir en juin 1924, entend faire triompher des vues nouvelles en politique intérieure, en revenir aux conceptions « républicaines » du début du siècle, les seules légitimes à ses yeux, bouleversées par une droite qui avait su un moment usurper le pouvoir, à la faveur du choc de la guerre. En d'autres termes, il s'agit d'effacer l'œuvre « antirépublicaine » du Bloc national. Or, à sa grande surprise, cette tentative dont il jugeait que l'opinion la plébisciterait va, au contraire, se heurter à de fortes réticences et ébranler le nouveau pouvoir.

Ainsi en va-t-il des gestes symboliques que le nouveau gouvernement s'était engagé à pratiquer et, au premier chef, de la loi d'amnistie. Le 19 juin 1924, Herriot dépose un projet de loi prévoyant l'amnistie pour les déserteurs devant l'ennemi et les condamnés de la Haute Cour et n'excluant que les insoumis et les traîtres, projet qui, par ailleurs, passe l'éponge sur toute une série de condamnations mineures. Or, dans ce domaine largement symbolique, le gouvernement va se heurter à une véritable guérilla parlementaire, la Chambre n'acceptant pas sans réticences la réintégration des cheminots révoqués lors des grèves de 1920 et le Sénat résistant de toutes ses forces à l'amnistie pour Caillaux et Malvy, qu'il tient pour un désaveu de la condamnation en Haute Cour, et pratiquant une tactique d'obstruction. Ce n'est qu'en janvier 1925, au prix d'interminables joutes parlementaires et de séances où la violence se donne libre cours, que le gouvernement parvient à faire voter la loi d'amnistie. Mais le pouvoir s'est usé dans ce premier combat parlementaire.

Autre geste symbolique qui atteint le crédit du gouvernement, la décision de transfert au Panthéon des cendres de Jaurès, décidée pour resserrer les liens entre les deux principaux partis de la majorité, radicaux et socialistes. La cérémonie solennelle se déroule sans fausse note apparente le 23 novembre 1924 et le gouvernement, qui marche derrière le catafalque, reçoit une large part des applaudissements de la foule. Mais le Parti communiste, ayant été exclu de la cérémonie officielle, décide de protester contre l'accaparement de Jaurès par le Cartel en organisant sa propre manifestation : 50000 militants viennent écouter Marcel Cachin qui les harangue devant le Panthéon, puis se répandent dans Paris au chant de *L'Internationale*, se heurtant ici et là à la police. Au total, l'incident est mince. Il est délibérément grossi par la rumeur publique qui va bientôt croire à la réalité d'une tentative de coup de force communiste pour s'emparer du pouvoir, tolérée par un gouvernement faible et complaisant. Cette simili-épouvante de la droite française débouche sur une interpellation à la Chambre par le député d'extrême droite Pierre Taittinger, reprochant au gouvernement d'avoir laissé se déchaîner dans Paris des « saturnales révolutionnaires », ajoutant, pour faire bonne mesure, que l'armée y a été bafouée.

Il n'est pas jusqu'au nouveau climat qu'Herriot et son ministre du Travail, Justin Godart, tentent de faire prévaloir dans les rapports sociaux qui ne nourrisse le procès instruit contre le gouvernement par la droite, qui veut voir dans les radicaux les fourriers complaisants de la révolution prochaine. Non que le pouvoir, défenseur de la propriété privée et de l'initiative individuelle, entende prendre ces réformes de structure que les socialistes appellent de leurs vœux. Mais, partisans de la solidarité sociale, les radicaux tentent de promouvoir une collaboration entre patrons sous l'égide et le parrainage de l'État. C'est la raison pour laquelle le gouvernement crée en janvier 1925 le Conseil national économique, réclamé par la CGT depuis 1919, et dans lequel il voit l'institution au sein de laquelle doit se développer cette collaboration. De même autorise-t-il dès 1924 les fonctionnaires à se syndiquer. Enfin, pour prendre un exemple de sa pratique sociale, il tente d'arbitrer la grève des conserveries de Douarnenez, en décembre 1924, n'hésitant pas, à la grande colère de la Confédération générale de la production française, à allouer au bureau de bienfaisance de Douarnenez un crédit destiné à apporter une aide aux familles des grévistes.

Au total, ces mesures, qui répondent à l'attente de l'opinion de gauche, que socialistes et, bien entendu, communistes jugent timides et insuffisantes, ont pour résultat de fournir aux adversaires du Cartel des arguments dans le procès d'intention qu'ils adressent au gouvernement : en amnistiant les déserteurs et les condamnés de la Haute Cour, il foule aux pieds l'idéal d'union sacrée pour lequel les « poilus » ont combattu dans les tranchées et il fait bon marché du dépôt sacré que les anciens combattants ont défendu au péril de leur vie ; en laissant les communistes manifester dans Paris, en soutenant les grévistes de Douarnenez, il favorise délibérément les menées révolutionnaires et se montre incapable de faire régner l'ordre. Or, ces critiques portent — sur les anciens combattants comme sur ces membres de la classe moyenne qui constituent la clientèle du Parti radical et demeurent attachés au patriotisme du temps de guerre, et qui redoutent par-dessus tout la révolution. Le résultat en est un affaiblissement du Cartel aux yeux de l'opinion. Mais rien ne lui est plus dommageable que la tentative maladroite de retour à l'anticléricalisme qu'il esquisse en 1924.

Retour à l'anticléricalisme ?

Dans sa volonté d'en revenir à la « tradition républicaine » du début du siècle, Édouard Herriot a inclus tout naturellement dans son programme gouvernemental la suppression des entorses aux lois laïques opérées depuis 1920 par la majorité du Bloc national. A dire vrai, il ne s'agit pas à ses yeux d'un retour à la politique combiste d'anticléricalisme militant, mais d'une simple restauration de la loi républicaine. Toutefois, les mesures annoncées par Herriot seront reçues très différemment par une opinion catholique qui a apprécié l'intégration mise en œuvre depuis 1914. Concrètement, la déclaration ministérielle d'Herriot annonçait quatre séries de dispositions : la fin du régime spécial en matière de culte en Alsace-Lorraine (Concordat et écoles confessionnelles), la suppression de l'ambassade de France au Vatican, établie en 1921, la dissolution des congrégations non autorisées dont le retour avait été toléré, le refus de création de nouvelles associations diocésaines. La révélation de ces intentions provoque une très grande émotion dans le monde catholique. Partie d'Alsace et de Moselle, elle s'étend progressivement à toute la France. L'archevêque de Strasbourg, Mgr Ruch, donne le ton en proclamant que « la France et la civilisation chrétienne sont mises en danger par les nouveaux barbares » et en ordonnant la récitation quotidienne de prières contre « les persécuteurs de l'Église »[1]. L'appui qu'il trouve auprès des prélats de l'Ouest, du Nord, de Franche-Comté, l'organisation de grandes manifestations par l'*Action catholique de la jeunesse française* donnent à cette protestation des allures de croisade. Fin 1924-début 1925, deux événements vont encore aggraver l'inquiétude des catholiques : la dissolution de la congrégation des Clarisses à Alençon, fin 1924, et la suppression par la Chambre, lors du vote du budget des Affaires étrangères, des crédits destinés à l'ambassade de France au Vatican, laquelle est remplacée par une simple mission pour les affaires d'Alsace-Lorraine.

Mais, à ce moment, la réaction des catholiques, jusqu'alors spontanée et qui se produit en ordre dispersé, se coule dans une organisation qui ébranle le pouvoir. La première forme de cette organisation est la création, en août 1924, par le père jésuite Doncœur et Dom Moreau du mouvement pour la *Défense des religieux anciens combattants* (DRAC) dont le mot d'ordre : « Nous ne partirons pas ! » place en situation difficile le gouvernement, accusé de vouloir expulser des hommes qui ont risqué leur vie pour la patrie. Plus importante encore est la création, en février 1925, de la *Fédération nationale catholique* (FNC) par le général de Castelnau, glorieux soldat de la guerre, qui entend rassembler les catholiques afin de défendre les intérêts de la religion face à ce qu'il interprète comme une offensive maçonnique visant à la déchristianisation de la France. Encouragé par le cardinal Dubois, archevêque de Paris, et avec l'appui de l'épiscopat, Castelnau organise dans tout le pays une série de manifestations rassemblant à chaque fois plusieurs dizaines de milliers de participants, dans l'Ouest, le Midi, le Nord... Le point d'orgue de cette campagne est atteint le 11 mars 1925, lorsque les cardinaux et archevêques de France couronnent ces rassemblements populaires par un manifeste qui sonne comme une déclaration

1. François-Georges Dreyfus (78).

de guerre non seulement au gouvernement et à sa politique religieuse, mais aussi à l'État laïque et aux « injustices de la législation ». Sont ainsi mis en cause par les évêques la neutralité et la laïcité de l'enseignement, le divorce, la spoliation du clergé, l'ostracisme des congrégations, l'athéisme de l'État et des institutions, enfin la conception selon laquelle la religion ne serait qu'une affaire privée [1]. Il faut ajouter que certains organes de presse catholiques jouent clairement la chute du gouvernement en conseillant à leurs lecteurs de refuser toute souscription aux emprunts lancés par le pouvoir. Il est difficile de prendre la mesure de l'impact de telles consignes, mais il est peu douteux qu'elles ont au moins contribué à alimenter la méfiance envers la solidité financière du pays.

Surpris par l'ampleur d'une réaction qui lui paraît disproportionnée par rapport à ses intentions de simple retour à la législation républicaine, Herriot voit là un complot rassemblant tous les ennemis de la République, cléricaux, réactionnaires, capitalistes. De fait, la réaction catholique s'appuie clairement sur la droite conservatrice, voire l'extrême droite. Ancien député du Bloc national, Castelnau a succédé à Barrès en 1923 à la présidence de la vieille *Ligue des patriotes* et s'exprime habituellement dans le quotidien conservateur *L'Écho de Paris.* Au Comité directeur de la FNC on trouve les députés de droite François de Saint-Maur, Groussau et Xavier Vallat (ce dernier proche de l'Action française). Quoi qu'il en soit, la mobilisation populaire incontestablement réussie par la FNC va conduire Herriot à faire marche arrière sur ce terrain. En janvier 1925, il annonce que le Concordat continuera à être appliqué en Alsace-Lorraine. De même ne prend-il aucune des décisions annoncées concernant l'introduction dans les départements recouvrés de la législation scolaire laïque. En dépit du vote de la Chambre, il ne se hâte guère de demander au Sénat la ratification de la suppression des crédits de l'ambassade au Vatican, que la Haute Assemblée maintiendra finalement.

Au total, la politique laïque s'achève sur un incontestable échec. Herriot a déçu l'opinion laïque qui constate qu'aucune des décisions de retour à la « législation républicaine » n'est finalement adoptée. Et surtout il a mobilisé contre lui l'opinion catho-

1. Jean-Marie Mayeur (59) et André Latreille et René Rémond (135).

lique, désormais méfiante et irréconciliable, qui ajoute à l'opposition déterminée de la droite, d'une partie des anciens combattants, des milieux de classe moyenne, le poids d'adversaires déterminés, organisés et convaincus qu'on a voulu les atteindre dans leur foi afin de réaliser le programme supposé de la franc-maçonnerie. Ainsi se fait jour une évolution de l'opinion qui va permettre de faire chuter le Cartel sur le problème de la crise de trésorerie.

4. La crise de trésorerie, défaut de la cuirasse du Cartel

Même si Poincaré a, grâce au « Verdun financier » de 1924 [1], provisoirement écarté le risque d'une banqueroute de l'État, la crise structurelle des finances publiques léguée par la guerre et par le laxisme des premiers gouvernements du Bloc national subsiste. Le problème immédiat réside dans l'importance d'une « dette flottante » qui menace en permanence les finances de l'État : compte tenu des lourdes échéances qu'il doit assurer, le Trésor doit impérativement pouvoir compter sur le renouvellement des bons de la défense nationale et éviter que le cours des changes ou des prix ne pousse les détenteurs de ces bons à en demander le remboursement. En d'autres termes, le maintien de la confiance des souscripteurs est un impératif.

Or, s'il est un domaine où le Cartel est fort mal placé pour exercer une action efficace, c'est bien celui-là. En fait, entre les deux principaux partis qui le constituent, l'antinomie est complète. Les radicaux sont des libéraux, attachés aux mécanismes naturels de l'économie, aux lois du marché et à l'initiative privée. Nommé ministre des Finances, le radical Clémentel va donc viser la conquête de la confiance des porteurs de capitaux. Or, soit directement par le biais des souscriptions, soit indirectement par les conseils donnés à leurs clients, cette confiance passe par le truchement des établissements bancaires. Mais, dans leur

1. Voir ci-dessus p. 229.

grande majorité (à l'exception notable d'Horace Finaly, directeur de la banque de Paris et des Pays-Bas), les banquiers n'éprouvent que méfiance envers le Cartel, en particulier en raison de la place qu'y tiennent les socialistes dont les conceptions économiques, fondées sur des méthodes autoritaires, voire coercitives, sont de nature à les effrayer. Les socialistes ne préconisent-ils pas, pour résoudre la crise de trésorerie, un impôt sur le capital et une consolidation forcée des bons de la défense nationale ?

Dans ces conditions, l'action des socialistes, politiquement associés aux radicaux dans la majorité, va ruiner la politique financière du Cartel. A la commission des Finances de la Chambre, les socialistes, conduits par Vincent Auriol, mènent une guérilla permanente contre l'action, trop classique à leurs yeux, conduite par Clémentel, suscitant du même coup les craintes des milieux d'affaires, d'autant qu'Herriot, pour conserver sa majorité, ne reste pas toujours insensible aux arguments socialistes. Ainsi accepte-t-il, à la demande d'Auriol, de publier un inventaire de la situation financière trouvée par la gauche à son arrivée au pouvoir. Mais, ce faisant, il révèle l'inquiétante fragilité de la situation des finances publiques, faisant peser des doutes sur la solidité du franc et conduisant ainsi les souscripteurs de bons à en demander le remboursement lors de la venue à échéance. Il faut ajouter que la politique de gauche conduite par Herriot dans le domaine de la politique intérieure contribue également à susciter l'hostilité des milieux d'affaires, du patronat, des classes moyennes, des catholiques et, ce faisant, à rendre difficile le renouvellement des souscriptions [1].

Très vite, le fléchissement du renouvellement des bons de la défense nationale fait peser des menaces sur la trésorerie. Pour lui redonner un peu d'aisance, Clémentel lance le 12 novembre 1924 un emprunt à dix ans, portant un intérêt de 5 %, et place auprès de la banque Morgan un emprunt de 100 millions de dollars. Si celui-ci est un succès, il n'en va pas de même de l'emprunt intérieur qui rapporte peu d'argent frais, un grand nombre de souscripteurs ayant payé leurs bons du Trésor en bons de la défense nationale venus à échéance.

La crise de trésorerie persiste donc et contraint le gouverne-

1. Serge Berstein (76), t. 1.

ment à faire appel à la recette éprouvée, mais dangereuse, du recours aux avances de la Banque de France. Mais ces avances ont une limite, fixée par la loi, de même que la circulation monétaire, fixée à un minimum de 41 milliards. A diverses reprises, et dès le ministère Poincaré, cette limite a été dépassée, mais des jeux d'écriture dans les bilans de la Banque de France et la résorption rapide des avances occasionnelles ont permis de dissimuler le dépassement [1]. Au printemps 1925, le recours systématique aux avances accumule les dépassements, rendant la résorption impossible. Or, en entrant dans cette procédure, Herriot, pour reprendre l'expression de Jean-Noël Jeanneney, passe la tête dans le lacet destiné à l'étrangler [2]. Que les régents de la Banque de France révèlent les dépassements consentis, et les redoutables censeurs de la politique financière du gouvernement qui siègent à la commission des Finances du Sénat le renverseront aussitôt. Or, les régents de la Banque de France — banque privée — se recrutent dans les grands milieux d'affaires industriels et bancaires, généralement hostiles au Cartel. Dès ce moment, Herriot est à la merci de ses adversaires qui peuvent, quand ils le veulent, prononcer le verdict.

5. La chute du gouvernement Herriot (10 avril 1925) et l'agonie du Cartel (avril 1925-juillet 1926)

Dès le début de janvier 1925, le processus qui doit conduire à la chute du gouvernement du Cartel se met en place. Constatant que le dépassement de la circulation monétaire est supérieur de plus de 1 milliard au plafond de 41 milliards, le gouverneur de la Banque de France, Robineau, accentue sa pression sur le gouvernement, exigeant, soit une régularisation de la situation, c'est-à-dire un remboursement des avances (que le gouvernement

1. Le mécanisme complexe de ces jeux d'écriture a été élucidé par Jean-Noël Jeanneney (163).
2. Jean-Noël Jeanneney (90).

est bien incapable d'effectuer), soit la révélation du dépassement et le vote d'une loi augmentant le plafond des avances, proposition qui entraînerait à coup sûr le renversement du gouvernement au Parlement. Pris dans ce dilemme, Herriot subit en même temps la pression de ses alliés socialistes qui proposent à la crise financière la solution de leur choix : le 25 mars, Léon Blum adresse au président du Conseil une lettre dans laquelle il préconise comme remède à la crise des finances publiques un prélèvement sur le capital qui permettrait d'assainir la situation financière et monétaire et de faire remonter le franc. Or, contre toute attente, Herriot répondit positivement à la proposition de Blum.

S'agit-il d'une conversion brutale du dirigeant radical aux vues socialistes en matière de politique financière ? On peut en douter. Une interprétation plus crédible de l'attitude d'Herriot conduit à penser que, se sachant condamné à la chute par le piège politico-financier dans lequel il s'est enfermé, il choisit de ménager son avenir en tombant à gauche, comme l'homme du Cartel, sur un projet qui l'unit aux socialistes, plutôt que sous les coups du Sénat et sous l'accusation de mauvaise gestion [1].

Dans les jours qui suivent se déroule un scénario dont l'issue ne fait aucun doute. Hostile au prélèvement sur le capital, qui est contraire à la politique qu'il suit depuis juin 1924, Clémentel fait connaître publiquement son désaccord avec le président du Conseil. Contredit par celui-ci à la tribune du Sénat, il donne sa démission le 2 avril 1925. Il est remplacé par Anatole de Monzie qui prépare sans grande illusion un projet de budget. Le 10 avril 1925, la Banque de France publie un bilan qui révèle le montant des dépassements des plafonds de la circulation monétaire et des avances à l'État. Le jour même, le Sénat rejette un ordre du jour de confiance déposé par le président du Conseil. Le premier gouvernement du Cartel démissionne, pendant que la gauche lance dans le pays une violente campagne antisénatoriale.

En apparence, la chute du gouvernement Herriot en avril 1925 n'est qu'une péripétie. La majorité cartelliste reste en place à la Chambre des députés et les partis qui la dominent, radicaux et socialistes, ne sont pas prêts à accepter une expérience politi-

1. Serge Berstein (159).

que différente par sa nature de celle qui vient de se dérouler. En fait, l'échec du gouvernement Herriot conduit à deux conclusions dont la portée dépasse très largement le caractère anecdotique de la chute d'un gouvernement.

En premier lieu, le poids désormais déterminant des questions financières dans la vie publique donne une influence considérable aux milieux bancaires, qui leur permet de tenir en échec les décisions du suffrage universel. Sans doute Herriot a-t-il été renversé par le Sénat, mais le véritable artisan de sa chute est le Conseil des régents de la Banque de France, c'est-à-dire en définitive les grands milieux d'affaires. Dans son ouvrage *La Faillite du Cartel*, Jean-Noël Jeanneney pense qu'Herriot aurait pu échapper à leur emprise en révélant dès juin 1924 l'ampleur des besoins de trésorerie et en faisant voter une loi autorisant le dépassement des plafonds. Techniquement fondée, cette opinion nous paraît sous-estimer le poids psychologique des illusions sur la monnaie dans l'esprit public comme l'attachement du Sénat aux règles traditionnelles de gestion [1]. Quoi qu'il en soit, les années vingt révèlent, à la faveur des troubles financiers nés de la guerre, le poids désormais déterminant des milieux d'affaires dont le pouvoir politique doit nécessairement tenir compte, et sur lequel se briseront les expériences de gauche de l'entre-deux-guerres.

En second lieu, l'échec du Cartel montre que la notion de gauche revêt désormais deux acceptions différentes, et partiellement antagonistes selon qu'elle provient des radicaux ou des socialistes. Pour les premiers, la gauche conserve son contenu prioritairement politique, fait d'attachement aux institutions parlementaires, à la laïcité de l'État, à une évolution sociale progressive obtenue par la loi et en respectant les structures libérales de l'économie. Pour les seconds, au contraire, les mesures politiques sont souhaitables, mais secondaires. L'essentiel consiste dans une politique sociale qui vise à une transformation des structures, et celle-ci ne peut être obtenue que par des mesures d'autorité de l'État et non en se fondant sur la confiance et en laissant libre cours à l'initiative privée. Mais cet antagonisme au niveau des conceptions économiques et financières, désormais essentielles, se complique du fait que l'union des gau-

1. La thèse de Jean-Noël Jeanneney est exposée dans (90). Elle est discutée dans Serge Berstein (159).

ches, la « discipline républicaine » sur le plan politique, reste très vivante chez les militants et les adhérents des partis de gauche.

En d'autres termes, le gouvernement Herriot est mort de la contradiction entre sa majorité parlementaire (orientée à gauche) et sa politique financière (dont les conceptions sont identiques à celles du centre et de la droite). Cette insoluble contradiction va peser sur toute l'histoire du Cartel des gauches et faire des quinze mois durant lesquels l'expérience se prolonge une période de longue agonie qui s'achève sur un drame brutal.

L'agonie du Cartel (avril 1925-juillet 1926).

L'expérience tentée par Édouard Herriot ayant échoué, mais la majorité du Cartel restant en place, le président Doumergue va successivement faire appel à deux hommes acceptables pour la gauche, mais dont l'image permet de déplacer vers le centre l'axe de la majorité : Paul Painlevé et Aristide Briand, l'un et l'autre membres de ce groupe des républicains-socialistes, composante du Cartel, mais politiquement moins lié à la SFIO.

L'un comme l'autre vont se heurter à la vigilante inimitié d'Édouard Herriot, ulcéré de son élimination d'avril 1925 et très désireux d'effectuer une rentrée politique à la tête d'un nouveau gouvernement de Cartel. Or Herriot, en raison des conditions de sa chute, conserve sur la majorité de Cartel une influence considérable et, élu le 22 avril président de la Chambre, surveille sans bienveillance excessive l'action de successeurs qu'il tient pour des usurpateurs. Véritable chef de la majorité parlementaire, il possède un moyen de pression considérable sur des présidents du Conseil conscients des raisons de sa chute et qui vont tenter, en menant une politique plus conforme aux vœux des milieux d'affaires, d'échapper à la fragilité qui a marqué son gouvernement.

Paul Painlevé, nommé président du Conseil le 17 avril 1925 et qui forme un gouvernement de radicaux modérés, de républicains-socialistes et d'hommes de la gauche radicale, en fait le premier l'expérience. Pour se concilier le centre droit, les sénateurs et les milieux d'affaires, il adopte une ligne politique plus centriste que celle d'Herriot, renonçant à la suppression de l'ambassade au Vatican, abandonnant l'idée d'un impôt sur le capital et n'envisageant plus l'extension des lois laïques aux départements recouvrés. Et surtout il nomme au ministère des Finances, pour neutraliser les radicaux, Joseph Caillaux, récemment amnistié de sa condamnation en Haute Cour. En appelant au pouvoir ce spécialiste de l'économie tenu pour un champion de l'orthodoxie, qui ne cesse de prêcher l'heure de la « grande pénitence » afin de résoudre les difficultés nées de la guerre, il satisfait la droite et les milieux d'affaires, mais s'attire l'hostilité des socialistes et des radicaux les plus cartellistes. Et, par-dessus tout, en ramenant au premier plan l'ancien condamné de la Haute Cour qui ronge son frein depuis 1917 et aspire à jouer à nouveau un rôle de premier plan, il suscite un rival à Herriot au sein de son propre parti. Désormais, pendant deux ans, le combat à fleurets mouchetés Herriot-Caillaux domine la vie du Parti radical et pèse sur la survie des gouvernements. Face à un Caillaux qui incarne à ce moment la dérive droitière de certains radicaux (il fait adopter en juillet 1925 la loi de finances grâce à l'appui de la droite), Herriot parfait son image de chef de file du Cartel. En octobre 1925, la querelle Herriot-Caillaux domine le congrès radical de Nice et tourne si bien à l'avantage du président du parti que le chef du gouvernement Paul Painlevé, dont le ministre des Finances vient d'être sévèrement désavoué par les radicaux, doit accourir à Nice pour tenter de sauver son gouvernement. Il n'y parvient qu'en présentant au chef de l'État la démission collective du ministère afin d'en remanier la composition pour satisfaire Herriot. Le 29 octobre 1925, il forme une nouvelle équipe dont Caillaux est éliminé, et dont font partie en revanche les fidèles d'Herriot, Chautemps et Daladier. Painlevé s'assure ainsi quelques semaines de survie, mollement soutenu par Herriot et les radicaux, et prépare des projets financiers acceptables pour les socialistes et les radicaux : augmentation d'impôts et consolidation forcée de la dette publique. Dans ces conditions, il est renversé le 22 novembre, en raison de la défection de la gauche radicale qui se joint à l'opposition pour interdire l'adoption de projets jugés inacceptables.

Après une vaine tentative d'Herriot pour reconstituer le Cartel, qui échoue devant la décision socialiste de ne participer qu'à un gouvernement qui appliquerait le programme de la SFIO, le président Doumergue appelle au pouvoir l'habile Aristide Briand, qui va tenter de substituer à l'impasse du Cartel une majorité de concentration appuyée sur radicaux et modérés. Son gouvernement, constitué le 8 novembre 1925, rassemble en effet les champions du Cartel, radicaux comme Chautemps, Daladier, Durafour, républicains-socialistes comme Painlevé ou de Monzie, avec les membres de la gauche radicale qui viennent de rompre le Cartel (Louis Loucheur ou Daniel-Vincent) et surtout des républicains de gauche, jusqu'alors classés dans l'opposition (Georges Leygues ou Paul Jourdain). En d'autres termes, le huitième ministère Briand apparaît comme une formule de transition conduisant du Cartel à la concentration. Sans doute les radicaux et les républicains-socialistes ont-ils accepté de voter en faveur du nouveau gouvernement, mais les socialistes se sont abstenus et l'aile gauche du Parti radical, conduite par Édouard Herriot, ne voit pas sans inquiétude l'infléchissement vers le centre de la majorité. Appuyé sur les militants de son parti, Herriot rend la vie impossible au gouvernement, contraignant à la démission le ministre des Finances Loucheur en décembre 1925, renversant le gouvernement sur ses projets financiers en mars 1926, puis, lorsque Briand reconstitue un nouveau gouvernement, le neuvième, plus nettement axé au centre (Chautemps et Daladier disparaissent et les Finances sont confiées à Raoul Péret, de la gauche radicale), l'obligeant à démissionner à nouveau en juin 1926 en interdisant à Raoul Péret de mettre en œuvre ses projets de redressement financier. En fait, il apparaît clairement que l'aile gauche du Parti radical et son chef Herriot, attachés à la formule du Cartel, constituent l'obstacle principal à la constitution d'une majorité stable orientée vers la concentration. Aussi la priorité pour le chef de l'État est-elle de « lever l'hypothèque Herriot » en lui démontrant que la perspective dans laquelle il inscrit son action politique est sans avenir.

Pour lui administrer cette preuve, il le charge le 21 juin 1926 de former le nouveau gouvernement. Le président du Parti radical, conscient de la nature de l'épreuve qui lui est imposée, tente durant la nuit (la « folle nuit d'Édouard Herriot », selon l'expression de Georges Suarez) d'abord de constituer un gouvernement de Cartel, puis, devant l'impossibilité de réaliser cette formule, de former un ministère qui mettrait en œuvre tout à la fois un impôt sur le capital susceptible de plaire aux socialistes et un programme d'allégements d'impôts pour rassurer la droite. En même temps, il propose de substituer au Cartel une majorité de concentration en s'efforçant de convaincre des hommes du centre d'entrer dans son équipe. Devant les multiples refus auxquels il se heurte, Herriot doit finalement renoncer au matin du 21 juin.

Est-ce la fin du Cartel ? Oui, à condition de ruiner l'emprise d'Herriot sur le Parti radical. C'est à quoi va s'employer Briand, chargé par Doumergue de constituer son dixième gouvernement. Dans l'équipe de concentration qu'il forme, équipe dont sont exclus les radicaux cartellistes, Joseph Caillaux occupe le poste clé de vice-président du Conseil et ministre des Finances. Cette nomination prend ainsi les allures d'une véritable déclaration de guerre à Herriot, compte tenu du conflit qui a opposé les deux hommes au récent congrès de Nice, d'autant que le vice-président du Conseil fait figure, à tort ou à raison, de chef réel du gouvernement. Désormais, et en dépit du vote de confiance qu'obtient le ministère à la Chambre le 30 juin, la lutte est ouverte entre le gouvernement Briand-Caillaux et les partisans du Cartel, acculés à la défensive et résolus à abattre à la première occasion ce gouvernement à deux têtes décidé à briser la majorité du 11 mai. L'occasion se présente en juillet 1926, mais c'est une victoire à la Pyrrhus que remporte le Cartel, qui ne résiste guère à la tempête qu'il provoque alors.

Le naufrage du Cartel.

C'est sur fond de crise financière que se joue, en juillet 1926, l'acte final de l'expérience du Cartel des gauches. La troisième crise des changes (après celles de 1919-1921 et de 1923-1924) [1] commence au printemps 1925, avec la révélation par la Banque de France qu'Herriot a crevé le « plafond » légal de l'émission des billets. Il en résulte une inquiétude considérable des porteurs de francs qui, pour se couvrir, achètent des livres sterling ou des dollars, faisant chuter le cours de la monnaie française. Cette méfiance envers le franc se répercute sur le comportement des porteurs de bons qui hésitent à en demander le renouvellement, faisant peser sur la trésorerie de l'État le spectre de la faillite. Or, du printemps 1925 à l'été 1926 l'instabilité gouvernementale et, plus encore, la cascade de ministres des Finances qui se succèdent rue de Rivoli ne font qu'aggraver cette crise de méfiance. Dès le printemps 1925, la livre a franchi la barre des

1. Voir ci-dessus, p. 226-230.

100 francs ; en décembre, elle est à 145 francs et, après quelques soubresauts, atteint 174 francs fin juin 1926. Les ministres successifs des Finances, Joseph Caillaux du 17 avril au 29 octobre 1925, Painlevé qui lui succède jusqu'en novembre, l'homme d'affaires Louis Loucheur (novembre-décembre 1925), le sénateur Paul Doumer de décembre 1925 à mars 1926, se sont tour à tour usés sur l'insoluble problème des finances publiques. Successeur de Doumer en mars 1926, Raoul Péret décide de confier l'étude d'un plan de redressement à un comité d'experts constitué de banquiers, d'industriels et de professeurs de droit. C'est à son successeur Joseph Caillaux, devenu vice-président du Conseil et ministre des Finances de Briand, que les experts remettent leur rapport début juillet 1926. Outre un certain nombre de mesures techniques, ce rapport préconise une réduction des dépenses de l'État, une augmentation des impôts, la conversion de la dette flottante en titres amortissables, confiés à une caisse de gestion autonome alimentée par des recettes propres (les recettes des tabacs), enfin une politique fiscale destinée à ramener la confiance par la suppression des mesures de contrôle des capitaux et par un allégement de la taxation des valeurs mobilières.

C'est pour pouvoir appliquer ce plan des experts que Caillaux, le 6 juillet 1926, demande au Parlement une délégation de pouvoirs. Ce projet de dessaisissement du Parlement provoque les protestations de la gauche cartelliste qui y voit un attentat contre la représentation nationale. Le 17 juillet, lors du vote sur les pleins pouvoirs financiers (dont Caillaux juge qu'ils lui sont indispensables pour la ratification d'un accord franco-américain sur les dettes de guerre), Édouard Herriot fait un geste inouï dans les pratiques parlementaires. Abandonnant son fauteuil de président de la Chambre, il gagne son banc de député pour porter l'estocade au gouvernement, l'accusant de supprimer la représentation nationale en demandant les pleins pouvoirs financiers. A l'issue de la séance, le gouvernement Briand-Caillaux est renversé.

Exaspéré, le président Doumergue est résolu à en finir avec le Cartel qui, ne parvenant pas à gouverner lui-même, bloque toute autre solution politique. Pour vider l'abcès, il contraint Herriot, rétif, à former un nouveau gouvernement. Une nouvelle fois, les socialistes se dérobent et le président du Parti radical, après avoir vainement tenté de constituer un gouvernement d'union nationale, met sur pied un cabinet constitué de radicaux, de membres de la gauche radicale et de quelques modérés qui s'engagent à titre personnel. Formé en pleine crise financière, le 20 juillet 1926, le gouvernement Herriot se sait condamné. L'action du gouverneur de la Banque de France, Moreau, exécuteur des hautes œuvres des milieux d'affaires, va transformer cette chute en déroute.

Au lendemain de la constitution du gouvernement, le gouverneur Moreau adresse à Herriot et à son ministre des Finances, de Monzie, une mise en demeure d'avoir à convoquer le Parlement afin d'obtenir de lui le vote d'une loi autorisant le relèvement du plafond des avances de l'Institut d'émission à l'État, faute de quoi la Banque de France cessera sur tout le territoire ses paiements pour le compte du Trésor, mettant l'État en faillite. La Banque de France place ainsi Herriot devant l'alternative suivante : présider à la faillite des finances publiques ou se faire renverser par les Chambres en leur révélant le caractère catastrophique de la situation financière. Herriot songe aussitôt à se retirer, mais Doumergue exige qu'il se présente devant la Chambre. Cette séance du 21 juillet 1926 au cours de laquelle sombre le Cartel se déroule dans une atmosphère dramatique. La presse d'extrême droite fait souffler sur le pays un vent de panique, lançant contre Herriot de véritables appels au meurtre. Des manifestations spontanées se produisent contre le ministère, à Paris et dans les grandes villes. Les épargnants se ruent vers les banques et les caisses d'épargne pour retirer leurs dépôts. Dans cette atmosphère de panique, se produit le « plébiscite des porteurs de bons » : les demandes de remboursement de bons de la défense nationale se multiplient. Le risque d'un effondrement financier du pays se traduit par la phase la plus aiguë de la « troisième crise des changes ».

Cours de la livre à Paris

30 juin 1926	173,25 F
1er juillet	179,50 F
7 juillet	181,50 F
8 juillet	193,50 F
16 juillet	202 F
21 juillet	235 F

Dans cette atmosphère de crise, les projets que le gouvernement présente à la Chambre importent peu. La majorité des députés a hâte de se débarrasser d'un gouvernement dont la seule présence apparaît néfaste aux finances publiques : par 290 voix contre 237, le ministère Herriot est renversé. Le président du Conseil démissionnaire et ses ministres doivent attendre, pour quitter le Palais-Bourbon, que la foule hostile se soit dispersée... C'est la fin sans gloire du Cartel des gauches.

Ainsi, après la tentative unanimiste du Bloc national, l'expérience du Cartel des gauches échoue à son tour, et la signification de l'effondrement du Cartel est lourde de conséquences. Sans doute l'épisode a-t-il révélé le poids des milieux d'affaires dans la vie publique puisque la crise de méfiance envers la gauche, la spéculation financière, le jeu subtil de la Banque de France ont eu en définitive raison de la majorité sortie des urnes le 11 mai 1924. Qu'on mette en avant l'infanterie des détenteurs de bons du Trésor et de la défense nationale en parlant du « plébiscite des porteurs de bons » ou l'état-major de cette puissance financière en incriminant comme le fait Herriot « le Mur d'argent » qui aurait provoqué sa chute, la réalité du phénomène est incontestable : les milieux d'affaires ont joué la chute du Cartel dans leur grande majorité ; ils ont trouvé des agents d'exécution au Conseil des régents de la Banque de France et dans la direction des grandes banques qui, directement en vendant des francs ou des bons, ou indirectement en conseillant à leurs clients de le faire, ont mis la majorité à genoux. Il serait aussi absurde de nier la malveillance politique de la droite d'affaires envers le Cartel que de considérer que seule la passion politique l'anime. La crainte de la faillite financière est très réelle et motive, pour des raisons d'intérêt strict, les ventes de bons ou de francs.

L'expérience du Cartel a, d'autre part, mis en évidence le caractère artificiel de l'union des gauches qui a présidé à sa naissance. En fait, en matière économique et financière, l'incompatibilité entre les deux principaux partis du Cartel, radicaux et socialistes, est totale. Il est peu douteux que la SFIO a rendu l'expérience impossible en mettant en avant des exigences que la très grande majorité de l'opinion n'était pas prête à accepter et qui n'avaient pour effet que de saper la confiance dont, en régime d'économie libérale, le pouvoir ne pouvait se passer. Il est vrai que les hommes au pouvoir donnent l'impression de se débattre dans d'insolubles dilemmes en matière financière qui rendent séduisantes les solutions tranchées préconisées par les socialistes. Il reste que cette incompatibilité rend désormais peu crédible toute expérience de gauche puisque celle-ci se montre incapable de dégager un compromis gouvernemental acceptable pour toutes ses composantes. Or, comme, dans l'ordre politique, le principe de l'union des gauches et de la « discipline républicaine » reste fortement ancré dans l'opinion, il en résulte une contradiction permanente entre une éventuelle majorité politique de gauche que les élections peuvent dégager (comme en 1924) et la politique économique et financière que pourrait pratiquer un gouvernement issu de cette majorité. Le Cartel révèle donc que la gauche peut remporter des victoires électorales, mais qu'elle est condamnée à l'échec gouvernemental. Après celui des années 1924-1926, l'échec des gouvernements de gauche en 1932-1934, celui du Front populaire en 1936-1938 en administreront la preuve.

D'une matière plus globale, la faillite du Cartel, venant après les déceptions du Bloc national, montre que la France des années vingt souffre d'une distorsion entre l'état de l'esprit public et les réalités nouvelles issues de la Première Guerre mondiale, et dont les Français n'ont pas véritablement pris conscience. Au niveau des mentalités, l'opinion soupire à la recherche de la Belle Époque perdue, rêvant de stabilité et de consensus politique, d'une France puissante dominant l'Europe, d'une monnaie-or retrouvant sa valeur d'avant-guerre et assurée de la conserver longtemps, et ce sont ces mythes qui inspirent plus ou moins consciemment l'action du pouvoir. La réalité, que la conscience collective se refuse à admettre comme permanente, est tout autre : la France, épuisée par la guerre et redoutant plus que tout une nouvelle épreuve de force, ne peut plus rien sans ses alliés ; la monnaie, durablement déséquilibrée par le conflit, ne peut retrouver de stabilité sans une amputation drastique de sa valeur théorique qui la ramènerait au niveau de son pouvoir d'achat ; le consensus républicain a volé en éclats, et de manière sans doute plus profonde que ne le laisse supposer la seule contestation communiste ; enfin, incapables de maîtriser une situation que la plupart des Français jugent inacceptable, les gouvernements sont condamnés à l'impuissance et à l'instabilité.

En tentant de réaliser un nouveau consensus sur la base de la prise en compte des conséquences du conflit, Raymond Poincaré va tout à la fois procéder à une stabilisation en l'état de la France des années vingt et, en commençant à dissiper les illusions sur lesquelles vivait le pays, ouvrir la voie à la « crise des années vingt ».

10

Raymond Poincaré le temps de la stabilisation

1926-1929

1. Raymond Poincaré et l'union nationale

A la suite de la dramatique séance de la Chambre du 21 juillet 1926 qui voit s'effondrer avec le gouvernement Herriot la formule politique du Cartel, le chef de l'État, considérant que la gravité de la crise financière fait courir un péril mortel au pays, appelle à la tête du gouvernement Raymond Poincaré. Ce n'est pas le président du Conseil vaincu du Bloc national qui revient ainsi au pouvoir (faut-il d'ailleurs rappeler qu'il n'a jamais accepté cette identification à la majorité de 1919 ?) mais l'ancien chef de l'État, inventeur de l'union sacrée, le thaumaturge des finances, le vainqueur du « Verdun financier » de 1924. Au demeurant, reprenant la thématique de l'union sacrée, la seule dont il se réclame depuis son retour à la vie politique en 1920, il se propose de réaliser un gouvernement d'union nationale allant de la droite aux socialistes. Sur ce point son espoir sera déçu. Paul-Boncour, auquel il offre un portefeuille, se récuse devant le refus de principe de la SFIO de participer à un gouvernement dirigé par un homme qu'elle tient pour le véritable chef de la droite.

Malgré l'abstention attendue des socialistes, le gouvernement Poincaré, qui ne comprend que 13 ministres, est d'autant plus un gouvernement d'union nationale qu'il ne compte pas moins de 6 anciens présidents du Conseil : outre Poincaré qui prend pour lui le portefeuille des Finances, le sénateur centriste

Louis Barthou, vice-président du Conseil et ministre de la Justice, Aristide Briand aux Affaires étrangères, Painlevé à la Guerre, Georges Leygues à la Marine, Édouard Herriot à l'Instruction publique. Politiquement, le ministère va de la droite la plus marquée par le nationalisme (Louis Marin, président de la Fédération républicaine et du groupe de l'*Union républicaine démocratique*, est ministre des Pensions) à Édouard Herriot, chef de file de la gauche cartelliste. Le président du Parti radical s'est résigné à entrer dans le gouvernement en raison de la gravité de la crise financière et sur l'observation de Poincaré que, sans les radicaux, il n'est pas de majorité possible dans la Chambre de 1924, la seule garantie du vote des radicaux en faveur du gouvernement étant la présence dans l'équipe ministérielle de leur principal dirigeant (outre Herriot, siègent d'ailleurs au Conseil des ministres Albert Sarraut, devenu sénateur et réintégré depuis peu au Parti radical, ministre de l'Intérieur, Henri Queuille, ministre de l'Agriculture, et le sénateur Léon Perrier, ministre des Colonies).

Désormais, et pour trois années, la France va vivre sous l'autorité de Poincaré. Grand vainqueur des élections de 1928, le président du Conseil se perpétue au pouvoir après sa victoire, mais le retrait des radicaux de la majorité à l'automne 1928 l'oblige à fixer plus à droite l'axe de celle-ci. En juillet 1929, la maladie contraint Poincaré à prendre sa retraite politique. Il est remplacé pour quelques mois par Aristide Briand qui forme à cette occasion son onzième et dernier ministère, lequel reprend dans son intégralité la composition du gouvernement Poincaré. On peut donc admettre que, sous la direction de Poincaré, puis de Briand, c'est la même ligne politique qui prévaut de 1926 à la fin de 1929. Le tournant s'opère ensuite tant au niveau de la conjoncture mondiale avec les débuts de la crise américaine, qu'au niveau national avec l'arrivée au pouvoir d'une nouvelle génération, celle des Tardieu et des Laval, qui remplace celle de Poincaré retiré et de Briand vieillissant.

Or, de 1926 à 1929, la France de Poincaré vit sous le signe de la stabilisation, c'est-à-dire de la prise en compte des mutations dues à la guerre qu'il faut intégrer à la vie du pays, puisque l'expérience des années 1919-1926 a montré l'impossibilité de les effacer.

2. La stabilisation des finances

Pour l'opinion publique comme pour les ministres, le gouvernement Poincaré est avant tout « le ministère du franc ». C'est d'ailleurs sous ce signe que Poincaré le présente à la Chambre, le 27 juillet : « Le Cabinet qui se présente devant vous s'est formé dans un esprit de réconciliation nationale pour parer aux dangers qui menacent tout à fois la valeur de notre monnaie, la liberté de notre trésorerie et l'équilibre de nos finances. »

Des trois objectifs que se fixe ainsi le président du Conseil, c'est le retour à l'équilibre financier qu'il traite en priorité. C'est en effet le domaine dans lequel le gouvernement a les coudées les plus franches et peut procéder par mesures législatives. Pour retrouver l'équilibre budgétaire, Poincaré obtient du Parlement un train d'augmentation d'impôts susceptible de fournir 11,5 milliards de ressources nouvelles pour fin 1926 et 1927, ressources qu'il demande à la fois aux taxes indirectes (douanes, boissons, impôts sur les transports ferroviaires et fluviaux, taxe sur les automobiles) et aux taxes directes. Sur ce dernier point sont surtout atteintes les fortunes moyennes, car le gouvernement entend favoriser le rapatriement des capitaux. Parallèlement, le gouvernement met au point un programme d'économies qui s'accompagne d'un effort de rationalisation de l'administration. Les conseils de préfecture sont supprimés et remplacés par des « conseils interdépartementaux ». Le nombre des arrondissements administratifs est réduit, 106 sous-préfectures sont supprimées, de même qu'un grand nombre de recettes des finances, de tribunaux de première instance, de prisons, de conservations des hypothèques... Imposée malgré les protestations, cette réforme drastique témoigne de la volonté de redressement qui anime le président du Conseil. Volonté qui peut se targuer d'une réelle réussite. Dès l'automne 1926, le budget se présente en excédent, preuve que la situation financière était moins malsaine qu'il ne paraissait.

Toutefois ce redressement, s'il écarte dans l'immédiat le danger qui pèse sur la trésorerie du fait de la dette flottante, ne résout pas le problème pour l'avenir. Le risque demeure grand qu'à chaque crise de confiance les détenteurs de bons de la défense nationale se précipitent pour en demander le remboursement. Afin d'écarter la menace, le président du Conseil propose, suivant en cela le projet des experts, la création d'une caisse de gestion des bons de la défense nationale, dotée de ressources propres : les recettes des tabacs et éventuellement d'autres taxes budgétaires, des dons et legs, les ressources de loteries, etc. Mais Poincaré entend aller bien au-delà de ce projet circonstanciel destiné à amortir les bons de la défense nationale. Il entend créer, selon le même principe, une caisse autonome d'amortissement chargée de gérer la dette publique dans sa totalité, et, pour donner plus de solennité à la garantie que constitue sa création pour les porteurs de bons, il entend que cette création soit inscrite dans la Constitution par une loi votée, selon la procédure de révision prévue en 1875, par l'Assemblée nationale (c'est-à-dire la réunion des deux Chambres). En dépit des réserves du Sénat sur la procédure suivie (toute révision paraît d'un républicanisme douteux à la Haute Assemblée), le 10 août 1926 l'Assemblée nationale, réunie à Versailles, adopte la création de la Caisse autonome d'amortissement. L'impact psychologique de la mesure est considérable. Ajoutée à la politique de redressement financier suivie par ailleurs, elle restaure la confiance et va permettre au président du Conseil de poursuivre, sans menace pour la trésorerie, la résorption de la dette flottante et le remboursement à la Banque de France des avances consenties, afin de parvenir au redressement de la monnaie.

Celle-ci constitue le troisième volet de l'action du président du Conseil. C'est en effet la gravité de la crise des changes qui a ramené celui-ci au pouvoir. Il est vrai que le caractère spéculatif de la crise fait que la simple arrivée à la présidence du Conseil du vainqueur du Verdun financier de 1924 aboutit à un redressement de la situation avant qu'il ait annoncé la moindre mesure. Dès le 27 juillet, la livre, qui était montée la veille à 235 francs, revenait à 208 francs. Dans les mois qui suivent la constitution du gouvernement, la politique suivie par Poincaré a pour effet de rétablir la confiance et d'améliorer le cours des changes. En décembre 1926, la livre s'échange à 122 francs. Le gouverneur de la Banque de France annonce alors que celle-ci achètera désormais du sterling au cours de 120 francs environ : il s'agit d'une stabilisation de fait, car, en droit, la valeur du franc est bien supérieure (il demeure légalement à sa valeur de germinal an XI, soit 322,5 mg d'or fin). Mais le président du Conseil ne se décide pas à mettre le droit en rapport avec le fait et à stabiliser officiellement le franc à la valeur fixée fin 1926. C'est que Poincaré hésite entre les thèses des stabilisateurs, qui souhaitent voir le franc légalement fixé à sa valeur de fait (qui représenterait, par rapport au franc de 1913, une dévaluation des quatre cinquièmes !) et celles des revalorisateurs, qui préconisent de continuer à le laisser monter de manière à ce qu'il retrouve sa valeur de 1913.

Les arguments des revalorisateurs, conduits par le baron de Rothschild et soutenus par la presse conservatrice (*Le Temps*, *Le Figaro*, *Le Journal des débats*), s'appuient sur la fidélité à la parole donnée, sur la nécessité de rembourser sans amputation les patriotes qui, pendant la guerre, ont acheté des bons de la défense nationale ou souscrit aux emprunts d'État, et sur l'impératif de maintien du crédit public. Poincaré, personnellement sensible à ces arguments, souhaiterait revaloriser. Mais il en est empêché par les arguments des stabilisateurs qui se recrutent surtout dans les milieux industriels, et qui lui font valoir que la revalorisation exigerait de longs délais, favoriserait la spéculation à la hausse du franc, entraînerait une revalorisation des créances de l'État, des départements, des communes, des services publics, de nature à mettre en péril les finances publiques, redressées au prix de grands efforts. Et surtout, en revalorisant le franc, on risque de précipiter le pays dans une crise économique de grande ampleur : les exportations souffriraient de prix français surévalués, alors que les importations étrangères s'imposeraient sur le marché national. Argument d'autant plus décisif qu'il peut s'appuyer sur l'exemple britannique : les effets dramatiques sur l'économie de la revalorisation de la livre sterling, opérée en 1925 par les conservateurs britanniques, se traduisent en 1926 par un effondrement des exportations, une crise du charbon, une vague de chômage et des troubles sociaux. Argument qui finit par convaincre le président du Conseil, lequel décide toutefois d'attendre le résultat des élections de 1928, jugeant qu'il sera plus aisé à un gouvernement consacré par le suffrage universel de procéder à l'opération. Finalement, au lendemain des élections de 1928, la loi monétaire du 25 juin 1928 fixe la valeur officielle du franc à 65,5 mg d'or, soit une dépréciation des quatre cinquièmes par rapport au franc germinal [1]. Cette amputation représente le prix de la guerre sur la monnaie. Elle a été calculée assez largement pour permettre aux marchandises françaises de conserver une marge facilitant les exportations : on considère alors que les prix français sont inférieurs d'environ 20 % aux prix du marché mondial, ce qui favorise les ventes à l'étranger. Les Français se résignent à la naissance de ce « franc Poincaré », qu'ils baptisent le « franc à quatre sous » (puisqu'il ne vaut plus que le cinquième de l'ancien franc et que, dans le langage populaire, 1 franc vaut 20 sous). En fait, la signification de cette stabilisation légale est double : d'une part, elle atteste le caractère illusoire de l'espoir qu'avaient les Français d'un retour à l'avant-guerre, qui s'avère impossible sur le plan monétaire, mais d'autre part, elle apparaît comme le point de départ d'une nouvelle stabilité monétaire, établie comme la précédente à l'échelle du siècle. A cet égard, la dévaluation de 1928 n'entame en rien la croyance des Français dans la nécessité d'une stabilité absolue de la monnaie.

3. La stabilisation internationale : de la conciliation à l'idée européenne

Si, dans le domaine financier, Poincaré définit une politique d'ensemble, relativement neuve par rapport à la ligne antérieurement suivie (puisqu'il renonce à revaloriser la monnaie), dans le domaine de la politique étrangère, Briand poursuit dans la voie ouverte en 1924 et désormais acceptée comme la seule possible par les milieux gouvernementaux du centre droit comme du centre gauche. Partisan d'une grande fermeté en 1920-1923, le président du Conseil s'y rallie pour l'essentiel et laisse le ministre des Affaires étrangères la conduire. Sur la base des principes posés à l'époque du Cartel : détente internationale, sécurité collective, rapprochement franco-allemand, Briand s'efforce de construire

1. On trouvera un récit clair et précis de la stabilisation Poincaré dans la 5e partie de la thèse de Jean-Noël Jeanneney (163).

une politique plus large, tentant d'étendre à l'échelle mondiale la sécurité collective et de passer du rapprochement franco-allemand à l'idée de Fédération européenne. Préparée à l'époque du Cartel par le traité de Locarno, cette nouvelle politique a pour première application sous le gouvernement d'union nationale l'entrée de l'Allemagne dans la SDN, le 4 septembre 1926, accompagnée de l'octroi à la nouvelle venue d'un siège permanent au Conseil.

Sur ces bases, Briand vise, avec l'accord de Poincaré, plus réticent quant au détail des initiatives du ministre des Affaires étrangères, mais d'accord avec lui sur le fond, à la satisfaction des deux principales revendications françaises en matière de politique étrangère, la sécurité et les Réparations. C'est incontestablement dans le but de donner à la politique française de sécurité une garantie internationale que Briand signe avec le secrétaire d'État américain Kellogg, en février 1928, un traité d'arbitrage mettant la guerre hors la loi entre les deux pays. L'éventualité d'une guerre franco-américaine étant douteuse, cet acte n'a pas grande signification, mais il n'en va pas de même de l'élargissement à d'autres puissances du « pacte Briand-Kellogg ». Le 27 août 1928, les représentants de 15 puissances, dont l'Allemagne, la Belgique, le Royaume-Uni, l'Italie, le Japon, la Pologne et la Tchécoslovaquie, s'associent solennellement au pacte Briand-Kellogg et décident de renoncer à la guerre pour régler leurs différends éventuels. Ainsi, à l'initiative de Briand, le principe de la sécurité collective, qui piétine quelque peu à la SDN en raison des réticences britanniques devant tout engagement précis de garantie contre l'agression, reçoit-il une sanction internationale. Mais force est de constater que, si l'engagement de renonciation à la guerre de 1928 est hautement symbolique, il n'est assorti d'aucun moyen précis de mise en œuvre, ni d'aucune garantie.

Aussi, plus que jamais, les clés de la politique étrangère de la France résident-elles dans les rapports franco-allemands. Au lendemain de l'admission à la SDN, Stresemann rencontre Briand à Thoiry (septembre 1926) et lui propose la base d'un règlement des difficultés qui subsistent entre les deux pays. La France accepterait une évacuation anticipée des territoires rhénans, la suppression de la mission militaire de contrôle du désarmement allemand, la restitution de la Sarre ; en échange, l'Allemagne consentirait à mobiliser immédiatement une partie des obligations Dawes pour 780 millions de marks-or et rachèterait à la France pour 300 millions de marks-or les mines de la Sarre. L'affaire n'aura pas de suite, la remontée du franc et le retour des capitaux en France diminuant l'intérêt de l'offre financière allemande ; mais, bien qu'aucun engagement n'ait été pris, il semble que Briand (et, avec quelques nuances, Poincaré) ait jugé que la proposition allemande était au moins à prendre en considération. En fait, la volonté de rapprochement franco-allemand, en ces années 1926-1929, marque incontestablement des points et contribue à la stabilisation internationale en intégrant à la politique française les apports de la guerre et les leçons de l'après-guerre. Partie de la gauche et du centre gauche, elle gagne l'ensemble des milieux politiques (à l'exception de l'extrême droite), mais aussi les milieux d'affaires et les milieux intellectuels qui influencent l'opinion publique. Du côté des milieux d'affaires, les sidérurgistes, désormais pourvus en coke depuis le règlement de 1924, acceptent, en septembre 1926, de suivre la suggestion de l'industriel luxembourgeois Emil Mayrisch et de constituer l'*Entente internationale de l'acier*, cartel européen qui fixe pour chacun des participants les quotas de production, mettant ainsi fin à la concurrence qui oppose les producteurs : 40 % pour l'Allemagne, 32 % pour la France, 12,5 % pour la Belgique, 8,5 % pour le Luxembourg, 6,5 % pour la Sarre. A cet accord sur l'acier s'ajoute le traité commercial d'août 1927, par lequel les deux États s'accordent mutuellement la clause de la nation la plus favorisée et passent un compromis favorisant la vente en Allemagne des produits agricoles, textiles et métallurgiques français et l'importation en France de la chimie ainsi que du matériel électrique et mécanique allemands.

Cette détente économique s'accompagne d'une volonté de détente psychologique au niveau des opinions publiques. Emil Mayrisch et Pierre Viénot fondent en 1926 le *Comité franco-allemand de documentation et d'information*, chargé de désarmer les préventions réciproques des deux nations. C'est le début d'un rapprochement culturel franco-allemand auquel participent nombre d'écrivains (en particulier ceux de la NRF), pendant que se multiplient des colloques, rencontres, voyages de jeunes... En ces années de détente, la réconciliation franco-allemande rentre dans les faits [1].

1. Sur ce point, voir René Girault et Robert Frank (125).

C'est en se fondant sur ce nouveau contexte que le gouvernement allemand, dirigé en 1928 par le socialiste Hermann Müller, relance la proposition de règlement des contentieux subsistant entre la France et l'Allemagne sur les bases mêmes élaborées par Stresemann à Thoiry deux ans plus tôt : évacuation anticipée de la Rhénanie contre règlement définitif du problème des Réparations à l'expiration du plan Dawes. Venu à Paris en août pour signer le pacte Briand-Kellogg, le ministre des Affaires étrangères Stresemann propose formellement aux Français un accord sur ces bases, et Poincaré et Briand en acceptent le principe. Réuni sous la direction du banquier américain Owen Young, un comité d'experts financiers jette les bases d'un plan qui, partant des 132 milliards prévus en 1921, prévoit le paiement de 109 milliards dont 22 échelonnés jusqu'en 1988 et 87 qui serviront éventuellement à régler les dettes dues aux États-Unis (mais ceux-ci refusent toujours de suspendre le remboursement de la dette en cas de défaillance allemande). L'Allemagne s'engageant à exécuter le plan obtient la suppression de la commission des Réparations, et de l'agent général des Réparations, de même que celle des hypothèques établies au titre du plan Dawes. Les réparations versées par l'Allemagne seront réparties par une Banque des règlements internationaux. Le plan Young est adopté à la conférence de La Haye d'août 1929. En contrepartie, la France s'engage à évacuer la zone de Coblence dans les trois mois et la zone de Mayence (dernière zone occupée de Rhénanie) en 1930, soit cinq ans avant la date prévue.

En apparence, la politique mise en place en 1924 porte donc ses fruits en 1929. Le contentieux franco-allemand est réglé dans ses grandes lignes. Dès lors, plus rien ne paraît s'opposer à ce qui apparaît depuis la fin de la guerre comme une grande espérance qui mettrait définitivement fin aux guerres fratricides dont les peuples ne veulent plus, la construction d'une Europe fédérale. Dès les lendemains du conflit ont fleuri de multiples clubs, associations, cercles qui militent pour l'union européenne. Intellectuels et politiques multiplient dès 1924-1925 les ouvrages qui évoquent l'avenir d'une Europe unifiée dont les assemblées d'hommes d'État de Genève constituent, à partir de 1924, la préfiguration. Des projets d'union douanière européenne sont lancés (avec en arrière-plan le souvenir du Zollverein, première étape de l'unification allemande). En 1926, l'économiste Charles Gide et l'homme politique Yves Le Trocquer créent l'*Union économique et douanière.* Écrivains, hommes politiques et intellectuels adhèrent massivement à l'association *Paneuropa*, lancée de Belgique par le comte de Coudenhove-Kalergi. C'est donc en se plaçant dans le droit fil d'un véritable courant d'opinion, très caractéristique de la seconde moitié des années vingt, quc Briand lance devant l'Assemblée de la SDN à Genève, le 5 septembre 1929, l'idée qui doit parachever la construction qu'il élabore patiemment depuis 1925 : la création d'une Fédération européenne. Couronnement de la politique de détente et de conciliation, devenue peu à peu un rapprochement franco-allemand, elle assurerait, une fois les Réparations en voie de règlement, la sécurité de la France en enserrant l'Allemagne dans les liens internationaux qui excluraient désormais toute possibilité d'agressivité.

En réalité, même précisée l'année suivante par un mémorandum qui en définit la nature, l'idée de Fédération européenne vient au moment où les conditions qui ont rendu possible la politique de Briand sont en voie de disparition. Depuis juillet 1929, Poincaré, dont l'autorité morale garantissait à Briand l'accord de la droite sur ses objectifs, a quitté la vie politique. Dès l'été, la poussée du nationalisme allemand, qui déclenche une vive agitation contre le plan Young, montre que la politique de Stresemann est contestée et rend irréaliste une Fédération européenne. Enfin, en octobre 1929, le krach de Wall Street porte un coup mortel à la prospérité économique à l'abri de laquelle avait pu s'opérer la stabilisation internationale mise en œuvre par Briand et acceptée par Poincaré.

4. La tentative de stabilisation intérieure : la lutte contre les ennemis de la nation

A beaucoup d'égards la politique d'union nationale, imitée de l'union sacrée du temps de guerre, voulue par Poincaré, porte donc ses fruits. Les grands problèmes financiers et internationaux des années vingt ont reçu en 1926-1929 des solutions consensuelles. Le plus intéressant est sans doute de constater que la volonté de consensus et de stabilisation s'étend également à la politique intérieure du pays. Il est vrai que celle-ci est aisée à obtenir dès lors qu'elle passe par la mise hors la loi de ceux qui foulent aux pieds le consensus, se mettant ainsi en dehors de la communauté nationale.

Bien entendu, il s'agit en premier lieu du Parti communiste. Depuis 1920, celui-ci affirme son identité en combattant violemment les différents aspects de l'impérialisme français, de manière d'autant plus délibérément violente et provocatrice que ce paroxysme activiste a pour fonction de mobiliser les militants en détournant leur attention des soubresauts qui agitent une formation déchirée par d'incessantes crises (qui sont souvent, par Internationale communiste interposée, le reflet de celles qui secouent la jeune Union soviétique). En 1924, l'Internationale communiste lance le mot d'ordre de la « bolchevisation », qui consiste à modeler les partis communistes nationaux sur les traits du Parti bolchevik : organisation du parti sur la base des cellules d'usines afin de renforcer l'implantation ouvrière, élimination systématique des opposants qui résistent aux mots d'ordre du parti, « unité idéologique », c'est-à-dire obéissance absolue aux ordres de l'Internationale. En vertu de quoi, l'Internationale impose au Parti communiste, fin 1927, l'adoption de la tactique « classe contre classe », justifiée par l'entrée du monde dans la troisième « phase », caractérisée par les derniers soubresauts d'un capitalisme agonisant avant l'avènement du communisme, soubresauts qui pourraient conduire à une agression du monde capitaliste contre l'URSS. Dans cette perspective, les partis communistes doivent se préparer à l'épreuve de force en combattant impitoyablement tous les partis bourgeois, qualifiés de « fascistes » (le fascisme étant pour l'IC la forme revêtue par le capitalisme lors de sa crise finale), et, plus encore, les socialistes (les « social-fascistes ») qui détournent le prolétariat de la révolution en le conduisant dans les ornières du réformisme. Pratiquement, la tactique « classe contre classe » conduit les communistes, qui renvoient dos à dos socialistes et bourgeois, à refuser tout désistement électoral à gauche. Mais ces considérations théoriques dissimulent mal une lutte impitoyable pour le pouvoir en Union soviétique qui a ses répercussions dans le parti français. A la lutte conduite par Staline contre Trotski avec l'aide de Zinoviev et de Kamenev répond l'élimination, au sein du Parti communiste français, de l'aile gauche, taxée de « trotskisme » : Souvarine en 1924, bientôt suivi des syndicalistes révolutionnaires Monatte et Rosmer, Loriot et Amédée Dunois en 1926. A la mise à l'écart de Zinoviev par Staline et Boukharine correspond en France celle des « zinoviévistes » français Albert Treint, Suzanne Girault, Sauvage, chassés successivement du Comité central et du Bureau politique en 1926, puis du parti lui-même en 1928. En 1929, la prise en main du Parti bolchevik par Staline entraîne la rétrogradation de la majorité des membres du Comité central élu l'année précédente. Chacune de ces étapes voit de nouveaux dirigeants se succéder à la tête du parti français. A Treint, demeuré seul secrétaire général après l'élimination de Frossard en 1923, succède, en août 1924, le cheminot Pierre Sémard. En 1929, le Komintern pousse en avant les « jeunes » qui doivent leur promotion à l'Internationale, Henri Barbé, Maurice Thorez, chargé de l'organisation et de la propagande, Pierre Celor, responsable de l'appareil, et le syndicaliste Benoît Frachon.

Mais ces convulsions internes sont masquées par la radicalisation du parti, qui se met délibérément en marge de la nation en multipliant les actions spectaculaires contre la politique française. Après la propagande contre l'occupation de la Ruhr et les encouragements à Abd el-Krim lors de la guerre du Maroc déjà évoqués [1], le Parti communiste dénonce inlassablement la présence française outre-mer et soutient les mouvements nationalistes des colonies. L'ancien fondateur des Jeunesses communistes, Maurice Laporte, dénonce dans deux livres à succès les dessous de l'espionnage communiste en France (que certaines arrestations paraissent étayer). Plus spectaculaires que véritablement efficaces sont la constitution de *Centuries prolétariennes*, véritables troupes supplétives créées dans la banlieue rouge, et les tentatives de noyautage de l'armée. On pourrait y ajouter la recrudescence des attaques déjà signalées contre les grandes valeurs nationales, qui conduit les communistes à fouler aux pieds la plus grande partie de la Révolution française, la liberté, l'égalité, voire l'école laïque, qualifiée d'« auxiliaire du capitalisme ». Ramenée à ses justes proportions historiques, cette radicalisation n'est rien d'autre qu'une gesticulation sans

1. Voir ci-dessus p. 233.

grand effet réel (au même titre que la manifestation organisée lors du transfert des cendres de Jaurès au Panthéon). Mais, amplifiée par la propagande du Parti communiste, elle a une double fonction : faire passer au second plan les crises internes du parti, déclencher contre celui-ci une vague anticommuniste qui contraindra les militants à resserrer les rangs et à taire leurs doutes.

En même temps, la violence verbale et parfois physique dont font preuve les communistes permet à l'union nationale de renforcer sa cohésion en affirmant, dans la lutte contre le danger communiste, les valeurs communes dont elle est porteuse. L'accord se fait aisément pour combattre ce corps étranger dans la nation qui menace les valeurs sur lesquelles se fonde la société française. D'autant plus aisément que la répression anticommuniste place en porte à faux les autres adversaires de l'union nationale, socialistes et aile gauche du Parti radical. En avril 1927, Albert Sarraut, ministre de l'Intérieur, adresse une circulaire aux préfets, les invitant à réprimer avec énergie les menées communistes dans l'armée. Le 22 avril, en voyage à Constantine, il y prononce un violent discours dénonçant l'action des communistes et dévoilant leur tactique dans les colonies, discours qui s'achève par un véritable cri de guerre : « Le communisme, voilà l'ennemi ! » Les actes suivent les paroles : le 1er mai, à Dunkerque, Gaston Monmousseau, secrétaire général de la CGTU, est arrêté ; le 10 mai, à la rentrée des Chambres, le gouvernement introduit 7 demandes de poursuite contre des députés communistes en raison d'articles publiés dans la presse ou d'activités antifrançaises en Extrême-Orient (Doriot est poursuivi sous ce dernier chef). En janvier 1928, Marcel Cachin, Jacques Doriot, Paul Vaillant-Couturier, condamnés pour incitation de militaires à la désobéissance, sont incarcérés, tandis que Duclos, également sous le coup d'une condamnation, n'échappe à l'arrestation que par la fuite. En juin 1928, la majorité de la Chambre rejette la motion du socialiste Jules Uhry demandant la liberté des députés incarcérés. L'anticommunisme est bien un des éléments de cohésion de l'union nationale.

La même analyse peut être faite à propos de l'autonomisme alsacien. Il fait peu de doute que le mouvement autonomiste naît des multiples problèmes posés par l'intégration des deux départements alsaciens à la République. Cette intégration entraîne toute une série de difficultés, qu'il s'agisse de l'interruption de circuits économiques établis depuis près d'un demi-siècle, du passage du mark au franc, ou de la répartition des dommages de guerre. Plus difficiles encore à résoudre, en fonction des différences de statut entre l'Allemagne et la France et de la volonté des intéressés que le retour de l'Alsace ne se solde pas pour eux par une détérioration de leur situation, sont les problèmes de recrutement et de rémunération des fonctionnaires, ceux portant sur le statut des cheminots, ceux concernant les pensionnés civils et militaires. Enfin, les questions les plus délicates portent sur le bilinguisme, le maintien de l'école confessionnelle et celui du Concordat. A cet égard, il est évident que les projets du ministère Herriot ont aggravé les choses en transformant en alarmes des difficultés fort compréhensibles. Mais le mouvement en retrait de Painlevé puis les engagements pris par Poincaré jouent incontestablement un rôle d'apaisement. Il reste que le passage au pouvoir du Cartel des gauches a permis la cristallisation du malaise alsacien autour d'un mouvement autonomiste qui se développe et apparaît comme une force régionale non négligeable.

Sans doute dès 1919 étaient nés de petits groupes autonomistes, subventionnés par les autorités allemandes, mais sans véritables racines dans la population. Au contraire, en 1924-1925 se développe un mouvement populaire. Celui-ci s'organise autour de divers pôles : l'abbé Haegy, qui rassemble autour de lui une opposition catholique à la France laïque et anticléricale, le Dr Ricklin et le journal qu'il a fondé en mai 1925, la *Zukunft*, principal organe de l'autonomisme alsacien, Camille Dahlet, un ex-radical qui répand le thème de l'autonomisme dans les milieux protestants et radicaux [1]. En juin 1926 est constitué un mouvement politique de caractère autonomiste, le *Elsass-Lothringen Heimatbund*, contre lequel Pierre Laval, garde des Sceaux, prend des sanctions immédiates, annonçant son intention de suspendre tout fonctionnaire qui y adhérerait. Désormais, l'autonomisme alsacien constitue une donnée permanente de la vie politique, d'autant que, dans le cadre de la stratégie que nous avons signalée, le Parti communiste demande depuis 1925 que soit reconnu au peuple alsacien le droit de se prononcer sur son avenir « jusques et y compris la séparation d'avec la France ».

1. François-Georges Dreyfus (89).

Le développement du mouvement autonomiste alsacien provoque dans le monde politique français un sentiment d'incompréhension et de rejet, en tous points analogue à celui qu'inspire le communisme. Lorsque, en septembre 1927, naît un nouveau parti qui s'intitule officiellement *Parti autonomiste alsacien-lorrain*, le gouvernement passe à l'offensive. En novembre, trois journaux autonomistes paraissant en allemand sont interdits. En décembre 1927 ont lieu une douzaine d'arrestations, dont celle de l'enseignant autonomiste révoqué Joseph Rossé. En avril 1928 débute à Colmar le procès des inculpés, auxquels on reproche surtout de vouloir favoriser l'autonomie de l'Alsace-Lorraine, accusation volontairement confondue avec celle qui ne concerne qu'un groupe limité (et différent) d'inculpés, convaincus pour leur part d'œuvrer pour le retour à l'Allemagne des trois départements. Finalement, le jury condamne quatre des accusés, dont Rossé, à un an d'emprisonnement et cinq ans d'interdiction de séjour, verdict bien léger s'il s'agit réellement d'un complot contre la sûreté de l'État, mais incontestablement trop lourd si le complot n'a donné lieu à aucun commencement d'exécution. C'est d'ailleurs en vertu de cette considération que la Cour de cassation casse le jugement, en 1929, et renvoie les inculpés devant la cour d'assises de Besançon qui les acquitte.

Mais pour la majorité d'union nationale, et hormis les députés alsaciens, conscients du malaise qui fait le lit de l'autonomisme et désireux de trouver à la crise alsacienne une solution de caractère régionaliste, les autonomistes ont commis le crime majeur qui est aussi à la base de l'anticommunisme, le crime contre la patrie. En juin 1928, la majorité suit le garde des Sceaux Barthou pour rejeter la demande de mise en liberté pendant la session parlementaire de deux des condamnés du procès de Colmar, Ricklin et Rossé, élus députés du Haut-Rhin. En novembre, elle vote à une écrasante majorité la déchéance des deux députés condamnés. Mais les élections partielles organisées à Altkirch et à Colmar pour pourvoir à leur remplacement donnent lieu à la désignation de deux autres autonomistes, appuyés à la fois par les catholiques et les communistes. Du coup, du 24 janvier au 7 février 1929, la Chambre ouvre un large débat sur le problème alsacien. Si, quelle que soit leur couleur politique, les députés d'Alsace et de Lorraine défilent à la tribune pour éclairer les divers aspects du malaise alsacien, Poincaré obtient une écrasante confiance en résumant le point de vue officiel sur la question tel que l'approuve la très grande majorité des députés (l'ordre du jour de confiance, au demeurant très vague, est adopté par 461 voix contre 17) : de réels problèmes se sont posés dans les départements recouvrés en 1919 ; la France les a abordés et résolus avec le souci prioritaire de satisfaire les intérêts des populations d'Alsace et de Lorraine ; quant au mouvement autonomiste, il est le fait de la propagande allemande, financé par l'Allemagne, et n'entraîne qu'une étroite minorité. On est donc en présence d'une action antinationale à laquelle le président du Conseil entend mettre fin, comme il est résolu à combattre la propagande communiste.

La volonté de livrer une lutte sans merci contre les ennemis de la nation, qu'ils viennent de l'extrême gauche ou qu'ils se réclament de l'autonomisme alsacien, est donc une composante essentielle du consensus autour duquel s'organise l'union nationale. Mais la volonté de défense des valeurs consensuelles n'est qu'un des éléments qui forme la base de la stabilisation Poincaré.

Celle-ci joue aussi de manière positive, sur le plan des réformes sociales, et, à beaucoup d'égards, Poincaré fait durant son dernier passage au pouvoir la politique réformiste préconisée par les radicaux, mais qu'ils n'ont pu imposer ou mener à terme durant la période du Cartel.

La tentative de stabilisation intérieure : les réformes de Poincaré.

Après les troubles et les déchirements des années 1919-1926, la période du ministère Poincaré est celle où le gouvernement tente un début d'adaptation de la société française à l'après-guerre. Cette tentative est dominée par la volonté de refermer la parenthèse du conflit et de retrouver les conditions de l'âge d'or de l'avant-guerre durant lequel l'aspiration à la promotion représentait un espoir et une puissante motivation pour la classe moyenne française.

De la volonté de retour à la paix relève le désir de la réduction du service militaire. Au vrai, c'est un objectif beaucoup plus vaste que se fixe le gouvernement puisqu'il s'agit de rien de moins que de définir l'organisation du pays en temps de guerre, ainsi que l'organisation générale et le recrutement de l'armée. Sur le premier point, le très considérable projet que présente, au nom de la commission de l'Armée, le socialiste Paul-Boncour, projet qui entend, face à un conflit « total », provoquer une mobilisation totale du pays, va s'enliser dans d'interminables discussions devant le Sénat, à telle enseigne que la loi n'est votée qu'en 1938 ! Au-delà des problèmes techniques ou des questions d'intérêt qui rendent compte de ce retard (par exemple, l'interdiction des bénéfices de guerre), l'explication des aléas de la loi ne réside-t-elle pas dans le refus d'un pays qui vient de subir la guerre d'envisager de s'organiser pour en préparer une autre ? En revanche, la même motivation rend compte du fait que, lors de la discussion de la loi sur le recrutement de l'armée, en janvier 1928, c'est à la quasi-unanimité que la Chambre décide de ramener à une année la durée du service militaire, les communistes votant contre et les socialistes s'abstenant, même si, pour des raisons techniques, le gouvernement obtient que la loi ne s'applique qu'à partir de 1930. La large majorité rassemblée sur la réduction à un an du service militaire montre que nous sommes là en présence d'un des éléments du consensus social sur lequel s'est bâtie la cohésion de l'union nationale.

Les décisions concernant le développement de l'instruction publique en constituent un autre. Depuis juillet 1926, le ministère de l'Instruction publique est détenu par Édouard Herriot. Or, les radicaux se considèrent comme les héritiers légitimes de Ferry et des fondateurs de la République qui ont fait de l'école l'instrument de base de l'unité de la nation et de la promotion sociale du peuple. Depuis le début du siècle, leur programme se résume dans le thème de l'école unique, c'est-à-dire non dans l'établissement du monopole de l'enseignement, mais dans la disparition des barrières qui, à l'intérieur de l'école publique, séparent la filière primaire de la filière secondaire. Il ne s'agit pas de deux cycles successifs, mais de deux ordres d'écoles parallèles, la filière primaire, destinée aux milieux populaires ou aux classes moyennes, s'étant dotée au niveau du second cycle de cours complémentaires ou d'écoles primaires supérieures, la filière secondaire, réservée à l'élite, faisant débuter ses élèves dans les classes élémentaires des lycées. La fusion des deux filières apparaissait donc comme un moyen de démocratiser le système scolaire, de donner aux enfants du peuple des chances égales à celles des jeunes bourgeois. Mais elle se heurtait aux habitudes, aux traditions, aux intérêts, voire au corporatisme des divers corps d'enseignants. Dès l'époque du Cartel, Herriot avait inspiré diverses mesures préparatoires destinées à tourner les obstacles en décidant l'admission gratuite des élèves des écoles publiques dans les classes élémentaires des lycées et collèges, l'unification du concours des bourses et du corps enseignant pour les classes primaires des divers types d'établissement et l'harmonisation des programmes d'enseignement dans ces classes. Membre du gouvernement d'union nationale, il prend, avec l'accord de Poincaré, de nouvelles décisions qui prolongent son action antérieure : cours communs aux élèves des lycées et collèges et des écoles primaires supérieures là où une EPS se trouvait annexée à un lycée ou à un collège, unification du programme et du personnel des lycées et collèges et des écoles primaires supérieures de la 6e à la 3e, et surtout, en décembre 1927, il fait introduire dans la loi de finances pour 1928 un article établissant la gratuité de l'enseignement secondaire public de la 6e à la 3e. Un an plus tard, les finances publiques rétablies (mais Herriot ayant quitté le ministère de l'Instruction publique), la gratuité est étendue aux autres classes de l'enseignement secondaire [1]. Au total, sans qu'on puisse parler en ce domaine d'un bouleversement, le gouvernement d'union nationale poursuit de manière cohérente la politique scolaire de la IIIe République qui est celle, non d'une démocratisation de masse, laquelle ne correspond ni à l'état de la société, ni à celui des mentalités, mais d'une promotion des élites de l'intelligence, révélées par le concours, promotion facilitée par la suppression progressive des obstacles que la fortune ou les préjugés sociaux opposent à l'entrée des enfants du peuple dans les filières d'enseignement les plus porteuses de promesses d'avenir. Or, sur cette conception, les divers participants de l'union nationale manifestent un accord total.

La même observation peut être faite en ce qui concerne le problème de la sécurité sociale. Au lendemain de la Première Guerre mondiale, celle-ci est presque inexistante en France, la seule conception qui prévaut véritablement étant celle de l'assistance réservée aux indigents et que toute une série de lois votées entre 1893 et 1905 mettent en œuvre en ce qui concerne l'assistance médicale, l'enfance, les vieillards, les infirmes et les incurables.

1. Antoine Prost (118).

Or, cette absence de protection sociale est d'autant plus grave que, à la différence des pays anglo-saxons, elle n'est pas compensée par le développement de l'assurance privée. Toutefois, dans des domaines particuliers, ont été adoptés deux textes qui préfigurent une conception plus large et plus moderne de la protection sociale : la loi de 1898 sur les accidents du travail, qui couvre les risques professionnels des salariés dans l'industrie et le commerce, et la loi du 5 avril 1910 sur les retraites ouvrières et paysannes, financées par une double cotisation des salariés et des patrons et par une allocation d'État, loi qui n'est pratiquement pas appliquée, la Cour de cassation ayant jugé que le versement des cotisations ne pouvait être obligatoire et la modicité des pensions n'enthousiasmant guère les bénéficiaires potentiels.

La conscience du retard très considérable de la législation sociale française pousse, dès 1919, le gouvernement et le Parlement à prendre des mesures accroissant les bénéficiaires de la loi sur les accidents du travail, et surtout à envisager la mise sur pied en France d'un système d'assurances sociales, analogue à celui de l'Allemagne (lequel s'appliquait en Alsace-Lorraine). Dès 1920, une commission, présidée par Millerand, commence à étudier un projet qui mettra dix ans à voir le jour. En avril 1928, enfin, Poincaré fait aboutir un projet relativement ambitieux, couvrant les risques de maladie, maternité, invalidité, décès et vieillesse pour l'ensemble des salariés français dont le salaire n'excédait pas un certain seuil, le système étant financé par des cotisations patronales et ouvrières payées par les employeurs, et géré par des caisses privées. Appuyé par les milieux syndicaux (sauf la CGTU), la loi est vivement combattue par le patronat et plus encore par les milieux agricoles, qui dénoncent les charges nouvelles qui vont peser sur l'économie française. Mais surtout, la « loi folle », selon l'expression des conservateurs, fait l'objet d'un tir à boulets rouges des milieux médicaux (lesquels constituent pour l'occasion la *Confédération des syndicats médicaux français*), le texte ayant prévu que les assurés devaient s'adresser à un médecin agréé par la caisse, laquelle devait signer une convention avec un groupement médical quant au montant et à la répartition de la rémunération des praticiens. Cette violente opposition explique qu'en avril 1930 le Parlement vote un texte modificatif qui, sans remettre en cause les principes fondamentaux de la loi, donne quelques satisfactions aux médecins et accroît considérablement la participation de l'État pour suppléer les insuffisances des contributions agricoles. Là encore, un très large consensus préside à l'adoption de la première grande loi de protection sociale votée en France, le texte de 1928 ayant été acquis par 477 voix contre 2.

Enfin, on ne saurait passer sous silence, dans cette revue de l'œuvre sociale du gouvernement d'union nationale présidé par Poincaré, sa politique du logement. Le problème du logement en France est l'un des plus délicats problèmes légués par la guerre. En 1914, pour protéger les familles de mobilisés, le gouvernement a décidé d'accorder aux combattants un moratoire sur les loyers jusqu'à la fin des hostilités et a prorogé obligatoirement et sans modification des baux venant à expiration. Ces dispositions sont renouvelées jusqu'à la fin du conflit et, en 1918, une loi décide d'accorder aux locataires des prolongations de jouissance aux conditions du bail en cours. Cet ensemble de dispositions a pour résultat d'arrêter presque totalement la construction de nouveaux logements, d'abord du fait de la guerre, puis, après celle-ci, en raison de la faible rentabilité qu'un propriétaire peut espérer de l'investissement dans l'immobilier. Un nouveau logement devenant presque impossible à trouver, la pression de l'opinion pousse le Parlement à adopter en 1922, puis en 1923, des textes protégeant les locataires et instaurant en fait le blocage des loyers. Le Cartel accentue encore cette protection du locataire, si bien qu'on évalue à environ 500 000 le nombre des logements manquants, alors que les propriétaires laissent se dégrader les immeubles qu'ils possèdent et qui ne leur procurent que des revenus insuffisants, et que la construction est pratiquement arrêtée. Dans ces conditions, le gouvernement décide de se substituer à l'initiative privée défaillante pour entreprendre une politique de logements populaires. Ministre du Travail du cabinet Poincaré en juin 1928, Louis Loucheur fait adopter en juillet la loi qui porte son nom et qui prévoit l'intervention financière de l'État sous forme d'avances à taux réduits et de subventions pour permettre la réalisation de divers programmes de logements sociaux. Le plus important est celui, adopté par la Chambre à l'unanimité le 7 juillet, qui propose de consentir pendant six ans des avances aux sociétés de crédit immobilier afin de construire 200 000 « habitations à bon marché » (HBM) et 60 000 logements à loyer moyen.

Ainsi la période de stabilisation dominée par la personnalité de Poincaré ne voit-elle pas seulement le règlement des problèmes monétaires et internationaux qui ont été les thèmes permanents du débat politique depuis 1919. Elle aboutit aussi à un certain nombre de mesures sociales qui, par petites touches, modernisent la société française, font disparaître des blocages, conduisent à une évolution prudente, mais non négligeable. La prise en compte par l'État de la nécessité de la protection sociale, du rôle de formation et de promotion du système d'enseignement, de la nécessité de l'aide au logement populaire est à l'origine d'autant de modifications de grande portée du visage de la France des années vingt. Et, de même que le règlement des questions monétaires ou des relations avec l'Allemagne, elles font l'objet d'un assez large consensus, comme l'attestent la plupart des votes du Parlement. Il est peu douteux (et ceci explique sa très grande popularité) que Poincaré a largement réussi dans sa volonté de réaliser autour de lui l'union nationale, même si les communistes demeurent irréductiblement hostiles et les socialistes le plus souvent réservés.

Toutefois, le succès de Poincaré porte en lui-même ses limites. Il l'a bâti sur l'échec du Cartel des gauches et, même si la composante radicale de cette alliance paraît fort bien s'accommoder de l'union nationale, l'effacement des luttes politiques que le président du Conseil a obtenu depuis 1926 joue incontestablement à son bénéfice (et à celui de la famille modérée) et au détriment de la gauche, conduite à s'aligner sur le président du Conseil. Dès 1927, la conscience de cette situation et la proximité des élections de 1928 vont ébranler l'union nationale.

Le retour au scrutin d'arrondissement et la situation des forces politiques en France en 1928.

Dès le lendemain des élections de 1924, le Parti radical fait connaître son souhait de voir rétabli le scrutin majoritaire d'arrondissement aux lieu et place du scrutin proportionnel, défavorable à la gauche en 1919 et mettant les radicaux dans la dépendance de la bonne volonté de la SFIO, scrutin qui, par ailleurs, pourrait favoriser le Parti communiste si, comme le souhaitaient les socialistes, on établissait la RP intégrale (c'est-à-dire sans la prime à la majorité qui existait depuis 1919). Toutefois, la difficulté est que, si les radicaux souhaitent le retour au scrutin d'arrondissement, les socialistes et les modérés sont en principe favorables à la proportionnelle. Les multiples difficultés du Cartel et l'éloignement des élections de 1928 font que le projet, dans ces conditions, est ajourné.

Le radical Albert Sarraut, ministre de l'Intérieur du gouvernement d'union nationale à partir de juillet 1926, est néanmoins résolu à faire aboutir la modification de la loi électorale comme le souhaite son parti. Raymond Poincaré, président du Conseil, est personnellement favorable au maintien du scrutin proportionnel, mais il n'ignore pas que contrecarrer les desseins du ministre de l'Intérieur dans un domaine aussi sensible que celui des élections constituerait une véritable déclaration de guerre aux radicaux et provoquerait leur retrait du gouvernement, ouvrant ainsi une crise ministérielle. Il se résout donc à sacrifier la proportionnelle sur l'autel de l'union nationale et à laisser faire Sarraut, qu'il n'appuie que très mollement.

Le changement d'attitude de la SFIO, qui préfère finalement le retour au scrutin d'arrondissement plutôt que le maintien du système de 1919 (puisque la proportionnelle intégrale est impossible), apporte, au printemps 1927, un soutien inattendu au ministre de l'Intérieur. Finalement, c'est une majorité de Cartel à peu près reconstituée qui, le 12 juillet 1927, adopte le retour au scrutin uninominal majoritaire dans le cadre de l'arrondissement, Poincaré étant absent lors de ce vote final.

La modification de la loi électorale montre que, dès ce moment, c'est la perspective des futures élections législatives qui domine la conjoncture politique, et celle-ci tourne autour d'une interrogation sur la situation réelle des forces politiques françaises à la veille de ces élections. Les congrès des principales formations qui se tiennent à l'automne 1927 permettent de faire le point à la veille du futur scrutin.

A droite, la situation est relativement simple et les choses ont l'avantage de l'extrême clarté. Battues par le Cartel en 1924, les formations de droite peuvent arguer du fait qu'elles ont été appelées à la rescousse en pleine crise deux ans plus tard pour sauver le pays en constituant un gouvernement d'union nationale. Elles reprennent à leur compte le bilan très positif de ce gouvernement, tout en se proposant de l'améliorer sur le plan de la fiscalité ou sur celui de la politique extérieure. Le congrès de l'Alliance démocratique, qui se réunit le 26 novembre, celui de la Fédération républicaine, qui s'ouvre le 7 décembre, adoptent une position à peu près identique : condamnation des erreurs du Cartel, exaltation de l'œuvre du gouvernement d'union nationale qu'il s'agit de parfaire et de compléter en reconduisant pour quatre années la majorité de juillet 1926 avec ceux des radicaux qui acceptent cette formule. Durant les deux congrès, aucune fausse note, aucun signe de division; Poincaré peut compter sur les deux partis de droite pour défendre son œuvre devant les électeurs.

La position de la SFIO, qui réunit à son tour son congrès fin décembre 1927, n'est claire qu'en apparence. Retranché dans l'opposition depuis juillet 1926, le Parti socialiste combat l'expérience Poincaré. Il critique la manière dont le redressement financier a été opéré et, par la voix de Vincent Auriol et de Léon Blum, il préconise une consolidation forcée de la dette flottante, un impôt sur le capital et, pour dégager des ressources nouvelles, la création d'un monopole d'État sur les assurances. Mais là n'est pas le véritable problème de la SFIO, lequel demeure plus que jamais le choix à faire entre l'opposition révolutionnaire aux côtés du Parti communiste ou l'exercice du pouvoir avec les radicaux. Et comme l'un et l'autre de ces choix provoqueraient l'éclatement du parti, l'aile droite et la plus grande partie du centre ne pouvant accepter un alignement sur le PC, l'aile gauche considérant la participation au pouvoir comme la pire des catastrophes, les socialistes choisissent de ne pas choisir. C'est ce qu'ils font avec talent en 1927. Leur congrès rappelle l'hostilité permanente du parti aux principes communistes et, prenant acte des conséquences de la tactique « classe contre classe » prônée par le PC, propose pour les élections de 1928 la tactique du désistement républicain en faveur des radicaux. Mais d'une éventuelle participation au pouvoir il ne saurait être question. D'abord parce que les radicaux, engagés dans l'expérience de l'union nationale, ne sont nullement disponibles pour un nouveau Cartel. Ensuite parce que, lors du congrès national de Lyon en avril 1927, Blum avait clairement laissé entendre qu'une nouvelle expérience analogue à celle de 1924 ne pourrait se reproduire à l'identique : « Ce n'est plus nous qui suivrons la bataille... nous n'entrerons plus désormais que dans des batailles que nous inspirerons et que nous dirigerons [1]. » La bataille prévisible entre l'aile droite championne de la participation à un gouvernement cartelliste et l'extrême gauche prête à quitter le parti si cette hypothèse se dessinait n'a donc pas lieu. Mais on peut penser qu'elle n'est que reportée. En cette même année 1927, les dirigeants de la gauche du parti, Jean Zyromski et Bracke-Desrousseaux, donnent naissance à une tendance organisée, celle de la *Bataille socialiste*, dont l'idée majeure est d'isoler l'aile droite participationniste avant de l'exclure du parti. Il lui faudra attendre 1933 pour parvenir à ce résultat. En attendant, elle constitue un puissant groupe de pression qui se rapproche du secrétariat du parti, hostile lui aussi à toute nouvelle expérience cartelliste. Lorsque, en novembre 1929, le radical Daladier offre aux socialistes la participation, Paul Faure et Séverac, les deux principaux dirigeants du parti, entrent à la Bataille socialiste aux côtés de Zyromski et Bracke pour écarter le danger [2]. Les socialistes se présentent donc aux élections de 1928 avec la double intention de faire élire le plus grand nombre de députés possible grâce à la discipline républicaine et la volonté non moins ferme de se tenir à l'écart du pouvoir, sauf au cas, bien improbable, où ils recueilleraient une majorité.

Dans cette constellation des forces politiques françaises, le Parti radical est probablement celui dont la situation est la plus critique [3]. L'échec du Cartel a été son échec, celui de toute la stratégie d'union des gauches mise en œuvre par Herriot depuis le début des années vingt. La crise de 1926 a eu de profondes répercussions sur lui. Dans l'ensemble, les militants n'ont pas admis que leur président, Herriot, tournant le dos à la stratégie cartelliste dont il a été le champion, soit entré dans le gouvernement d'union nationale de Poincaré. Et Caillaux, qui n'a pas pardonné à Herriot de l'avoir fait écarter du pouvoir fin 1925, puis renversé en juillet 1926, s'est placé hardiment à la tête de la fronde contre le leader du parti. A l'automne 1926, les dirigeants du Parti radical, craignant qu'un affrontement Herriot-

1. Cité in Tony Judt (75).
2. Nous suivons ici les conclusions de l'excellente thèse inédite d'Éric Nadaud, *Une tendance de la SFIO, la Bastille socialiste (1921-1933)*, Université de Paris-X, 1988.
3. Serge Berstein (76), t. 2.

Caillaux n'aboutisse à une scission du parti ou du moins à des déchirements irrémédiables, négocient dans la coulisse une solution qui permettrait à chacun de sauver la face. Herriot renonce à solliciter un nouveau mandat de président du Parti radical et, pour le remplacer, on choisit à titre transitoire une personnalité incontestée, le sénateur Maurice Sarraut, directeur de *La Dépêche*, qui accepte pour une année de devenir le leader du parti. Ce n'est qu'en 1927 que le retrait de Sarraut porte à la présidence du parti Édouard Daladier, ancien disciple d'Herriot, mais qui a rompu avec lui et qui devient le champion, acclamé par les militants et porté par le clan Caillaux, de la stratégie de retour à l'union des gauches. Le Parti radical a donc une partie de ses dirigeants au gouvernement d'union nationale avec Herriot, cependant que la direction du parti ne supporte qu'impatiemment cette situation et préconise dès que possible un retour à la stratégie traditionnelle (dont la majorité de la SFIO ne veut d'ailleurs pas).

A cette crise liée aux alliances électorales et gouvernementales, s'ajoute le début d'une crise interne sur laquelle nous reviendrons. Prenant acte de l'échec du parti au pouvoir en 1924-1926, un groupe de jeunes intellectuels radicaux croit en discerner les causes dans l'archaïsme d'une doctrine politique adaptée à la France du XIXe siècle et non à celle des années vingt. Ainsi naît le groupe des « Jeunes Radicaux », qu'on appellera bientôt les « Jeunes Turcs » et qui se proposent de réviser le radicalisme en l'adaptant aux temps nouveaux. Fait de génération, le phénomène « Jeune Turc » donne lieu à une intense activité de presse, en particulier autour de l'hebdomadaire *La Voix*, créé en 1928 par Émile Roche, mais qui mord peu sur les forces vives du parti, solidement tenu en main par son réseau de notables, peu sensibles aux états d'âme d'intellectuels parisiens [1].

Aussi bien le congrès de 1927, s'il témoigne des divisions du Parti radical, ne fait-il aucune place aux critiques doctrinales des Jeunes Turcs. On voit en fait s'y heurter trois positions. La première est celle des partisans de l'union nationale, conduits par le député de Seine-et-Oise Franklin-Bouillon. Jugeant totalement positif le bilan de Poincaré, qu'il oppose à l'échec du Cartel, il propose que le Parti radical fasse de l'union nationale et de

1. *Ibid.*

l'alliance avec les modérés son programme permanent. A l'autre extrême du parti, une aile cartelliste, dirigée par Daladier, préconise au contraire le retour à l'union des gauches pour les élections de 1928. Enfin, les grands leaders comme Herriot — qui le montre dans les faits — ou Maurice Sarraut — qui l'a déclaré dans une retentissante interview à *La Revue de Paris* — considèrent désormais que le Parti radical est un parti centriste dont la fonction serait de réaliser dans l'ordre la société de justice souhaitée par la gauche.

Au total, le congrès radical de 1927 rejette l'union nationale pour les élections, ce qui entraîne la démission de Franklin-Bouillon et de sa fédération de Seine-et-Oise. Mais ceci posé, le congrès choisit pour les élections une stratégie d'union avec les socialistes sans pour autant désavouer ceux des siens qui sont ministres du cabinet d'union nationale. Attitude d'autant plus ambiguë que ce parti qui vient de choisir l'alliance à gauche aux élections tente, au même moment, de capitaliser à son profit le prestige de Poincaré en mettant en relief sa participation à l'œuvre de redressement du président du Conseil. Et celui-ci qui, comme en 1922-1924, tient à la participation des radicaux pour éviter de devenir prisonnier de la droite, se prête volontiers à l'opération : le 25 mars 1928, il affirme vouloir gouverner avec les radicaux et préconise la constitution d'une majorité à l'image de celle de son gouvernement, et il accepte de venir dans l'Aude (le fief des frères Sarraut) pour délivrer aux radicaux un brevet de poincarisme.

A la veille des élections de 1928, c'est donc le Parti radical qui paraît tenir entre ses mains l'avenir de l'union nationale.

5. Les élections de 1928 et le « coup d'Angers »

Premières élections au scrutin d'arrondissement depuis 1914, les élections des 22-29 avril 1928 permettent de se faire une idée relativement précise de l'audience des diverses forces politiques françaises à la fin des années vingt alors que les élections au scrutin de liste ne donnaient qu'une impression globale du rapport droite-gauche. Il est vrai qu'à l'inverse le scrutin joue moins sur les conceptions théoriques des grands partis politiques que sur l'approbation ou le rejet de l'expérience Poincaré. Or la droite mais aussi une bonne partie des candidats radicaux se glorifient de leur participation à celle-ci, ce qui contribue à brouiller les cartes quant à la signification des résultats.

Ceux-ci apparaissent en tout état de cause comme un plébiscite en faveur de Poincaré. Si on envisage les résultats en chiffres globaux, la gauche serait légèrement majoritaire dans le pays, rassemblant 4 828 000 voix contre 4 524 000 à la droite. Mais cette totalisation apparaît comme peu significative dans la mesure où il est malaisé de considérer le Parti communiste, qui tire à boulets rouges sur radicaux et socialistes, comme membre à part entière de la gauche et où, d'autre part, une fraction des élus radicaux se réclame de l'expérience Poincaré, alors que la quasi-totalité de la droite (excepté les 200 000 voix de l'extrême droite) soutient le président du Conseil.

L'audience des forces politiques en 1928

d'après les résultats du premier tour, 22 avril 1928

FORCES POLITIQUES	NOMBRE DE VOIX	% PAR RAPPORT AUX INSCRITS
Droite (Union républicaine démocratique, démocrates populaires, conservateurs)	2 379 000	18,95
Modérés (républicains de gauche, radicaux indépendants)	2 145 000	18,82
Radicaux-socialistes	1 655 427	14,52
Républicains-socialistes	410 000	3,6
Socialistes SFIO	1 698 000	14,97
Communistes	1 064 000	9,3

L'audience de l'extrême gauche
aux élections de 1928

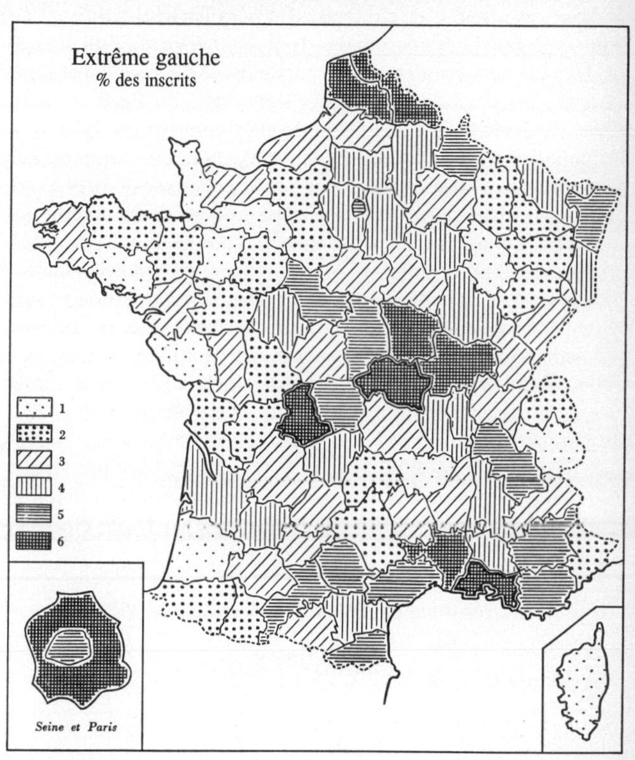

L'extrême gauche comprend Parti socialiste, Union socialiste-communiste, Parti communiste

1. Moins de 7,5 % des inscrits
2. De 7,5 à 15 % % des inscrits
3. De 15 à 22,5 % % des inscrits
4. De 22,5 à 30 % des inscrits
5. De 30 à 37,5 % des inscrits
6. De 37,5 à 45 % des inscrits

Les départements entourés d'un trait noir renforcé ont donné la majorité absolue des votants à l'extrême gauche.

Source : François Goguel, *Géographie des élections françaises sous la Troisième et la Quatrième République*, Presses de la Fondation nationale des sciences politiques, Cahier 159, 1970, p. 85.

Si les élections permettent de remarquer que le pays est approximativement séparé en deux parties égales, d'autres phénomènes méritent d'être retenus. En premier lieu, le fait qu'au sein de la gauche les socialistes dépassent désormais en suffrages les radicaux, ce qui ne laisse pas de poser des problèmes pour l'avenir. En second lieu, le score significatif du Parti communiste, en dépit de la déclaration de guerre lancée par Sarraut à Constantine et de l'insistance sur son caractère antinational. Majoritaire en voix, la gauche est donc traversée de profondes divisions qui ne permettent guère de la considérer comme un ensemble homogène. Enfin, il faut tenir compte du fait que, dans un nombre important de circonscriptions, le vote radical a moins été un vote de gauche qu'un vote poincariste (au second tour, selon les calculs de François Goguel, 400 000 électeurs radicaux auraient reporté leurs suffrages sur des candidats de droite) [1].

Le second tour des élections va d'ailleurs confirmer le caractère de plébiscite en faveur de Poincaré des élections de 1928. En dépit de l'application de la discipline républicaine, la gauche, majoritaire en voix, devient nettement minoritaire en sièges, retournement dû à la tactique du Parti communiste qui refuse les désistements (et ce malgré le fait qu'une partie des électeurs communistes n'ont pas respecté les consignes du parti).

Les résultats en sièges des élections de 1928

FORCES POLITIQUES	CHAMBRE DE 1924	ÉLECTIONS DE 1928	DIFFÉRENCE
Non-inscrits	29	38	+ 9
Union républicaine démocratique	104	131	+ 27
Démocrates populaires	14	19	+ 5
Républicains de gauche	81	84	+ 3
Gauche radicale	40	53	+ 13

1. François Goguel (57), t. 1.

Radicaux-socialistes	139	125	– 14
Républicains-socialistes	44	46	+ 2
Socialistes SFIO	104	100	– 4
Socialistes-communistes	0	2	+ 2
Communistes	26	12	– 14

Avec 325 députés sur 610, la droite est majoritaire et, à la différence de ce qui s'était passé en 1926-1928, Poincaré peut se passer des radicaux pour constituer une majorité. Mais le président du Conseil, qui souhaite poursuivre son expérience d'union nationale, peut à bon droit considérer que 460 élus de 1928 se sont réclamés de lui et de la politique suivie en 1926-1928. C'est pourquoi, jugeant la politique gouvernementale massivement approuvée par les électeurs, Poincaré décide de ne pas démissionner et de maintenir intégralement son gouvernement. Seule exception, le ministre du Travail André Fallières, qui n'a pas été réélu, donne sa démission et est remplacé par Louis Loucheur. En fait, la reconduction de l'union nationale souhaitée par Poincaré va être rendue impossible par le désaveu des radicaux.

Le « coup d'Angers » et le passage à l'opposition du Parti radical.

Le recul électoral du Parti radical qui, pour n'être pas catastrophique, le prive cependant de la position d'arbitre qui était la sienne depuis 1924, ne fait qu'aggraver la crise qui atteint cette formation politique. En fait, depuis le congrès de 1927, se poursuit une sourde lutte entre la gauche du parti, conduite par Daladier, son nouveau président, qui souhaite rompre l'union nationale pour pratiquer l'expérience cartelliste qu'il appelle de ses vœux, et les grands notables, regroupés derrière Herriot, qui attendent l'occasion propice pour reprendre une direction qui leur a échappé en 1926. Cette lutte se traduit par une série d'escarmouches qui voient le groupe radical se scinder en trois tronçons lors des votes importants, par exemple celui de janvier 1928 sur la motion Uhry demandant l'immunité pour les parlementaires communistes arrêtés [1] : 32 radicaux, suivant Daladier, votent la motion et se prononcent par conséquent contre le gouvernement, 43, dont Herriot et les ministres, votent en faveur du gouvernement en repoussant la motion, 48 se réfugient dans l'abstention. Au lendemain des élections de 1928, ces tensions s'aggravent, Daladier s'efforçant d'obtenir la discipline de vote des parlementaires afin de pouvoir obtenir le désaveu du gouvernement et utilisant la pression des militants pour pousser les ministres à la démission (avec l'appui de Caillaux, toujours à la recherche de sa vengeance). Jusqu'à l'automne 1928, l'habileté d'Herriot et de ses collègues et la volonté de l'oligarchie qui dirige le Parti radical d'éviter toute rupture parviennent à détourner l'orage et à maintenir vaille que vaille un Parti radical rétif dans l'union nationale. Mais il est clair que cette situation suppose un contrôle de tous les instants des organes dirigeants du parti pour éviter une surprise qui causerait l'irréparable. Or celui-ci se produit en novembre 1928, au congrès d'Angers du Parti radical.

Ce congrès est préparé par une double campagne menée contre l'union nationale par les amis de Caillaux et de Daladier qui font voter, par les fédérations proches, des motions demandant la démission des ministres radicaux, cependant que les frères Sarraut animent dans le Sud-Ouest une contre-offensive destinée à maintenir l'union nationale. A la veille même du congrès, les adversaires de celle-ci trouvent un terrain rêvé d'action, celui de la laïcité, Poincaré ayant inclus dans la loi de finances deux articles (70 et 71) prévoyant l'un la restitution aux associations diocésaines créées en 1924 de biens mobiliers et immobiliers confisqués au début du siècle et non aliénés, l'autre l'autorisation de congrégations missionnaires. Mais, une fois de plus, l'habileté d'Herriot permet que le congrès, manifestement hostile au maintien des ministres radicaux au sein de l'union nationale, n'exige pas leur retrait immédiat. Il se conclut sur un texte « nègre-blanc » subordonnant la présence des ministres valoisiens dans le gouvernement Poincaré à l'exécution d'un programme en six points dont certains (comme la disjonction des articles 70, 71, et 71*bis* ajouté sur intervention d'Herriot) sont inaccepta-

1. Voir ci-dessus, p. 290.

bles pour Poincaré. A l'issue du congrès, et alors que les ministres et de nombreux délégués ont repris le train, on peut donc considérer que l'union nationale est en principe condamnée, mais que des délais sont laissés aux ministres pour quitter honorablement le gouvernement (à moins qu'Herriot trouve de nouveaux moyens de prolonger la vie du ministère).

C'est alors que se produit ce que l'histoire a retenu sous le nom de « coup d'Angers ». Le congrès, n'ayant pas épuisé son ordre du jour, tient une séance de nuit supplémentaire dont le contenu doit être purement formel, séance présidée par Caillaux et à laquelle seuls sont présents les délégués des fédérations proches d'Angers (c'est-à-dire celles soumises à l'influence de Caillaux). Or, Caillaux et Daladier font voter par cette assemblée croupion une motion dénonçant l'union nationale et préconisant une politique d'union des gauches. Désavoués par leur parti, Herriot et les ministres radicaux n'ont d'autre ressource que de donner leur démission. Caillaux a accompli sa vengeance contre Herriot en condamnant à mort l'union nationale. Le « coup d'Angers » a fait l'objet de jugements particulièrement sévères dans le monde politique français. Comment admettre en effet que le sort du gouvernement de la République puisse dépendre des militants irresponsables d'un parti politique, alors que ce gouvernement jouissait de la confiance de la Chambre et du Sénat ?

Le passage des radicaux à l'opposition n'a pour effet de transformer le ministère Poincaré de gouvernement d'union nationale qu'il était en cabinet de droite que d'une manière très progressive. Dans un premier temps, Poincaré cherche à gouverner avec l'aile modérée du Parti radical en offrant, en novembre, des portefeuilles aux radicaux (contraints de les refuser sur décision de leur parti). Mais il constitue un ministère peu différent du précédent, des membres de la gauche radicale ou des sénateurs radicalisants remplaçant les membres du Parti radical, ministère qui obtient une large confiance de la Chambre (330 voix contre 139, les radicaux s'abstenant). Ce n'est véritablement qu'en janvier 1929 que la majorité qui soutient Poincaré apparaît clairement comme une majorité de droite, lorsque, le Parti radical ayant déposé un ordre du jour de défiance, celui-ci est repoussé par 317 voix contre 253, c'est-à-dire par les groupes de droite, les radicaux rejoignant les socialistes dans l'opposition. Désormais, le gouvernement Poincaré est l'objet d'une tactique de harcèlement de la part du Parti radical qui l'attaque sur tous les points, politique sociale, laïcité (sa politique alsacienne est contestée), réforme judiciaire (les radicaux demandent le rétablissement des tribunaux d'arrondissement supprimés en 1926)... Ainsi, comme en 1923-1924, le gouvernement Poincaré, d'abord ministère de large union nationale, se mue, sous l'effet du retrait radical, en un gouvernement appuyé sur une majorité clairement orientée à droite.

S'ensuit-il pour autant que Poincaré infléchisse nettement la politique conduite depuis 1926? Certes pas dans ses grandes lignes. Il faut toutefois remarquer que c'est en s'appuyant sur la majorité de droite, qui s'en trouve raffermie, que Poincaré fait voter en accord avec Briand le texte autorisant les congrégations missionnaires et celui restituant aux diocésaines le reliquat des biens dévolus aux associations cultuelles en 1906. Mais l'essentiel de la politique du gouvernement Poincaré jusqu'en juillet 1929 est consacré aux problèmes internationaux : ratification du pacte Briand-Kellogg, signature du plan Young et ratification des accords sur les dettes interalliées.

La fin d'un monde politique.

A l'issue d'une décennie durant laquelle l'ombre de la guerre n'a pas cessé de peser sur la France, il était réservé à Poincaré, dont la personnalité domine la période, d'avoir à résoudre les derniers problèmes posés par le règlement du conflit. C'est son gouvernement qui signe le plan Young, le 31 mai 1929. C'est encore ce gouvernement qui est conduit à demander au Parlement français la ratification des accords réglant la dette française envers les États-Unis (accords Mellon-Béranger signés à Washington le 29 avril 1926) et la Grande-Bretagne (accords Churchill-Caillaux signés à Londres le 12 juillet 1926). En vertu de ces accords, la France devait aux États-Unis, au titre des dettes de guerre, 6 847 millions de dollars, qu'elle devait payer intégralement en soixante-deux ans, par paiements échelonnés. Mais les États-Unis ont rejeté la clause de sauvegarde liant le paiement des dettes à celui des Réparations allemandes, admettant tout au plus qu'en cas de difficultés la France puisse obtenir un report de paiement. En revanche, en juillet 1926, Caillaux a obtenu des Britanniques une réduction de 63 % des dettes de guerre, le reliquat étant payé également en soixante-deux ans, par annuités progressives, avec des réserves en cas de non-paiement des Réparations par l'Allemagne. Les accords avec les États-Unis ont provoqué dans l'opinion publique et dans le monde politique une profonde colère, les Français s'indignant que les Américains réclament avec âpreté « le prix des capotes dans lesquelles nos soldats se sont fait tuer ». Aussi aucun gouvernement n'a-t-il osé proposer la ratification de ces accords au Parlement. Pour des raisons de trésorerie, le gouvernement Poincaré demande en juin 1929 la ratification.

Jusqu'au 20 juillet 1929, Poincaré mène à la Chambre un épuisant combat, s'efforçant de convaincre une majorité hostile et une opposition réservée, affrontant les manifestations d'anciens combattants opposés à la ratification. Le président du Conseil obtient finalement celle-ci par une étroite majorité de 8 voix, mais ne peut empêcher le vote d'une motion de réserve qui lie le paiement des dettes de guerre à l'exécution rigoureuse par l'Allemagne des obligations découlant du plan Young (lien que les États-Unis n'acceptent pas, on le sait). Ce demi-succès a pour Poincaré un goût amer ; Il n'a été obtenu que pour éviter une crise ministérielle par une majorité de droite qui a accepté à contrecœur de voter la ratification à laquelle elle est hostile par principe.

Au lendemain du vote de ratification du Sénat, Poincaré décide, en raison de son état de santé, de présenter sa démission (27 juillet 1929). Épuisé par l'interminable débat sur les dettes, amer d'avoir vu l'union nationale réalisée en 1926 céder la place à l'affrontement droite-gauche qu'il avait toujours voulu éviter, et devant subir une opération chirurgicale, il se retire de la vie politique. Le président de la République nomme à sa place Aristide Briand, qui reconduit le ministère Poincaré et va, trois mois durant, se consacrer à poursuivre la politique étrangère inaugurée depuis 1925, qu'il couronne en proposant, le 5 septembre 1929, la constitution des États-Unis d'Europe. Sa chute, le 22 octobre 1929, à la veille du Jeudi noir de New York, marque de fait la fin d'un monde politique. En dehors de deux brèves expériences radicales (celles de Clémentel et de Chautemps), les premiers rôles politiques sont désormais tenus par les nouveaux leaders de la droite qui se succèdent au pouvoir, Tardieu et Laval. En même temps que les hommes, changent les enjeux ; la crise économique et les difficultés de tous ordres qu'elle entraîne vont modifier du tout au tout la nature des problèmes que les gouvernements ont à traiter.

Avec la retraite de Poincaré, avec la chute du ministère Briand (même si, politiquement, ce dernier se survit encore quelques mois, mais sans plus jamais jouer les premiers rôles), c'est bien une époque qui s'achève. Celle d'une génération politique parvenue au pouvoir dans les premières années du siècle et considérant que la gestion de la vie politique nationale devait échapper aux clivages partisans. Sans doute les différences personnelles entre les deux hommes les opposaient-elles du tout au tout. Entre l'avocat méticuleux, tatillon, soigné, sérieux, « l'homme au cœur bourré de dossiers », incarnation de l'orthodoxie dans tous les domaines, et le bohème négligé, feignant d'ignorer les dossiers et de n'avoir aucune note, improvisant apparemment des compromis à jet continu, « le monstre de souplesse », il n'y a guère de point commun. Mais au plan des conceptions politiques, entre le leader du centre droit et l'inclassable Briand, comment ne pas voir les éléments de rapprochement ? Les deux hommes qui dominent la vie politique des années vingt sont l'un et l'autre des républicains convaincus, partisans de la prépondérance du Parlement, expression de la souveraineté nationale ; ils sont tous deux des laïques déterminés, mais sans ce sectarisme anticlérical qui caractérise une partie de la gauche. Et ils représentent l'un et l'autre ce centrisme républicain dont l'idéal politique réside dans l'union nationale, qui consiste à refuser d'exclure de la société politique tous ceux qui acceptent les valeurs consensuelles de la nation, de la droite modérée aux radicaux, voire à une partie des socialistes, ne rejetant que ceux qui contestent la République ou mettent en cause le principe national. Avec la disparition politique de ces deux hommes, respectés et admis par la plus grande partie du monde politique, s'estompe une certaine conception de la vie parlementaire et gouvernementale qui fait considérer la nation comme supérieure aux intérêts des partis. Après eux, l'affrontement droite-gauche qui avait déjà prévalu en 1924-1926, puis à nouveau depuis la fin de 1928, devient la règle de la vie politique nationale. 1929 voit la fin du consensus sur le modèle de l'union sacrée, interminablement recherché, avec des fortunes diverses, depuis 1919.

C'est qu'au moment où débute la crise des années trente, de profondes mutations des structures économiques et sociales, mais aussi des mentalités collectives, sont désormais perceptibles et débouchent sur de significatives transformations de la société française.

11
L'économie française au temps de la prospérité
1919 - 1929

La crise monétaire et financière qui constitue un des problèmes majeurs des gouvernements entre 1919 et 1926 ne doit pas faire illusion. Si les finances publiques connaissent une situation difficile, l'économie française bénéficie, durant ces années, d'une des plus belles périodes de croissance de son histoire contemporaine qui prolonge celle des années antérieures à la guerre et annonce la croissance des années cinquante.

1. La croissance française des années vingt

La prospérité économique des années vingt est avant tout une prospérité industrielle. Par rapport à un indice 100 en 1913, la production industrielle serait à l'indice 57 en 1919. Les années de crise 1920-1921 la maintiennent dans une situation de stagnation, mais, de 1921 à 1929, elle connaît une croissance spectaculaire de l'ordre de + 9,5 % par an, parvenant à la fin de la période à l'indice 140.

Sans doute cette croissance n'est-elle pas homogène, connaissant des paliers et des phases d'expansion. De décembre 1921 à 1924, la production industrielle passe de l'indice 57 à l'indice 116, bénéficiant d'une fougueuse progression qu'arrête ensuite, jusqu'à l'été 1925, l'incertitude liée à la politique du Cartel des gauches. Après une vigoureuse reprise, la stabilisation du franc entraîne un coup d'arrêt de l'automne 1926 au printemps 1927, avant qu'une période de trois belles années jusqu'en 1930 conduise l'industrie française à un record qui demeurera inégalé jusqu'en 1950. Globalement, la croissance industrielle s'inscrit en faux contre l'image traditionnelle d'une économie française vieillie, sclérosée, repliée sur elle-même, passant sans coup férir de la guerre à la crise, sans parvenir du fait de structures obsolètes à s'intégrer véritablement dans l'économie mondiale.

Cette croissance industrielle entraîne avec elle la prospérité. Le revenu national retrouve en 1922 son niveau de 1913. Ensuite, il progresse de 5 % par an jusqu'en 1929, dépassant alors de 33 % le revenu de 1913. Le produit national brut croît de 7 % par an entre 1920 et 1924 et continue sa progression à un rythme annuel de 3 % entre 1924 et 1929. Cet accroissement de la production s'opère avec une population active à peu près stable, et résulte par conséquent de gains de productivité. De 1924 à 1929, la productivité augmente de 2,4 % par an.

Cette prospérité peut également se mesurer par la masse des profits distribués. Les bénéfices imposables des 50 000 plus gros assujettis à l'impôt sur les sociétés passent de 10 milliards de francs en 1921-1922 à 17 milliards en 1926-1929 et à 18 milliards en 1929, cependant que les bénéfices distribués par les sociétés s'élèvent de 3,7 milliards en 1921 à 11,8 en 1929.

Ainsi, quels que soient les paramètres pris en compte, le tableau économique de la France des années vingt traduit-il globalement la vision d'une économie dynamique connaissant une belle période de croissance.

Comment peut-on rendre compte de cette prospérité de la France des années vingt ?

Les causes de la croissance française : la conjoncture.

A l'origine de la croissance française, on trouve, en premier lieu, une conjoncture mondiale favorable. Après la crise de 1920-1921, ressentie moins durement en France que dans le reste du monde, l'ensemble des pays industriels connaît une phase d'expansion dont la *Prosperity* américaine offre le modèle, mais qui, souvent stimulée par elle, gagne l'économie mondiale (à l'exception de la Grande-Bretagne dont l'appareil industriel vieilli freine les possibilités de bénéficier de l'expansion internationale). De cette conjoncture favorable, la France profite d'autant mieux que la politique économique suivie et les modifications des schémas de consommation accroissent les effets de cette situation favorable.

Le pays a d'abord connu les effets stimulants de la politique de reconstruction suivie depuis 1919. La loi sur les dommages de guerre votée à ce moment se montre d'autant plus généreuse, quant aux indemnités versées, que l'État peut alors penser que l'Allemagne paiera en fait les versements dont il consent l'avance. Les sommes à percevoir sont fixées non en fonction de la valeur des biens détruits, mais du prix de la reconstruction. Aussi les devis sont-ils établis — et acceptés — sans contrôle excessif, surtout lorsque les propriétaires font partie de groupes de pression organisés dont les moyens d'infléchir la politique du pouvoir sont considérables. Au total, entre 1919 et 1925, 25 milliards de francs-or sont ainsi dépensés dans les régions dévastées, permettant de relever de manière relativement rapide la plupart des ruines et fournissant de larges commandes aux entreprises industrielles, qui engrangent de copieux bénéfices. Les subventions de fait ainsi versées à l'industrie française expliquent que la France ait pu passer sans grandes difficultés la crise de 1920-1921, la conjoncture mondiale prenant ensuite le relais pour stimuler la croissance.

Sans doute cette généreuse indemnisation des dommages de guerre pèse-t-elle sur les finances publiques, dont elle explique en partie les difficultés. Mais, en même temps, la dépréciation de la monnaie qu'elle entraîne favorise l'économie française qui parvient à vendre plus aisément ses produits à l'étranger, ce qui fouette la production industrielle. De ce point de vue, la stabilisation du franc par Poincaré aura l'effet inverse, entraînant dès 1927 une détérioration des exportations, cependant que les importations tendent à s'accroître.

	Importations *en milliers de F*	**Exportations** *en milliers de F*
1919	35799	11879
1920	49905	26895
1921	22756	19773
1922	24725	21379
1923	32859	30868
1924	40163	42369
1925	44095	45755
1926	59598	59677
1927	53050	54925
1928	53435	51374
1929	58220	50139

Enfin, la période des années vingt est marquée par un début de transformation du marché national qui agit comme un facteur favorable pour la croissance industrielle. On voit en effet se mettre en place dans certains secteurs le début d'un phénomène de consommation de masse, très nouveau par rapport aux habitudes du marché français. On le rencontre dans le domaine de l'automobile ou dans celui de l'électricité, pour prendre les deux exemples les plus frappants. Il s'accompagne de phénomènes de publicité, afin d'élargir le marché. C'est ainsi par exemple que Citroën finance bornes et panneaux indicateurs, que la *Société générale de fonderie,* pour accroître ses débouchés, lance une campagne de promotion pour des appareils sanitaires. Enfin, on voit se créer des sociétés de crédit à la consommation pour financer les achats dans l'automobile (la *Sovac*, créée par Citroën en 1922) ou dans l'électroménager (le *CREG*, fondé par Thomson en 1927)[1]. Il faut ajouter que cette consommation de masse (limitée, rappelons-le, à certains secteurs modernes en pleine expansion) permet le passage à une production standardisée qui, à son tour, débouche sur la réduction des prix de revient et des prix de vente. En francs constants, le prix d'une voiture classique de série baisse de 41 % entre 1921 et 1930, le prix du

1. Hubert Bonin (94). Une grande partie des informations de ce chapitre s'appuie sur cette excellente synthèse des travaux de première main sur la croissance française des années vingt.

kilowattheure d'électricité connaissant, durant la même période de référence, une diminution de 40 %.

Avec les transformations du marché, on passe d'ores et déjà des causes conjoncturelles de la croissance des années vingt, aux causes structurelles de l'expansion économique française.

Les causes de la croissance française : la modernisation des structures.

L'élément le plus dynamique de la croissance des années vingt est moins la demande de produits de consommation que celle des biens d'investissement. Une part importante des profits des entreprises sert à l'autofinancement (70 % de l'investissement des industries provient de celui-ci dans les années vingt), le recours au financement externe ne constituant qu'un complément (sauf en 1920-1922 du fait de la crise, puis après 1929). Au total, durant les années 1922-1929, le taux d'investissement se situe entre 16 et 19 % du PIB. Un effort considérable est ainsi consenti qui permet une incontestable modernisation des entreprises. Cette modernisation des structures de l'économie française s'inspire directement de l'expérience américaine, qui joue le rôle d'un véritable modèle pour les chefs d'entreprise. Ils multiplient les voyages aux États-Unis, y envoient des missions d'études, dévorent les ouvrages d'Henry Ford, importent dans leurs usines les méthodes américaines. L'« esprit ingénieur » qui caractérise le chef d'entreprise américain devient l'idéal de ses émules français. A la manière des saint-simoniens du XIXe siècle ou des adeptes du libéralisme économique britannique, des hommes comme le magnat de l'électricité Ernest Mercier, fondateur du *Redressement français*, les fabricants d'automobiles Renault ou Citroën se voient comme les prophètes d'un âge nouveau où le triomphe de la technique permettra de produire massivement à faible coût des quantités toujours croissantes d'objets qui assureront la fortune des chefs d'entreprise, des salaires élevés aux ouvriers et le bonheur d'une humanité touchant enfin au port de l'abondance. Mais, dans cette marche vers le pays de cocagne, les chefs d'entreprise modernisateurs doivent frayer la voie. Et c'est à quoi sert l'investissement, clé de la modernisation qui revêt un quadruple aspect : mécanisation, organisation scientifique du travail, recherche et concentration.

Le projet industriel est lié à l'accroissement de la productivité qui commande la production de masse et l'abaissement des coûts. Dans tous les secteurs industriels, la machine remplace dans d'assez larges proportions le travail manuel, les investissements d'outillage progressant de 84 % entre 1906 et 1930. Durant les mêmes années, la puissance des moteurs primaires s'accroît de 14 % par an : marteaux-piqueurs dans les houillères, palans, ponts roulants dans les mines, machines-outils dans l'automobile (presses à emboutir, aléseuses, cisailles) font une entrée en force dans le monde industriel. Une grande partie de ces nouvelles machines fonctionne à l'électricité, ce qui accroît leur maniabilité et leur rentabilité.

La mécanisation débouche très directement sur l'organisation scientifique du travail selon les méthodes préconisées aux États-Unis par l'ingénieur Taylor et l'industriel Henry Ford. Le *taylorisme* a pour objet, en fonction de la présence de machines-outils adaptées, d'aboutir à la fabrication standardisée d'un nombre réduit de modèles aux pièces interchangeables. Pour ce faire, il est possible d'utiliser des ouvriers aux faibles qualifications auxquels on demande seulement de servir la machine. Chacun d'entre eux sera spécialisé dans une tâche définie qui suppose un nombre minimal de gestes, aussi simplifiés que possible pour éviter toute perte de temps et d'énergie. Ainsi les tâches de fabrication sont-elles parcellisées, et l'ouvrier devient un rouage d'une gigantesque machine dont le fonctionnement d'ensemble lui échappe mais dont la productivité est considérablement accrue. Les salaires sont proportionnels aux rendements de chacun, et des primes sont prévues pour les ouvriers qui dépassent les normes fixées [1]. Le *fordisme* organise l'usine en fonction des principes du taylorisme, disposant les postes de travail selon l'ordre des opérations de fabrication, dont la succession est assurée par des convoyeurs qui déplacent les pièces au long des chaînes de montage. Le « travail à la chaîne » devient ainsi l'aspect le plus spectaculaire de l'organisation scientifique du travail. Si celle-ci déqualifie l'ouvrier, elle accroît en revanche le rôle des ingénieurs et techniciens, rassemblés dans des bureaux d'études, et qui sont chargés de la mettre en œuvre. Les entreprises les plus modernes adoptent d'enthousiasme ces innovations qui sont certes coû-

1. Maurice de Montmollin et Olivier Pastré (98).

teuses en investissements, mais permettent d'espérer, grâce à la vente de masse, des chiffres de production et des profits « à l'américaine ». Le domaine d'élection de cette technologie moderne est l'automobile, où les années vingt voient tous les constructeurs importants en doter leurs usines : Berliet à Vénissieux, Peugeot à Sochaux, Citroën au quai de Javel, Renault[1]... L'organisation scientifique du travail est également adoptée dans l'aéronautique, la construction ferroviaire, l'alimentation, la fonderie, l'horlogerie ou l'électromécanique... Mais nombre d'entreprises ne disposent pas des capitaux, de la taille nécessaire ou des perspectives de marché qui leur permettraient d'adopter l'organisation scientifique du travail.

La même observation vaut pour les investissements de recherche. Là encore, les entreprises les plus performantes jugent de leur intérêt de se doter de laboratoires qui leur permettront de tester des matériaux, d'inventer des procédés, de mettre au point des techniques capables de permettre l'abaissement des coûts, la fabrication de produits de qualité, et, par conséquent, de s'assurer la conquête des marchés. L'automobile joue encore ici un rôle pilote, Renault et Citroën rivalisant dans la conquête de la technicité, les entreprises sidérurgiques, chimiques, aéronautiques, luttant, elles, de leur côté pour se doter d'une technologie moderne.

L'importance des investissements nécessaires pour moderniser l'outillage, acheter les machines les plus performantes, mettre en place l'organisation scientifique du travail, financer des activités de recherche suppose des entreprises assez puissantes pour conquérir d'importantes parts de marché et amortir les investissements pratiqués. Aussi la modernisation est-elle indissociable de la concentration. Comment la France, qui s'est toujours considérée comme le pays de la petite et moyenne entreprise, a-t-elle accepté cette évolution vers le gigantisme alors qu'elle tire gloire depuis la fin du XIXe siècle d'être la terre d'élection d'une démocratie de petits propriétaires-travailleurs ? Assez timidement, reconnaissons-le. Le phénomène de la concentration technique par la diminution du nombre des petites entreprises au profit des plus grosses ne s'opère que lentement. Il reste qu'il est lancé. La construction automobile est pour les deux tiers aux

1. Patrick Fridenson (102), Sylvie Schweitzer (104), Alain Jemain (103).

mains de trois grands constructeurs, Renault, Peugeot et Citroën. Un même phénomène atteint le monde bancaire avec l'accentuation de l'emprise des principaux établissements, les banques de crédit étant dominées par le Crédit lyonnais, la Société générale et le Comptoir national d'escompte de Paris (les « trois grands »), et les banques d'affaires par la banque de l'Union parisienne et la banque de Paris et des Pays-Bas. Dans la chimie, la sidérurgie, la production électrique, des concentrations donnent naissance à des groupes puissants dotés d'impressionnants moyens financiers [1]. Ainsi, en 1928, naît Rhône-Poulenc dans la chimie et la pharmacie, Pechiney est créé en 1921 et devient la première société française d'aluminium, 7 firmes constituent en 1920 l'*Union financière pour l'énergie électrique*, qui possède les centrales de Gennevilliers et de Vitry. Dans un certain nombre de cas, l'intervention d'organismes de financement impose une concentration financière à des entreprises, liées par le biais de sociétés holding à d'autres firmes travaillant dans des secteurs différents, ce qui aboutit à une diversification des productions.

L'exemple typique en ce domaine est celui de la Manufacture des glaces et produits chimiques de Saint-Gobain, née au XVIIe siècle et spécialisée dans la fabrication des miroirs, qui s'est lancée dans les superphosphates, l'acide sulfurique, les matières plastiques. Bénéficiant de la forte demande de verre due au nouveau style architectural et à la multiplication des conduites intérieures automobiles, elle se lie à l'Air liquide, s'intéresse aux textiles synthétiques, se lance dans le raffinage du pétrole... Ses bénéfices, qui étaient de 3,5 millions de francs en 1914, atteignent 37 millions en 1925 et 58 millions en 1928 [2].

Il n'est pas jusqu'au domaine du commerce de détail qui ne voit s'implanter le phénomène de la concentration, avec la naissance des magasins à succursales multiples dans les diverses régions du pays : Docks rémois et Familistère dans le Bassin parisien, Casino dans le Sud-Est, Docks du Centre, Laiteries Maggi... A leur tour, les grands magasins, dont la fortune ne se dément pas, se dotent de chaînes destinées à une clientèle plus modeste. Ainsi apparaissent en 1927 les « Monoprix » et « Uni-

1. Sur ces phénomènes, voir Catherine Omnès (107) et Alain Baudant (105).
2. Jean-Pierre Daviet (106).

prix » qui sont un témoignage supplémentaire de la naissance d'un phénomène de consommation de masse dans la société française.

Même si la crise économique d'abord, la guerre et la période de pénurie de l'après-guerre ensuite ont masqué le phénomène, il est incontestable que la prospérité des années vingt voit la mise en place de nouvelles structures économiques et sociales qui n'en sont encore qu'à un stade embryonnaire, mais qui sont prêtes à se développer. Au service de ces nouvelles structures calquées sur le modèle pionnier des États-Unis, il existe incontestablement un réseau d'entreprises modernes qui entend utiliser à plein le progrès technique de la seconde révolution industrielle, les nouvelles énergies que sont le pétrole et l'électricité, les alliages légers, l'aluminium, la chimie de synthèse. Au service de la conquête des marchés, ces entreprises se concentrent pour trouver les moyens de leurs investissements, se mécanisent, organisent rationnellement le travail, se lancent dans la recherche et la course aux brevets d'invention. Une économie moderne tournée vers la production de masse fait ses premiers pas dans une France qui entre timidement dans l'ère de la consommation de masse.

Le problème est de savoir ce que ce secteur moderne représente exactement dans le tissu économique français, et quelle part relative des entreprises françaises se trouve, à la fin des années vingt, touchée par la modernisation ainsi constatée. Or, si l'économie moderne existe incontestablement, si un Citroën dans l'automobile, un Boussac dans le textile, un Loucheur dans la chimie en sont les prototypes, force est de constater qu'elle n'atteint ni tous les secteurs, ni même toutes les entreprises d'un même secteur.

2. Économie moderne et tradition

La croissance industrielle des années vingt est due au dynamisme d'un nombre limité de secteurs économiques : les vieilles industries traditionnelles comme le textile, l'habillement, le bois, ou les cuirs et peaux n'y participent guère. En fait les années de l'après-guerre voient l'épanouissement d'industries qui avaient débuté leur grande expansion dans les années précédant le conflit.

Au premier rang, la sidérurgie, industrie de base de la puissance du XXe siècle. En 1929, la France s'est hissée au 3e rang mondial pour la production de fonte et d'acier, derrière les États-Unis et l'Allemagne et faisant jeu égal avec le Royaume-Uni (qu'elle dépasse pour la production de fonte). La sidérurgie stimule la production de charbon, qui passe de 40 millions de tonnes en 1913 à 55 millions de tonnes en 1929, une partie de la houille étant transformée en coke ou gazéfiée dans les houillères du Nord et du Pas-de-Calais.

Autre secteur de base qui sert de moteur à la croissance française, la chimie. La période voit la remarquable expansion des colorants, des engrais, des explosifs, des produits pharmaceutiques et photographiques, du caoutchouc et de la fabrication des produits synthétiques. Entreprises chimiques et textiles s'intéressent aux textiles synthétiques, qui conquièrent rapidement un marché où ils concurrencent la soie (à Lyon, les fibres artificielles représentent 10 % des fibres utilisées en 1927). En 1922 naît la firme Rhodiacéta et, peu après, la Société lyonnaise de soie artificielle.

A côté de ces industries de base, les secteurs moteurs de l'expansion des années vingt sont deux industries de transformation, les industries mécaniques et les industries électriques. L'industrie mécanique utilise des aciers spéciaux (en particulier des aciers électriques qui permettent de nouveaux alliages) et des machines d'usinage rapide pour produire en série les objets nécessaires au développement industriel français : machines de plus en plus précises et de plus en plus diversifiées. Au premier rang de celles-ci, l'automobile est l'industrie symbole du dynamisme de la période comme des transformations du marché déjà évoquées. De 40 000 véhicules en 1920, la production automobile passe à 254 000 en 1929, faisant de l'industrie française le premier producteur européen, loin cependant derrière les États-Unis, premier producteur mondial avec 5,3 millions de voitures. Le parc automobile décuple, passant de 125 000 automobiles en 1920 à 1 460 000 en 1929. Les principaux constructeurs, Citroën (100 000 véhicules par an en 1929), Renault (56 000), Peugeot (42 000), se lancent dans la construction en série de voitures de petite et de moyenne puissance qui cherchent à atteindre la clientèle des classes moyennes.

L'industrie électrique, enfin, connaît une formidable expansion. De 1913 à 1929, la consommation d'électricité s'accroît de

Industrialisation et modernisation industrielle
dans la France des années vingt

Puissance totale des machines à vapeur

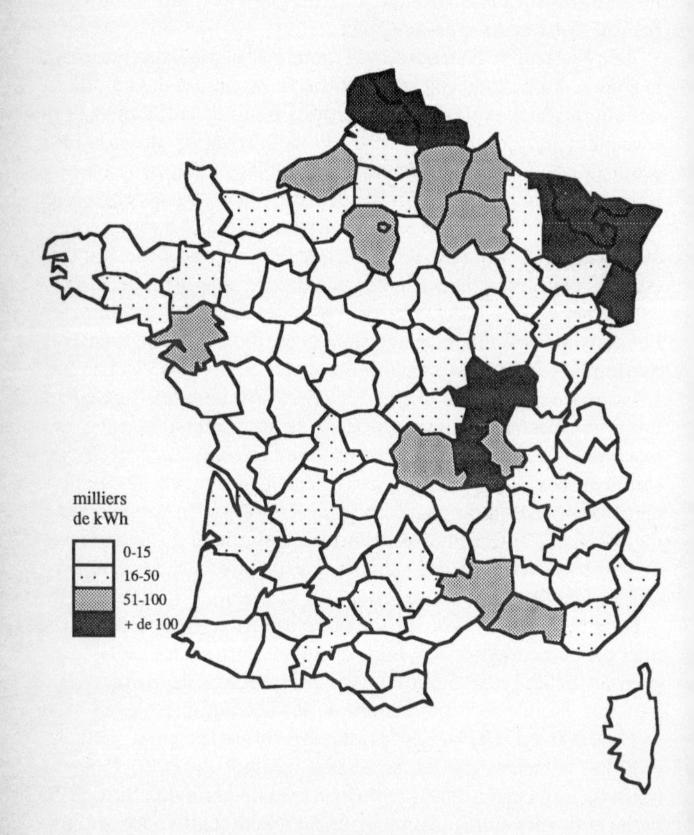

Source : D'après *Histoire du peuple français*, t. V, *Cent ans d'esprit républicain*, par Jean-Marie Mayeur, François Bédarida, Antoine Prost et Jean-Louis Monneron, Nouvelle Librairie de France, 1965, p. 346.

Industrialisation et modernisation industrielle dans la France des années vingt

Consommation d'électricité par habitant

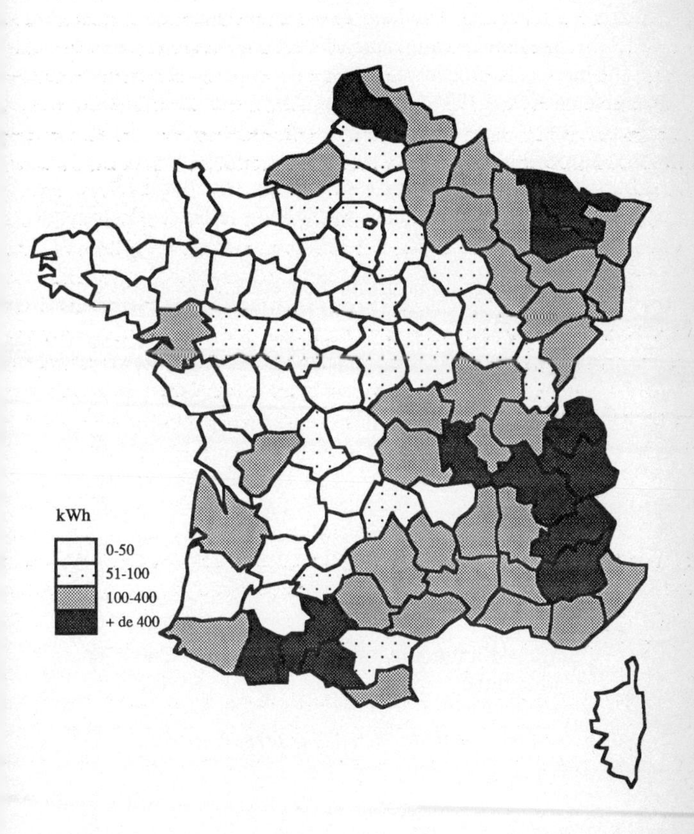

Source : D'après *Histoire du peuple français*, t. V, *Cent ans d'esprit républicain*, par Jean-Marie Mayeur, François Bédarida, Antoine Prost et Jean-Louis Monneron, Nouvelle Librairie de France, 1965, p. 346.

8,2 % chaque année, passant ainsi à 15,2 milliards de kilowatts-heure en 1929. Entre le tiers et la moitié de cette consommation provient de l'électricité hydraulique. Pour stimuler la production d'électricité sont construites des centrales thermiques, comme celle de Gennevilliers en région parisienne, et les cours d'eau sont équipés de barrages et d'usines hydro-électriques (on commence ainsi l'aménagement du Rhin et on entreprend la construction de barrages sur les cours d'eau du Centre de la France, Truyère, Dordogne, Creuse...). Pendant que l'État lance un vaste plan d'électrification des campagnes, l'électricité acquiert droit de cité à l'usine, où la puissance installée des moteurs électriques quadruple de 1906 à 1931 (elle atteint alors 7 milliards de kilowatts-heure). De puissantes compagnies de construction électrique se développent durant la période faste des années vingt, comme la *Compagnie générale d'électricité* (CGE) ou la *Compagnie électro-mécanique*, compagnies qui se dotent d'une technologie autonome.

Croissance de la production entre 1913 et 1929

Total de la production industrielle	+ 39,5 %
Textile	– 0,8 %
Papier	+ 6 %
Cuir	+ 19 %
Mines	+ 23 %
Bâtiment	+ 23 %
Superphosphates	+ 27 %
Métallurgie	+ 29 %
Mécanique	+ 57 %
Aluminium	+ 115 %
Ciment	+ 122 %
Sulfate d'ammoniaque	+ 280 %
Caoutchouc	+ 762 %

Source : H. Bonin, *Histoire économique de la France depuis 1880*, Masson, 1988.

L'État et le patronat.

On a déjà vu, en évoquant le rôle de la reconstruction dans les origines de la croissance des années vingt, que le rôle de l'État avait été essentiel puisque ce sont les crédits qu'il distribue et la législation qu'il met en place qui stimulent l'économie française au lendemain du conflit. De fait, et sans qu'on puisse exagérer son rôle, on constate que la puissance publique est largement présente, soit comme initiatrice, soit comme partie prenante de la croissance française des années vingt. Non qu'existe un quelconque projet d'économie étatique ou d'économie mixte. Ces idées sont totalement étrangères à un monde politique qui considère l'interventionnisme de guerre comme une entorse regrettable, mais nécessaire, au libéralisme économique et qui aspire, la paix revenue, à dégager l'État des tâches économiques qu'il a été contraint d'assumer. Toutefois, la même nécessité qui l'a conduit à intervenir dans l'économie pendant le conflit, le pousse à accepter d'agir, dès lors que l'intérêt national exige son entrée en lice, qu'il s'agisse de la reconstruction, du logement ou des équipements collectifs.

Nous ne reviendrons pas sur l'importance de son action en matière de reconstruction, non plus que sur la nécessité où il se trouve de se substituer à une initiative privée défaillante en ce qui concerne la construction de logements populaires prévue par les lois de 1922-1926 ou par la loi Loucheur de 1928. En revanche, comme il l'avait fait pour les chemins de fer ou les routes au XIXe siècle, l'État s'associe au secteur privé lorsqu'il s'agit de mettre en place l'infrastructure hydro-électrique du pays. Des subventions et des prêts facilitent l'équipement des chutes. Dans certains cas (*Compagnie nationale du Rhône* créée en 1921, *Compagnie de le moyenne Dordogne* fondée en 1928), il crée des sociétés d'économie mixte pour mettre en œuvre l'aménagement hydro-électrique de certains cours d'eau. De la même politique relève l'aide accordée aux compagnies ferroviaires par la convention de 1921, leur garantissant un dividende minimal et préparant l'harmonisation des réseaux par un fonds de compensation entre eux. Une aide du même ordre sauve de la faillite, en 1920, les *Messageries maritimes*. La contrepartie de ces interventions est une présence de l'État dans les conseils d'administration des sociétés d'électricité comme des sociétés de transports ferroviaires ou maritimes. C'est encore l'État qui, par l'intermédiaire de l'administration des PTT, passe commande à divers groupes (l'Américain ITT, le Suédois Ericsson, les compagnies françaises *Compagnie industrielle des téléphones* et Grammont) de centraux téléphoniques automatiques. L'État joue par conséquent son rôle dans la croissance en contrôlant et en stimulant la mise en place et l'entretien de l'infrastructure nationale.

Il dépasse ses attributions traditionnelles lorsqu'il intervient directement dans la politique économique, comme il le fait par exemple en prenant, en 1924, la décision de favoriser la création de la *Compagnie française des pétroles.* Conscient de la dépendance dans laquelle se trouve l'approvisionnement français en pétrole du fait du rôle prépondérant tenu par les firmes anglo-saxonnes *Standard Oil* et *Royal Dutch Shell*, qui concluent des alliances avec les banques d'affaires (banque de l'Union parisienne et Paribas) pour exploiter la part des concessions turques et irakiennes dévolues à la France après la guerre, il décide de favoriser la naissance d'un groupe national qui, là encore, prend la forme d'une société d'économie mixte. Dans la Compagnie française des pétroles, l'État détient 35 % du capital, le reste étant partagé entre les banques d'affaires (Union parisienne et Paribas) et les distributeurs. C'est cette compagnie, pour l'essentiel, qui exploite les 23,75 % du gisement irakien que la France reçoit par l'accord de 1928. Cette stratégie d'indépendance nationale a des prolongements : la banque de l'Union parisienne et Paribas participent à l'exploitation des gisements de pétrole de Roumanie. Couronnant cette politique volontaire, la loi de 1928 établit un contrôle de l'État sur le marché pétrolier français soumis à des autorisations d'importation et de distribution, et dont l'objet est de contraindre les compagnies étrangères qui veulent en bénéficier à installer des raffineries sur le sol national au lieu d'importer du pétrole raffiné.

L'action de l'État est encore déterminante pour le développement en France d'une politique de construction aéronautique. Dès 1920 est créé un sous-secrétariat d'État à l'Aéronautique et aux Transports aériens, confié à Pierre-Étienne Flandin. Il est vrai que l'État est le principal client des avionneurs qui, après les commandes du temps de guerre, subissent une très dure crise la paix revenue. En passant des conventions avec les sociétés de construction aéronautique, l'État relance l'aviation, mais en contraignant les constructeurs à fusionner. Jusqu'en 1930, plus de 80 % des ressources des sociétés proviennent des pouvoirs publics, soit sous forme de subventions, soit sous forme d'achats d'avions. Pour des raisons surtout stratégiques, l'État (spécifiquement Laurent-Eynac, ministre de l'Air depuis 1928, après avoir été sous-secrétaire d'État depuis 1921) pousse les constructeurs à moderniser leurs prototypes et à constituer une réserve d'avions et de pilotes. Les années 1928-1929 voient ainsi la création de nouvelles sociétés, la croissance des investissements, la multiplication des progrès techniques [1]. En 1919 Latécoère crée à Toulouse la *Société générale d'entreprises aéronautiques*, puis en 1927 la *Compagnie générale aéropostale*, reprise ensuite par Bouilloux-Lafont. Cette dernière, qui devient bientôt la première compagnie française, mène une politique audacieuse d'ouverture de lignes destinée à développer le transport aérien. Prolongeant la ligne Toulouse-Casablanca-Dakar ouverte en 1923, elle crée les lignes aériennes d'Amérique du Sud.

Le dynamisme de l'État ne doit cependant pas faire illusion. Si son rôle est considérable dans l'impulsion initiale de la croissance, dès 1924-1925, le poids des dépenses publiques décroît (de 35,8 % en 1922 à 18,8 % du PIB en 1929), et c'est bien l'investissement privé qui est le moteur essentiel de l'expansion économique, les pouvoirs publics ne jouant qu'un rôle de complément. Au demeurant, ils souhaitent avoir comme interlocuteur un patronat cohérent et organisé, ayant apprécié pendant les hostilités de pouvoir discuter des besoins de l'économie de guerre avec des consortiums réunissant les principaux patrons d'une branche donnée. Aussi, après le conflit, le ministre du Commerce Clémentel, principal artisan de l'organisation de l'économie de guerre, s'efforce-t-il de rassembler les industriels en 21 groupes avec lesquels le ministère du Commerce pourrait entrer en négociation.

En fait, le patronat accepte l'organisation et constitue 21 fédérations professionnelles. Mais, décidé à défendre ses intérêts face à l'État dont l'interventionnisme l'inquiète, il rassemble ces 21 fédérations au sein d'une *Confédération générale de la production française* qui échappe à la tutelle de l'État et agit désormais comme un groupe de pression (qui laisse d'ailleurs subsister les groupes de pression antérieurs, *Comité des forges*, *Comité des houillères* ou, sur le terrain politique, *Union des intérêts économiques)*.

L'organisation du patronat se révèle en fait d'autant plus indispensable que, dans le cadre de la croissance qui marque les années

1. Emmanuel Chadeau (101).

vingt, les patrons modernistes ne se contentent pas du marché national et se tournent résolument vers les exportations. La France devient le 4e exportateur mondial et vend à l'extérieur les produits des branches les plus dynamiques de son industrie : fer, acier, automobiles, machines, produits chimiques... Cette politique de présence à l'étranger requiert cependant l'aide de l'État. Les hommes d'affaires attendent de la diplomatie française et des hommes politiques de droite proches des milieux d'affaires (un Millerand en 1920-1923, un Tardieu à partir de 1926) qu'ils les aident à conquérir des marchés en se servant de la position politiquement dominante de la France. On a vu [1] que le lieu d'élection de cet impérialisme à la française se situait en Europe centrale et orientale, où Schneider et sa filiale l'*Union européenne industrielle et financière*, la banque de l'Union parisienne ou Paribas acquièrent de très fortes positions industrielles et bancaires. Et, comme à la fin du XIXe siècle et au début du XXe siècle, l'instrument de la pénétration économique de la France en Europe centrale est la souscription aux emprunts émis par les États de la région. Toutefois, les résultats commerciaux de l'entreprise ne sont pas à la hauteur des espoirs mis en elle par les hommes d'affaires.

Il reste que les années vingt représentent incontestablement une des périodes fastes de l'économie française qui, sur la lancée du début du siècle et après la parenthèse de la guerre, semble entrer dans une ère de grande expansion, ouvrant à la France, avec un décalage d'une vingtaine d'années sur les États-Unis, l'ère de la production et de la consommation de masse. Toutefois, l'existence d'un patronat dynamique, d'entreprises pionnières, de secteurs en plein essor ne doit pas masquer l'existence d'une autre réalité, celle d'une France de la tradition, de la stagnation, de la routine économique qui demeure à la fin des années vingt très largement majoritaire.

Le poids de l'agriculture

Il faut le rappeler avec force, la France des années vingt demeure avant tout un pays rural. La population rurale représente 53,6 % de la population française en 1921, 51,9 % en 1926,

1. Voir ci-dessus p. 222.

48,8 % en 1931. Même à cette dernière date, il serait excessif d'affirmer que la population urbaine dépasse la population rurale si on tient compte du fait que la définition française attribue le nom de villes aux agglomérations ayant plus de 2 000 habitants, alors qu'il est clair qu'entre 2 000 et 5 000 habitants de nombreuses « villes » ne sont en fait que des bourgades rurales étroitement liées aux activités agricoles et à la campagne environnante. Plus encore que dans les chiffres, le caractère rural de la France est inscrit dans les mentalités. Une bonne partie des citadins ne sont que des paysans déracinés ayant quitté leur terre natale pour trouver un emploi, mais avec la ferme intention d'y revenir une fois fortune faite ou de s'y retirer dans leurs vieux jours. La plus grande partie d'entre eux ont de la famille dans le village natal et s'y rendent dès que l'occasion leur en est offerte. Les liens étroits avec la campagne sont donc maintenus et on peut parler, à propos de ces nouveaux habitants des villes, de véritables ruraux qui se considèrent comme des citadins temporaires.

Parce que la majorité des Français se voient comme des ruraux, le poids de la terre dans les représentations et les valeurs politiques est considérable. Le suffrage universel et le scrutin d'arrondissement procurent au monde rural une puissance disproportionnée à son poids économique, et la très grande majorité des élus de la Chambre des députés et plus encore du Sénat (les communes rurales étant surreprésentées dans les collèges sénatoriaux) doit son élection aux paysans. Au demeurant la conception de la société que popularise la propagande officielle doit tout au modèle rural. La République rêve d'instaurer une démocratie de petits propriétaires maîtres de leurs instruments de travail dont l'archétype est le propriétaire-exploitant agricole, et c'est sur ce modèle social que les radicaux ont fondé leur prépondérance politique.

S'il est vrai que, durant les années vingt, ces traits s'effritent et reculent devant le modèle de la croissance économique dont l'industrie moderne donne l'exemple, cette substitution est très lente. Entre 1921 et 1931, l'exode rural, qui donne lieu à tant de discours et d'écrits larmoyants, ne touche que 600 000 personnes. Jusqu'en 1931 la France rurale coexiste avec la France industrielle et la France de la modernité, mais la première reste dans une position socialement et politiquement dominante.

Or le monde de l'agriculture, même s'il faut nuancer ce jugement, est celui de la stagnation et de l'immobilisme économique [1]. De 1921 à 1931, la superficie agricole a diminué d'environ 3 % par abandon ou dégradation des terres pauvres et la proportion d'agriculteurs dans la population active est passée de 38 à 32,5 %. Cette évolution ne signifie cependant pas un accroissement de la productivité de l'agriculture car, par rapport à 1913, l'ensemble de la production agricole connaît une quasi-stagnation.

Production agricole
indice 100 en 1910-1913

1910-1913	100
1919	84
1920	88
1921	81
1922	93
1923	91
1924	104
1925	106
1926	86
1927	104
1928	93
1929	108
1930	96

Source : A. Sauvy, *Histoire économique de la France entre les deux guerres (1918-1931)*, Fayard, 1965.

Cette situation s'explique par l'existence de trois problèmes structurels, au demeurant liés entre eux, celui des structures des exploitations, celui du rendement et celui des prix.

Malgré l'exode rural, qui diminue le nombre de petites exploitations de moins de 10 hectares, celles-ci représentent encore 73 % du total. Manquant de capitaux, ces petits exploitants sont incapables de se moderniser et produisent dans des conditions

1. Pour l'évolution d'ensemble des structures et de l'économie agricoles, voir (115) et (116).

non concurrentielles. Un grand nombre de ces exploitations, en particulier celles situées dans les zones pauvres du Centre et du Midi (où elles sont majoritairement localisées), pratiquent donc une agriculture de subsistance qui se manifeste par la prédominance de la polyculture, seuls quelques surplus étant commercialisés. Le poids de ces petits exploitants non adaptés au marché est considérable sur la politique d'ensemble de l'agriculture et sur l'économie française tout entière. Il reste que l'on assiste à une croissance, lente mais régulière, du nombre des exploitations moyennes de 10 à 40 hectares, qui constituent 22 % de l'ensemble. Et ce groupe dynamique connaît une amorce de modernisation. Il achète des machines (moissonneuses, faucheuses-lieuses), utilise en quantité croissante des engrais azotés et des potasses que fournit désormais l'Alsace, et améliore ses rendements et sa productivité.

L'importance du nombre des petites exploitations explique que les rendements français demeurent inférieurs à ceux des pays voisins. Sans doute, au niveau des grandes cultures, le froment, la pomme de terre, la betterave se sont-ils améliorés par rapport à l'avant-guerre, mais sans atteindre les résultats des paysanneries de l'Europe occidentale. Ainsi le rendement moyen du blé dans les années vingt est-il de 18 quintaux à l'hectare par rapport aux 13,3 quintaux de 1913, mais il est de 23 quintaux au Royaume-Uni, de 27 quintaux en Belgique, de 30 aux Pays-Bas.

Le double problème de la trop faible superficie des exploitations et de l'insuffisance des rendements se répercute sur les prix. Sans doute les années 1922-1926, qui voient une élévation continue des prix des produits agricoles, sont-elles considérées comme des années de prospérité pour l'agriculture par rapport aux difficultés des années 1920-1921. Mais, dès 1926, la stabilisation Poincaré fait disparaître l'avantage de change que représentait la dépréciation permanente de la monnaie et l'horizon se bouche au moment même où s'amorce le tassement des cours mondiaux. En fait, à la fin des années vingt, les prix agricoles français sont à la fois trop élevés et trop bas. Trop élevés par rapport aux cours du marché mondial, ce qui interdit aux producteurs français d'écouler leur production à l'étranger et nécessite des barrières douanières afin de protéger le marché national. Trop bas par rapport aux prix de revient, ce qui permet tout juste à l'agriculteur de couvrir ses frais et lui laisse peu de bénéfices dis-

Structures agraires et productivité agricole dans la France des années vingt

Valeur de la production agricole par agriculteur

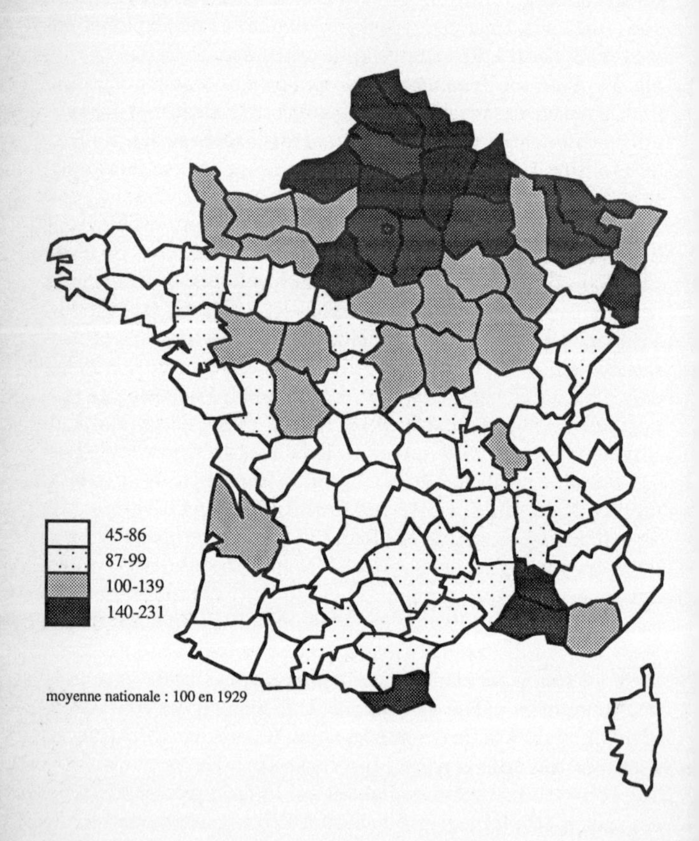

Source : Serge Berstein et Pierre Milza, *Histoire première*, Hatier, 1982.

Structures agraires et productivité agricole
dans la France des années vingt

Superficie occupée par les grandes exploitations de plus de 100 ha et par le fermage

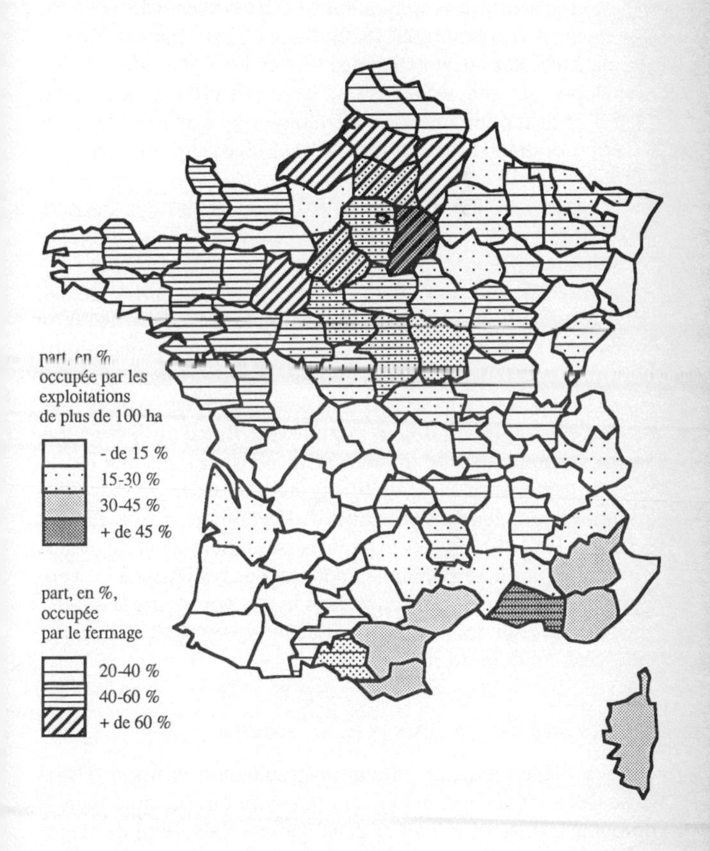

Source : Serge Berstein et Pierre Milza, *Histoire première*, Hatier, 1982.

ponibles pour l'investissement. L'agriculteur français est donc, de ce fait, médiocre acheteur de produits industriels, incapable de s'équiper techniquement, l'équipement étant d'ailleurs inutile compte tenu de la taille des exploitations qui rendrait l'amortissement impossible.

Pour tenter de corriger les défauts structurels de l'agriculture française, l'État ne s'est nullement attaqué à sa cause fondamentale qui est la structure des exploitations. Il s'est contenté de palliatifs. Par exemple la création, en 1920, d'une Caisse nationale de crédit, alimentée par une dotation de l'État et des avances de la Caisse des dépôts, qui consent aux agriculteurs des prêts à court terme (de 5 à 15 ans) pour améliorer l'exploitation ou acheter du matériel, ou des prêts à long terme (30 ans), avec garantie hypothécaire, pour faciliter l'accession à la propriété. Par exemple encore l'encouragement, par une loi de 1920, à la constitution de syndicats d'achats d'engrais, de semences ou d'outils, ou de coopératives de stockage et de vente du vin et des produits laitiers.

Au total, des mesures modestes qui laissent subsister l'essentiel du problème agricole français, c'est-à-dire l'existence d'un secteur majoritaire qui vit dans des conditions économiques encore proches de celles du XIXe siècle, constituant ainsi un incontestable frein à la modernisation à laquelle les secteurs pilotes de l'économie ont donné l'impulsion. Parce qu'il constitue par sa faible rentabilité un marché insuffisant pour une industrie en plein essor, parce que sa protection exige des barrières douanières qui gênent l'ensemble de l'économie, parce que son poids sur la politique et les mentalités est prépondérant, le monde agricole apparaît ainsi comme un facteur de résistance à la croissance et à l'entrée de la France dans le XXe siècle. Or, le modèle agricole est celui qui prévaut dans de larges secteurs de l'économie, bien au-delà du monde rural.

La France des «petits» et de la tradition.

Les brillantes individualités qui symbolisent la croissance française des années vingt ne doivent pas faire oublier que, dans le domaine industriel et commercial comme dans celui de l'agriculture, la majorité des entreprises françaises demeure marquée par une tradition totalement étrangère aux notions neuves d'investissement, de rentabilité, de production de masse.

En premier lieu, si les années vingt ont connu une nette augmentation des établissements de plus de 500 salariés (qui passent, entre 1906 et 1931, de 29 à 33 % de la population industrielle active) et, corrélativement, une baisse du poids des petits et moyens établissements (entre les deux dates de référence, ceux de moins de 10 salariés chutent de 58 % à 34 % de la population industrielle active, ceux de 11 à 20 salariés de 12 à 10 %), il n'en reste pas moins que cette évolution maintient en France la prépondérance des petites et moyennes entreprises. Si aux travailleurs de l'industrie on ajoute les 1 700 000 artisans et les 418 000 travailleurs à domicile, on constate qu'en 1931, 65 % des travailleurs exercent leur activité dans des établissements de moins de 100 salariés et 40 % dans des ateliers de moins de 10 salariés. Si de l'industrie on se tourne vers le commerce, le règne des « petits » est encore plus net. Les années vingt sont le triomphe de la boutique, et le nombre de celles-ci va croissant : de 369 000 en 1906, elles passent à 430 000 en 1931. Or, la boutique est le prototype même de la petite entreprise : 65 % de la population active du commerce travaille dans des établissements de moins de 5 salariés contre 28 % dans des établissements de plus de 10 personnes. Il est vrai que, là encore, une évolution s'est dessinée par rapport à l'avant-guerre puisqu'en 1906 le pourcentage de la population active commerciale travaillant dans des établissements de moins de 5 personnes était de 81 %. Mais il faut le constater une fois de plus : si une transformation des structures s'amorce incontestablement, elle n'est pas encore parvenue à remettre en cause la prépondérance des petites et moyennes entreprises dans le tissu économique français.

Legs d'un héritage économique, cette France des « petits » est aussi le résultat d'une politique délibérément suivie depuis le début du siècle et que les gouvernements radicaux et radicalisants ont mise en œuvre avec une belle constance. De même que l'on exalte et favorise la France des petits et moyens propriétaires agricoles, on rêve d'une démocratie de petits et moyens propriétaires industriels et commerciaux, maîtres de leurs instruments de travail, individuellement ou en association, et la législation de la République s'efforce de réaliser les conditions nécessaires à sa promotion. A cet égard, les dispositions législatives des années vingt complètent les diverses mesures prises depuis la loi sur les patentes de 1880. Ainsi en va-t-il de la loi de 1925 sur les SARL qui permet de créer une société anonyme à responsabilité limitée sans aucun seuil de capital nécessaire et sans aucune condition quant au nombre de personnes (il suffit d'être deux). A partir de cette loi, il devient possible de lancer une entreprise de caractère familial en bénéficiant des avantages de l'irresponsabilité et en préservant le patrimoine, sans compter les avantages fiscaux qu'autorise le système. On voit ainsi naître un « capitalisme des petits commerçants ». Autre disposition législative qui favorise les petites entreprises, les lois de 1926 et de 1928 instituant la propriété des fonds de commerce et mettant les petits entrepreneurs à l'abri du bon vouloir des propriétaires des locaux. Avec cette loi, le travail commercial ou artisanal est ainsi intégré dans un patrimoine faisant l'objet d'un droit de propriété.

Il est clair que les caractères de ce tissu de petites et moyennes entreprises sont fort différents de ceux qui ont été analysés pour les établissements performants, moteurs de la croissance des années vingt. On se trouve ici dans le domaine de l'individualisme, de l'entreprise familiale aux ambitions fort limitées. La majorité d'entre elles vise, dans le meilleur des cas, le marché national et nullement l'expansion à l'étranger ; la plupart ne voient guère au-delà de la région ou du créneau traditionnel qui assure leur survie. Ce monde des petites et moyennes entreprises est naturellement méfiant envers le marché financier ou les banques, de crainte d'aliéner son indépendance ou de chuter dans une faillite infamante. Il n'investit qu'autant que ses possibilités d'autofinancement le lui permettent et ne recourt au crédit qu'en toute dernière extrémité. Enfin, conscient de sa fragilité, de son inaptitude à jouer le jeu de la concurrence face aux entreprises modernes, qu'elles soient françaises ou étrangères, il se tourne vers l'État à la première difficulté pour obtenir de lui aide et protection, réclamant des mesures douanières contre la concurrence extérieure ou des décisions malthusiennes afin de bloquer le dynamisme des sociétés tournées vers l'expansion, dont l'agressivité commerciale est présentée comme une forme de malhonnêteté étrangère aux traditions nationales. Les campagnes du petit commerce contre les chaînes Monoprix et Uniprix, bien avant la crise économique, en offrent un bon exemple.

Ces traits particulièrement accusés au niveau des petites et moyennes entreprises sont également en partie valables en ce qui concerne une fraction des grandes. Ces dernières ne sont pas toutes, tant s'en faut, des championnes de la modernité et il subsiste en France un grand patronat traditionnel, hostile aux spectaculaires innovations d'un Citroën ou d'un Boussac. C'est le cas par exemple du grand patronat textile du Nord, attaché au pouvoir familial sur l'entreprise, au contrôle des marchés par des cartels ou des ententes afin d'éviter la concurrence « sauvage », méfiant envers les banques, attaché au maintien de la paix sociale par des pratiques paternalistes. Jaloux de ses prérogatives, de son indépendance, veillant à n'investir que ses propres capitaux, ce patronat traditionnel est fort éloigné des conceptions de fabrication en série destinée à un marché qui consommerait massivement. La production de qualité, destinée à un public raffiné, qui ne se laisse pas influencer par le tapage de la « réclame », demeure le maître mot des industries cotonnières du Nord, de la soierie lyonnaise ou des fabricants de chaussures. Toutes ces activités connaissent d'ailleurs un ralentissement sensible dès 1927 (comme l'agriculture), lorsque les effets de la stabilisation Poincaré font disparaître l'avantage de change dont bénéficiaient jusqu'alors les produits français.

On peut donc parler au cours des années vingt d'un véritable dualisme de l'économie française. A côté d'un nombre limité d'entreprises dynamiques dont les performances ont promu la prospérité de l'après-guerre, il existe encore une France qui vit au rythme du XIXe siècle, dans ses exploitations agricoles, ses boutiques, ses petits ateliers. Or, cette France qui n'a nullement acquis la mentalité capitaliste du profit et de la rentabilité est numériquement majoritaire, modèle des mentalités collectives, inspire le pouvoir politique et colore la réalité économique nationale bien davantage que les brillantes anticipations dont les succès ont tendu à éclipser le paysage d'ensemble plus terne sur lequel elles ont jailli.

3. La France dans le monde

La constatation du caractère dualiste de l'économie française conduit à s'interroger sur la résultante de ces phénomènes antagonistes au niveau de la place occupée par la France dans le monde. Incontestablement ébranlée par la guerre qui lui a fait perdre des marchés, a détruit une partie de sa flotte, déprécié sa monnaie, fait fondre la plus grande part de ses placements extérieurs, la France de 1919 connaît un repli qui est celui que subit l'ensemble de l'Europe par rapport au reste du monde. Après la crise de 1920-1921, comment la France se situe-t-elle économiquement sur le plan international[1] ?

Il faut d'abord indiquer que le cadre protectionniste dans lequel se situe son commerce extérieur depuis la fin du XIXe siècle demeure, pour l'essentiel, inchangé. Par reconduction tacite ou nouvelles négociations, les traités de commerce antérieurs à la guerre sont remis en vigueur, avec le double tarif qui distingue les nations bénéficiant de la « clause de la nation la plus favorisée » des autres. Tout au plus cette dernière clause est-elle étendue, pour des raisons politiques, à des nations clientes de la France (Tchécoslovaquie, Pologne) ou avec lesquelles on entend entretenir de bonnes relations (Allemagne après 1927). Le système protecteur français, dont les raisons structurelles que nous avons signalées imposaient le maintien, demeure donc, pour l'essentiel, en place.

Il reste que le commerce extérieur de la France porte la trace de la prospérité et du dynamisme qui marquent les secteurs pionniers durant les années vingt. Là encore, ce dynamisme du commerce extérieur n'est pas homogène. Les années 1920-1923 sont marquées par un important déficit commercial. La dépréciation de la monnaie paraît être à l'origine des succès commerciaux des années 1924-1927 qui dégagent de forts excédents. Enfin, à partir de 1928, et malgré une forte poussée des exportations, le déficit commercial est à nouveau très net et s'accentue désormais d'année en année. Globalement, le commerce extérieur de la France a progressé durant les années vingt, et plus fortement en France que dans le reste du monde. Pour un indice 100 en 1913, l'indice du volume des échanges serait en France de 117 en 1925 (contre 107 pour le monde) et de 149 en 1929 (contre 127 pour le monde).

Cette progression des échanges français s'expliquerait en premier lieu par la très forte poussée des importations de matières

1. Pour toutes les questions traitées dans cette section, on se référera à Maurice Lévy-Leboyer (129).

premières nécessaires à une industrie en plein essor (ces matières premières représentant les deux tiers des importations). De 1913 à 1929, les achats français à l'étranger auraient ainsi crû de 33 %. Mais, durant la même période de référence, la croissance des ventes est encore plus forte (47 %). Ces exportations se composent pour les deux tiers d'objets fabriqués et pour un quart de matières premières. Une nouvelle preuve du dynamisme de l'industrie française des années vingt est administrée par le fait que, de 1913 à 1929, les exportations de produits manufacturés augmentent de 69 % (en volume), le quart de la production nationale étant ainsi vendu à l'étranger. La France se maintient ainsi aisément au 4e rang mondial pour le commerce (importations et exportations) qui était déjà le sien en 1913. Mais, par rapport à cette date, son poids mondial s'est amenuisé : elle n'assure plus que 6 % des importations du monde (contre 7,9 % en 1913) et 6,1 % des exportations (contre 7,1 %). Paradoxe apparent qui s'explique par la montée de nouvelles puissances commerciales outre-mer, la France demeurant étroitement liée aux principales grandes puissances du continent européen et aux États-Unis. Les six États limitrophes de la France (Grande-Bretagne, Belgique, Allemagne, Suisse, Italie, Espagne) et les États-Unis lui achètent les deux tiers de ses exportations et c'est d'eux que provient la moitié de ses importations. Quant aux colonies françaises, si leur part dans le commerce extérieur croît, elles ne jouent pour la France qu'un rôle secondaire. En 1931, 12 % des importations françaises viennent des colonies et celles-ci absorbent 18,5 % des exportations. Au total, dans le cadre d'un amenuisement d'ensemble de la place de l'Europe dans le monde, la France a retrouvé en 1929 un réel dynamisme commercial.

Retrouve-t-on ce dynamisme au niveau des mouvement de capitaux qui avaient constitué avant le conflit une des bases les plus solides du rayonnement de la France dans le monde ? Alors que la guerre a fait disparaître la plus grande partie des capitaux français placés à l'étranger (il en demeurerait un solde de 7,9 milliards de francs-or), le stock de capitaux en 1929 serait de l'ordre d'une vingtaine de milliards. Il y aurait donc reconstitution partielle des placements français à l'étranger, mais à un niveau inférieur de moitié de celui de l'avant-guerre, ce qui permet de mesurer la perte d'influence économique de la France dans le monde. D'autant que les zones préférentielles de placement ont subi d'importantes modifications. L'Europe centrale et balkanique (Pologne, Tchécoslovaquie, Yougoslavie, Roumanie) constitue désormais, à la place de la Russie, le lieu d'élection du placement des capitaux français. On peut aussi citer le cas des producteurs de pétrole qui attirent les investissements, tout particulièrement au Moyen-Orient. Mais, dans tous ces projets, la France n'obtient que des résultats décevants (sauf peut-être en Tchécoslovaquie où Schneider se taille un empire économique) et ne parvient pas à s'assurer seule une position dominante. En revanche, et même si le mouvement ne revêt encore qu'une ampleur limitée, des placements s'opèrent dans l'Empire colonial français afin d'organiser son infrastructure et de promouvoir sa mise en valeur. La fondation de banques en Syrie, au Liban, en AOF, à Madagascar facilite les investissements : 2,8 milliards de francs Poincaré sont placés en Indochine entre 1924 et 1928 ; de 1919 à 1932, 8,6 milliards sont engagés au Maroc. L'Afrique noire bénéficie, elle aussi, de ce soudain intérêt pour les placements coloniaux.

Le sentiment prévaut ainsi que les années vingt représentent une période faste pour l'économie française. Ayant relevé les ruines de la guerre assez rapidement, reconquis une partie de sa position internationale, la France commence une modernisation des structures de son économie, en pariant, à travers un nombre limité d'entreprises pionnières, sur le modèle américain de production de masse pour un marché converti à la consommation de masse de produits standardisés et fabriqués à moindre coût. Cette tentative de modernisation sera-t-elle capable de transformer en profondeur les structures économiques d'une France demeurée majoritairement traditionnelle, attachée aux modèles du XIXe siècle, à la petite entreprise, qui coïncide avec ses aspirations démocratiques et son culte du « petit » ? C'est là toute la question posée par la tentative de rénovation des années vingt qui, dans le domaine politique comme dans le domaine économique, sont marquées par une tension permanente entre le désir d'en revenir à l'âge d'or d'un passé idéalisé et les risques d'un pari sur l'avenir. La crise qui surgit dans toute son ampleur en 1931 (même si des signes avant-coureurs que nous avons signalés se manifestent dès 1927-1928), en frappant au premier chef les entreprises les plus engagées dans le processus capitaliste, interdit de connaître la réponse. Il reste que les novations économiques prometteuses des années vingt ont eu leurs répercussions sur les structures et les valeurs de la société dont elles ont contribué à amorcer la transformation.

12
La société française des années vingt

Dans l'imaginaire collectif, la société des années vingt demeure liée à la vision des « années folles »: une société relativement peu transformée par rapport à l'avant-guerre et qui, tout à la joie de la paix retrouvée, du cauchemar écarté, se livrerait tout entière aux plaisirs, hurlant son soulagement de se sentir revivre. Sans être erronée, l'image est partielle, et il serait probablement excessif de projeter sur l'ensemble des Français des manifestations qui ne sont le fait que de quelques milieux parisiens limités, se recrutant dans l'élite de la fortune ou de la culture. Comme nous avons tenté de le montrer pour l'économie, la France des années vingt présente l'image d'une société complexe, reconstituant au niveau de sa structure ou de ses valeurs les grands traits de celle de l'avant-guerre, mais dans laquelle se manifestent les prémisses d'évolutions futures, dont les spectaculaires images généralement retenues ne sont que des épiphénomènes.

1. Un pays de ruraux[1]

Une société encore traditionnelle.

Le premier trait qui caractérise la société française des années vingt est probablement sa stabilité par rapport à l'avant-guerre. Si nous nous référons aux chiffres de 1906, on constate que la population active de la France est pratiquement demeurée identique en 1931 : 20 800 000 contre 20 400 000. Avec quelques

1. Sur ce point, voir Georges Duby et Armand Wallon (115).

nuances l'observation vaut pour la répartition de cette population entre les trois secteurs d'activité :

Secteur d'activité	**Population active** *en pourcentage*	
	1906	**1931**
Primaire	43	36
Secondaire	30	34
Tertiaire	27	30

Le mouvement d'évolution — très lent — marque une diminution de 7 points en un quart de siècle du secteur primaire, résultat d'un exode rural peu accentué, et, corrélativement, les activités industrielles gagnent 4 points et le tertiaire 3. Mouvement significatif sans doute des évolutions en cours, mais dont le rythme indique le caractère presque insensible au niveau de l'expérience quotidienne. Mouvement enfin qui ne modifie en rien les structures fondamentales de la société : les paysans demeurent le groupe le plus nombreux de la société française. Au niveau des types d'activité socio-professionnelles, celle-ci se partage en trois groupes presque égaux numériquement : 14 millions de paysans dont les quatre cinquièmes sont propriétaires ou exploitants, 13 millions d'ouvriers aux statuts fort diversifiés et 12 millions de personnes qui vivent du tertiaire (dont 7 sont des indépendants, patrons, commerçants, artisans ruraux et urbains, et 5 des salariés, employés, cadres, fonctionnaires).

Si, du domaine d'activité, on passe au statut social, le fait probablement le plus frappant est l'existence d'un bloc de 47 % d'indépendants (petits patrons de l'agriculture, de l'industrie, du commerce, de l'artisanat) contre 53 % de salariés. En d'autres termes, près d'un Français sur deux est son propre maître. Résultat d'une politique délibérée de la part de l'Etat républicain, cette situation imprègne profondément les mentalités et le modèle social français, l'aspiration fondamentale de ceux qui n'ont pas encore accédé au patrimoine étant d'y parvenir et le désir de ceux qui sont propriétaires étant d'accroître cette propriété. La société française se sent et se voit comme une démocratie de propriétaires en devenir. Et avant tout comme une nation de paysans.

Groupe numériquement le plus nombreux de la société française, le monde rural vit dans les années vingt son été de la Saint-Martin. L'enquête de 1929 révèle que, par rapport à l'avant-guerre, il a subi un certain nombre de mutations. Les journaliers, rebaptisés ouvriers agricoles, ont diminué de moitié par rapport à la fin du XIXe siècle et ne sont plus que 660 000, moins de 10 % de la population active agricole. Par ailleurs, on constate une forte diminution des petites exploitations de moins de 10 hectares et une légère régression des exploitations supérieures à 100 hectares. Cette évolution assure le triomphe de la moyenne exploitation, entre 10 et 50 hectares, celle qui est à la taille d'une famille. Les années vingt sont l'âge d'or de l'exploitation familiale qui n'emploie pas d'ouvrier agricole ou en emploie un seul : de 75 à 80 % des exploitations recensées appartiennent à cette catégorie et, sur 3 650 000 chefs d'exploitation recensés en 1929, 4 à 5 sont propriétaires ou fermiers. Le modèle rural que la IIIe République cherchait dès ses origines à faire triompher l'emporte donc à la fin des années vingt.

Il l'emporte d'autant plus que, pour l'opinion publique, les paysans apparaissent comme les grands profiteurs de la guerre. De fait, la hausse des prix agricoles durant le conflit a accru les revenus nominaux des paysans, qu'on accuse d'avoir profité de la pénurie. Le manque de produits industriels mais aussi les habitudes de faible consommation du monde rural les ont contraints à l'épargne. Si bien que les paysans ont pu dans un premier temps rembourser leurs dettes, puis ils ont utilisé leur épargne pour acheter des terres. Le mouvement d'acquisition des terres dans les années qui suivent la fin de la guerre a frappé les contemporains et renforcé l'idée que les paysans ont pu profiter des bénéfices illicites accumulés durant les années 1914-1918. En fait, deux phénomènes ont joué : d'une part, de multiples transactions suspendues durant le conflit sont alors concrétisées ; d'autre part, la disparition au combat de nombreux agriculteurs ou de leurs héritiers a libéré des terres et a contribué à diminuer leur prix de moitié environ par rapport à 1914 car les candidats à l'achat ou à la location se font plus rares.

On peut être surpris de constater qu'au moment où, dans le monde industriel, l'entreprise moderne fait sa première percée, le monde rural voit la consolidation d'une petite exploitation familiale fondée sur le travail du propriétaire et de sa famille, sur un bas niveau technique, sur la généralisation de l'autosubsistance et la faible insertion dans les circuits commerciaux. Mais on est ici en présence de deux logiques différentes. Le paysan ne recherche pas prioritairement la rentabilité de son investissement, mais la conquête de son indépendance, dont le rendement n'est pas mesurable. Alors que se développent les premiers aspects des conceptions économiques du capitalisme moderne dans le monde urbain et industriel, c'est l'idéal de liberté individuelle du XIXe qui l'emporte à la campagne. Distorsion dont les effets sur l'esprit public sont considérables.

Il est vrai que l'aspiration à l'acquisition d'une exploitation familiale est d'autant plus forte que certains signes d'aisance, résultats sociaux de la prospérité économique des années vingt, se manifestent dans le monde rural. Les effets les plus visibles portent sur l'alimentation, les « poilus » ayant modifié durant la guerre leurs habitudes alimentaires. La consommation de pain de froment, de viande, de bière, de beurre, de fromage s'accroît dans d'importantes proportions et l'installation dans les villages de commerces d'alimentation qui n'existaient pas auparavant, l'épicerie, la boulangerie, parfois la poissonnerie ou la boucherie, traduit la transformation des menus paysans. Au niveau du vêtement, la blouse et les costumes locaux continuent un recul, largement commencé au début du siècle, devant les vêtements de la ville, pardessus pour l'homme, robes coupées selon les modèles offerts par les catalogues venus de la ville pour les femmes.

En revanche, l'habitat ne connaît guère de sensible amélioration. En dehors de la reconstruction des immeubles détruits par la guerre et de quelques rares progrès dans les locaux d'exploitation, les maisons sont anciennes et vétustes, la construction rurale apparaissant encore plus limitée que celle du monde urbain. Sans doute la pierre (ou la brique dans le Nord) est-elle maintenant généralisée et le toit de tuiles ou d'ardoises a-t-il partout remplacé le chaume ; les sols de terre battue ont été recouverts de béton, de carrelages ou de parquets. Mais ces transformations existaient déjà avant la Première Guerre mondiale. Si, à partir de 1921, le développement des réseaux permet l'électrification des campagnes, qui fait l'objet d'un gros effort à partir de 1927-1928, moins d'un logement paysan sur cinq est doté de l'eau courante et le puits reste le principal moyen d'alimentation en eau potable. Enfin, la maison paysanne devient un peu plus spacieuse : la pièce unique où cohabitent bêtes et gens n'existe plus guère qu'en Bretagne ou dans quelques rares régions. Partout ailleurs, autour de la cuisine-salle commune qui reste le cœur de l'habitation paysanne, apparaissent des chambres qui témoignent de la naissance d'une vie privée [1].

On assiste donc à une évolution contradictoire au sein du monde rural. Celui-ci connaît des transformations qui vont dans le sens de ses aspirations séculaires, avec le triomphe de la moyenne propriété familiale et la relative aisance qu'il connaît grâce aux effets de la guerre et à la croissance des revenus au lendemain de celle-ci. Mais, en même temps, les paysans sont la proie d'un malaise social incontestable qui tient au démantèlement progressif, mais inéluctable, des structures de sociabilité traditionnelles et à la comparaison avec le mode de vie urbain.

Le malaise paysan dans la France des années vingt.

La victoire de la moyenne exploitation familiale, fondée sur une cellule d'autoconsommation, coïncide avec l'entrée de la France dans la modernité. Or, celle-ci se manifeste par un double mouvement qui atteint le monde rural : l'accélération du démantèlement de la paroisse, structure de base de la sociabilité rurale ; la naissance à la ville des premiers phénomènes de consommation de masse.

Dès la fin du XIXe siècle, les folkloristes se lamentent sur la disparition, du fait du désenclavement des campagnes par les moyens modernes d'information et de communication (chemins de fer, poste rapide, presse à bon marché, catalogues...), des traditions rurales. La Première Guerre mondiale et le brassage des tranchées accélèrent ce démantèlement durant les années vingt, si bien que, dès le début des années trente, on voit naître dans diverses régions des musées de folklore régionaux que couronne, en 1937, la création à Paris du musée des Arts et Traditions populaires. Il s'agit en fait de perpétuer le souvenir de traditions qui formaient la cohésion du monde rural et qui dis-

1. On retiendra ici les perspectives ouvertes par Antoine Prost, « Frontières et espaces du privé », in Georges Duby et Philippe Ariès (122).

paraissent dans la réalité. La vie religieuse communautaire, ciment de la sociabilité rurale, puisque celle-ci est liée au cadre de la paroisse, tend à régresser dans de nombreuses régions. Les processions se font rares, les vieillards et les enfants forment la majorité des fidèles aux vêpres, voire à la messe dominicale, et nombre de fêtes, qu'il s'agisse de Noël ou de la fête patronale, perdent leur caractère religieux pour devenir de simples distractions profanes [1].

L'exode rural, la dénatalité des campagnes conduisent d'autre part au ralentissement, voire à la disparition des festivités dont l'objet est de faire se rencontrer jeunes gens et jeunes filles : carnavals, veillées, fêtes diverses... Sous l'effet de la transformation des mentalités, la vieille cellule villageoise commence un déclin perceptible par les contemporains qui constatent avec amertume la disparition des formes traditionnelles de sociabilité, au profit d'une existence strictement familiale ou individuelle, propre à la ville, mais nouvelle dans le monde rural.

Or, si le poids de la ville et de ses modes de vie se fait sentir dans des campagnes encore majoritaires et qui admettent mal des modèles étrangers aux traditions, la meilleure connaissance de la vie urbaine acquise pendant la guerre conduit les paysans à ressentir avec acuité la médiocrité de la vie rurale. L'entrée de la France urbaine dans l'ère de la consommation provoque une aspiration des ruraux au mode de vie des villes, qu'il s'agisse de l'adoption du vêtement, de l'achat de meubles des « Galeries Barbès », de l'acquisition de phonos, de radios, de motocyclettes. Les journaux et la TSF accroissent encore ce désir d'assimilation. Or, celui-ci est contrarié par l'importance des formes d'autoconsommation qui dégagent peu de surplus monétaires disponibles pour ce type d'achat, comme par les traditions qui veulent qu'en période de revenus élevés on épargne pour acheter des terres et accroître le patrimoine. La solution de la contradiction réside dans le départ des jeunes vers la ville, où le travail salarié doit permettre d'accéder aux formes modernes de la consommation. Mais, du même coup, la famille patriarcale et la communauté villageoise se démantèlent encore davantage.

On constate donc que ces belles années de l'exploitation familiale et de la hausse du revenu paysan sont aussi des années de

1. Georges Duby et Armand Wallon (115).

malaise devant une transformation mal vécue. Dans la France des années vingt, l'état d'esprit paysan a changé : « Le paysan de 1914 est un résigné, celui de 1920 un mécontent », écrit Michel Augé-Laribé. Ce malaise est canalisé avec plus ou moins d'efficacité par les deux grandes organisations du syndicalisme agricole nées dans les premières années du XXe siècle, l'*Union centrale des syndicats agricoles de France*, domiciliée rue d'Athènes, à Paris, et qui regroupe de grands propriétaires ruraux de sensibilité conservatrice, et surtout la *Fédération nationale de la mutualité et de la coopération agricoles*, étroitement liée à la franc-maçonnerie et au personnel politique républicain (en particulier à Henri Queuille, qui devient durant ces années le grand spécialiste radical de l'agriculture). Il s'y ajoute, durant les années vingt, un mouvement original né en Bretagne autour de l'abbé Mancel, soutenu par un groupe d'abbés républicains autour de l'abbé Trochu, fondateur du journal *Ouest-Éclair*, celui de la *Fédération des syndicats paysans de l'Ouest* qui entend obtenir l'émancipation des petits exploitants en les soustrayant au patronage des grands propriétaires conservateurs de la rue d'Athènes.

Ce malaise a aussi sa traduction politique. La majorité du monde rural, dans l'Est, le Nord, l'Ouest intérieur, demeure un bastion des partis conservateurs. Mais il existe une paysannerie de gauche qui vote en faveur des radicaux, en Bretagne péninsulaire, au nord, à l'est, au sud du Bassin parisien, dans le Centre-Est et le Centre-Ouest. Dans le Centre et le Midi, la puissance du bastion radical est entamée par la percée du socialisme. Enfin, les années vingt voient la naissance d'un communisme rural dans le Cher, l'Allier, le Lot-et-Garonne, autour de Renaud Jean, théoricien du communisme agraire.

Groupe encore prépondérant et numériquement majoritaire de la société française, le monde paysan est en perte de vitesse, et conscient de l'être. La comparaison de son sort avec celui des citadins devant les possibilités de consommation qui naissent alors, le démantèlement de ses structures, l'effritement des formes de la culture populaire paysanne sont autant de manifestations d'une crise — avant que la dépression des années trente ne vienne souligner l'archaïsme du modèle familial qui triomphe dans les années vingt — qui fait naître un malaise diffus dans une société française fondée sur les valeurs rurales. Face à la crise de la paysannerie, archétype en déclin du modèle social français, l'ouvrier est-il la préfiguration de l'avenir ?

2. Un groupe en expansion : le monde ouvrier

L'industrialisation de la France, qui est un des traits majeurs des années vingt, rend compte de la croissance du nombre des ouvriers dans la société française. Atteignant le chiffre de 13 millions, ils talonnent les paysans et leur croissance est telle qu'ils sont sur le point de les dépasser. En fait, il serait erroné de se représenter ces travailleurs de l'industrie comme les membres d'une classe ouvrière homogène employée dans les grandes concentrations industrielles. Le monde ouvrier français est le lieu d'une extraordinaire variété de statuts.

Sur les 13 millions d'ouvriers, 4 sont employés dans de petits ateliers, le travail à domicile étant en plein déclin (sauf dans la confection). Travaillant dans des entreprises de quelques ouvriers, ce sont des salariés, mais dont les conditions de vie sont proches de celles de l'artisanat traditionnel, et le rapport au patron réglé par les relations humaines individuelles. Les 9 millions de salariés de l'industrie ne sont pas tous, tant s'en faut, employés dans de vastes usines (puisqu'un tiers seulement de la main-d'œuvre appartient à des établissements de plus de 500 salariés). Ces ouvriers de la grande industrie travaillent en priorité dans les mines, la sidérurgie, le papier, l'alimentation. Leur nombre va croissant dans les métaux, le bâtiment, l'industrie chimique.

Parmi les salariés de cette grande industrie concentrée, les progrès technologiques ont fait naître un nouveau type d'ouvrier. Alors que l'industrie d'avant-guerre ne connaissait que deux types de travailleurs : l'ouvrier qualifié, formé par une longue éducation professionnelle, capable d'excercer des tâches multiples dans le processus de fabrication, et le manœuvre interchangeable, le développement du machinisme moderne fait naître le manœuvre spécialisé ou ouvrier spécialisé (l'OS), formé en quelques jours sur le tas pour alimenter ou surveiller la machine. On ne lui demande qu'un travail mécanique, automatique, réduit à quelques gestes réglés et chronométrés. Ainsi s'introduit dans l'ancienne structure du monde ouvrier, où une équipe travaillant collectivement exerçait une tâche complète, un ouvrier seul devant sa machine qui n'accomplit qu'une parcelle du travail dont la signification globale lui échappe. Sans doute ce travail « en miettes » n'est-il pas encore généralisé et les OS ne sont-ils nombreux que dans les branches modernes de l'industrie, fortement mécanisées et organisées selon les principes du taylorisme et du fordisme (comme les constructions mécaniques ou la chimie), alors que le bâtiment, par exemple, continue à fonctionner selon les normes traditionnelles. Il reste que l'évolution ainsi amorcée s'inscrit dans un processus de dégradation de la condition ouvrière durant les années vingt.

Le premier effet de cette transformation est en effet la démoralisation de l'ouvrier. Confiné dans un travail monotone, répétitif, passif et chronométré, il subit l'ennui d'une tâche déshumanisée. On est loin de la fierté du métier qui caractérisait l'ouvrier professionnel; désormais prévaut une profonde insatisfaction, l'idée que la tâche à accomplir est une forme d'esclavage subi, une manière de violence faite à l'esprit créateur et à la compétence, dont on ne sortira que par la révolte et le bouleversement des structures qui ont rendu possible cette forme d'exploitation. C'est parmi les OS que le Parti communiste trouvera l'essentiel de ses troupes dans sa phase de violente contestation de la société qui marque les années vingt.

Cette démoralisation ouvrière ajoute ses effets à un phénomène beaucoup plus général qui est la dégradation de la condition matérielle des ouvriers durant les années de la prospérité. Sans doute la croissance industrielle fait-elle disparaître le chômage présent au début des années vingt. Progressivement le plein emploi est réalisé, l'embauche se fait aisée, les heures supplémentaires permettent d'arrondir le salaire et font régner une relative aisance qui permet au monde ouvrier de bénéficier de quelques aspects mineurs de la consommation naissante. L'alimentation s'améliore, et la part du pain et des légumes secs s'amenuise au profit de celle de la viande, des fruits et des produits laitiers. Les ouvriers peuvent acquérir un poste de radio, lire quotidiennement le journal. Toutefois cette participation à la prospérité générale des années vingt demeure relative, même si le salarié de l'industrie voit son sort s'améliorer. Dans cette période de hausse générale des prix, le salaire suit d'assez loin. Les patrons, qui peuvent embaucher et former en quelques jours des OS, s'efforcent de diminuer les coûts salariaux en jouant en particulier sur l'emploi des travailleurs immigrés. Si bien que le revenu ouvrier est loin de suivre l'accroissement du revenu national ou des profits patronaux. Entre 1913 et 1929, ces derniers ont augmenté de 50 %, alors que le salaire ouvrier n'a crû que de 12 % à Paris, de 21 % en province.

Cette stagnation du revenu fait particulièrement sentir ses effets au niveau de l'habitat. Les années vingt sont le moment où l'habitat ouvrier, encore présent dans les quartiers populaires des villes, émigre dans les banlieues où prolifèrent, sans plan d'urbanisme, les pavillons de fortune édifiés le long des voies ferrées, dans des quartiers où ils se développent anarchiquement, au milieu des hangars, des entrepôts, des usines, avec, noyés dans les fumées, quelques groupes d'habitations à bon marché (HBM), tristes et uniformes. Cette concentration des ouvriers à la périphérie des villes (la « banlieue rouge » de Paris par exemple) y développe une conscience de classe dans laquelle le Parti communiste trouvera l'un des principaux leviers de son action, cependant que naît chez les citadins un phénomène de peur devant ces « nouveaux barbares campant aux portes des villes », qui rappelle les grandes peurs sociales du XIXe siècle.

Isolement et ségrégation rendent quelque peu théorique, en ce qui concerne le monde ouvrier, l'idéal de promotion sociale de la IIIe République. Celui-ci, on l'a vu, passe par l'école et le développement de l'instruction. Mais les ghettos ouvriers des banlieues rouges offrent des possibilités quasi nulles d'entrée dans l'enseignement secondaire ou supérieur. L'accès à la culture de l'élite est pratiquement absent dans la société ouvrière des années vingt. Tout au plus les nouveaux médias de la culture de masse, la presse, la radio, le music-hall, le cinéma, les magazines, diffusent-ils une forme de culture populaire qui constitue une distraction, mais non une possibilité de promotion [1].

Il faut enfin ajouter que ces années qui voient les effets de la grande défaite ouvrière de 1920 sont une période de creux en ce qui concerne la législation sociale. Depuis l'octroi, en avril

1. Voir ci-dessous p. 381-384.

1919, de la journée de 8 heures puis la reconnaissance au même moment du principe des conventions collectives, aucune mesure sociale n'est prise jusqu'en 1928 (vote des assurances sociales). Cette absence de lois sociales s'explique aussi bien par les divisions et la perte d'influence du mouvement ouvrier après son échec dans les grèves de 1920, que par la crainte que la législation sociale ne soit économiquement insupportable pour le monde des petites entreprises qui constitue le tissu économique français. A cet égard, l'idéal social de développement des petites entreprises qui a été celui de la IIIe République était très directement antithétique d'une politique sociale avancée.

Il est vrai que le recul de la contestation syndicale diminue la pression que le monde ouvrier pourrait exercer sur le patronat. Le syndicalisme éclaté des années vingt est aussi un syndicalisme en perte de vitesse.

Le syndicalisme ouvrier des années vingt.

Jusqu'à la Première Guerre mondiale, le syndicalisme français était tout entier confondu avec le seul syndicat existant, la CGT. Or, les années vingt voient le développement de trois formes de syndicalisme très différentes, ayant chacune leur clientèle, leurs conceptions et leurs moyens d'action.

La Confédération française des travailleurs chrétiens (CFTC) tente de fonder son action sur une collaboration entre patrons et ouvriers dans un esprit de fraternité chrétienne [1]. Demeurant très minoritaire, elle souffre du préjugé selon lequel elle ferait le jeu du patronat. Pour appliquer ses idées, la CFTC préconise une série de mesures qui n'ont guère de succès : que le syndicat représentant les ouvriers devienne lui-même actionnaire de l'entreprise afin de mettre en pratique dans les faits l'association capital-travail (mais la tentative qui est faite dans les compagnies de chemin de fer de Paris-Orléans et du Nord où les syndicats, servant de caisse d'épargne à leurs adhérents, placent leurs fonds en actions, se heurte à l'hostilité des actionnaires) ; que les salariés soient associés aux bénéfices des entreprises (mais le patronat se dérobe) ; que des commissions mixtes patrons-ouvriers discutent des conventions relatives au travail (mais,

1. Pour la CFTC, on se référera à Michel Launay (120).

encore une fois, les patrons s'opposent à des pratiques derrière lesquelles ils croient discerner le spectre du contrôle ouvrier et des conventions collectives).

La CFTC, dont les relations avec la hiérarchie catholique sont étroites et dont la doctrine est soumise à un Conseil théologique, se montre également modérée dans ses moyens d'action. Elle accepte la grève, mais comme un recours ultime, à n'employer qu'en dernier ressort, une fois toutes les procédures d'arbitrage épuisées. Encore ne s'agit-il que de grèves ponctuelles, par entreprises, et non de la grève générale. En fait, la pratique de la grève va poser à la centrale un problème de fond. Dans les faits, les syndicats locaux de la CFTC participent à des grèves, dans la région parisienne ou le Nord, aux côtés des autres syndicalistes. Ce faisant, n'entrent-ils pas dans un processus de lutte des classes, au mépris de leur idéal ? C'est la question que pose au pape lui-même un patron chrétien, le président du consortium textile de Roubaix-Tourcoing, Eugène Mathon, qui conteste le principe même de l'existence d'un syndicalisme chrétien et le droit de la CFTC de se réclamer de l'Église. La presse de droite et d'extrême droite, en particulier *L'Action française*, appuie Mathon, cependant que le président de la CFTC, Jules Zirnheld, et son secrétaire général, Gaston Tessier, défendent leur centrale. La réponse pontificale viendra d'abord indirectement : Pie XI nomme en 1925 Gaston Tessier chevalier de l'ordre de Saint-Grégoire le Grand ; en 1926, il adresse à la CFTC ses félicitations et sa bénédiction. Finalement, en 1929, le pape rejette les accusations d'Eugène Mathon et autorise, au prix de certaines précautions, l'unité d'action dans la grève avec les syndicats non chrétiens.

Syndicat minoritaire, implanté localement dans les zones de forte pratique religieuse ou sectoriellement chez les employés, la CFTC ne joue dans les années vingt qu'un rôle secondaire. C'est également la situation de la CGTU, créée en 1921 par les syndicalistes révolutionnaires et les communistes de la CGT [1]. Au lendemain de sa création, ce syndicat connaît une situation ambiguë. Sans doute adhère-t-il en 1923 à l'Internationale syndicale rouge fondée par les communistes. Mais il s'y trouve dans un statut particulier. En effet, les militants syndicalistes-révo-

1. Sur la CGTU voir Georges Lefranc (119).

lutionnaires qui l'ont rejoint demeurent fidèles à la charte d'Amiens et refusent toute fusion organique avec le Parti communiste français, n'acceptant pas de voir le syndicat réduit au rôle de courroie de transmission du parti. Ils ne peuvent toutefois empêcher que les liens entre la confédération et le parti se resserrent de plus en plus, si bien que, peu à peu, ils quittent la CGTU, soit pour rejoindre la CGT comme Pierre Monatte et le groupe « Révolution prolétarienne », soit pour suivre Pierre Besnard qui fonde, en 1926, une *Confédération générale du travail syndicaliste révolutionnaire* qui recrutera surtout dans le bâtiment à Paris et à Lyon.

La CGTU recrute peu chez les ouvriers qualifiés du livre, de l'habillement ou du bâtiment, généralement hostiles au bolchevisme. Sa véritable clientèle se trouve chez les OS du textile, de la sidérurgie, de la mécanique ou chez les manœuvres non qualifiés du verre, de la céramique ou des produits chimiques... Venus de la campagne ou immigrés, dépourvus d'éducation politique, vivant dans les conditions difficiles qui ont été décrites, ils sont plus portés à l'action directe et sensibles aux mots d'ordre sommaires du syndicalisme communiste.

La CGTU rejette en effet toute collaboration de classe et toute réforme ponctuelle. Son but final reste la révolution et les revendications immédiates n'ont à ses yeux d'autre intérêt que stratégique, dans la mesure où elles élèvent la combativité du prolétariat. Aussi guette-t-elle les occasions de déclencher des grèves afin d'aguerrir les travailleurs, se réjouissant de leur échec puisqu'il conduira les ouvriers à comprendre qu'ils ne peuvent rien espérer du régime capitaliste. Mais cette tactique radicale a pour principal résultat de couper la CGTU de la masse ouvrière. Ses effectifs fondent : de 500 000 en 1922, le nombre de ses membres tombe à 200 000 au début des années trente, la plupart adhérents de fraîche date, car elle est une « passoire » à travers laquelle coulent des militants éphémères. A ce jeu, elle use tour à tour des dirigeants rendus responsables de l'échec de la confédération. Gaston Monmousseau, Pierre Sémard, Julien Racamond, Benoît Frachon se succèdent au secrétariat général.

L'échec de la CGTU contraste avec le réel succès que connaît la CGT [1]. Privée de son aile révolutionnaire, elle adopte sans

1. *Ibid.*

complexes une attitude réformiste, se réclamant sur le plan international de l'esprit de Genève : Jouhaux siège sans discontinuer comme délégué de la France au Bureau international du travail dont l'inamovible directeur est, de 1920 à 1932, le socialiste Albert Thomas. Sur le plan intérieur, la CGT renforce l'intégration à la nation mise en pratique durant la guerre. Outre les nationalisations, elle défend le contrôle ouvrier dans l'entreprise, les conventions collectives par branches, la création d'un Conseil national économique à participation syndicale. Si le patronat demeure sourd aux avances de la CGT (pourquoi accepterait-il des revendications qui diminueraient son pouvoir alors que le mouvement syndical est vaincu et divisé ?), le Cartel des gauches, puis le gouvernement Poincaré acceptent de discuter avec elle, certains ministres ayant été en contact avec le syndicat dans le passé, comme Briand ou Laval, voyant bien l'intérêt de rapports sociaux négociés avec un syndicalisme réformiste : la création en 1925 du Conseil national économique, le vote en 1928 des assurances sociales peuvent être tenus pour des succès de la CGT.

Cette tactique réformiste est au demeurant payante. Entre 1922 et 1930, les effectifs de la CGT doublent, passant de 370 000 à 740 000. Toutefois la clientèle de la CGT apparaît comme très différente de celle de la CGTU. Il existe certes des fédérations de cheminots ou de mineurs, mais près de la moitié des effectifs appartiennent au secteur public, depuis que la fédération des fonctionnaires a rejoint la CGT en 1927. Cette fédération et celle de l'enseignement sont les plus nombreuses, suivies des cheminots, des mineurs, des PTT et des services publics. Le sentiment prévaut que la première des centrales syndicales françaises est moins représentative du mouvement ouvrier que des classes moyennes.

Le groupe majoritaire et sociologiquement essentiel de la paysannerie, le groupe en pleine expansion numérique du monde ouvrier sont les deux piliers de base de la population française des années vingt. Et pourtant, parce que les valeurs du premier, toujours dominantes révèlent leur inadéquation à l'époque, parce que les conditions de vie du second rendent précaire sa participation à la vie nationale et que la défaite du mouvement ouvrier en 1920 a émoussé son pouvoir de contestation, ce n'est dans aucun d'entre eux que se résume la véritable vitalité de la société française des années vingt, mais dans la bourgeoisie et son annexe des classes moyennes.

3. La bourgeoisie, groupe dominant de la société française

Au sommet de la société française, on trouve le groupe numériquement peu nombreux, mais socialement et économiquement dominant, de la grande bourgeoisie. Au total environ 2 millions d'individus (si on se réfère au recensement de 1931), que leur fortune, leur réussite ou leur puissance placent en position de classe dirigeante de la société française et de modèle pour les strates inférieures du groupe de la bourgeoisie. A la haute bourgeoisie traditionnelle des banquiers, des gros industriels, des grands propriétaires, des gros négociants, à quoi il faut adjoindre quelques avocats et médecins célèbres et un petit nombre de hauts fonctionnaires, s'ajoute le patronat moderne, audacieux, qui a fait de rapides fortunes, souvent à l'occasion de la guerre, et qui constitue le groupe envié et décrié des « nouveaux riches », un Berliet qui crée à Vénissieux en employant les méthodes les plus modernes un empire de construction de camions et de poids lourds, un Boussac qui devient le leader du coton en France, un Octave Homberg qui fait fortune dans d'aventureuses entreprises financières [1] ...

Au-dessous de ces sommets, la masse du patronat redoute et dédaigne ces audaces de parvenus. Elle s'accroche à un style de direction individualiste des entreprises sur le mode autoritaire et paternaliste d'avant-guerre ou compte, pour faire échec aux novations et aux contestations, sur le rôle protecteur de l'organisation patronale, la *Confédération générale de la production française*, dominée par les grands intérêts économiques. Cette haute bourgeoisie a le culte de l'argent, cherche avec âpreté des carrières lucratives et se montre dure, cynique, souvent sans scrupules dans la recherche effrénée du succès.

A un niveau moindre de fortune et de réussite commence une

1. Voir sur ce point François Bédarida (10).

moyenne bourgeoisie dont la frontière avec la haute bourgeoisie est imperceptible et repose souvent sur la reconnaissance sociale plus que sur tout autre critère. Et cette moyenne bourgeoisie se nourrit à son tour d'un sang neuf venu du groupe encore plus difficile à définir des classes moyennes. Au total, moyenne et petite bourgeoisies forment un ensemble de 12 millions de personnes (selon les chiffres de recensement de 1931), véritable soubassement de la domination bourgeoise en France. Groupe essentiel parce que c'est un groupe émergent de la société française, parce que c'est le sas par lequel, insensiblement, de degré en degré, on s'élève vers les sommets de la bourgeoisie, parce que, sans toujours en avoir les moyens, il tente, en procédant aux adaptations nécessaires, de s'aligner sur le mode de vie bourgeois. Dans la moyenne bourgeoisie comme dans la classe moyenne, l'hétérogénéité est la règle. Hétérogénéité des revenus et des modes de vie, depuis les fortunes solides qui annoncent l'intégration à la grande bourgeoisie jusqu'aux modestes revenus qui ne permettent guère de distinguer en quoi certains membres de la classe moyenne se séparent du monde des ouvriers qualifiés. Hétérogénéité des statuts, moyenne bourgeoisie et classe moyenne comprenant des indépendants (membres des professions libérales, notaires, architectes, avocats, médecins, artistes, hommes d'affaires) et des salariés (ingénieurs, officiers, professeurs, employés, fonctionnaires de différents niveaux). Cependant, malgré l'hétérogénéité qui le caractérise, ce groupe possède au moins un élément d'homogénéité : son aspiration à réaliser une promotion sociale, la conviction que celle-ci est commencée, même s'il faut plusieurs générations pour la parachever, enfin le modèle de cette aspiration qui est le mode de vie de la grande bourgeoisie.

Au cours des années vingt, ces strates bourgeoises sont parcourues de tensions qui tiennent aux facteurs de mobilité qui les affectent. Globalement l'opinion publique de l'époque a retenu l'image du « nouveau pauvre », le rentier ruiné par la guerre, qu'elle oppose dans un antagonisme manichéen à celui du « nouveau riche » enrichi par la spéculation [1]. Le phénomène a une

1. Pour cette notion de « nouveaux riches » et de « nouveaux pauvres », on s'appuie ici sur l'intéressant mémoire de DEA (inédit) de Bénédicte Vergez, *Nouveaux Pauvres et Nouveaux Riches dans l'imaginaire bourgeois en France (1916-1924)*, Institut d'études politiques de Paris, 1988.

réalité, mais qu'il faudrait sans doute nuancer. Il est peu douteux que l'inflation a entamé les patrimoines et les revenus traditionnels. Les rentiers qui ont placé leur fortune en obligations ou en fonds publics, ceux qui comptent pour vivre sur les loyers qu'ils perçoivent ont vu leur pouvoir d'achat s'amenuiser. La presse, les romans, les débats parlementaires eux-mêmes se font l'écho du sort tragique de ceux qui connaissent, du fait des fluctuations économiques, un déclassement social et qui supportent dans la dignité une misère qu'ils tentent de cacher. En fait, le phénomène, s'il a existé, a été assez rare. La règle de diversification des placements, la valeur du patrimoine, la possibilité de compenser les pertes par d'autres sources de revenus ont conduit plus souvent à une érosion (parfois importante) des fortunes qu'à la ruine sociale. A ces « nouveaux pauvres », il faudrait ajouter la « crise des professions libérales » soumises à une pression fiscale accrue et l'amputation du revenu réel des hauts fonctionnaires dont le pouvoir d'achat aurait perdu 26 % entre 1911 et 1930. Mais ces déclassements réels et parfois exagérés sont compensés par l'accession à la bourgeoisie des « nouveaux riches ». L'imaginaire social dénonce comme immorales les fortunes liées à la spéculation puisque, dans ce cas, la richesse ne serait pas liée à un travail réel. En fait, si l'opinion réagit avec une telle vigueur à la constitution de ces fortunes spéculatives, c'est que leur existence atteint durement les valeurs éprouvées de la réussite bourgeoise et remet en cause tout un système éthique. Si un placement habile réalisé en période de troubles peut permettre de s'enrichir en un tournemain, à quoi servent les vertus de travail, de sobriété, d'épargne qui devraient permettre de génération en génération d'améliorer progressivement le statut social de la famille ?

Mais les nouveaux riches ne sont pas que les spéculateurs. Les chefs d'entreprise qui bénéficient de l'élan de la reconstruction, un Renault, un Citroën ou un Boussac qui touchent les dividendes de l'innovation industrielle, les cadres des entreprises privées percevant des rémunérations tirées en hausse par la prospérité, et même les petits fonctionnaires dont le nombre croît (de 500 000 en 1914 à 675 000 en 1932) et dont la situation s'améliore, apportent un sang neuf aux différentes strates de la bourgeoisie, entraînant ainsi un renouvellement conforme au processus historique antérieur. Au demeurant, vers 1925, le thème des « nouveaux riches » perd de son acuité et les « parvenus » d'hier, quelque peu dédaignés par la bonne société, sont intégrés sans difficulté, puisque après tout leur fortune préserve leur mode de vie bourgeois et qu'en matière de richesse durée vaut absolution.

Toutefois, l'opinion se montre méfiante envers l'argent rapidement acquis et assimile aisément spéculation et escroquerie. En 1928, la découverte du scandale de *La Gazette du franc*, qui a permis à Marthe Hanau et à son époux de détourner plus de 100 millions de francs en se faisant remettre les fonds de petits épargnants pour de mirifiques placements, conduit le Parlement à voter un texte établissant l'incompatibilité entre un mandat parlementaire et les fonctions de directeur, d'administrateur ou de gérant d'un journal financier. Il est vrai que l'argent n'est que la condition nécessaire de l'entrée en bourgeoisie, le véritable statut bourgeois ne s'acquérant que par le mode de vie.

Le mode de vie bourgeois.

En 1922, constatant le brassage social qui résulte de la guerre, l'appauvrissement d'une partie de la bourgeoisie et le luxe des nouveaux riches, Barrès croit pouvoir déclarer : « Il n'y a plus de classes. » Pour frappante qu'elle soit, la formule ne recouvre bien entendu aucune réalité. Toutefois, elle a l'avantage de mettre en relief un phénomène qui pèse lourd dans les comportements sociaux : l'érection en modèle du mode de vie de la bourgeoisie.

Sans doute serait-il erroné de penser que les genres de vie se sont uniformisés. Les énormes différences de revenu s'y opposent. Mais il est de fait que moyenne bourgeoisie et classe moyenne s'efforcent d'imiter les façons de vivre, de s'habiller, de se loger, de concevoir l'éducation des enfants qui sont l'apanage des milieux les plus riches de la société. Enfin ce modèle, reproduit avec les adaptations nécessaires par la classe moyenne, apparaît suffisamment attractif pour constituer un objectif pour les milieux populaires, ruraux ou ouvriers, qui s'efforcent de commencer une promotion sociale qui améliorera leurs conditions d'existence.

La première marque de bourgeoisie tient au cadre de vie. Il existe un logement bourgeois dont la caractéristique tient au fait qu'il n'a pas pour seule fonction d'abriter la famille, mais d'assurer aux résidents le confort (par la présence d'une salle de bains par exemple) et la respectabilité. C'est pourquoi il doit être situé dans un quartier résidentiel, dans une maison de belle apparence, comporter un important nombre de pièces qui donne de l'espace aux habitants et surtout un salon qui est la salle de réception, celle où la vie privée cède le pas à une forme d'existence publique qui atteste la réussite de la famille. Le salon, fait pour accueillir les étrangers, doit être meublé de fauteuils (couverts de housses en dehors des jours de réception), de bibelots, d'un piano où la maîtresse de maison ou la jeune fille de la famille jouera pour les invités.

L'intérieur bourgeois est inconcevable sans la présence d'un ou plusieurs domestiques. Selon le niveau de fortune, le personnel domestique est plus ou moins nombreux et plus ou moins diversifié. Dans la haute bourgeoisie, on a une ou plusieurs bonnes, un chauffeur, un cuisinier, un jardinier, etc. Le plus souvent la famille emploie une domestique à plein-temps qui est logée dans l'appartement. Au niveau le plus modeste, on se contente d'une femme de ménage.

La bourgeoisie se lit encore dans le vêtement. Dans les rues des villes, on peut, du premier coup d'œil, différencier l'ouvrier qui porte casquette ou son épouse « en cheveux » de la famille bourgeoise en chapeau. Mais surtout, la bourgeoisie suit une mode qui est d'ailleurs désormais faite pour elle. L'empereur de la mode parisienne d'avant-guerre, le couturier Paul Poiret, pour qui les femmes devaient être « belles et architecturales comme des proues de navire », qui habillait duchesses et marquises, commence un déclin qui est parallèle à celui du groupe social auquel il s'identifiait. Désormais les nouveaux « grands couturiers » travaillent pour les femmes de la bourgeoisie qui tiennent à montrer leur élégance en vivant une vie quotidienne active, en prenant le taxi, l'autobus ou le métro. La jupe courte qui laisse voir les mollets, les vêtements légers, simples et pratiques remplacent les lourdes robes drapées. La silhouette de la femme des années vingt joue sur la minceur, l'étroitesse, l'absence de hanches, les cheveux courts, plats et calamistrés, couverts d'un chapeau cloche. Les femmes de la bourgeoisie (et derrière elles celles de la classe moyenne, puis celles de toutes les classes sociales) portent des vêtements qui soulignent ces traits. Pour les plus riches, la mode, c'est Coco Chanel avec ses robes sport en dentelle de laine, ses petits ensembles en tricot pratiques, ses manteaux de voyage confortables. C'est encore Vionnet qui taille des robes « à l'égyptienne », Schiaparelli qui fabrique ses vêtements dans de la toile à torchon ou de la toile à sac. Le costume de tricot triomphe, puis bientôt le turban de jersey. La fantaisie est fournie par les accessoires : sacs pailletés, fume-cigarettes interminables, poudriers incrustés de coquilles d'œufs, éventails en plumes d'autruches [1]... Plus ou moins ostentatoire selon les milieux et les revenus, cette mode bourgeoise devient dans les villes un modèle généralisé qui montre la puissance du genre de vie de ce groupe social dans les aspirations d'une grande partie de la société.

C'est encore dans la bourgeoisie que se situe le modèle familial qui sert de cellule de base à la société française. La cohésion de la cellule est liée à la possession d'un patrimoine que tout écart risque de compromettre. Au-delà de toute considération éthique ou morale, c'est là la clé du comportement familial de la bourgeoisie. Aussi l'autorité du chef de famille, gardien et gestionnaire du patrimoine, demeure-t-elle considérable. C'est en fonction de la conservation ou de l'accroissement du patrimoine que s'organisent les mariages : l'époux y trouve la dot qui permet d'accroître la fortune familiale, l'épouse, la sécurité, le refuge. Dans le meilleur des cas, pendant que le mari vaque à la gestion de ses affaires, la femme vit dans une semi-oisiveté, surveillant d'assez loin l'éducation des enfants confiée en fait au personnel domestique, brode, lit, reçoit ses amies ou est reçue par elles et passe l'été dans la maison familiale de campagne ou dans une villa louée au bord de la mer où elle emmène ses enfants. Sans doute derrière la façade lisse d'une vie familiale sans ride existent tensions, conflits, parfois haines longuement réchauffées, dont les romans de François Mauriac donnent nombre d'exemples. Il arrive que le mari ait des aventures extra-conjugales, voire, plus rarement, que l'émancipation de la femme aille jusqu'à l'infidélité. Pour regrettables qu'apparaissent ces écarts, ils sont jugés inévitables, voire supportables tant qu'ils demeurent secrets et qu'ils ne risquent pas de déboucher sur un divorce qui compromettrait, avec la cellule familiale, l'honneur

1. Gilbert Guilleminault, *Le Roman vrai des années folles* (154).

du nom et la solidité du patrimoine. On comprend dès lors le scandale qui secoue l'opinion lorsqu'en 1922 l'écrivain Victor Margueritte fait paraître son roman *La Garçonne*, histoire d'une jeune femme de la bourgeoisie déçue par les hommes et qui décide de vivre sa vie en toute liberté, s'adonnant à la drogue, prenant selon son bon plaisir de multiples amants, s'efforçant même d'avoir un enfant hors mariage pour l'élever dans la haine du sexe fort... jusqu'au moment où elle découvre le véritable amour avec un homme qui admet l'égalité des sexes. Scandale et succès vont de pair. Attaqué dans la presse, vilipendé par les bien-pensants, radié de l'ordre de la Légion d'honneur, l'auteur est défendu par Anatole France, fait fortune grâce à l'ouvrage qui bat des records de recettes, qui est adapté au cinéma et au théâtre et donne le nom de son héroïne à la mode des années vingt.

Mais, si la mode « à la garçonne » triomphe dans les années qui suivent, peu de femmes sont prêtes à suivre la dissidence hors de la société bourgeoise et de ses conventions dont Monique Lerbier, la « garçonne », a donné l'exemple. Sans doute l'émancipation féminine est-elle dans l'air du temps et la France ne compte-t-elle pas moins de 180 sociétés féministes rassemblant 160 000 adhérentes, mais les dirigeantes de ces associations, Mme Schreiber-Crémieux, proche des milieux radicaux, ou Mme Jules Siegfried, épouse de l'homme politique et homme d'affaires normand, sont l'une et l'autre des représentantes d'une grande bourgeoisie qui ne songe nullement à remettre en cause les normes de la société. Le féminisme demeure un loisir de femmes du monde émancipées plus qu'un véritable mouvement de contestation dans la France des années vingt. La famille bourgeoise reste une valeur sûre dont le modèle s'impose à la société tout entière.

Plus que l'émancipation féminine, l'éducation des enfants est essentielle aux stratégies de maintien et de consolidation de la bourgeoisie française. L'éducation bourgeoise est un ensemble complexe dans lequel interviennent à la fois l'instruction et la connaissance d'un certain nombre de règles codifiées. Celles-ci définissent des comportements qui constituent autant de critères de reconnaissance et d'appartenance à un monde dont sont exclus les non-initiés : on est reconnu comme membre du groupe selon la manière dont on se tient à table, dont on se comporte en société, dont on soutient une conversation, dont on écrit une lettre, selon les lieux que l'on fréquente, les spectacles auxquels on a assisté, les gens que l'on connaît ou rencontre...

L'apprentissage des codes sociaux, pour être essentiel, n'est que l'un des aspects de l'éducation bourgeoise. Celle-ci exige également l'instruction dans la filière des lycées et l'obtention de ce véritable brevet d'accès à la bourgeoisie qu'est le baccalauréat. C'est lui qui est supposé ouvrir les portes de la réussite sociale, qui permet ensuite d'espérer les plus brillantes carrières jusqu'à la consécration suprême, clé de l'intégration à la grande bourgeoisie, l'École polytechnique. La filière des lycées apparaît si bien comme celle d'une élite restreinte, à peine tempérée par le système des bourses (encore que de 12 à 13 % des effectifs des lycées soient constitués de boursiers, ce qui est loin d'être négligeable), que le nombre des lycéens n'augmente que très faiblement par rapport à la fin du XIXe siècle. Au milieu des années vingt, on compte ainsi environ 55 000 élèves dans les classes élémentaires des lycées, 120 000 dans les classes secondaires, 30 000 dans l'enseignement secondaire féminin (à quoi il faudrait ajouter 110 000 garçons et filles dans les établissements privés). Si bien que, selon les évaluations d'Antoine Prost, en 1925, environ 180 000 garçons suivraient l'enseignement secondaire : c'est là l'élite bourgeoise destinée à fournir les cadres de la France de demain [1]. Et l'instrument du maintien du malthusianisme de l'enseignement secondaire est la barrière que les humanités gréco-latines opposent à l'entrée dans le système des enfants du peuple, orientés vers la filière primaire aux objectifs beaucoup plus modestes et qui ne peuvent qu'exceptionnellement permettre d'accéder à l'élite. C'est pourquoi la lutte de la gauche pour la démocratisation de l'enseignement passe par l'institution de l'école unique et la suppression de la barrière des humanités gréco-latines (qu'illustre par exemple la lutte de la gauche cartelliste contre le décret Bérard de mai 1923 qui renforçait ces dernières). On a vu qu'un certain nombre de pas, modestes il est vrai, avaient été accomplis dans cette voie durant les années vingt, mais sans entamer véritablement la solidité du système [2].

Enfin, le mode de vie bourgeois comporte l'accès aux formes modernes de la consommation qui commencent à apparaître en

1. Antoine Prost (118).
2. Voir ci-dessus p. 294-295.

L'éducation
dans la France des années vingt

Recrutement de l'enseignement secondaire et supérieur

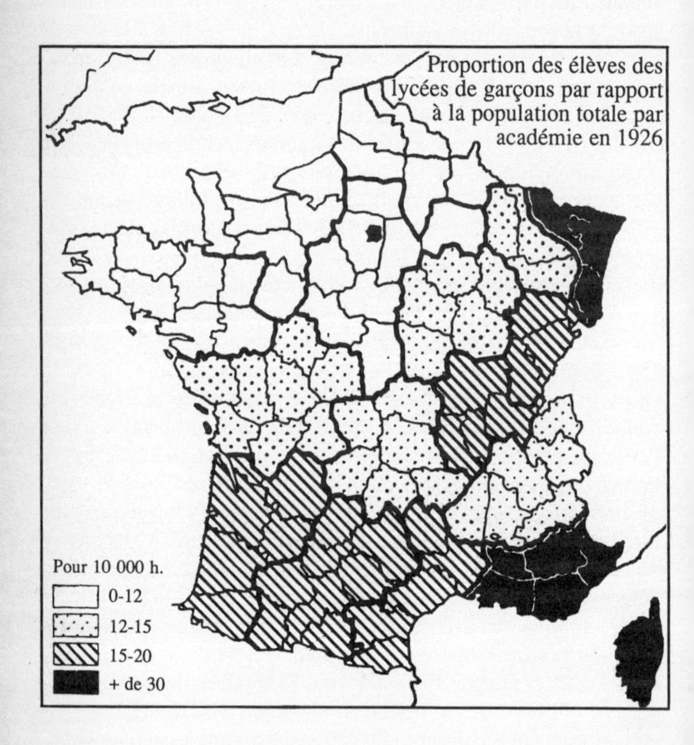

Source : Histoire du peuple français, t. V, *Cent ans d'esprit républicain*, par Jean-Marie Mayeur, François Bédarida, Antoine Prost et Jean-Louis Monneron, Nouvelle Librairie de France, 1965, p. 347.

L'éducation
dans la France des années vingt

Recrutement de l'enseignement secondaire et supérieur

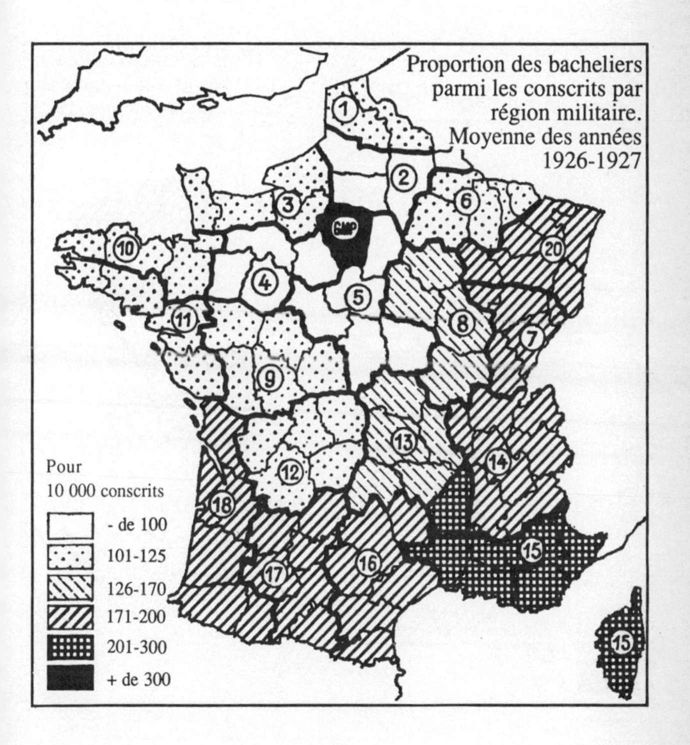

Source : Histoire du peuple français, t. V, *Cent ans d'esprit républicain*, par Jean-Marie Mayeur, François Bédarida, Antoine Prost et Jean-Louis Monneron, Nouvelle Librairie de France, 1965, p. 493.

L'éducation
dans la France des années vingt

Recrutement de l'enseignement secondaire et supérieur

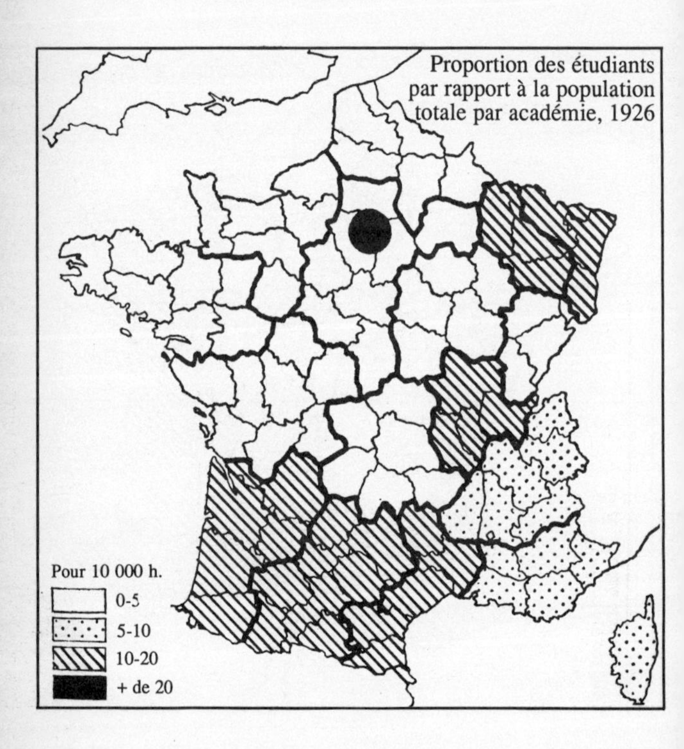

Source : Histoire du peuple français, t. V, *Cent ans d'esprit républicain*, par Jean-Marie Mayeur, François Bédarida, Antoine Prost et Jean-Louis Monneron, Nouvelle Librairie de France, 1965, p. 493.

L'éducation
dans la France des années vingt

Recrutement de l'enseignement secondaire et supérieur

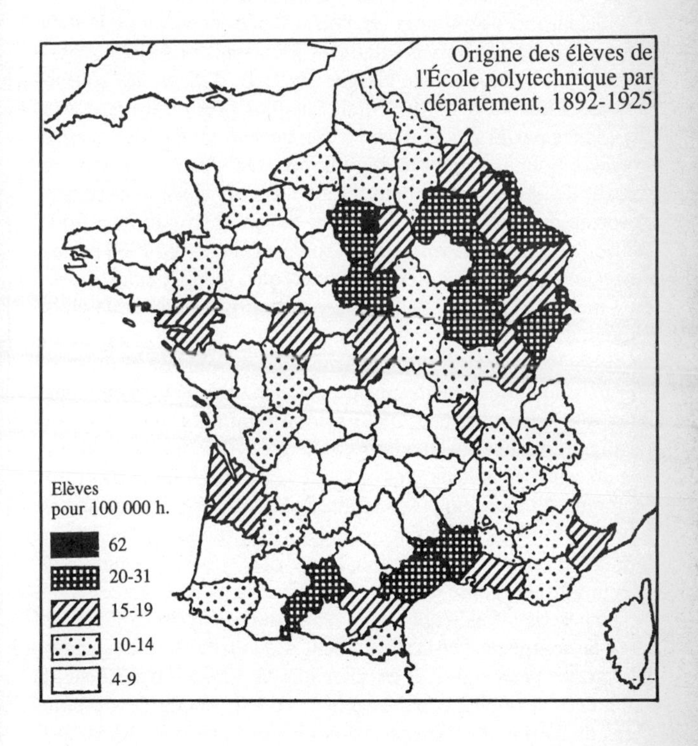

Source : Histoire du peuple français, t. V, *Cent ans d'esprit républicain*, par Jean-Marie Mayeur, François Bédarida, Antoine Prost et Jean-Louis Monneron, Nouvelle Librairie de France, 1965, p. 493.

cette période de croissance et qui, au moins dans les strates supérieures de la bourgeoisie parisienne, se substituent à l'austérité, au sérieux, à la gestion prudente du patrimoine qui avaient caractérisé la bourgeoisie dans l'avant-guerre et qui se maintiennent dans la petite et moyenne bourgeoisie et en province. C'est d'abord l'apparition des vacances au bord de la mer ou à la campagne, qui restent encore un privilège de la bourgeoisie : s'évader hors de la ville suppose des loisirs et des moyens financiers. Des lieux de villégiature, jusqu'alors réservés à une mince élite de la naissance ou de la fortune, connaissent désormais une vogue considérable avec une clientèle élargie : la Côte d'Azur, les stations thermales de Vichy ou de Vittel, ou, plus près de Paris, Deauville, lancé par François André et qui devient un lieu de vacances consacré pour une bourgeoisie huppée. On s'y rend en voiture. Durant les années vingt, l'automobile, encore considérée comme la forme moderne du carrosse, fait partie de la panoplie bourgeoise. Le million de voitures qui roule en France en 1930 permet grossièrement de délimiter la frontière des familles bourgeoises, en y incluant une part de la moyenne bourgeoisie et de la classe moyenne. Signe des temps, c'est ce dernier groupe, aux aspirations bourgeoises, mais aux revenus limités, que vise la première voiture populaire et relativement peu onéreuse que la firme Simca lance sur le marché, la 5 CV. Enfin, à l'imitation de la Grande-Bretagne, modèle social admiré, la jeunesse bourgeoise se distingue de celle des milieux plus modestes en pratiquant le sport, qui témoigne du culte nouveau rendu au corps par une élite sociale qui se veut libérée et émancipée des vieux tabous d'une société guindée et corsetée : la natation, le cheval et surtout le tennis constituent ainsi le propre du mode de vie bourgeois des années vingt.

Dans la vie quotidienne, tout un ensemble de traits caractérisent ainsi la bourgeoisie et la distinguent des autres groupes sociaux. Dans cette perspective, il est clair que la grande bourgeoisie, la seule dont les revenus permettent l'accès au mode de vie bourgeois dans tous ses traits, sert à coup sûr de modèle. Mais, avec quelque distance, la moyenne bourgeoisie tente de l'imiter et la classe moyenne elle-même adapte à la modestie de ses moyens financiers le modèle idéal vécu au sommet. La même observation vaut pour l'accès à la culture, qui fait l'objet d'une véritable gradation depuis la haute bourgeoisie jusqu'aux milieux populaires.

4. Cadre de vie et sensibilités

Le premier élément à noter est le fait que, quel que soit le groupe social concerné, la ville est désormais le lieu de la culture. On a vu que la période se caractérisait par l'achèvement du démantèlement de la culture populaire rurale devant la prépondérance des modèles urbains. Quel cadre la ville offre-t-elle à une société dont les mentalités et les comportements demeurent majoritairement ruraux, alors qu'elle est appelée à vivre de plus en plus nombreuse en milieu urbain ? De 1921 à 1931, 2 millions de personnes sont venues s'installer dans les villes, et la croissance qui en résulte s'opère surtout au bénéfice des agglomérations de plus de 100 000 habitants, et au premier chef de l'agglomération parisienne qui connaît une forte poussée. Mais cette croissance urbaine s'effectue dans l'anarchie et l'entassement. L'absence à peu près totale de plans d'urbanisme fait naître des banlieues éloignées du centre ou des quartiers hâtivement bâtis à la périphérie des villes : immeubles de béton sans grâce et sans unité, lotissements pavillonnaires sans équipement, voire maisons bâties à la hâte et avec des matériaux de fortune, sans respect des alignements ou des règles élémentaires de l'architecture, séparées par des jardinets qui permettent aux nouveaux arrivants de ne pas totalement perdre leurs racines rurales. Les projets d'urbanisme concerté ne donnent d'ailleurs pas de meilleurs résultats. Les tentatives de cités-jardins édifiées dans le Nord sont le plus souvent des échecs, à l'exception de celles construites sous l'influence de Raoul Dautry, directeur du chemin de fer du Nord. A Paris, la destruction des anciennes fortifications conduit à l'édification d'une ceinture d'habitations à bon marché (HBM) en brique, sans espaces verts. Enfin, la prolifération des banlieues sépare le lieu d'habitation du lieu de travail et multiplie les déplacements. Rappelons enfin que la législation sur les loyers a abouti à la dégradation du parc immobilier et à la quasi-absence de constructions nouvelles qui font des villes des années vingt des cités aux logements vétustes et peu confortables, dans lesquelles la vie est dure pour les plus démunis [1].

1. Georges Duby (117).

Cependant, l'anarchie urbaine qui préside au développement des villes suscite, par contre-coup, un effort de réflexion pour penser les cités nouvelles destinées à abriter des masses humaines considérables. C'est d'abord celui de l'architecte Auguste Perret, tenant d'une esthétique classique, qui entend mettre des matériaux nouveaux, béton armé et acier, au service d'une architecture fonctionnelle, adaptant structures et formes à la finalité de l'édifice, bannissant dans une volonté de simplicité — et d'économie — les ornements inutiles. Le prototype en est l'église Notre-Dame du Raincy construite en 1922 et dans laquelle la nudité et l'économie des matériaux bruts donnent un sentiment d'austérité et de rigueur que contrebalancent l'élégance des colonnes et de la voûte et la richesse des couleurs du verre qui garnit les murs ajourés. Beaucoup plus moderne et révolutionnaire dans ses conceptions, Le Corbusier (de son vrai nom Charles-Édouard Jeanneret) est le chef de file d'une école progressiste dont il se fait le théoricien à travers d'innombrables écrits, des expositions et des plans de reconstruction des villes. Partant de l'idée qu'en dépit des modifications de la société technicienne les besoins de l'homme sont immuables, il propose de définir, grâce aux moyens qu'offre la société industrielle, les normes d'un habitat standard qui permettent de les satisfaire. Aussi préconise-t-il, avec un certain nombre de principes techniques, une construction en hauteur destinée à économiser l'espace urbain, dans laquelle on distinguerait l'espace privé (cellules d'habitation de 2,20 mètres de haut) des espaces publics collectifs, un éclairage rationnel, un mobilier fonctionnel adapté à l'architecture, une esthétique de la pureté et de la nudité... Conceptions qu'il étendra ensuite à l'échelle de la ville tout entière, son projet de « Ville radieuse » devant résoudre de manière rationnelle les quatre fonctions urbaines : habiter, travailler, se recréer le corps et l'esprit, circuler [1]. Toutefois, les conceptions visionnaires de Le Corbusier intéressent peu le grand public, qui, par contre, porte une attention soutenue, non à l'architecture et à l'urbanisme, mais à la décoration et à l'équipement de la maison.

A cet égard, le contraste est frappant entre la recherche du fonctionnalisme et de la sobriété ornementale par lesquels les architectes et les urbanistes s'efforcent de résoudre le problème neuf

1. *Ibid.*

de l'habitat de masse dans la ville des années vingt, et le goût du public pour les couleurs vives et contrastées (les orange, les verts, les violets) des étoffes ou des coussins, les panneaux de laque, les lampadaires en verre opalescent, les meubles clairs aux bois rares. Ce style foisonnant triomphe en 1925, à l'Exposition des arts décoratifs organisée le long de la Seine et où le public se presse pour visiter les pavillons lumineux aux décorations bariolées ou les péniches-restaurants *Amour*, *Délices* et *Orgues* décorées par le couturier Paul Poiret et son ami le peintre Raoul Dufy. Plus de 16 millions de visiteurs se pressent dans les pavillons ou aux fêtes organisées par Poiret dont c'est le chant du cygne, avant la ruine et l'effacement définitif. Le conformisme bourgeois s'émeut du chaos et de l'agressive laideur de l'exposition, mais le « style Arts déco », plébiscité par l'élite, devient la caractéristique des années vingt, témoignant à sa manière, après la période sombre de la guerre, de la volonté de manifester de façon ostensible, voire provocatrice à l'égard du bon goût et de la mesure, la joie éclatante de la paix retrouvée, l'aspiration à jouir de la vie, fût-ce dans l'excès, le refus du raisonnable, du rationnel, la recherche d'un ailleurs éloigné d'un réel qui s'est, quatre années durant, confondu avec l'horreur.

Ainsi l'Exposition des « Arts déco » caractérise-t-elle l'ambiance d'une époque qui cherche à s'étourdir, ambiance qui explique le terme d'« années folles » par lequel on désigne les années vingt. Non que la société tout entière ait vécu la vie d'une mince élite parisienne par quoi on caractérise les « années folles ». Les paysans affrontés aux problèmes du triomphe de la civilisation urbaine et de la généralisation d'une économie de marché, les ouvriers écrasés par le travail à la chaîne ou tentant d'améliorer leur condition par des heures supplémentaires, la bourgeoisie de province, fidèle à son idéal d'austérité et de maintien du patrimoine, la classe moyenne qui cherche par le travail et l'épargne à réaliser sa promotion, c'est-à-dire la quasi-totalité des Français, n'y participent en aucune manière. Il reste que, parce que l'ambiance du Paris des années folles symbolise le malaise et les aspirations d'une société qui, au sortir du cauchemar exprime son soulagement et entend jouir de la vie, ses manifestations ne sont pas négligeables.

Or, pour toute une partie de la société, le Paris des années vingt redevient la ville du plaisir. L'écrivain socialiste Alexandre Zévaès la décrit ainsi : « Avec la ruée aux 'affaires' et aux millions, la ruée aux jouissances et aux plaisirs. A chaque carrefour les dancings ont ouvert leurs portes où se presse une population mêlée, aux gestes et aux mœurs équivoques. On danse avec frénésie au lendemain de la guerre comme on dansait au lendemain de la Révolution, pour s'étourdir, pour oublier les émotions de la veille, pour se remettre des secousses éprouvées. » De fait, outre les dancings, les boîtes de nuit, les cabarets, les théâtres ne désemplissent pas. L'un des centres de cette vie parisienne est le cabaret *Le Bœuf sur le toit* où se retrouve l'élite intellectuelle parisienne autour de Jean Cocteau (dont le titre du dernier livre a servi à baptiser l'établissement), des peintres Picasso et Derain, des compositeurs Erik Satie et Francis Poulenc, de journalistes, d'hommes d'affaires, d'altesses, de princes régnants, d'écrivains en renom et de jolies femmes. Le lieu éclipse l'hôtel particulier de l'avenue d'Antin, l'*Oasis* où Paul Poiret donne des fêtes somptueuses qui attirent les célébrités... d'avant-guerre. Signe des temps : chez Poiret on danse le tango, danse lascive importée d'Argentine; au *Bœuf sur le toit* on s'étourdit au rythme frénétique du *charleston* ou du *shimmy* venus des États-Unis.

C'est bien là la vraie danse des années folles, comme la musique qui convient à l'époque est le jazz que l'on connaît grâce aux Noirs américains qui ont débarqué avec les troupes de Pershing. En quelques années, cette musique nouvelle, syncopée, fait la conquête de Paris. Elle connaît son premier triomphe en 1925, avec le spectacle inouï qui se déroule à la salle des Champs-Elysées, *La Revue nègre*, animée par Flossie Mills, puis, après la mort brutale de celle-ci, par Joséphine Baker. Tous les soirs, la salle est comble et la découverte du music-hall à l'américaine laisse sans voix un public parfois scandalisé par ce qui apparaît comme une insulte au bon goût, mais qui est, comme malgré lui, conquis et subjugué...

Ce qui vaut pour le cadre de vie et les formes de sensibilité collective vaut pour la culture : alors que les normes en demeurent majoritairement intangibles, d'audacieuses anticipations que la société n'admet guère sur le moment, mais qui finissent par s'imposer à elle, traduisent au niveau de la littérature et de l'art l'esprit nouveau de l'après-guerre.

La culture de l'élite.

Les formes réputées nobles de la culture en portent évidemment la trace. Sans doute ne faut-il pas surestimer le poids des événements récents sur la production culturelle. L'ambiance d'une époque est probablement déterminante pour les artistes qui effectuent à ce moment leurs années de formation, elle peut infléchir l'œuvre de ceux qui parviennent à la maturité mais elle est moins déterminante pour les auteurs confirmés dont le style, la personnalité et l'image publique sont depuis longtemps fixés. A cet égard, si une relève se produit bien dans les années vingt, c'est celle des maîtres de l'avant-guerre, dont la perte d'influence intellectuelle précède souvent la disparition physique, par une génération de quadragénaires ou de quinquagénaires déjà présente avant la guerre.

En 1923 meurent ainsi Pierre loti, à peu près oublié, et Maurice Barrès, encore dans la plénitude de son prestige, salué par la droite politique, mais déjà dépassé par ceux dont il avait été le maître à penser, les jeunes écrivains catholiques ou Henry de Montherlant. L'année suivante, à l'autre extrémité de l'échiquier politique, disparaît Anatole France, couvert de louanges officielles, mais décrié par les catholiques, l'extrême gauche qui dénonce son opportunisme et les écrivains surréalistes qui se montrent d'une rare violence contre lui. Quant à Paul Bourget, inébranlable défenseur de l'ordre social, il se survit juqu'en 1935, mais, même chez les catholiques dont il avait été l'idole, il ne trouve plus de lecteurs qu'en province.

Les nouveaux maîtres qui les remplacent désormais ne sont pas des inconnus. Groupés autour de la NRF que domine l'influence d'André Gide, ils poursuivent une œuvre dont le point commun est sans doute la priorité donnée à l'exploration de l'âme humaine, de ses problèmes et de ses déviations, du fonctionnement psychologique de l'homme. De cette introspection née à la fin du XIXe siècle et dont la thèse d'Henri Bergson, *Essai sur les données immédiates de la conscience* (publiée en 1889), marque en quelque sorte le point de départ, la littérature des années vingt est très fortement influencée. Elle est le thème prégnant de l'œuvre de Proust, *A la recherche du temps perdu* (qui reçoit en 1919 le prix Goncourt pour l'un de ses volumes, *A l'ombre des jeunes filles en fleur*), et assure à son auteur, qui disparaît en 1922, une gloire posthume considérable. Elle est la trame des recherches philosophiques de Bergson, récompensées par le prix Nobel en 1927. Elle est au cœur des œuvres majeures de Gide, publiées dans les années vingt, *La Symphonie pastorale*, *Les Faux-Monnayeurs* ou *Corydon* dans lequel ce protestant tourmenté s'efforce de justifier son homosexualité. C'est encore l'introspection qui donne son unité aux grands poèmes musicaux et métaphysiques de Valéry, *Le Cimetière marin* (1920) ou *Charmes* (1922).

Au-delà des grands noms qui poursuivent une œuvre commencée avant la guerre (mais à laquelle le choc de la guerre a donné actualité et acuité), l'histoire s'impose désormais avec une puissance écrasante à quelques-uns des grands écrivains du temps. Elle est présente sous sa forme politique chez Gide, qui publie en 1927 un pamphlet anticolonialiste, *Voyage au Congo*, ou chez Romain Rolland, pontife de l'anticonformisme, qui, déçu par la civilisation bourgeoise et chrétienne de l'Occident, vibre aux premières heures de la révolution russe, s'épouvante bientôt de son caractère sanglant pour exalter la non-violence de Gandhi, avant de tenter — en vain — de trouver une synthèse entre celui-ci et Lénine. C'est une vision cosmique de l'histoire qui inspire, à la fin des années vingt, l'œuvre de Paul Claudel, *Le Soulier de satin*, où il développe sa conception d'un sens de l'histoire qui doit conduire au triomphe de Dieu et de l'Église et d'une morale du renoncement.

Les jeunes auteurs qui se font connaître dans les années vingt témoignent de ce refus du monde réel qui marque si fortement les sensibilités de l'époque. La littérature d'après-guerre s'organise en effet autour de trois tendances qui marquent la recherche d'un ailleurs ou d'un autrement. La première est la littérature d'évasion, récits de voyages dans le temps ou l'espace (*L'Atlantide* de Pierre Benoît, *Quai des brumes* de Pierre Mac Orlan, les récits de voyage des frères Tharaud ou de Louis Hémon, *Maria Chapdelaine*, par exemple), refuge dans la nature et le monde paysan (*La Brière* d'Alphonse de Châteaubriant, *Raboliot* de Genevoix, qui fait revivre la Sologne, ou *Gaspard des montagnes* d'Henri Pourrat, qui poétise l'Auvergne). Mais l'évasion peut aussi être le goût du jeu verbal chez un Paul Morand, poète des voyages et des chemins de fer, à travers la fantaisie teintée de préciosité d'un Jean Giraudoux qui débouche sur une morale de sagesse, de modération, d'attachement au sol natal, ou la fantaisie poétique d'un Cocteau.

Seconde tendance de la production littéraire des années vingt, les fidélités humanistes qui consistent, dans la paix retrouvée et l'illusion de la sécurité, à revenir vers l'étude de l'homme dans sa psychologie, ses sentiments ou son milieu. Proust et Bergson influencent toute une génération d'auteurs à la recherche d'une meilleure compréhension de l'homme peu à peu « effiloché par le temps » : Jacques Chardonne, André Maurois ou Jacques de Lacretelle. Mais c'est l'homme en situation, dans la société et dans l'histoire, qui inspire Georges Duhamel dont les *Aventures de Salavin* posent la question de la validité de l'humanisme laïc, Jules Romains, prophète de l'humanisme, qui est pour lui l'étude des états d'âme collectifs, et surtout Roger Martin du Gard qui fait paraître, entre 1919 et 1926, les six premiers tomes des *Thibault*, véritable somme des problèmes sociaux, éthiques, moraux, intellectuels de l'homme des débuts du XXe siècle.

Il faut enfin faire la part d'une troisième tendance majeure, sans doute issue du réveil religieux du début du XXe siècle, mais dont le conflit a accru l'acuité, et qui est l'approfondissement de la conscience chrétienne. Deux noms dominent la production littéraire, ceux de Mauriac et de Bernanos. Dessinant un tableau sans concession de la bourgeoisie bordelaise, Mauriac y place des personnages déchirés par leurs péchés, des brebis égarées que leur trouble rapproche de Dieu et qui ont toute sa sympathie face à la sécheresse de cœur et au pharisaïsme des âmes catholiques sereines. C'est aussi le péché, mais le péché de l'esprit, l'orgueil, la haine, force concrète qu'on sert comme le croyant sert Dieu, qui est au cœur de l'œuvre de Georges Bernanos, consacré en 1926 par la parution de *Sous le soleil de Satan* et en 1927 par *L'Imposture* où il dénonce la foi formelle d'une bourgeoisie dévote qui entend en faire un moyen de domination.

Rien de très neuf par conséquent dans une littérature qui emprunte les sillons de l'avant-guerre, la guerre ne paraissant avoir eu pour effet que de renforcer des tendances nées avant elle. On peut en dire autant de la musique. La période est dominée par le « groupe des Six » qui, sans être une véritable école, témoigne de tendances communes : Georges Auric, Darius Milhaud, Francis Poulenc, Louis Durey, Arthur Honegger, Germaine Tailleferre. Rejetant l'héritage wagnérien et la sensibilité postromantique ou le raffinement impressionniste à la Debussy, ils composent une musique expressionniste, rigoureuse et polytonale dont, dès avant la guerre, Stravinski avait donné l'exemple dans son *Sacre du printemps.* La peinture, elle aussi, poursuit sur sa lancée d'avant le conflit. C'est l'héritage du cubisme que font prospérer dans les années vingt Picasso, Braque ou Léger tout en s'éloignant des recherches de plus en plus abstraites qui, en détruisant l'objet pour mieux en représenter l'essence profonde, menaçaient de déboucher sur une impasse artistique ; de son côté, Matisse poursuit une œuvre où le fauvisme initial s'apaise pour donner naissance à un art original, de plus en plus sobre et dépouillé, où le plaisir visuel est le véritable objet de toiles dans lesquelles fruits, fleurs et femmes composent une subtile harmonie colorée. Le mot d'ordre des années vingt serait plutôt, après les fiévreuses recherches intellectuelles de l'avant-guerre, à l'apaisement et au retour vers le figuratif et le réel.

Le tableau de cette culture de l'élite ne serait pas complet si l'on ne notait l'importance du renouveau théâtral des années vingt. Autour des metteurs en scène du « Cartel » (théâtral), Dullin, Gaston Baty, Sacha Pitoëff, Louis Jouvet, qui, en dépit de leurs divergences, se rassemblent en 1927, se développe un effort de création et de recherche libéré de préoccupations exclusivement commerciales. Ils entendent que, dans une forme classique, qui témoigne de leur souci du beau, le théâtre exprime les inquiétudes, les refus, les aspirations de l'époque. Aussi ne faut-il pas s'étonner que les auteurs qu'ils représentent le plus volontiers, dans cette société mal remise du cauchemar de la guerre, qui cherche à s'en évader tout en ne pouvant refuser le réel, soient ceux qui jouent sur la frontière entre le rêve et la veille, entre la réalité et l'illusion, un Pirandello *(A chacun sa vérité, Six Personnages en quête d'auteur)*, un Cocteau, un Giraudoux...

L'hésitation entre le réel et l'illusion, l'idée qu'on peut fuir un monde décevant pour se réfugier en soi, dans les replis de cette conscience qu'on ne cesse d'inventorier, que chacun porte en lui un autre univers qui n'a pas moins de consistance que celui qui est communément reconnu, inspirent enfin le grand mouvement novateur de la culture des années vingt, le surréalisme. Celui-ci se situe au carrefour de deux séries d'influences. La première est antérieure à la guerre. Elle résulte de la mise en question du rationalisme, du scientisme, du déterminisme par le mouvement scientifique. La théorie des quanta de Max Planck, les recherches de Louis de Broglie (prix Nobel de physique en 1925) sur la mécanique ondulatoire, les travaux de Pierre et Marie Curie et de leurs disciples sur la structure de l'atome, les découvertes d'Einstein sur la relativité ont eu pour résultat de changer la vision du monde des contemporains. Les notions d'espace continu, linéaire, l'idée de fixité de la matière, les conceptions de l'organisation de l'univers ont été bouleversées, et, avec cette remise en cause, ont disparu les certitudes scientifiques qui avaient été à la base du positivisme puis du scientisme. Déjà connue par des vulgarisations de seconde main, l'œuvre de Freud démantèle d'autres pans des idées reçues en popularisant les concepts de base de la psychanalyse et en révélant le monde secret et trouble du subconscient sous les dehors lisses d'une conscience au fonctionnement si passionnément scruté. Mais ce mouvement est antérieur à la guerre et les œuvres culturellement reconnues du début du siècle en portent la trace. Le premier, dès avant le conflit, Guillaume Apollinaire a tenté de donner à cette remise en question une expression littéraire.

Le second courant est la remise en cause violente, passionnée, coléreuse de toutes les valeurs de la société d'avant-guerre et, pour commencer, de l'humanisme et des canons artistiques, par des artistes qui les accusent d'avoir été complices d'une société qui a permis la guerre. Le mouvement « Dada » qui exprime cette révolte est né à Zurich en 1916 autour de Tristan Tzara et s'est manifesté par des provocations destinées à tuer la culture bourgeoise par la dérision. En 1920, Tzara vient à Paris et il suscite l'organisation de toute une série de groupes, dont le plus important se rassemble autour d'André Breton et comprend des hommes comme Aragon et Soupault, qui ont été traumatisés par la guerre et partagent la fureur nihiliste de Tzara. En mars 1919, ce groupe fonde la revue *Littérature* dont l'objectif est de détruire les « fausses idoles ».

Toutefois, les rédacteurs de *Littérature* se lassent assez vite des chahuts provocateurs de Tzara et d'une œuvre de démolition des valeurs culturelles qui apparaît comme purement nihiliste. En 1922, Breton, Desnos, Aragon, Éluard se séparent de « Dada » pour lancer la « révolution surréaliste ». Il s'agit de rejeter les modes de penser et de sentir de l'humanisme traditionnel pour retrouver la sincérité et la vérité, créer une nouvelle forme d'art et de poésie en explorant l'inconscient, en utilisant les rêves, en trouvant une forme originale d'écriture automatique, « dictée de la pensée, en l'absence de tout contrôle exercé par la raison, en dehors de toute préoccupation esthétique et morale ». Forme d'art nouvelle placée au carrefour de l'influence d'Apollinaire et de la révolte d'après-guerre, le surréalisme va montrer sa fécondité en littérature avec Breton, Eluard, Aragon, Péret, Desnos, la plupart d'entre eux adhérant en 1927 au Parti communiste dont le rejet radical de la société leur apparaît comme l'équivalent politique de leur rejet de la société bourgeoise et de ses normes. Mais la volonté de maintenir leur autonomie les place en situation difficile au sein de l'organisation.

Le surréalisme ne donne pas d'œuvres moins riches dans les arts plastiques. Max Ernst, Miró, Salvador Dali, Magritte en peinture, Jean Arp en sculpture, bien d'autres encore s'en réclament... Il n'est pas jusqu'à l'art nouveau qu'est le cinéma dans les années vingt qui ne soit influencé par le surréalisme. Si le nom de Buñuel est le plus célèbre (avec *Le Chien andalou*), les surréalistes eux-mêmes n'ont pas hésité à tenter de traduire en films leurs œuvres, écrivains comme Desnos ou Cocteau, peintres comme Léger, Picabia, Dali, rejoints par des metteurs en scène comme René Clair.

Au total, le Paris des années vingt est le lieu d'un fiévreux bouillonnement intellectuel où s'élabore l'art de l'après-guerre, tandis que celui de la « Belle Époque » brille encore de tous ses feux. La France demeure en ces années le pôle culturel du monde et ce rôle est ratifié par l'extraordinaire concentration d'écrivains et d'artistes étrangers qui se rassemblent dans la « Ville lumière », en particulier autour des brasseries de Montparnasse, *La Coupole*, *Le Dôme* ou *La Rotonde*, hauts lieux de la vie intellectuelle et artistique cosmopolite du Paris des années vingt. On trouve là la « génération perdue » des écrivains américains, Scott Fitzgerald, Ernest Hemingway, Henry Miller. On y rencontre aussi ces peintres étrangers qui vont donner naissance à « l'École de Paris », Soutine, Modigliani, Utrillo, Chagall. Avant que la crise ne la frappe, la France brille de tous ses feux culturels qui paraissent lui faire retrouver les grandes époques de l'influence artistique nationale.

Toutefois, cette culture de l'élite, qui est appelée à un large retentissement international, voit se développer à ses côtés une « culture » populaire qu'on hésite à qualifier ainsi tant ses caractères diffèrent de celle qui vient d'être décrite, mais dont l'importance n'est pas moindre, tant elle imprègne les comportements des masses et traduit, à sa manière, les tendances profondes de l'esprit public.

La culture populaire des années vingt.

Les années vingt voient l'épanouissement d'une culture de masse qui se substitue à la culture populaire traditionnelle, fondée sur les croyances et les rites de la France paysanne. Qualifiée avec mépris de « sous-culture » par les élites, elle n'en caractérise pas moins la nouvelle société urbaine fondée sur la consommation qui est en train de naître dans la France de l'époque, touchant tous les milieux et annonçant l'uniformisation du goût. Cette culture populaire traduit en premier lieu la très forte aspiration au loisir qui caractérise une société libérée de l'épreuve de la guerre et où la croissance est en passe de satisfaire, pour la majorité, les besoins fondamentaux. Elle marque, d'autre part, une situation nouvelle où le développement de l'électricité ne transforme pas seulement l'aspect des villes, la vie quotidienne ou les conditions de la production industrielle, mais aussi les possibilités de loisirs avec la vogue de la radio ou du cinéma. Elle exprime enfin les premiers pas de la révolution de l'information grâce aux progrès considérables de la presse, qui met quotidiennement à la disposition des citadins une fantastique moisson de nouvelles. Au-delà de cet épanouissement de la culture populaire, on peut discerner la recherche tâtonnante du bonheur matériel par les survivants du grand massacre de 1914-1918.

La période est en effet marquée par le spectaculaire développement des moyens d'information. Après le Royaume-Uni, la France connaît à son tour l'essor d'une presse populaire à grand tirage. Sans atteindre encore les chiffres spectaculaire des années trente, les « cinq grands », *Le Petit Parisien*, *Le Petit Journal*, *Le Journal*, *Le Matin* et *L'Écho de Paris*, soutenus par des capitaux considérables, drainent la clientèle des grandes villes et d'abord celle de Paris, diffusant largement une information présentée de manière quasi-uniforme. Dans cette belle harmonie, le parfumeur milliardaire et mégalomane François Coty vient, en 1928, introduire la perturbation en lançant *L'Ami du peuple*, quotidien populaire et démagogique, vendu 2 sous, alors que les autres journaux valent 5 sous, ce qui permettra au tirage d'atteindre le chiffre record de 700 000 exemplaires, ouvrant entre lui et les cinq grands une lutte impitoyable qui s'achèvera par la victoire des seconds. Rares sont les quotidiens de province qui peuvent prétendre rivaliser par leur audience avec les grands de la presse parisienne. C'est cependant le cas de deux grands quotidiens régionaux, *Ouest-Éclair*, lancé par l'abbé Trochu, et qui connaît un succès considérable, et *La Dépêche de Toulouse*, dirigée par Maurice Sarraut, diffusant dans tout le Sud-Ouest intérieur qu'il maintient dans la mouvance radicale par le réseau influent de ses correspondants [1]. Cette presse diffuse des nouvelles politiques, mais fait également vibrer ses lecteurs pour la vie tumultueuse et tragique de la danseuse américaine Isadora Duncan, les fait frissonner au récit du procès du nouveau Barbe-Bleue, l'ingénieur Landru, le don Juan assassin de Gambais, le « Frégoli du crime » dont on ne sait trop combien de cadavres de femmes il a brûlé dans sa cuisinière en fonte après les avoir dépouillées de leur fortune. Elle transforme Mermoz, le chef pilote de l'Aéropostale, qui a réalisé en mai 1930 la première liaison aérienne Europe-Amérique du Sud, en un véritable héros national. C'est encore elle (et surtout le journal sportif *L'Auto*) qui fait du Tour de France une épopée annuelle en popularisant les noms d'Henri Pélissier, vainqueur en 1923, ou de l'Italien Bottecchia, qui l'emporte en 1924 et 1925, tissant une véritable légende autour des « géants de la route » et, d'une manière générale, faisant du sport de compétition un gigantesque spectacle populaire qui provoque l'enthousiasme et la passion.

La radio, qui s'est développée à partir de la création du premier émetteur d'État, Radio Tour-Eiffel, né en 1921, joue un rôle clé dans la diffusion de cette culture de masse. A la fin des années vingt, il y a en France 500 000 récepteurs qui reçoivent les émissions du poste d'État et de postes privés. La radio va devenir en quelques années l'instrument privilégié de la nouvelle culture populaire. Concurremment avec la presse écrite, mais plus rapidement qu'elle, elle retransmet les nouvelles sportives, commente les compétitions, donne les résultats qu'attendent des audi-

1. Pierre Albert (87). Sur la *Dépêche*, voir Henri Lerner (88).

teurs haletants. Le premier triomphe de la TSF se situe le 2 juillet 1921 : ce jour-là la foule parisienne s'amasse dans les rues, face aux sièges des grands journaux, pour attendre le résultat du « match du siècle » qui oppose le boxeur français Georges Carpentier au champion du monde toutes catégories, l'Américain Jack Dempsey. Et à la rivalité sportive s'ajoute celle des grands journaux qui se livrent un match sans merci pour annoncer le premier sur des écrans lumineux la victoire de Carpentier dont personne ne doute. De fait, grâce à la radio, il ne faudra que deux minutes aux journaux pour faire connaître au public... la défaite de Carpentier au 4e round, provoquant un véritable deuil national (ce qui n'empêche nullement le vaincu de prendre place parmi les gloires du pays). Le public sera plus heureux en 1927 lorsque les quatre « mousquetaires » du tennis français, Lacoste, Cochet, Brugnon et Borotra, remportent à Philadelphie la coupe Davis. Mais la radio n'est pas, tant s'en faut, un vecteur de diffusion de la culture populaire au seul profit du sport. Progressivement, elle diffuse, outre les « journaux parlés » à partir de 1925, des feuilletons, reprenant ainsi la tradition de la presse écrite, et surtout des chansons.

Le feuilleton de la presse écrite ou parlée traduit la vogue extraordinaire du roman populaire dans les années vingt. Romans d'aventure, romans policiers (c'est la grande époque de *Fantomas* et d'*Arsène Lupin*), romans sentimentaux des revues de mode, qui constituent l'essentiel de la presse féminine des années vingt, *Le Petit Écho de la mode*, *Fémina* ou *La Femme de France*.

Enfin, la radio va populariser un genre déjà ancien, celui de la chanson populaire. Dans l'ambiance des années vingt triomphent l'opérette et le music-hall. En 1922, Mistinguett remporte un spectaculaire succès au Casino de Paris dans la revue *En douce* et tout Paris fredonne son dernier succès *Moi, j'en ai marre*, cependant que son protégé, Maurice Chevalier, commence sa fulgurante carrière en interprétant *Dédé* aux Bouffes-Parisiens. Or, la radio répercute les airs à la mode et les rythmes de jazz que l'on découvre au même moment, relayée par le disque qui commence à concurrencer les cyclindres de cire utilisés de longue date[1].

Mais le vecteur le plus spectaculaire de la culture populaire

1. Gilbert Guilleminault (154).

est sans aucun doute le cinéma. Né en France avant la guerre, il connaît une importante production dans les années vingt, mais il est désormais soumis à la concurrence et à l'influence des films américains qui déferlent en France à partir de 1915. A côté d'œuvres ambitieuses de metteurs en scène pour qui le cinéma est avant tout un art, chaque année sont produits plus d'une centaine de films d'action ou d'aventure qui n'ont d'autre objet que de distraire un public populaire — qui répond massivement. Avec les années vingt commence la grande époque des romans filmés (*L'Atlantide*, d'après Pierre Benoît, connaît un extraordinaire succès). De 1923 à 1928, la production des films populaires est dominée par la *Société des cinéromans* qui se consacre d'abord à la production de films à épisodes de médiocre qualité, projetés par des équipes foraines dans les salles improvisées ou sous des tentes, avant d'équiper les studios de Joinville et de produire (toujours sous forme de films à épisodes) des séries qui passionnent le public et fidélisent la clientèle des salles. Quelques grands films, d'une tout autre qualité artistique, marquent la production des années vingt : *Le Miracle des loups* et le *Joueur d'échecs* de Raymond Bernard, *Visages d'enfants* et *Thérèse Raquin* de Jacques Feyder, *Pêcheur d'Islande* de Baroncelli, *L'Inhumaine* et *Feu Mathias Pascal* de Marcel L'Herbier, ou le *Napoléon* d'Abel Gance... Art déjà populaire, le cinéma connaît une nouvelle jeunesse à partir de 1927 avec l'apparition du « parlant » qui remplace les sous-titres et l'accompagnement musical au piano de l'époque du muet, mais, en dépit du succès de curiosité qui accompagne la projection du film *Le Chanteur de jazz*, il faut attendre l'extrême fin des années vingt pour que ce considérable progrès technique se diffuse à grande échelle.

Quoi qu'il en soit, le cinéma, destiné à tous les publics, constitue ce vecteur d'une culture de masse qui réconcilie culture de l'élite et culture populaire et prépare une uniformisation du goût et des sensibilités au-delà des clivages sociaux, qui est peut-être la manifestation culturelle la plus profonde de cette recherche du consensus perceptible durant les années vingt.

Vivacité de la vie religieuse.

Si les formes traditionnelles de la sociabilité, le contenu de la culture ont tendance à se transformer sous l'effet des nouveautés urbaines, la vie religieuse demeure, pour la plus grande partie de la société, une donnée permanente et essentielle.

Cette vie religieuse est au premier chef celle des catholiques. On a vu à quel point la guerre avait été pour les croyants une occasion d'intégration, que l'esprit de l'union sacrée qui domine les années vingt n'a fait que prolonger. Le rôle joué par les catholiques dans la majorité du Bloc national conduit de ce fait à l'apaisement. A la volonté pontificale de mettre fin au conflit entre l'Église catholique et la République répond celle des nouveaux gouvernants de trouver un *modus vivendi* sur les questions religieuses. La tolérance accordée aux congrégations non autorisées, le rétablissement de l'ambassade au Vatican, le maintien du Concordat et la renonciation à la législation scolaire laïque en Alsace-Lorraine manifestent la bonne volonté de l'État, à quoi répond le « second ralliement » des catholiques à la République, encore que ceux-ci n'occupent dans la vie publique qu'une place de second ordre. Cet apaisement religieux semble un moment devoir être remis en question par les velléités du Cartel des gauches. En fait celles-ci ne sont que le dernier grand assaut de l'anticléricalisme. La vigoureuse réaction des organisations catholiques dont nous avons fait état avec l'action du général de Castelnau et de sa Fédération nationale catholique, le faible soutien que les projets d'Herriot trouvent auprès de l'opinion de gauche poussent le Cartel à reculer. Désormais la conciliation prévaut dans les relations entre l'Église et l'État. La majorité des catholiques se retrouve alors proche des partis républicains nettement marqués à droite, en particulier de la Fédération républicaine. Toutefois, des catholiques, minoritaires il est vrai, adhèrent également au petit *Parti démocrate populaire* fondé en 1924 par les démocrates-chrétiens qui acceptent la démocratie politique, montrent une sensibilité sociale réformiste et adoptent des positions centristes assez proches de celles des radicaux, sauf en ce qui concerne la décentralisation, qu'ils préconisent, et la représentation des intérêts, familiaux, économiques et sociaux. Minoritaires également, les catholiques de gauche de la *Jeune République* reconstituée après la guerre par Marc Sangnier. Mais la minorité catholique la plus significative se situe à l'extrême droite sous l'influence de l'Action Française [1].

Le glissement de l'union sacrée vers le nationalisme a en effet

1. Pour les attitudes politiques des catholiques, voir Jean-Marie Mayeur (77).

accru l'audience de l'organisation nationaliste. Vers 1925, Charles Maurras fait figure de maître à penser pour toute une partie de la jeunesse intellectuelle. Le quotidien du mouvement, auréolé de la participation de l'historien Jacques Bainville, de l'écrivain Henri Massis, du polémiste Léon Daudet, réputé pour ses chroniques littéraires, théâtrales, artistiques de haut niveau, est lu dans les milieux traditionalistes et son audience intellectuelle atteint même les milieux qui ne partagent pas ses conceptions politiques. La pénétration des milieux catholiques est encore accrue par l'attitude ferme de l'hebdomadaire, qui se présente comme le meilleur et le plus vigoureux défenseur des intérêts du catholicisme. De plus, il existe des relais indirects de l'influence du groupe royaliste, sa maison d'édition, *La Nouvelle Librairie nationale*, L'*Institut d'Action française* créé en 1923, qui donne des cours et des conférences, le mensuel *L'Étudiant français*. Enfin, autour de Jacques Bainville, se développe tout un réseau de publications qui, sans dépendre directement du mouvement, diffusent ses idées comme l'hebdomadaire *Candide* publié par la Librairie Arthème Fayard, ou la collection « Les Grandes Études historiques » chez le même éditeur.

Par ces canaux divers, les idées de l'Action française pénètrent largement les élites intellectuelles françaises et, tout spécialement, le monde catholique qui est le terreau sur lequel prospère le maurrassisme. Cette influence déterminante, conduisant à la confusion entre catholicisme et nationalisme, entraîne de vigoureuses protestations de la part des démocrates-chrétiens et des appels au pape pour lui demander de se prononcer. Pie XI est d'autant plus sensible à ces appels qu'il souhaite favoriser l'intégration des catholiques à la République, déplore la poussée nationaliste en Europe et se méfie de Maurras dont il estime que l'athéisme personnel le qualifie mal pour devenir le maître à penser des catholiques. C'est en août 1926 que le cardinal Andrieu, archevêque de Bordeaux, souligne, dans une lettre publiée dans la *Semaine religieuse* de son diocèse, l'incompatibilité entre le catholicisme et les idées de l'Action française. Début septembre, le pape, approuvant le cardinal, condamne les thèses de Maurras [1].

1. Sur les catholiques et l'Action française, voir la contribution de Jacques Prévotat in Gérard Cholvy et Yves-Marie Hilaire (134).

La condamnation de l'Action française ouvre une crise profonde au sein du monde catholique où les membres de l'épiscopat, le clergé et les fidèles sont tenus de choisir entre leur obéissance au pape et l'influence de Maurras, dont le journal engage une polémique très vive contre le Saint-Siège. Les sanctions prises contre les récalcitrants, la fidélité à Rome de la plupart des catholiques viennent cependant à bout des résistances. Dès 1928-1929, la crise est surmontée.

La condamnation de l'Action française a pour effet de rompre les derniers liens qui rattachaient l'Église au monde politique. Désormais, nombre d'évêques, comme Mgr Liénart à Lille ou Mgr Verdier à Paris, veillent à garder l'Église de toute tentation cléricale. Du même coup, les catholiques se trouvent libres de poursuivre les recherches intellectuelles entreprises sous l'égide de divers groupes et la tentative de reconquête sociale souhaitée par Pie XI. Sur le premier point, les années vingt sont le moment d'une extraordinaire fermentation de la pensée catholique autour de philosophes comme Jacques Maritain (lui-même ancien de l'AF), fondateur des *Cercles thomistes*, ou Jacques Chevalier, qui anime un groupe de jeunes penseurs qui se consacrent à l'étude des philosophes spiritualistes, de saint Augustin à Bergson et Blondel. En 1928, les dominicains fondent *La Vie intellectuelle*, puis les Éditions du Cerf. Depuis 1924 paraît, sous la direction de Francisque Gay, l'hebdomadaire *La Vie catholique* qui regroupe toutes les tendances politiques du catholicisme. En 1927, après la condamnation de l'Action française, le pape impose au grand quotidien national *La Croix* un nouveau directeur en la personne du père Merklen, favorable à la ligne pontificale [1].

Plus important sans doute est l'effort de reconquête de la société entrepris sous l'égide de Pie XI qui préconise un apostolat adapté à chaque milieu sociologique, et qu'il confie prioritairement à la jeunesse. En 1927 est créée, pour conduire l'apostolat en milieu ouvrier, la Jeunesse ouvrière chrétienne (JOC) et, en 1929, la Jeunesse étudiante chrétienne (JEC) et la Jeunesse agricole chrétienne (JAC). Les *Semaines sociales* fondées au début du siècle et qui prennent pour devise « La science pour l'action », s'assignent pour tâche de diffuser la doctrine sociale de l'Église. De même, les jésuites font naître l'*Action*

1. *Ibid.*

populaire pour étudier les questions sociales et Robert Garric fonde les *Équipes sociales* pour l'action concrète. Une nouvelle génération de chrétiens se lève ainsi, très différente de celle qui l'a précédée. Il ne s'agit plus pour elle d'établir un ordre politique qui redonnerait sa puissance à l'Église. Sa préoccupation n'est pas le pouvoir, mais la société qu'il convient d'évangéliser et, pour y parvenir, le moyen est de vivre et de travailler avec ceux qu'on entend convertir, d'être « le levain dans la pâte ». Au total, les catholiques des années vingt appartiennent à une Église qui prouve, par la multiplicité de ses positions politiques, par ses brillantes recherches intellectuelles, par son intérêt pour l'apostolat, une éclatante vitalité.

Les religions minoritaires qui continuent à encadrer solidement les petits groupes de fidèles ne connaissent ni ces crises brutales ni cette brillante renaissance. Les protestants font généralement figure d'hommes de gauche en raison de leur attachement à la République et à la laïcité et de leur hostilité aux courants catholiques liés à l'extrême droite. Toutefois la politique à conduire vis-à-vis de l'Allemagne ou les initiatives du Cartel suscitent des divisions dans leurs rangs. Contre l'appui à la politique de conciliation et aux projets financiers du Cartel approuvés par les protestants sociaux Wilfred Monod et Élie Gounelle, se dresse le pasteur Louis Lafon, directeur du journal *La Vie nouvelle*, violemment patriote et antisocialiste.

La division politique entre droite et gauche affecte également la communauté juive. Celle-ci, constituée pour l'essentiel de juifs assimilés, se sent avant tout française et se montre d'un attachement indéfectible à la République qui lui a procuré l'égalité des droits. Pour elle, la religion est affaire privée qui ne doit pas interférer dans la vie politique. Encore sa pratique est-elle plus sociale que véritablement religieuse, la synagogue apparaissant davantage comme un lieu de rencontre de la communauté que comme un lieu de prières. Dans les années vingt, l'immigration juive en France, venue d'Afrique du Nord ou d'Europe centrale, numériquement peu importante, ne trouve guère d'accueil favorable dans la communauté installée qui voit d'un mauvais œil l'arrivée de ces encombrants coreligionnaires aux habitudes alimentaires et vestimentaires différentes de celles des Français, qui parlent peu ou pas leur langue, dont les coutumes les désignent à l'attention de leurs concitoyens, et dont ils se sentent moins solidaires que de leurs compatriotes. D'où la constitution, dans certains quartiers des villes, de mini-ghettos où se concentrent les immigrés de fraîche date.

Ceux-ci sont naturellement l'objet de manifestations xénophobes au même titre que les immigrés venus du monde méditerranéen ou d'Europe orientale. Sont-ils en butte à un antisémitisme spécifique ? Entre les fortes poussées antisémites de l'époque de l'affaire Dreyfus et celles de la fin des années trente, la période des années vingt paraît représenter un temps d'apaisement. Celui-ci est-il dû aux suites de l'union sacrée et à la volonté de consensus qui marque la période ? Il est de fait que Barrès, revenu de ses excès antisémites d'antan, rend hommage au patriotisme des combattants juifs et que les ligues fondées durant la période s'adressent à toutes les confessions sans exclusive et rejettent toute ségrégation raciale et religieuse[1]. Ou faut-il simplement considérer qu'on est en présence d'un antisémitisme rampant qui ne s'exprime guère, mais qui n'attend pour se ranimer qu'un vent favorable[2] ? Le débat est ouvert, et il est malaisé à trancher tant il ressort du domaine du non-dit et des idées reçues de la société. Toujours est-il que la quasi-absence d'expression publique de l'antisémitisme (sauf à *L'Action française* qui témoigne d'un antisémitisme machinal) contribue au climat apaisé de cette société française des années vingt qui découvre le bonheur de la paix retrouvée, les joies inédites de la consommation et s'efforce, avant que la crise ne relance les luttes civiles, de prolonger quelque temps le consensus de la guerre.

Il est cependant clair qu'avec la disparition de la société rurale fortement intégrée qui a si longtemps caractérisé le corps social français, avec la mise en question des valeurs traditionnelles, l'écart se creuse de plus en plus entre des mentalités collectives façonnées par le XIXe siècle et la situation nouvelle héritée des mutations du temps de guerre. C'est la prise de conscience de ce décalage qui donne naissance à une réflexion sur les structures sociales, politiques et économiques de la France, réflexion qu'on peut à bon droit qualifier de crise des années vingt.

1. Nous nous appuyons ici sur les conclusions de la thèse (inédite) de Richard Millman, *Les Ligues catholiques et patriotiques face à la question juive en France de 1924 à 1939*, Institut d'études politiques de Paris, 1990.

2. C'est la thèse sous-jacente de Robert O. Paxton et Michael Marrus in *Vichy et les Juifs*, Calmann-Lévy, 1981.

13

L'esprit des années vingt

Sous la trompeuse façade des images d'Épinal qui servent à caractériser les années d'après-guerre, la ruée frénétique vers les plaisirs et les affaires, les fêtes et la joie de vivre, l'ivresse du jazz et la sophistication du style « Arts déco », bref tout ce qui marque une société qui se précipite vers les plaisirs de la vie et les joies nouvelles de la consommation, se joue en fait une tout autre partie dont la portée ne se révèle que durant les années trente. C'est en 1960 que, dans un article pionnier, Jean Touchard mettait l'accent sur ce qu'il appelait l'« esprit des années trente », c'est-à-dire un courant de pensée particulièrement bien représenté à droite et au centre droit et qui, tournant le dos aux idées établies, entendait découvrir des chemins nouveaux susceptibles d'organiser la société et l'État [1]. Ces courants « révolutionnaires » dans la mesure où ils s'affirmaient en rupture avec les thèmes politiques consacrés apparaissaient clairement comme le résultat de la crise globale affectant la société française à partir de 1930-1931 [2]. Or, il est évident aujourd'hui, comme de nombreux travaux l'ont montré, que ces idées nouvelles se mettent en place, non au début des années trente, mais à la fin des années vingt, plus précisément au cours des années 1925-1926. Si leur caractère s'en trouve inchangé, leur signification en est radicalement modifiée. La grande dépression économique dont on considérait plus ou moins explicitement qu'elle rendait compte

1. Jean Touchard, « L'esprit des années trente », in *Tendances politiques dans la vie française depuis 1789*, Hachette, 1966.

2. Sur cette hypothèse de Jean Touchard, Jean-Louis Loubet del Bayle a étudié dans son ouvrage *Les Non-Conformistes des années trente* (Éd. du Seuil, 1969), les principaux courants de droite et les mouvements spiritualistes.

de la crise n'en apparaît plus, dans cette nouvelle perspective, que comme l'accélérateur. Et il convient de chercher ailleurs l'explication de l'origine de cette profonde remise en question. Or, l'étude des années vingt révèle que le point de départ de ces recherches de nouvelles idées réside dans la prise de conscience différée des effets structurels de la Première Guerre mondiale, qui s'opère à partir de 1925-1926.

1. Un phénomène de génération

Au sortir de la guerre, les Français aspirent, nous l'avons vu, à retrouver les conditions de vie qui, avec l'éloignement du temps et l'enjolivement des souvenirs, leur paraissent avoir été celles de la Belle Époque.

Si nous tentons d'analyser le contenu de cette aspiration au retour à l'âge d'or, nous constatons qu'elle est faite d'un certain nombre de mythes qui sont le négatif des difficultés vécues durant la période du conflit et que les Français souhaitent ne plus jamais revoir. C'est ainsi que, outre une référence floue et impressionniste à une « joie de vivre » qu'on cherche à retrouver, on pourrait y faire entrer pêle-mêle la nostalgie de la stabilité de la monnaie, fondement d'une société où la promotion était possible grâce au travail, à l'étude, à l'épargne, la vision d'une France en voie de démocratisation grâce à la généralisation de la petite propriété par la constitution d'une classe moyenne urbaine et rurale qui regrouperait peu à peu la totalité de la population en effaçant les différences de classe, le fonctionnement harmonieux de la démocratie libérale et son expression idéale, le parlementarisme, garantie de la liberté des citoyens dans une République porteuse de progrès et modèle pour le monde, la sécurité du pays garantie par son statut de grande puissance, sa force militaire et ses alliés, ce qui permettrait à la France, phare de la civilisation, de faire régner en Europe une paix que sa prépondérance garantirait...

Plus ou moins confusément, c'est là ce que l'opinion attend des gouvernants qu'elle se donne au lendemain de la paix : effacer les traces et les séquelles de la guerre et ramener le pays à l'époque bénie d'avant le conflit. Or, de ce point de vue, la déception est complète. Le Bloc national, on l'a vu, a déçu l'attente des Français. Le Cartel des gauches, reconstitution d'un Bloc des gauches qui se confond plus ou moins avec l'ère de la Belle Époque, s'achève sur un spectaculaire fiasco qui met en question l'aptitude des radicaux à diriger le pays. Si Poincaré ramène le pays à la stabilité, c'est à un stade diminué, pâle copie, aux yeux de l'opinion, de ce qu'était l'âge heureux de l'avant-guerre. Dès lors commence la prise de conscience du caractère irréversible des mutations entraînées par le conflit, et qu'on considérait jusqu'alors comme de simples perturbations passagères qu'une bonne gestion gouvernementale devait être capable d'effacer.

Sur pratiquement tous les plans envisagés, force est de constater en effet que les choses ont changé. L'espoir de ramener la monnaie à sa valeur or de 1913, espoir qui anime et l'opinion et la classe politique, se révèle vain. Si Poincaré stabilise le franc, c'est au cinquième de sa valeur d'avant-guerre, et la dévaluation mesure l'abaissement de la devise nationale face au dollar triomphant et à la livre restaurée. Si la guerre n'a pas ruiné les classes moyennes qui se reconstituent, elle a tué l'un de leurs représentants le plus caractéristique, le rentier, et l'entrée du pays dans l'ère du capitalisme moderne fait peser une épée de Damoclès sur le monde des petits patrons du commerce, de l'industrie et de l'agriculture qui se sent menacé et qui, pour certaines catégories, perçoit dès 1926 un ralentissement des affaires qui est déjà une « pré-crise ». Attente trompée encore en ce qui concerne le fonctionnement des institutions. Celles-ci témoignent d'un dérèglement et d'une absence d'efficacité qui conduisent à une comparaison à leur désavantage avec les formes du gouvernement de guerre. Enfin, les Français doivent, à leur corps défendant, constater que leur pays n'est plus la grande puissance qu'ils imaginaient, capable de peser sur le destin de l'Europe et du monde. L'échec de l'occupation de la Ruhr a montré qu'elle ne pouvait mener seule, en négligeant ses alliés, une politique de force en Europe et que, bon gré mal gré, il lui fallait négocier avec les autres puissances, même s'il s'agissait de faire valoir ses droits incontestables à de « justes réparations ». Sans doute la politique d'apaisement à laquelle Herriot et Briand ont attaché leur nom satisfait-elle le profond désir de paix des Français. Mais, en même temps, elle blesse leur fierté nationale puisque cette paix n'est pas fondée sur la puissance d'un pays capable de se faire respecter par lui-même, mais sur une attitude conciliante qui appelle par voie de réciprocité un comportement parallèle des adversaires potentiels et qui est ressentie — en particulier dans la droite nationaliste — comme un signe de faiblesse.

Progressivement s'impose ainsi l'idée que la guerre, loin d'être une simple parenthèse comme les Français avaient tendance à le croire et à l'espérer, fait en réalité naître un monde nouveau, dont les structures ont peu de chose à voir avec le passé, qui impose de nouveaux comportements, mais dont les traits ne se dégagent que lentement de la gangue qui les enveloppe et qui maintient l'apparence d'un passé immuable. Dès lors, comment s'étonner que l'échec des politiques de l'après-guerre conduise à la conclusion que, à vouloir appréhender un monde nouveau avec des idées et des conceptions forgées pour une France encore fortement marquée par le XIXe siècle, on s'engage résolument dans une impasse, et qu'il est par conséquent nécessaire de proposer aux temps nouveaux des idées nouvelles ?

Cette prise de conscience de l'inadéquation des formes d'organisation politiques, économiques et sociales aux problèmes nouveaux est largement répandue dans les milieux intellectuels, dans l'administration, le monde des affaires, la presse. Mais, sans que ce caractère soit exclusif, elle est plus spécifiquement le fait de la jeunesse qui, n'ayant encore aucune responsabilité dans la conduite des affaires du pays et aspirant à accéder aux leviers de commande de la société française, conteste vivement les idées et la pratique de la génération qui se partage le pouvoir dans les années vingt, celle des Poincaré, Briand, Herriot. Au vrai, on est en présence de la mise en question d'une culture politique, celle des hommes nourris des souvenirs des luttes pour le triomphe de la République de la fin du XIXe siècle, avec comme point d'orgue les combats du temps de l'affaire Dreyfus, par de nouveaux venus pour qui ces épisodes sont, non pas des références créatrices de valeurs, mais des événements déjà lointains et dont la place se situe dans les livres d'histoire et non dans le présent.

Le fer de lance des apôtres de la novation est cette génération arrivée à l'âge d'homme au lendemain de la Première Guerre mondiale, trop jeune pour avoir connu la réalité des champs de bataille, assez engagée dans l'adolescence ou le début de l'âge adulte pour avoir enregistré de manière indélébile à l'âge de sa formation intellectuelle les récits des combattants, ressenti les angoisses familiales devant le sort du père ou du frère présents sur le front, éprouvé l'amertume du retour des soldats, mutilés dans leur chair et à jamais traumatisés, ou la douleur de leur disparition. Cette génération est, comme on l'a vu, viscéralement pacifiste, considérant la guerre comme le pire des maux et les idées qui ont permis que la guerre se déclenche comme les plus perverses des aberrations [1]. Par ce biais se trouvent mises en cause la génération des hommes au pouvoir et leurs conceptions, qui ont permis le déclenchement du conflit.

Classique conflit de génération par certains de ses aspects, qui prend toute son acuité du fait que la jeunesse ne reproche pas seulement à ses aînés des idées obsolètes, mais l'accuse tout bonnement d'avoir, par attachement à des mythes dépassés, permis le massacre injustifiable. Dès lors, de manière tâtonnante, sans bien savoir où sa quête va la mener, cette jeunesse intellectuelle se lance dans la recherche d'idées nouvelles, de formules neuves, capables de fournir une armature conceptuelle solide au monde de l'après-guerre. L'hésitation que traduit la culture des années vingt entre la prise en compte du réel et le refuge ou l'évasion dans le rêve, l'illusion ou le subconscient, est, pour les jeunes, clairement tranchée. Pour agir efficacement sur le monde nouveau dont la guerre a accouché, il faut le voir dans sa réalité, en écartant tous les prismes des idéologies dépassées. Aussi, le « réalisme » est-il le mot d'ordre, la formule clé de ces jeunes gens en colère qui entendent répudier les vieux mythes, ignorer les frontières des partis, dépasser les tabous idéologiques pour ne retenir qu'une action pragmatique et efficace qui permettra de gérer efficacement le pays, de maîtriser l'économie dont l'importance ne peut plus désormais être sous-estimée, d'assurer la paix à l'Europe.

1. Sur la notion de génération en histoire, on retiendra les travaux pionniers de Jean-Pierre Azéma, Jean-François Sirinelli et Michel Winock. En particulier J.-F. Sirinelli (sous la direction de), « Générations intellectuelles », *Les Cahiers de l'IHTP*, CNRS, n° 6, novembre 1987, et le numéro spécial de *Vingtième Siècle, revue d'histoire*, n° 22, avr.-juin 1989, sous la direction de J.-P. Azéma et M. Winock, « Les générations ». Sur la « génération dite de 1905 » et son pacifisme, voir Jean-François Sirinelli, *Génération intellectuelle* (141).

Ces idées s'expriment dans un foisonnement de revues publiées dans les années vingt, *La Revue des vivants*, mensuel né en 1927 et fondé par le sénateur Henry de Jouvenel, *Notre Temps,* créé à peu près au même moment par le journaliste Jean Luchaire, *La Voix*, fondée en 1928 par un proche de Caillaux, Émile Roche. On les retrouve dans une série d'ouvrages dont les auteurs exposent les vues de leur génération et les recherches entreprises pour découvrir des idées capables de permettre d'agir sur le monde nouveau, et dont le plus caractéristique est sans doute celui de Jean Luchaire, *Une génération réaliste*, paru en 1929 à la Librairie Valois. L'éditeur Georges Valois, sur l'action duquel nous reviendrons, lance en novembre 1928 la « Bibliothèque syndicaliste » dans laquelle il décide de publier douze ouvrages de jeunes écrivains qui « exposent les idées, les sentiments, les doctrines et les volontés des nouvelles générations pour la construction de l'État moderne et pour l'organisation intellectuelle, morale, politique, économique et sociale du nouvel âge [1] ».

2. La réforme de l'État

Si la France de l'après-guerre envisage avec satisfaction le démantèlement de l'appareil dirigiste mis en place au cours du conflit et la disparition des pratiques autoritaires qui avaient marqué la période du gouvernement Clemenceau, cette satisfaction est de courte durée. Au moment même où le régime parlementaire reprend son rythme normal de fonctionnement, se font jour des critiques qui rappellent les défauts constatés de longue date

1. Gaston Riou, *Europe, ma patrie*; René de La Porte, *Nés de la guerre*; Bertrand de Jouvenel, *L'Économie dirigée*; José Germain, *Le Syndicalisme et l'Intelligence*; Pierre Dominique, *La Révolution créatrice*; Jean Luchaire, *Une génération réaliste*; Georges Valois, *Un nouvel âge de l'humanité*; Charles Albert, *L'Ordre nouveau*; Hubert Lagardelle, *Une région française*; Jacques Arthuys, *De la fiscalité considérée comme un des leviers de la production*; André Fourgeaud, *Du code individualiste au droit syndical*; Jean de Pierrefeu, *La Dictature des marchands*.

du système politique français [1]. Trois reproches principaux, venus de milieux politiques divers (et pas seulement des adversaires du régime), sont mis en avant : le gouvernement, tenu en sujétion par le Parlement, ne gouverne pas vraiment et le président du Conseil est moins le chef d'une équipe réunie pour mettre en œuvre une politique que le coordinateur d'un groupe composite dont la principale préoccupation est d'assurer sa survie face aux tendances multiples du Parlement, comportement qui favorise l'inaction ; le Parlement, du fait de son recrutement, est le représentant des intérêts locaux plutôt que l'émanation de la volonté nationale ; enfin la paralysie de l'exécutif et l'absence de sens de l'intérêt national des parlementaires laissent la réalité du pouvoir aux mains d'une administration irresponsable. Face à ce constat, prononcé avec plus ou moins de vigueur selon la tendance considérée, mais dont nul ne conteste vraiment la réalité, se font jour deux alternatives très différentes.

Du côté des républicains de tradition, attachés à l'institution parlementaire et qui n'entendent pas remettre en cause l'équilibre des pouvoirs tel qu'il a été établi à la fin du XIXe siècle, on considère que les principes de base de l'organisation de l'État doivent demeurer intangibles et qu'il suffit de réformer les méthodes de travail des pouvoirs publics sans toucher aux institutions. C'est par exemple le cas du socialiste Léon Blum qui publie, en 1918, ses *Lettres sur la réforme gouvernementale*, dans lesquelles il préconise l'organisation d'une présidence du Conseil autonome, dotée de ses propres services (alors que traditionnellement le président du Conseil détient un portefeuille ministériel et utilise les services de ce ministère). Il propose également l'institution d'une motion de censure qui ne pourrait aboutir au renversement du gouvernement que si elle était adoptée par une majorité de députés, ceci afin d'éviter l'instabilité ministérielle.

Très différent est le courant révisionniste qui préconise une réforme de l'État beaucoup plus radicale, puisqu'il voit dans la subordination de l'exécutif au législatif la cause du dysfonctionnement des institutions. Aussi, avec des nuances diverses, ses

1. Jean Gicquel, *Le Problème de la réforme de l'État en France en 1934*, PUF, 1965.

tenants se prononcent-ils pour un rééquilibrage des institutions au détriment du Parlement et au bénéfice du gouvernement. Pour les républicains, surtout à gauche, ces propositions sont inacceptables dans la mesure où elles mettent en cause le principe même de la République, totalement identifiée au parlementarisme, et les hommes de gauche, socialistes et radicaux, ainsi que la droite modérée de l'Alliance démocratique, dénoncent dans ces vues le risque d'un retour du césarisme contre lequel s'est construit le régime. Mais le fait nouveau est que ce courant révisionniste, limité à quelques groupes antirépublicains jusqu'en 1926, gagne ensuite des milieux beaucoup plus larges et commence, à partir de 1927-1928, à se répandre dans de vastes secteurs de l'opinion. Les associations d'anciens combattants qui, dès 1923, interviennent sur le terrain politique en pratiquant ce qu'elles appellent pudiquement l'« action civique » s'intéressent dès 1928 (en particulier dans l'UNC, à sensibilité de droite) au thème de la réforme de l'État, qui gagnera en ampleur à partir de 1930 [1]. De manière beaucoup plus nette et sans s'embarrasser de périphrases, le *Redressement français*, l'organisation technocratique créée en 1925 par l'industriel Ernest Mercier, n'hésite pas à préconiser un gouvernement totalement indépendant des forces politiques et où, les tâches étatiques étant réduites à leur plus simple expression, des sous-secrétaires d'État permanents recrutés parmi les techniciens fourniraient à l'administration les conseils nécessaires, cependant que le Parlement verrait ses pouvoirs singulièrement réduits et que les dirigeants professionnels les plus représentatifs seraient appelés à siéger au Conseil d'État, dans les commissions parlementaires, voire au Parlement lui-même [2]. De manière sans doute plus surprenante, le thème de la réforme de l'État est évoqué comme une nécessité au sein des partis de gauche par des groupes rénovateurs alors que les formations auxquelles ils appartiennent préconisent tout au plus une révision des méthodes de travail gouvernementales si on se réfère à leur programme officiel.

C'est le cas des « Jeunes Radicaux » qui font figure d'hétérodoxes au sein d'un parti dont la défense de la République dans

1. Antoine Prost (114).
2. Richard Kuisel (140).

sa forme parlementaire constitue la doctrine de base. Si le *Programme des jeunes radicaux*, publié dans *La Voix* en mars 1929, ne prévoit que des réformes mineures comme la réorganisation du Conseil national économique, l'association des organismes syndicaux et des usagers à la gestion des services publics et une révision des circonscriptions électorales, individuellement les membres du groupe, par exemple un Bertrand de Jouvenel (fils d'Henry), vont beaucoup plus loin en préconisant la suppression du Sénat, remplacé par une Chambre technique consultative représentant les grands intérêts économiques, et le renforcement des pouvoirs du président du Conseil [1]. Enfin, un certain nombre de socialistes, eux aussi en situation minoritaire dans leur parti, se montrent, à la fin des années vingt, sensibles au thème de la réforme de l'État sur le rôle duquel ils entament une réflexion qui les éloigne des conceptions marxistes orthodoxes puisqu'ils s'acheminent vers l'idée que l'État, loin d'être l'instrument de la classe dominante, serait au contraire au-dessus des classes sociales et pourrait servir d'instrument de transformation de la société. Tel est le cas d'un certain nombre de socialistes et de syndicalistes qui, autour de Marcel Déat, exposent leurs idées dès 1928 dans *La Voix*.

On peut donc admettre que dès la fin des années vingt, et bien avant la crise économique, le problème de la réforme de l'État se trouve posé en France. Il s'accompagne de la mise en question des grandes forces politiques, et d'abord de celles de la droite.

3. Ligues et partis

La poussée des ligues.

Le phénomène des ligues, qui traduit l'inadéquation existant aux yeux d'une partie de l'opinion entre la nature des problèmes posés aux Français et les forces politiques supposées les représenter, a pratiquement disparu en France au cours de la guerre et des années d'après-guerre. Le contexte de l'union sacrée est

1. Serge Berstein (76), t. 2.

effectivement peu propice à la surrection de ces groupes dont l'objet est d'exercer, en vue d'un but limité et précis, une pression sur le pouvoir. Dès lors que celui-ci entend représenter la nation tout entière, la ligue n'a plus de raison d'être, et le constat vaut pour la guerre comme pour la période unanimiste du Bloc national. Si bien qu'entre 1914 et 1924 ne subsistent plus que les vestiges quelque peu décadents des grandes ligues de la fin du XIXe et des débuts du XXe siècle. C'est le cas de la vieille Ligue des patriotes, quelque peu somnolente depuis l'affaire Dreyfus et qui tente d'enrayer le déclin qui la frappe après la mort de Barrès, en 1923, en portant à sa présidence le général de Castelnau. Au contraire, l'Action française atteint son apogée dans les années d'après-guerre, mais si, comme on l'a vu, son influence intellectuelle est considérable, si le quotidien du mouvement tire à 70000 exemplaires et si le premier congrès d'après-guerre réunit 12000 personnes, l'extrémisme de la ligue royaliste, dont le but proclamé est toujours de renverser la République, d'« étrangler la gueuse », limite son influence politique réelle, comme le prouvent les résultats électoraux [1].

En revanche, la victoire électorale de la gauche en 1924, les projets réels ou supposés des nouveaux gouvernants et l'échec des partis de la droite traditionnelle vont conduire à la naissance de toute une série de nouvelles ligues. Sans doute n'entendent-elles contester que la gauche, nullement les partis de la droite traditionnelle. Il reste que le simple fait de leur création souligne leur intention de se substituer aux partis modérés, mettant ainsi en évidence les carences de leur action. Certaines de ces ligues ont un caractère circonstanciel. C'est le cas de la *Ligue nationale républicaine*, fondée par Millerand après sa démission forcée de l'Élysée pour servir de plate-forme politique à l'ancien chef de l'État qui ne dissimule pas son amertune devant le soutien très formel et mesuré qu'il a reçu de l'Alliance démocratique par exemple. On n'insistera pas davantage sur la ligue créée en 1924 par Antoine Rédier, *La Légion*, destinée à faire échec au communisme que la victoire du Cartel risque de pousser à toutes les audaces. On considérera enfin comme purement liée à la conjoncture et à la défense des intérêts du catholicisme la

1. Eugen Weber (86). Voir aussi Jacques Prévotat in Gérard Cholvy et Yves-Marie Hilaire (134).

Fédération nationale catholique du général de Castelnau, étudiée par ailleurs, et qui entend se limiter à « une action civique sur le terrain de la défense religieuse » [1].

Plus caractéristiques sont les deux mouvements très différents fondés en 1924-1925 pour lutter contre le Cartel, les *Jeunesses patriotes* et le *Faisceau*.

La fondation, le 18 décembre 1924, de la ligue des *Jeunesses patriotes* est tout à la fois une réponse à l'échec des partis de la droite traditionnelle, qui se sont montrés impuissants à empêcher la gauche cartelliste de parvenir au pouvoir, et au déclin de la vieille Ligue des patriotes [2]. Au vrai, c'est dans l'orbite de celle-ci que se situe d'abord la nouvelle organisation. Son fondateur, Pierre Taittinger, élu en 1919 député sur une liste du Bloc national, appartient depuis sa jeunesse tout à la fois à la Ligue des patriotes (dont il est l'un des vice-présidents) et aux *Jeunesses plébiscitaires*, groupement ouvertement bonapartiste. C'est avec l'accord du général de Castelnau qu'il décide de lancer le nouveau mouvement qui ne prendra son autonomie par rapport à la ligue mère qu'en 1927, précipitant alors l'agonie de l'organisation d'origine. La création de la ligue des Jeunesses patriotes s'inscrit dans la perspective d'un mouvement plébiscitaire contre la politique du Cartel puisque les moyens légaux ont échoué. Dans le quotidien *La Liberté* dont il est le rédacteur en chef, Taittinger expose clairement les raisons de son initiative. Pénétré de l'esprit de l'union sacrée dans son acception de droite, Taittinger voit dans la victoire du Cartel une menace pour l'idéal au nom duquel ont combattu les « poilus » de 1914-1918 (dont il était). Le Cartel est en effet pour lui le fourrier de la révolution future, le premier pas vers une tentative de réalisation en France des projets du communisme (et on sait quelle interprétation il donnera à la manifestation communiste de 1924, lors du transfert au Panthéon des cendres de Jaurès [3]). Dans cette perspective d'une révolution menaçante, il s'agit d'allumer un contre-feu et c'est à cette fin que sont créées les Jeunesses patriotes.

1. Voir ci-dessus, p. 262-263.
2. Sur les Jeunesses patriotes, voir René Rémond (79) ; Philippe Machefer (80) ; Serge Berstein, *Le 6 février 1934*, Gallimard-Julliard, 1975. On trouvera également des renseignements intéressants dans la thèse inédite de Richard Millman, *op. cit.*
3. Voir ci-dessus, p. 260.

L'article premier des statuts précise qu'elles sont « un groupement de citoyens français réunis pour la défense du territoire national contre les dangers de la révolution intérieure, pour l'accroissement de la prospérité publique et pour le perfectionnement de nos institutions... ». Il est donc clair que, conformément aux vues du courant plébiscitaire qu'il incarne, Taittinger souhaite une transformation institutionnelle dans le sens du renforcement de l'exécutif et de la limitation des pouvoirs du Parlement. Outre les réunions publiques, les discours, les manifestations qu'elle organise, la ligue veut être un mouvement d'action directe, capable d'agir dans la rue. A cette fin, elle se dote de « groupes mobiles » de 50 hommes divisés chacun en trois sections (il y a 18 groupes mobiles à Paris). Leurs membres sont dotés d'un uniforme avec béret basque et insigne, et armés de cannes ou de manches de hache. Ces groupes procèdent périodiquement à des manœuvres (exercices d'embarquement en camions, rassemblements en des lieux précis) et servent de service d'ordre aux JP, établissant des barrages, organisant des formations de marche, affrontant les adversaires politiques. La nouvelle ligue recrute largement en milieu étudiant, concurrençant efficacement l'Action française, et son succès la conduit à se doter d'une antenne, les *Phalanges universitaires*, qui vont devenir vers 1926 la plus active des organisations étudiantes, développant une pratique activiste qui en fait le fer de lance des JP [1]. L'audience du mouvement est réelle, puisqu'il compterait 65 000 membres en 1926, 100 000 en 1929.

La virulence de la ligue, l'action des « groupes mobiles », les manœuvres et les défilés paramilitaires qu'ils organisent ont fait évoquer à leur propos le fascisme italien qui vient de triompher à Rome deux ans plus tôt. De la même manière, les articles des statuts qui font du « président-fondateur » (Taittinger) un personnage tout-puissant auquel les adhérents doivent jurer fidélité, qui nomme et révoque tous les membres du Comité de direction, élabore le programme de la ligue, fixe sa tactique, donne à tous des directives, ne peut pas ne pas faire penser au culte que le fascisme développe autour du Duce. Sans doute Taittinger ne dissimule-t-il pas l'intérêt qu'il éprouve pour l'efficacité

1. Thierry Galopin, *Les Phalanges universitaires*, mémoire inédit de DEA, Institut d'études politiques de Paris, 1987.

du fascisme qui a su briser en Italie, la menace communiste, mais il ne le tient nullement pour un modèle à imiter. Si imitation il y a, elle se situe au niveau formel, dans le style, l'organisation de la ligue, l'uniforme, les manœuvres, non dans la doctrine qui est celle du courant plébiscitaire, héritier du bonapartisme et des ligues du XIXe siècle. Toutefois, cette résurgence peu après une guerre qui avait paru signifier le triomphe des démocraties libérales montre bien que le régime est en difficulté, que le consensus autour des institutions est brisé, fût-ce par des groupes minoritaires d'activistes, et que la mystique républicaine que la guerre paraissait avoir renforcée est durement atteinte, dès lors que l'union sacrée est morte et le Cartel des gauches au pouvoir.

C'est aussi le contexte de la victoire du Cartel, mais avec un projet tout différent, que manifeste la naissance, fin 1925, du *Faisceau*, créé par Georges Valois, transfuge de l'Action française [1]. Si les Jeunesses patriotes sont en effet la forme moderne que revêt dans les années vingt le nationalisme plébiscitaire, le parti de Valois se veut le premier parti fasciste français et se réclame ouvertement de l'exemple de Mussolini. D'abord anarchiste avant de se convertir au catholicisme et aux idées monarchistes, Georges Valois adhère à l'Action française, dans l'orbite de laquelle il anime les *Cercles Proudhon* qui s'efforcent de conjuguer nationalisme et syndicalisme. Mais, après la guerre, Valois s'écarte de l'Action française, qu'il juge pusillanime, sans toutefois rompre immédiatement avec elle. En février 1925, il fonde le journal *Le Nouveau Siècle* dans lequel il fait l'éloge de Mussolini et du fascisme italien et se propose, en réalisant les adaptations nécessaires (car la France n'est pas l'Italie), de créer un mouvement du même type. Il voit en effet le fascisme comme une révolution antibourgeoise, porteuse des valeurs nouvelles nées de la guerre et qui s'apprête à créer, sur la base d'une organisation corporatiste solidaire, un « régime social et économique nouveau » qui bannirait l'individualisme social et économique et l'exploitation capitaliste. C'est sur ces thèmes « fascistes » que Valois crée autour du *Nouveau Siècle* un mouvement politique en forme de ligue, avec l'appui d'hommes venus de l'Action française. En avril 1925, il fonde les *Légions*, groupe paramilitaire

1. Sur Valois et le Faisceau, voir Pierre Milza (82). Du même auteur, (128). Le principal ouvrage sur Valois est celui d'Yves Guchet (84).

organisé par André d'Humières et dont l'un des dirigeants sera Marcel Bucard. Enfin, le 11 novembre 1925, naît le *Faisceau* dont l'organisation en unités combattantes, l'uniforme (à chemise bleue), l'insigne (le faisceau des licteurs), le langage, le rituel sont directement empruntés au fascisme italien. Le mouvement est financé par des hommes d'affaires intéressés par l'éventuelle efficacité politique du mouvement de Valois, comme le pétrolier Serge André, le parfumeur Coty, le négociant en cognacs Hennessy. Il se donne une filiale étudiante, le *Faisceau universitaire*, et connaît un succès de quelques mois. Au début de 1926, il revendique 40 000 membres et accueille des transfuges de l'Action française qui rêvent de passer enfin à l'action directe et se sont lassés des discours non suivis d'effet de Maurras.

Cependant, le malentendu entre Valois et ses bailleurs de fonds ne va pas tarder à se manifester. Le fondateur du Faisceau insiste sur le caractère social et populaire de son mouvement et semble vouloir donner un contenu concret à l'anticapitalisme qui l'anime. Aussi les fonds cessent-ils d'affluer. Par ailleurs, l'Action française, qui avait d'abord considéré avec faveur la création du mouvement, s'inquiète bientôt du caractère hétérodoxe des positions de Valois. Les heurts entre les deux mouvements se multiplient, Camelots du roi et Légionnaires s'affrontant physiquement, cependant que le Faisceau universitaire subit les attaques des étudiants de l'AF. Dès l'automne 1926, le Faisceau entre en déclin.

En fait, les deux ligues des années vingt sont nées des craintes suscitées à droite par la victoire du Cartel quant à la remise en cause des idéaux de l'union sacrée, à la possibilité d'une prise de pouvoir par les communistes ou à la crainte d'une banqueroute de l'État (l'effondrement du franc est un thème récurrent dans les colonnes du *Nouveau Siècle*). Dans cette situation, toute une partie de l'opinion de droite juge insuffisant le barrage que pourraient opposer les partis de la droite parlementaire et adhère aux organisations décidées à conduire, y compris dans la rue, une résistance active. Il est peu douteux que l'exemple du fascisme italien a joué là un rôle d'exemple, non par le contenu de son message politique, au demeurant bien flou et mal connu des Français [1], mais par le style nouveau d'organisation qu'il proposait

1. Pierre Milza (128).

et qui a fait ses preuves en brisant la gauche italienne. Mais, après l'été 1926 et l'effondrement du Cartel, l'utilité de ces organisations n'apparaît plus. Poincaré n'est-il pas, par son seul nom, le symbole même de l'union sacrée du temps de guerre et de la volonté de réconcilier les Français autour des grandes valeurs nationales ? Dès lors, les bailleurs de fonds et les soutiens se raréfient et les ligues sont invitées à rentrer dans le rang. C'est ce que fait Taittinger qui, à la grande colère des jeunes activistes des Phalanges universitaires [1], décide de soutenir l'action de Poincaré. Valois qui entend continuer son action voit ses soutiens financiers et une bonne part de ses adhérents l'abandonner. En avril 1928, il doit dissoudre le Faisceau. Il montre alors le caractère réel de son « fascisme », qui n'est rien d'autre qu'une volonté de rénovation des structures de l'État et de la société (qu'il juge dépassées), en se tournant vers les hommes des jeunes générations qui entament au même moment une réflexion sur la rénovation des doctrines et des idées politiques. Rêvant personnellement d'un État syndicaliste qui le ramène en partie aux conceptions de sa jeunesse, il ouvre le dialogue avec les Jeunes Radicaux qui s'efforcent de renouveler la doctrine de leur parti et qui s'expriment dans *Le Rappel* ou *La Volonté*. Sa maison d'édition, la Librairie Valois, va, dès 1928, devenir le centre de réflexion qui permet aux « Jeunes Équipes » de publier leurs œuvres et de faire connaître leurs idées sur la nécessaire rénovation des structures nationales [2].

Même s'il faut ramener à de justes proportions le « fascisme » apparent des ligues des années vingt, la poussée ligueuse, ses caractères et ses contenus montrent qu'à droite une partie de l'opinion ne croit plus dans les vertus de la démocratie libérale à la française et juge qu'il est temps de songer à réformer un système vieilli et mal adapté. Or c'est également l'idée qu'expriment les rénovateurs de gauche qui, eux aussi, se manifestent vers 1926-1927.

Les courants rénovateurs du radicalisme : des « Nouvelles Équipes » aux « Jeunes Turcs ».

Si on excepte les ligues de droite, c'est probablement au sein du Parti radical que l'esprit réformateur des années vingt s'est

1. Th. Galopin, *op. cit.*
2. Voir ci-dessus, p. 395.

affirmé avec le plus de force [1]. De fait, ce parti a vu venir à lui au cours des années vingt une bonne partie de la génération née vers 1905 avide de changement et d'idées neuves. On peut s'étonner que ces jeunes gens férus de rénovation aient choisi un parti considéré comme sclérosé et lié à un régime qu'ils souhaitaient précisément remettre en cause. En fait, si on met à part un groupe d'ardents républicains qui veulent certes des réformes, mais ne peuvent les accepter que dans le cadre tracé par les fondateurs de la République au XIXe siècle, deux considérations rendent compte de l'adhésion de ceux qui vont constituer les « Jeunes Équipes » au Parti radical : le fait que celui-ci est un parti de gouvernement grâce auquel ils pourront faire adopter leurs idées, et le caractère lâche de ses structures et de sa doctrine qui devraient permettre d'en faire la conquête de l'intérieur. Radicaux de conviction et jeunes ambitieux décidés à noyauter le parti vont donc s'associer pour tenter de faire du radicalisme la doctrine porteuse de leur volonté de renouveau. Leur tâche va se trouver facilitée par l'échec du Cartel en 1926. Dès lors que toute la stratégie d'union des gauches sur une base traditionnelle qui avait été la grande pensée d'Herriot s'effondre, le moment n'est-il pas venu de proposer au Parti radical des idées nouvelles capables de lui redonner un but et une raison d'être ? De fait, c'est à partir de la fin de 1926 que s'organisent les groupes de réflexion qui rassemblent des jeunes, intellectuels, députés, responsables du parti, qui s'expriment dans des revues comme *Notre Temps* (1927) ou *La Voix* (1928). L'entreprise est favorisée par Joseph Caillaux qui a une revanche à prendre sur Herriot et ses amis ; son collaborateur Émile Roche finance *Notre Temps* et dirige *La Voix* (qui publie régulièrement une « Chronique des Jeunes Équipes »). Ce groupe de pression radical ou radicalisant remporte sa première victoire à l'automne 1927, en ourdissant la « conjuration » qui permet à Édouard Daladier d'accéder à la présidence du Parti radical. Derrière lui, nombre de membres des « Jeunes Équipes » (qu'on commence à appeler aussi « Jeunes Radicaux », puis, à partir des années trente, « Jeunes Turcs ») s'installent aux leviers de commande du Parti radical.

Il s'en faut de beaucoup que les idées des Jeunes Équipes constituent un tout homogène et cohérent. Si on trouve parmi

1. Sur le courant des Jeunes Turcs, voir Serge Berstein (76), t. 2.

eux des hommes de gauche, partisans d'une entente avec les socialistes (dont le journaliste Jacques Kayser est le plus représentatif), le centre de gravité du mouvement se situe plutôt vers le centre ou la droite du Parti radical : Albert Dubarry, directeur de *La Volonté*, et Jean Montigny, collaborateur de Caillaux, préconisent une politique de concentration et le journaliste Pierre Dominique rêve d'un fascisme de gauche. Quant au véritable chef du groupe, Émile Roche, il se montre partisan d'une entente avec l'aide droite de la SFIO et particulièrement avec les amis de Déat. Mais, au-delà des divergences doctrinales qui les séparent, les Jeunes Équipes sont d'accord pour préconiser des réformes qui les rapprochent des autres courants de la jeunesse intellectuelle. Ardemment pacifistes, ils rêvent d'instaurer la paix en Europe grâce à une fédération européenne dont l'entente franco-allemande constituerait la clé de voûte. Critiques du capitalisme et des féodalités économiques qu'il fait naître et qui menacent la démocratie, ils souhaitent une économie dans laquelle l'État exercerait son contrôle au nom de l'intérêt général de la collectivité. Enfin, partageant les critiques émises contre le fonctionnement de la démocratie libérale, ils proposent une réforme de l'État qui renforcerait l'exécutif, et permettrait au pouvoir d'exercer les fonctions économiques qu'ils attendent de lui grâce à la création d'une assemblée consultative représentant les grandes forces économiques et sociales du pays.

Toutes idées qui tranchent avec les vues traditionnelles des radicaux, champions de la prépondérance du Parlement, du libéralisme économique (corrigé seulement dans ses excès par l'intervention de l'État) et grands défenseurs de la nation. Une grande partie des cadres radicaux seront d'ailleurs scandalisés par les idées des Jeunes Équipes, n'hésitant pas à les qualifier de « fascistes » en leur opposant la tradition républicaine.

Sclérose du Parti socialiste et origines du mouvement « néo ».

On a vu que le Parti socialiste se trouvait engagé du fait des circonstances historiques dans une impasse dont il ne parvenait pas à sortir [1]. Pris en main par l'aile gauche de la SFIO qui

1. Voir ci-dessus, p. 235-237.

n'accepte pas le bolchevisme, mais entend faire prévaloir une voie révolutionnaire et marginaliser l'aile droite qui a engagé le parti dans la défense nationale, il fonde en effet son identité sur la stricte observance de la doctrine marxiste qu'il accuse les communistes d'avoir perverti par le léninisme, et dont il reproche aux partisans de Renaudel de vouloir se débarrasser pour pouvoir participer au gouvernement avec les radicaux. Dans ces conditions la marge de manœuvre des dirigeants socialistes est étroite. Soumis à la surenchère des communistes, prompt à se faire les procureurs de toute collaboration de classe, ils veillent à ne pas se laisser prendre au piège mortel de la participation et condamnent ainsi la gauche à ne pas réussir au pouvoir. De la même manière, ils considèrent comme un redoutable danger menaçant l'identité même du parti toute tentative de repenser le marxisme en l'adaptant au monde nouveau des années vingt. Ils font donc de celui-ci un véritable dogme sur lequel on ne peut réfléchir sans hérésie. Il en résulte une extraordinaire sclérose doctrinale qui conduit Blum à reconnaître que le Parti socialiste « ne parvient pas à intégrer dans sa doctrine ce qu'il y a de neuf et de jaillissant dans les faits ». Aussi réédite-t-on interminablement les auteurs consacrés, et l'essentiel de la pensée socialiste des années vingt s'inspire toujours de Guesde et de Jaurès. Mais rien des événements contemporains ne trouve d'explication dans le cadre de cette doctrine socialiste vieillie et, sauf quelques travaux de Moch, de Spinasse ou de Philip, spécialistes économiques du parti, on ignore les transformations économiques issues de la guerre et inspirées de l'exemple américain. Ressassant les formules du XIXe siècle, la SFIO n'a donc aucune explication à proposer des phénomènes de production et de consommation de masse qui d'Amérique commencent à gagner l'Europe, pas plus que de l'avènement du fascisme ou de l'expérience soviétique de la NEP ou des débuts du stalinisme.

Cette sclérose doctrinale provoque une incontestable déception chez les intellectuels socialistes, en particulier au sein du groupe très actif des étudiants de l'École normale supérieure sur lesquels s'exerce l'influence de Marcel Déat [1]. Ancien combattant, agrégé de philosophie, devenu sociologue, son socialisme est moins marxiste que pénétré des idées de Durkheim sur la

1. Sur ce groupe, voir Jean-François Sirinelli (141).

nécessité d'une recomposition sociale fondée sur les corporations, corps intermédiaires entre l'État et les travailleurs. Sa grande préoccupation est donc l'organisation de la société plus que l'émancipation de la classe ouvrière. Membre de la droite du parti regroupée autour de Renaudel et de sa revue *La Vie socialiste*, il est frappé par les circonstances qui ont conduit à l'échec du Cartel et, à partir de 1926, il s'efforce, tout en se situant au-dessus des tendances afin de mieux faire passer son message, de formuler une nouvelle conception du socialisme, adaptée à l'époque, faisant place tout à la fois aux idées de réforme et de révolution et permettant au Parti socialiste de sortir de l'impasse [1].

Outre une importante action militante, il commence alors un travail de réflexion à travers des articles, des conférences, des débats. Il conduit avec les Jeunes Radicaux un dialogue permanent, collaborant entre autres à *La Voix* avec d'autres dirigeants socialistes, et menant, en particulier en 1929-1930, un grand débat avec Bertrand de Jouvenel dans cette revue sur les conditions d'une possible unité entre radicaux et socialistes [2]. Ainsi se mettent en place par bribes les idées que Déat synthétisera en 1930 dans son livre *Perspectives socialistes*, mais dont toutes sont présentes dans ses réflexions des années antérieures. Son idée de base est celle d'un vaste rassemblement anticapitaliste réunissant classe ouvrière et classe moyenne pour la réalisation d'un socialisme par étapes. Celui-ci résulterait dans un premier temps de la pénétration de l'État grâce à la participation ministérielle, séparant ainsi le capitalisme de l'État et exerçant grâce à la prise de contrôle des leviers de commande une pression sur les banques et les industries clés dont il s'agit de pénétrer les conseils d'administration. Dans un second temps interviendrait la socialisation du profit. Grâce à l'action de l'État, les industries cartellisées devraient accepter d'abandonner une part de leurs bénéfices afin d'accroître le niveau de vie des ouvriers et de développer les œuvres sociales (en particulier les assurances sociales). Enfin, la croissance spontanée du syndicalisme et de la coopération qui

1. Sur Déat, voir Alain Bergounioux, « Le néo-socialisme de Marcel Déat : réformisme traditionnel ou esprit des années trente », *Revue historique*, n° 528, oct.-décembre 1978. Voir également Philippe Burrin (83).
2. Serge Berstein (76), t. 2.

résulterait de cette nouvelle situation conduirait à plus long terme à la socialisation de la propriété.

Ces idées suscitent un très vif intérêt chez les jeunes intellectuels, socialistes ou non, et sont passionnément discutées par les membres des jeunes générations à la recherche d'idées neuves. N'offrent-elles pas un corps de doctrine relativement cohérent, capable d'opérer la synthèse entre réforme et révolution, entre socialisme et démocratie en excluant tout coup de force, toute révolution violente, en rassemblant enfin une très large majorité du peuple français puisque le projet vise à la fois la classe ouvrière et les classes moyennes ? En revanche, jusqu'en 1930 les idées de Déat soulèvent peu d'intérêt dans l'appareil du Parti socialiste SFIO. Il faut attendre la publication de *Perspectives socialistes* pour que la direction du parti s'émeuve et que les marxistes orthodoxes jettent l'anathème sur un ouvrage qui leur paraît remettre en question le marxisme puisqu'il ne considère pas la révolution comme le fait de la seule classe ouvrière et qu'il considère l'État, non comme l'expression des intérêts de la classe dominante, mais comme une institution située en dehors des classes et qui pourrait éventuellement servir de vecteur à une révolution sociale graduelle.

Comme celle des Jeunes Radicaux, la tentative de Déat se heurte aux traditions solidement établies de son parti. Là encore la rénovation est entravée par les structures en place. A la fin des années vingt, tous les éléments de la crise qui secouera la SFIO dans les années trente sont en place et la « scission des néo » est virtuellement prête.

Renouveau du catholicisme politique.

Parallèlement aux mouvements de rénovation qui affectent la droite (avec les ligues), la gauche (avec les Jeunes Équipes radicales et les réflexions de Déat), les catholiques, libérés depuis 1926 du poids de l'Action française, commencent eux aussi un effort d'adaptation de leurs idées au monde d'après-guerre. On a déjà vu comment, dans le domaine de la vie intellectuelle et de l'insertion dans la société, la fin des années vingt avait été une période féconde pour le catholicisme [1].

1. Gérard Cholvy et Yves-Marie Hilaire (134).

En fait, l'élément nouveau n'est pas seulement la fin de la dictature intellectuelle de Maurras sur le monde catholique, c'est aussi la rupture du lien séculaire établi entre l'Église et la contre-révolution qui engageait les catholiques dans le camp des adversaires du régime républicain ou tout au moins dans celui de la droite conservatrice, sauf une étroite minorité qui prenait le risque d'être marginalisée par rapport à la majorité de ses coreligionnaires.

Du même coup commence, non un nouveau ralliement (on a vu qu'il était effectué du fait de la Première Guerre mondiale et de la politique d'apaisement religieux du Bloc national), mais une recherche neuve sur la place des catholiques dans le siècle. Le fait nouveau est désormais la volonté des croyants d'être présents au monde et de l'irriguer des apports que la foi chrétienne peut lui offrir comme solution à ses problèmes [1]. « Mettre tout le christianisme dans toute la vie » et non seulement dans la vie privée ou familiale, mais dans la vie sociale et publique, devient le mot d'ordre des jeunes générations. A la différence de leurs devancières, elles acceptent le pluralisme politique. Au vrai leur projet n'est pas partisan, mais culturel. Dans le désarroi qui saisit les esprits face à la certitude que l'armistice de 1918 n'a pas eu pour résultat de ramener le monde à la situation d'avant-guerre, mais de créer une situation nouvelle qu'il s'agit d'appréhender et de comprendre, les catholiques entendent participer à la recherche et proposer des solutions. Ils le font d'autant plus volontiers qu'ils n'ont guère eu de responsabilité dans la création des structures dont on dénonce le caractère obsolète et que, par conséquent, ils n'ont aucun scrupule à les abandonner pour imaginer des solutions neuves.

Aussi les voit-on se couler sans peine dans les courants dont nous avons examiné l'origine et qui entendent rompre avec le capitalisme — du Faisceau aux amis de Déat — ou trouver des formules politiques et sociales originales. Ces idées se trouvent à l'état diffus dans les revues et les hebdomadaires catholiques créés au début des années vingt, *La Vie catholique* de Francisque Gay, *Politique*, fondée elle aussi en 1924, ou *La Vie intellectuelle*, éditée par les dominicains en 1928. C'est dans le cadre de cette recherche que se rassemble à la fin des années vingt le

1. André Latreille et René Rémond (135).

petit groupe qui, autour d'Emmanuel Mounier, donnera naissance, en 1932, à la revue la plus importante issue de ce courant, *Esprit* [1].

4. Idées nouvelles des années vingt

L'organisation de l'économie.

« L'esprit des années vingt » est donc caractérisé par la recherche d'idées qui, dans le domaine de l'organisation politique et sociale, permettent de fournir des cadres neufs à un monde qui a changé et qui n'apparaît plus structuré de façon adéquate par les conceptions issues du XIXe siècle. Si la politique se taille la part du lion dans cette réflexion, celle-ci n'épargne ni l'économie, ni les relations internationales.

Dans le domaine économique, bien avant que la crise soit perçue (on sait qu'elle ne le sera en France que fin 1931 bien que certaines de ses manifestations apparaissent auparavant dans la statistique), les idées nouvelles des années vingt débouchent sur la conception d'une économie organisée plutôt qu'abandonnée à la loi du marché. C'est en 1928 que paraît à la Librairie Valois le livre de Bertrand de Jouvenel, *L'Économie dirigée.* L'auteur y préconise non une étatisation de l'économie qui mettrait fin à l'initiative privée, mais la fixation par la puissance publique d'un cadre synthétique auquel l'économie devrait se plier au nom de l'intérêt général. Il appartient à l'État de guider, mais l'individu doit pouvoir continuer à agir. La conception qui se dégage de l'ouvrage est celle d'un État technocratique faisant un inventaire des possibilités de production et aidant au développement des industries viables en abandonnant les autres à leur sort. C'est encore l'État qui, au stade de la production, doit lutter contre la surproduction en favorisant la constitution de cartels de vente qu'il contrôlerait. De même doit-il prendre la direction du système de crédit. Et c'est pour qu'il soit à même d'accomplir l'ensemble de ces tâches économiques que Jouvenel préconise l'institution d'une Chambre corporative susceptible de conseiller les pouvoirs publics dans leur politique économique.

1. Michel Winock (139).

Si l'organisation de l'économie par l'État est la solution préconisée par les Nouvelles Équipes radicales ou les socialistes qui suivent Déat, les hommes d'affaires, qui se méfient naturellement de l'étatisme, imaginent d'autres solutions pour rationaliser l'économie moderne issue de la guerre. La tentative la plus connue est ici celle d'Ernest Mercier dont le mouvement, le *Redressement français,* déjà évoqué à propos de ses propositions technocratiques de réforme politique, se fixe pour tâche de convertir les hommes d'affaires français à la conception américaine d'une société de consommation de masse fondée sur des marchés en expansion, des salaires élevés, des prix en baisse et une consommation toujours croissante [1]. Pour y parvenir, les 200 experts réunis par Mercier et qui rédigent les *Cahiers du Redressement français* préconisent, outre des pouvoirs accrus confiés au gouvernement et à l'administration et une participation importante des techniciens à la décision, une forte concentration des entreprises, soit sous forme d'une intégration soit sous celle de groupements de producteurs agissant sur un marché concurrentiel et contraignant les entreprises marginales à s'adapter ou à disparaître. Les idées de Mercier connaissent à l'origine un succès considérable et, en 1926, le Redressement français compte 10 000 adhérents et mène de vastes campagnes de propagande. Mais l'arrivée au pouvoir de Poincaré, la stabilisation du franc et l'apaisement politique et économique qui en résultent atteignent le mouvement. Les hommes politiques de droite, revenus au pouvoir, ne voient guère l'intérêt d'une relève technocratique qui diminuerait leur influence, et le patronat traditionnel se méfie d'idées qui lui paraissent un saut dans l'aventure et qui auraient pour résultat de restreindre l'autorité sans partage dont il jouit dans ses entreprises.

Néanmoins, il est intéressant de constater que l'après-guerre prend conscience des avantages qu'a comportés durant le conflit la relative organisation de l'économie à laquelle ont participé l'État et le patronat, et qu'hommes d'affaires ou théoriciens politiques s'interrogent pour savoir si la rationalisation de l'économie n'est pas la clé du modernisme. Là encore, la crise économique, sans d'ailleurs apporter de solution, renforcera l'interrogation.

1. Sur le courant rationalisateur, voir Richard F. Kuisel (99). Du même auteur, sur Ernest Mercier et le *Redressement français*, voir (140).

La construction de l'Europe.

Il est enfin un domaine où les années vingt apparaissent également annonciatrices des temps futurs, c'est celui des relations internationales. A l'origine des idées nouvelles, le choc de la guerre et la volonté de faire en sorte que ne puisse plus jamais se reproduire en Europe un conflit comme celui que le continent vient de subir. De surcroît, cette préoccupation n'est pas uniquement celle des jeunes générations, puisqu'elle est le cadre dans lequel s'inscrit la politique étrangère de la France à partir de 1924 et que nombre d'hommes politiques, à la suite de Briand, en font leur priorité absolue.

De ce point de vue, si on excepte la droite nationaliste dans la mouvance de l'Action française ou des hommes de la Fédération républicaine, un véritable consensus existe pour approuver une conception des relations internationales dont le pacte de la SDN offre le modèle. Il reste que les jeunes générations vont plus loin en considérant comme une nécessité un désarmement généralisé, première étape d'une démarche qui conduirait les nations à consentir des abandons de souveraineté à l'organisation internationale chargée de maintenir la paix. De cette union des peuples qui apparaît encore comme une lointaine utopie, l'Europe doit être le laboratoire.

Les revues où s'expriment les hommes des nouvelles générations se prononcent clairement pour l'Europe unie. *Notre temps, La Voix* et surtout *L'Europe nouvelle,* l'hebdomadaire dirigé par Louise Weiss, militent, bien avant que Briand ne lance l'idée de Fédération européenne, pour un rassemblement des peuples du vieux continent. Dans l'ensemble, il ne s'agit pas de gommer les particularismes nationaux mais d'organiser une intégration douanière, monétaire, juridique, diplomatique et navale suffisamment poussée pour qu'un nouveau conflit européen devienne impossible. Et la clé de voûte d'une telle intégration européenne est, bien entendu, une réconciliation franco-allemande, le désarmement moral devant précéder le désarmement militaire. C'est pourquoi certains de ces jeunes hommes préconisent des gestes volontaires destinés à prouver la bonne volonté française et à faire régner le climat propice à leur projet : l'évacuation anticipée de la Rhénanie, la restitution de la Sarre, voire la révision du traité de Versailles [1].

1. René Girault et Robert Frank (125) et, à titre d'exemple, Serge Berstein (76), t. 2.

Idée qui paraît si féconde et si pleine d'avenir que certains de ses partisans jugeront, en 1933, que l'arrivée au pouvoir de Hitler ne modifie pas la nature du projet et tenteront d'en poursuivre la réalisation en dépit du fait que l'interlocuteur n'est plus la République allemande.

La portée de l'esprit des années vingt.

Il est donc peu douteux qu'il existe un « esprit des années vingt ». Né de la prise de conscience différée des effets de la guerre, ayant pour objet d'offrir au monde nouveau dont le conflit a accouché des structures adaptées à ses problèmes politiques, sociaux, économiques, internationaux, il se manifeste par un bouillonnement d'idées neuves tranchant avec les conceptions du XIXe siècle qui prévalaient à la veille du conflit et que les hommes politiques, d'accord avec la majorité de l'opinion, s'efforcent de faire renaître. Phénomène de génération, « l'esprit des années vingt » affecte l'ensemble des forces politiques de la droite à la gauche et atteint même, au-delà des partis, des groupes non engagés dans la vie politique comme les catholiques ou les milieux d'affaires.

On admettra donc qu'il répond à une aspiration fortement ressentie à la modernisation des cadres de la vie politique, économique, internationale. Et, de fait, du renforcement de l'exécutif à la rationalisation de l'économie, de la construction d'une Europe confédérale au rapprochement franco-allemand, on ne peut qu'être frappé du caractère d'anticipation de certaines des propositions faites dans les années vingt. Que la crise puis la Seconde Guerre mondiale aient jeté dans l'oubli la plupart de ces idées neuves ne diminue en rien leur importance. Elles prouvent en tout cas que, loin d'être un simple retour au passé, l'après-guerre a été perçu par nombre de contemporains comme l'aube d'une France nouvelle gagnée par la modernité. A certains égards, la crise des années trente aura pour effet tout à la fois de balayer les novations perçues dans la période antérieure et d'accroître l'aspiration à des conceptions neuves dont l'objet ne sera plus dès lors d'aménager la modernité, mais de la faire renaître. Et c'est par ce biais que « l'esprit des années vingt », conséquence de la guerre, est devenu « l'esprit des années trente », solution de la crise.

Il existe toutefois une importante différence à cet égard entre les années vingt et la période qui a suivi. Alors que, dans cette dernière, ces idées sont largement répandues, passent dans le public, font l'objet de manifestes de groupes organisés, sont reprises par des formations d'importance nationale, pendant les années vingt elles ne sont le fait que de petites minorités, rejetées ou marginalisées par les groupes auxquels elles appartiennent. Nées de spéculations d'intellectuels parisiens, elles ne dépassent que difficilement le seuil des salles de rédaction des journaux, des clubs, des ouvrages lus par de rares initiés. Et les dirigeants de l'époque font tout pour maintenir dans ces limites étroites des idées neuves qu'ils ne comprennent pas ou dont la nouveauté les effraie. Valois à droite, Déat chez les socialistes, les Jeunes Équipes radicales, les nouveaux courants du monde catholique, les rationalisateurs dans le monde industriel subissent tous le même sort. Minoritaires, ils connaissent un éphémère succès avant que le poids des habitudes et des traditions ne jette le voile de l'oubli sur leurs idées, ne leur laissant d'autres choix que de s'incliner ou de rompre. Il faudra attendre trente à quarante ans pour que l'esprit modernisateur des années vingt devienne un ensemble d'idées admis par la majorité des Français.

Conclusion

En août 1914, les mobilisés rejoignent leurs unités avec le sentiment d'accomplir un devoir pénible, dangereux sans doute, mais nécessaire. Du moins trouvent-ils quelque espoir dans la certitude que la guerre sera courte et que, une fois leur tâche accomplie, ils retrouveront leur vie quotidienne et reprendront leurs occupations au point précis où l'ordre de mobilisation les avait contraints de les abandonner. Au fil des mois s'évanouit l'illusion de la guerre courte et, peu à peu, s'ancre dans leurs esprits la conviction que l'épreuve qu'elle est en train de vivre constitue le traumatisme majeur de la France contemporaine. La guerre de 1914-1918 devient la « Grande Guerre » et elle apparaît si insupportable à ceux qui l'ont faite, mais aussi à tous les contemporains, qu'elle entraîne avec elle la certitude qu'elle ne peut être que la dernière des guerres, la « der des der », car personne ne pourrait de sang-froid prendre la responsabilité de faire vivre aux Français un nouveau cauchemar. Le 11 novembre 1918, à l'ivresse de la victoire se mêle l'amertume de l'évaluation du prix qu'elle a coûté en vies humaines, en destructions, en souffrances passées ou présentes...

Que les survivants, leur famille, leurs enfants veuillent oublier la rigueur de l'épreuve en retrouvant les charmes tranquilles de la vie quotidienne n'a rien qui puisse étonner. Et c'est ce sentiment de soulagement, le désir lancinant de jouir de la vie qui explique l'ambiance frénétique des « années folles », l'ivresse des danses venues d'Amérique, le succès du jazz, les fêtes où s'étourdissent une minorité de privilégiés et par quoi une analyse superficielle peut caractériser l'après-guerre.

Mais, le soulagement passé, les Français ne tardent pas à s'apercevoir que la parenthèse n'est pas aisée à refermer et que l'ombre de la guerre ne cesse de peser sur les années vingt. Non seulement la guerre est présente par ses traces visibles dans la population, la démographie, le paysage, mais encore on découvre peu à peu qu'elle a transformé de manière irréversible la France de la « Belle Époque ». Ses gouvernants, qu'ils soient de gauche ou de droite, s'épuisent à régler les problèmes qu'elle a laissés pendants, qu'il s'agisse de l'interminable question des Réparations, de la crise des finances publiques ou de la dévalorisation de la monnaie. Pour y parvenir, ils tentent de retrouver dans la paix le consensus de la période de guerre, mais la naissance du communisme, l'autonomisme alsacien, la vigoureuse résurrection de l'antagonisme gauche-droite rendent la tâche impossible, et seul Poincaré parviendra quelques années à stabiliser de manière éphémère une situation d'affrontements nationaux vigoureux.

Au-delà même des difficultés léguées par la guerre, celle-ci est porteuse de mutations qui achèvent de démanteler les structures héritées de la France du XIXe siècle. Le pays s'urbanise lentement, mais cette urbanisation détruit sûrement les traces de la civilisation rurale séculaire, qu'il s'agisse de la cellule paroissiale ou de la culture populaire, qui se mue en un folklore qui n'est plus qu'une culture de musée. Sur le tissu des petites et moyennes entreprises élaboré depuis la fin du XIXe siècle apparaissent les premières traces de la grande industrie moderne, tournée vers les méthodes américaines et la production de masse. Dans les villes, bien que de manière très progressive, naît une nouvelle société qui commence à prendre, avec d'importantes différences sociales, des habitudes de consommation. La bourgeoisie urbaine sert de modèle et son mode de vie devient l'idéal d'une classe moyenne de plus en plus nombreuse, stimulant le désir de la jeunesse rurale de trouver, par le déplacement vers les villes, des possibilités d'accéder aux formes nouvelles de la consommation. La culture elle-même porte la marque des mutations du moment. Pendant qu'écrivains et artistes balancent entre le rêve et la réalité, cherchant un refuge contre le caractère insupportable de l'épreuve que vient de connaître le monde dans l'évasion hors de l'époque ou hors du vieux continent, dans la poésie ou l'introspection, le surréalisme naissant traduit la recherche d'un au-delà moins décevant que le monde concret qui sort du cauchemar de la guerre. Et à un niveau moindre naît, pour le monde nouveau de la consommation urbaine, une culture de masse où la chanson, le music-hall, le sport-spectacle, la radio et surtout le cinéma fournissent aux citadins la part de rêve, de dépaysement, de distractions qui apparaît comme une exigence des temps nouveaux, où le triomphe de la machine et de l'industrie paraît aussi signifier la subordination de l'homme à l'univers mécanique qui est en train de naître.

Avec quels mots dire les temps nouveaux ? A ceux qui prennent progressivement conscience des traits originaux qui caractérisent la société de l'après-guerre apparaît l'inadaptation des conceptions forgées au cours du XIXe siècle, qui ont structuré les mentalités à la veille de la Première Guerre mondiale. Alors que la majorité de l'opinion, les hommes politiques en charge des affaires publiques, la presse tentent d'appréhender à l'aide de l'appareil conceptuel d'avant-guerre les problèmes de la France d'après le conflit, les jeunes générations s'efforcent de trouver des formules plus adéquates à la conjoncture. Ainsi naît cet « esprit des années vingt », tentative intellectuelle destinée à découvrir les idées propres à servir de cadre au modernisme légué par la guerre à la société française. C'est bien en effet une modernisation des structures qui constitue le fond des idées nouvelles, qu'il s'agisse des institutions, de la vie économique, de l'organisation sociale ou des relations internationales. On est ainsi frappé par le caractère d'anticipation audacieuse que revêt, au niveau des idées, l'effort de réflexion intellectuelle de l'après-guerre et qui articule des conceptions bien adaptées à l'évolution spontanée des structures provoquée par la guerre. Il reste que cet effort est le fait d'une minorité qui s'efforce d'ouvrir la voie à une société encore mal dégagée de ses cadres traditionnels. Cette lutte entre modernité et poids du passé et de la tradition qui caractérise les années vingt annonce-t-elle, comme on pourrait à bon droit le penser, l'entrée de la France dans une société nouvelle, « à l'américaine » ? La crise qui surgit au début des années trente puis la guerre de 1939-1945 qui lui fait suite bloqueront brutalement, et pour deux décennies, une modernisation en marche.

Chronologie sommaire

1913	17 janvier	Raymond Poincaré élu président de la République contre le candidat radical Jules Pams.
	21 janvier	Aristide Briand, ministre de la Justice du précédent gouvernement dirigé par Raymond Poincaré, devient président du Conseil (pour la troisième fois) à la tête d'un gouvernement du centre penchant légèrement à gauche.
	18 mars	Démission d'Aristide Briand à la suite de l'échec d'un projet de réforme du scrutin d'arrondissement.
	22 mars	Louis Barthou, ministre de la Justice du précédent gouvernement, devient président du Conseil, à la tête d'un gouvernement du centre penchant à droite. Ministre de la Guerre : Eugène Étienne (comme dans le gouvernement précédent).
	7 août	Vote définitif de la loi de *trois ans*.
	16-19 octobre	Congrès de Pau du Parti radical. Joseph Caillaux devient président du Parti radical.
	2 décembre	Démission du gouvernement Barthou à la suite de l'échec d'un projet d'emprunt destiné à combler le déficit budgétaire provoqué en partie par la loi de trois ans.
	9 décembre	Formation du gouvernement Doumergue à majorité radicale-socialiste. Ministre des Finances : Joseph Caillaux.
1914	13 janvier	Briand, Barthou, Millerand créent la *Fédération des gauches* en vue des prochaines élections, avec comme objectif principal de défendre les « *trois ans* ».

17 mars	Mme Caillaux assassine Gaston Calmette, directeur du *Figaro*. Joseph Caillaux démissionne du gouvernement.
26 avril-10 mai	Élections législatives.
9 juin	Formation d'un gouvernement du centre droit dirigé par Alexandre Ribot.
12 juin	Le gouvernement Ribot est renversé par la majorité de gauche de la Chambre des députés.
13 juin	Formation du gouvernement à majorité radicale-socialiste dirigé par René Viviani.
28 juin	L'archiduc héritier de l'Empire austro-hongrois est assassiné à Sarajevo.
14-16 juillet	Congrès du Parti socialiste à Paris.
15 juillet	Raymond Poincaré et René Viviani partent pour un voyage en Russie et dans les pays scandinaves.
20-28 juillet	Procès et acquittement de Mme Caillaux.
23 juillet	Ultimatum de l'Autriche à la Serbie.
28 juillet	L'Autriche-Hongrie déclare la guerre à la Serbie.
29 juillet	Le Bureau socialiste international se réunit à Bruxelles. Dernier discours de Jean Jaurès au Cirque royal.
30 juillet	Mobilisation générale en Russie.
31 juillet	Jean Jaurès est assassiné à Paris.
1er août	La mobilisation générale est décrétée à la même heure dans l'après-midi en France et en Allemagne. L'Allemagne déclare la guerre à la Russie.
2 août	Ultimatum de l'Allemagne à la Belgique de laisser le passage à ses troupes.
3 août	L'Allemagne déclare la guerre à la France.
4 août	Le Royaume-Uni déclare la guerre à l'Allemagne. Message de Raymond Poincaré, l'*union sacrée*.
5 août	Suppression de la libre convertibilité de la monnaie. Établissement du moratoire des loyers et d'allocations pour les familles des soldats.
19-20 août	Échec de l'offensive française en Lorraine.

	20 août	Les Allemands sont à Bruxelles. Mort du pape Pie X, à qui succède Benoît XV.
	21-23 août	Défaites dans la bataille des *frontières (Ardennes et Charleroi).*
	26 août	Remaniement du gouvernement Viviani. Gouvernement d'« union sacrée » avec l'entrée de ministres socialistes (Jules Guesde et Marcel Sembat) et de ministres du centre ou du centre droit (Briand, Millerand, Ribot, Delcassé...).
	26-29 août	Bataille de *Tannenberg.*
	29 août	Communiqué « de la Somme aux Vosges ».
	2 septembre	Les Allemands atteignent Senlis. Le gouvernement quitte Paris pour Bordeaux.
	5 septembre	Charles Péguy est tué à Villeroy (Seine-et-Marne).
	6-9 septembre	Bataille de la *Marne.*
	9 septembre	Création d'un *Comité d'action* entre le Parti socialiste et la CGT.
	22-23 septembre	Romain Rolland publie *Au-dessus de la mêlée* dans *Le Journal de Genève.*
	1er novembre	La Turquie entre en guerre aux côtés des puissances centrales.
	17 décembre	Première tentative d'une offensive de rupture du front adverse en Artois.
	23 décembre	Réunion extraordinaire du Parlement à Paris.
1915	12 janvier	Rentrée parlementaire.
	15 février-18 mars	Tentative de percée en Champagne.
	19 février	Début de l'opération des Dardanelles.
	22 avril	Première utilisation des gaz asphyxiants à Langemarck (près d'Ypres).
	26 avril	Traité de Londres entre l'Italie et les Alliés.
	7 mai	Torpillage du *Lusitania.*
	9 mai-18 juin	Deuxième tentative de rupture en Artois.
	15 mai	La fédération de la Haute-Vienne critique l'attitude de la direction du Parti socialiste. Début de la formation d'une « minorité » à l'intérieur du Parti socialiste.
	18 mai	Albert Thomas devient sous-secrétaire d'État à l'Artillerie et à l'Équipement militaire.

	23 mai	Entrée en guerre de l'Italie aux côtés des Alliés.
	25 septembre-6 octobre	Deuxième tentative de percée en Champagne.
	25 septembre-11 octobre	Troisième tentative de percée en Artois.
	5-8 septembre	Conférence de Zimmerwald.
	1er octobre	Début du débarquement d'un corps expéditionnaire à Salonique.
	5 octobre	La Bulgarie entre dans la guerre aux côtés des puissances centrales.
	29 octobre	Démission du gouvernement Viviani, remplacé par un gouvernement Briand. Ministre de la Guerre : le général Gallieni. Ministre du Commerce, de l'Industrie, des Postes et Télégraphes : Étienne Clémentel.
1916	8-9 janvier	Les dernières troupes alliées quittent les Dardanelles.
	janvier	Création du *Comité pour la reprise des relations internationales* par des socialistes et des syndicalistes pacifistes, et du *Comité de défense syndicaliste*, qui forme une minorité pacifiste à l'intérieur de la CGT.
	21 février	Début de la bataille de *Verdun*.
	9 mars	Accords Sykes-Picot sur le partage des colonies arabes de la Turquie entre la France et l'Angleterre.
	20-24 avril	Conférence de Kienthal.
	31 mai-1er juin	Bataille navale du Jutland.
	16-22 juin	Premier *comité secret* à la Chambre des députés.
	1er juillet	Début de la bataille de la Somme.
	5 juillet	Lancement du *Canard enchaîné*.
	3 août	*Le Feu* d'Henri Barbusse commence à être publié en feuilleton dans *L'Œuvre*.
	20 août	Entrée en guerre de la Roumanie aux côtés des Alliés.
	29 août	Le général Von Hindenburg et son adjoint Ludendorff reçoivent le commandement suprême des forces allemandes.
	15 septembre	Des chars d'assaut sont utilisés pour la première fois par les Anglais.
	6 décembre	Bucarest est occupée par les Allemands.

	12 décembre	6e gouvernement Briand. Ministre de la Guerre : le général Lyautey. Denys Cochin, représentant de la droite catholique, entre au gouvernement.
	15 décembre	*Le Feu* est publié en librairie.
	18 novembre	Fin de la bataille de la Somme.
	18 décembre	Fin de la bataille de Verdun.
	25 décembre	Le général Joffre est nommé maréchal de France et remplacé par le général Nivelle à la tête des armées françaises.
1917	8 janvier	Début d'une première vague de grèves en France avec les grèves de la haute couture parisienne.
	31 janvier	Annonce par les Allemands de la guerre sous-marine totale.
	20 mars	5e gouvernement Ribot.
	8-12 mars (23-27 février, ancien calendrier)	Première révolution russe.
	15 mars	Abdication de Nicolas II.
	2 avril	Entrée en guerre des États-Unis.
	16 avril	Début de l'offensive du *Chemin des Dames*. Première utilisation de chars d'assaut français.
	16 avril	Lénine, venant de Suisse, arrive en Russie.
	17 avril	Premier acte collectif d'indiscipline dans l'armée française, précédant les grandes *mutineries* de mai et juin.
	11 mai	Début d'une seconde vague de grèves (mai et juin).
	15 mai	Le général Nivelle est remplacé par le général Pétain à la tête de l'armée française.
	22 juillet	Grands discours de Clemenceau au Sénat contre le ministre de l'Intérieur, Louis Malvy.
	1er août	Appel en faveur de la paix du pape Benoît XV.
	2 juin	Le gouvernement Ribot annonce le refus des passeports pour les socialistes français qui auraient voulu participer à la conférence de Stockholm.
	13 juin	Le général Pershing, commandant du corps expéditionnaire américain, arrive en France.
	28 juin	La première division américaine

		commence à débarquer à Saint-Nazaire.
	2 août	Démission de Denys Cochin. La droite catholique considère que la politique du gouvernement est teintée d'anticléricalisme.
	20 août	Suicide en prison du directeur du *Bonnet rouge*, Almereyda.
	31 août	Démission de Louis Malvy.
	7 septembre	Démission du gouvernement Ribot.
	12 septembre	Formation du premier gouvernement Paul Painlevé. Les socialistes refusent d'entrer dans ce gouvernement. Fin de l'union sacrée sur le plan gouvernemental.
	24 octobre	Début de la bataille de *Caporetto*.
	6 novembre (24 octobre)	Les bolcheviks s'emparent du pouvoir.
	13 novembre	Le gouvernement Painlevé est renversé.
	16 novembre	Formation du 2e gouvernement Clemenceau.
	22 novembre	Malvy déféré devant la Haute-Cour.
	3 décembre	Début des négociations de Brest-Litovsk.
	15 décembre	Signature de l'armistice de Brest-Litovsk.
1918	8 janvier	Dans un message au Congrès, le président Wilson définit les buts de guerre des États-Unis dans les *14 points*.
	14 janvier	Arrestation de Joseph Caillaux.
	3 mars	Signature du traité de Brest-Litovsk.
	21 mars	Offensive allemande en Picardie.
	23 mars	Début des bombardements de Paris par la *Grosse Bertha*.
	26 mars	Conférence de Doullens. Le principe d'une coordination entre les commandements alliés est établi.
	14 avril	Le général Foch reçoit le titre de commandant en chef des forces alliées en France.
	9 avril	Offensive allemande en Flandres.
	13 mai-18 mai	Grandes grèves dans les usines d'armement de la région parisienne.
	18 mai-28 mai	Très important mouvement de grèves dans les usines de guerre du bassin de la Loire, ainsi que dans d'autres régions.

	27 mai	Offensive allemande sur le *Chemin des Dames*.
	15 juillet	Offensive allemande en Champagne.
	18 juillet	Contre-offensive française. La deuxième bataille de la *Marne*.
	28-29 juillet	Conseil national du Parti socialiste. La « minorité » conduite par Jean Longuet l'emporte sur la « majorité ».
	4 août	Malvy condamné à cinq ans de bannissement.
	7 août	Foch, maréchal de France.
	8 août	Offensive en Picardie ; début de l'offensive générale alliée.
	15 septembre	L'armée de Salonique passe à l'offensive.
	29 septembre	La Bulgarie signe l'armistice.
	octobre	Apogée de l'épidémie de *grippe espagnole*.
	4 octobre	Le gouvernement allemand engage des négociations d'armistice avec les États-Unis.
	6-9 octobre	Congrès du Parti socialiste. La « minorité » prend la direction du parti.
	24 octobre	Début de la bataille de *Vittorio-Veneto*.
	31 octobre	La Turquie signe l'armistice de *Moudros*.
	3 novembre	L'Autriche-Hongrie signe l'armistice à *Villa-Giusti*.
	8 novembre	Première rencontre des plénipotentiaires allemands et alliés dans la clairière de Rethondes.
	9 novembre	Abdication de l'empereur Guillaume II. Proclamation de la République allemande.
	11 novembre	L'Allemagne signe l'armistice.
	13 décembre	Le président Wilson arrive en France pour participer à la conférence de la Paix.
	15 décembre	Pétain, maréchal de France.
1919	18 janvier	Ouverture de la conférence de la Paix à Paris.
	13 mars	L'Angleterre cesse son soutien au franc.
	19-21 avril	Mutinerie sur les navires français en mer Noire.
	23 avril	Journée de 8 heures.

	7 mai	Les conditions du traité de paix sont transmises au gouvernement allemand.
	28 juin	Signature du traité de paix avec l'Allemagne dans la *galerie des Glaces* du château de *Versailles*.
	14 juillet	Défilé de la victoire à Paris.
	septembre	Marcel Proust reçoit le prix Goncourt pour *A l'ombre des jeunes filles en fleur*.
	10 septembre	Traité de *Saint-Germain-en-Laye* avec l'Autriche.
	12 octobre	La Chambre des députés ratifie le traité de Versailles.
	2 novembre	Constitution de la CFTC.
	16 novembre	Élections législatives. Victoire du Bloc national.
	27 novembre	Traité de *Neuilly-sur-Seine* avec la Bulgarie.
1920	17 janvier	Paul Deschanel est élu président de la République.
	18 janvier	Démission de Clemenceau.
	20 janvier	Formation du gouvernement Millerand.
	25-29 février	Le congrès socialiste de Strasbourg rompt avec la IIe Internationale.
	février-mai	Vague de grèves (cheminots, mineurs).
	5 avril-14 mai	Occupation de villes allemandes.
	4 juin	Signature du traité de Trianon.
	21 juin	Conférence de Boulogne.
	2 juillet	Conférence de Spa.
	21-24 septembre	Démission de Paul Deschanel. Alexandre Millerand est élu président de la République.
	25 septembre	Georges Leygues devient président du Conseil.
	11 novembre	Le soldat inconnu à l'Arc de Triomphe.
	16 novembre	Débat à la Chambre sur le rétablissement des relations diplomatiques avec le Vatican.
	20-26 décembre	Congrès de Tours de la SFIO. Naissance du Parti communiste SFIC.
1921	12-16 janvier	Chute du ministère Leygues et formation du 7e ministère Briand.
	27 février	Ouverture de la conférence de Londres.

	1er mars	Loi sur les loyers.
	8 mars	Occupation de Düsseldorf, Ruhrort, Duisbourg.
	5 mai	La conférence de Londres fixe l'« état des paiements » (montant et modalités du paiement des Réparations).
	16 mai	Jonnart ambassadeur au Vatican.
	27 août	Signature des accords de Wiesbaden.
	29 octobre	Ouverture de la conférence de Washington.
	10 novembre	Anatole France reçoit le prix Nobel de littérature.
	16 décembre	Le Sénat approuve la reprise des relations diplomatiques avec le Vatican.
	27 décembre	Scission de la CGT et naissance de la CGTU.
1922	5-12 janvier	Conférence de Cannes.
	12 janvier	Démission d'Aristide Briand.
	15 janvier	Formation du 2e ministère Poincaré.
	6 février	Accord de Washington sur les armements navals.
	25 février	Exécution de Landru.
	10 avril	Ouverture de la conférence de Gênes.
	12 juillet	L'Allemagne demande un moratoire pour le paiement des Réparations.
	octobre	Fondation de la Ligue de la République.
	9-11 décembre	La conférence de Londres rejette le projet allemand de moratoire.
1923	1er janvier	Frossard démissionne du secrétariat général du Parti communiste.
	11 janvier	Occupation de la Ruhr.
	22 janvier	Assassinat de Marius Plateau, secrétaire général de l'Action française.
	1er avril	Service militaire ramené à dix-huit mois.
	3 mai	Décret Léon Bérard sur la réforme de l'enseignement secondaire.
	25 septembre	Fin de la résistance passive dans la Ruhr.
	14 octobre	Discours d'Évreux d'Alexandre Millerand.
	30 novembre	La commission des Réparations constitue un comité d'experts.
	5 décembre	Mort de Maurice Barrès.
1924	14 janvier	Première réunion du comité Dawes. Début de la crise des changes.

	31 janvier-2 février	Le congrès socialiste de Marseille accepte — à contrecœur — le Cartel des gauches avec les radicaux.
	8 février	Poincaré obtient les pleins pouvoirs financiers.
	24 février	Vote du double décime.
	8 mars	Emprunt du gouvernement français à la banque Morgan. Redressement du franc (« Verdun financier »).
	18 avril	La France accepte le plan Dawes.
	11 mai	Élections législatives. Succès du Cartel des gauches.
	9 juin	Formation du ministère François-Marsal, renversé le 10.
	11 juin	Démission de Millerand.
	13 juin	Gaston Doumergue est élu président de la République.
	15 juin	Formation du 1er gouvernement Herriot.
	16 juillet-15 août	Conférence de Londres.
	1er octobre	L'Assemblée générale de la SDN adopte le protocole de Genève.
	29 octobre	Reconnaissance *de jure* de l'Union soviétique.
	novembre	Millerand crée la Ligue républicaine nationale et favorise la renaissance de la Ligue des patriotes. La Chambre vote l'amnistie.
	23 novembre	Transfert des cendres de Jaurès au Panthéon ; manifestation communiste à Paris.
	1er décembre	Parution de *La Révolution surréaliste*.
1925	Janvier	Création du Conseil national économique.
	2 février	La Chambre vote la suppression de l'ambassade de France au Vatican.
	11 mars	Manifeste des cardinaux et archevêques de France.
	10 avril	Chute du gouvernement Herriot.
	17 avril	Formation du gouvernement Painlevé-Caillaux (2e cabinet Painlevé).
	avril	Abdel-Krim étend son offensive au Maroc français.
	12 juillet	Caillaux fait adopter ses projets financiers par une majorité de concentration.

	août	Le maréchal Pétain prend la direction des opérations de la guerre du Rif.
	20 septembre	Le congrès de Strasbourg du Parti communiste demande un plébiscite en Alsace-Lorraine.
	16 octobre	Signature du pacte de Locarno.
	27 octobre	Démission de Painlevé devant l'opposition des radicaux aux projets financiers de Caillaux.
	29 octobre	Painlevé forme un nouveau gouvernement (le radical Bonnet aux Finances) (3e cabinet Painlevé).
	30 octobre	Rappel de Syrie du général Sarrail ; Henry de Jouvenel haut-commissaire.
	14 novembre	Première exposition de la peinture surréaliste à Paris, galerie Pierre.
	22-28 novembre	Chute du gouvernement Painlevé. Formation du 8e gouvernement Briand (Loucheur aux Finances).
	16 décembre	Paul Doumer remplace Louis Loucheur au ministère des Finances.
1926	6 mars	Chute du ministère Briand.
	9 mars	Formation du 9e ministère Briand (Raoul Péret aux Finances).
	avril-mai	Crise des changes.
	29 avril	Accords de Washington (sur les dettes de guerre).
	mai	Fin de la rébellion du Rif.
	15 juin	Chute du ministère Briand.
	24 juin	Formation du 10e ministère Briand (Caillaux aux Finances).
	12 juillet	Accord franco-britannique sur les dettes de guerre.
	16-17 juillet	Demande par Caillaux des pleins pouvoirs financiers. Herriot provoque la chute du gouvernement Briand-Caillaux.
	20 juillet	Formation du 2e cabinet Herriot.
	21 juillet	Chute du gouvernement Herriot.
	23 juillet	Formation du 4e gouvernement Poincaré, gouvernement d'union nationale.
	27 juillet	Le gouvernement obtient la confiance.
	31 juillet	La Chambre adopte les projets financiers de Poincaré.
	10 août	Le Congrès adopte une révision constitutionnelle créant la Caisse autonome d'amortissement.

	8 septembre	Entrée de l'Allemagne à la SDN.
	17 septembre	Entrevue Briand-Stresemann à Thoiry.
	octobre	Cartel entre métallurgistes français et allemands.
	1er octobre	École unique dans les collèges jumelés.
	14-16 octobre	Congrès radical de Bordeaux. Maurice Sarraut remplace Herriot à la présidence du Parti radical.
	novembre	Stabilisation de fait du franc.
	10 décembre	Aristide Briand prix Nobel de la paix (avec Austen Chamberlain et Gustav Stresemann).
	décembre	Condamnation de l'Action française par le Saint-Siège.
1927	17 février	Accord franco-britannique sur les dettes de guerre.
	mars	Évacuation de la Sarre par les troupes françaises.
	22 avril	Discours de Constantine d'Albert Sarraut : « Le communisme, voilà l'ennemi ! »
	mai	Loi ramenant à un an la durée du service militaire.
	12 juillet	Rétablissement du scrutin d'arrondissement.
	octobre	Congrès radical de Wagram. Daladier élu président du Parti radical.
	10 décembre	Henri Bergson, prix Nobel de littérature.
	27 décembre	Introduction de la gratuité de l'enseignement secondaire dans les collèges jumelés.
1928	9 janvier	Le comité central du PCF adopte la tactique « classe contre classe ».
	12 janvier	Arrestation de plusieurs députés communistes.
	mars	Vote de la loi sur les assurances sociales.
	22-29 avril	Élections législatives. Victoire de l'union nationale.
	24-25 juin	Stabilisation officielle du franc.
	13 juillet	Loi Loucheur sur les habitations à bon marché (HBM).
	27 août	Ratification du pacte Briand-Kellogg.
	4 novembre	« Coup d'Angers » : les radicaux quittent l'union nationale.

	6 novembre	Démission du 4e ministère Poincaré.
	8 novembre	Vote de la déchéance des députés autonomistes.
	11 novembre	Formation du 5e ministère Poincaré.
1929	14-29 mars	Débat à la Chambre sur les congrégations missionnaires.
	31 mai	Signature du Plan Young sur les Réparations.
	20-26 juillet	Ratification des accords franco-alliés sur les dettes de guerre.
	27 juillet	Démission de Raymond Poincaré.
	29 juillet	11e ministère Briand.
	août	La conférence de La Haye décide l'évacuation anticipée de la Rhénanie.
	5 septembre	Briand propose les États-Unis d'Europe.
	22 octobre	Chute de Briand.
	24 octobre	Krach de Wall Street.

Orientation bibliographique

Avertissement : Les travaux publiés sur la France de la Première Guerre mondiale et de l'après-guerre se comptent par centaines. Aussi n'était-il pas question d'opérer dans les pages qui suivent un recensement bibliographique exhaustif. Les auteurs n'ont donc retenu, dans un choix dont ils admettent le caractère incomplet et sans doute arbitraire, que les ouvrages qui leur paraissaient les plus importants, en choisissant de préférence ceux qui avaient un caractère synthétique. C'est pourquoi les articles, les ouvrages dont le champ paraissait restreint, les travaux en langue étrangère qui possédaient un équivalent en français ou les ouvrages trop anciens ont été éliminés.

Sauf indication contraire, le lieu d'édition des ouvrages est Paris.

1. Instruments de travail

1. Gisèle et Serge Berstein, *La Troisième République. Les noms, les thèmes, les lieux*, M.A. Éditions, coll. « Les Grandes Encyclopédies du monde de... », 1987.
[Un dictionnaire encyclopédique.]

2. Jean Maitron et Claude Pennetier, *Dictionnaire biographique du mouvement ouvrier français*, Éditions ouvrières.
[Tout sur les acteurs du mouvement ouvrier.]

3. Jean Jolly (sous la direction de), *Dictionnaire des parlementaires français. Notices biographiques sur les ministres, députés et sénateurs français de 1889 à 1940*, PUF, 8 vol.

4. Pierre Guinard, Jean-Claude Devos et Jean Nicot, *Inventaire sommaire des Archives de la guerre*, Troyes, Imprimerie La Renaissance, 1975.
[Un guide très précieux des sources militaires.]

2. La France dans son environnement spatial et temporel

5. Serge Berstein et Pierre Milza (sous la direction de), *Histoire du XXe siècle*, Hatier, 1985-1987.
[Un manuel dont le premier tome porte sur la période étudiée.]

6. Bernard Droz et Anthony Rowley, *Histoire générale du XXe siècle*. 1re partie : *Jusqu'en 1949*, t. 1, *Déclins européens*, Éd. du Seuil, coll. « Points Histoire », 1986.
[Une approche très synthétique.]

7. François Caron, *La France des patriotes (1851-1918)*, Fayard, 1985.
[La plus récente des grandes synthèses sur la période.]

8. René Rémond (avec la collaboration de Jean-François Sirinelli), *Notre Siècle. 1918-1988*, Fayard, 1988.
[La somme la plus récente sur la France du XXe siècle.]

9. Yves Lequin (sous la direction de), *Histoire des Français XIXe-XXe siècle*, t. 1, *Un peuple et son pays*, t. 2, *La Société*, t. 3, *Les Citoyens et la Démocratie*, Colin, 1983-1984.
[La France du XXe siècle restituée dans l'évolution de longue durée.]

10. Jean-Marie Mayeur, François Bédarida, Antoine Prost, Jean-Louis Monneron, *Cent ans d'esprit républicain*, t. 5 de l'*Histoire du peuple français*, Nouvelle Librairie de France, 1965.
[Un très remarquable ouvrage sur la société et ses mentalités depuis la fondation de la IIIe République.]

3. Ouvrages sur l'ensemble de la guerre

11. Pierre Renouvin, *La Crise européenne et la Grande Guerre (1904-1918)*, PUF, 1962.

12. Pierre Renouvin, *La Première Guerre mondiale*, PUF, coll. « Que sais-je ? », 1965.
[Les références.]

13. Marc Ferro, *La Grande Guerre (1914-1918)*, Gallimard, 1969.
[Souvent original.]

14. Jay M. Winter, *The Experience of World War 1*, Oxford, Equinox, 1988.
[Une vue d'ensemble de la guerre par le meilleur spécialiste britannique. Une réflexion qui transforme souvent ce qu'on savait.]

15. David Shermer, *La Grande Guerre (1914-1918)*, Cathay (pour l'édition française), 1977.
[De belles illustrations.]

16. Robin Livio, *La Grande Guerre (1914-1918) en mille images*, Cercle européen du livre, 1963.
[Beaucoup d'images, pas très belles.]

4. Les origines et les débuts de la guerre

17. Pierre Renouvin, *Les Origines immédiates de la guerre (28 juin-4 août 1914)*, Costes, 1927.
[Irremplaçable.]

18. Jules Isaac, *Un débat historique : 1914. Le problème des origines de la guerre*, Rieder, 1933.
[Un modèle.]

19. Jacques Droz, *Les Causes de la Première Guerre mondiale. Essai d'historiographie*, Éd. du Seuil, 1973.
[Un autre modèle.]

20. Raymond Poidevin, *Les Origines de la Première Guerre mondiale*, PUF, 1975.
[Une mise au point nette et précise.]

21. Fritz Fischer, *Les Buts de guerre de l'Allemagne impériale (1914-1918)*, Trévise, 1970.
[Le livre qui provoqua la tempête dans l'historiographie allemande.]

22. Jean-Jacques Becker, *1914. Comment les Français sont entrés dans la guerre. Contribution à l'étude de l'opinion publique (printemps-été 1914)*, Presses de la Fondation nationale des sciences politiques, 1977.
[L'opinion publique en France avant et pendant les premières semaines de la guerre.]

23. Barbara W. Tuchman, *Août 1914*, Presses de la Cité, 1962. (Titre anglais : *The Guns of August*.)
[Un livre à succès d'une essayiste américaine récemment disparue dont l'information date un peu.]

5. Ouvrages sur la France et les Français pendant la guerre

24. Henry Bidou, A. Gauvain et Charles Seignobos, *La Grande Guerre*, Hachette, 1922.
[Le dernier tome de *L'Histoire de France contemporaine* d'Ernest Lavisse. Se consacre principalement aux opérations militaires.]

25. Pierre Miquel, *La Grande Guerre*, Fayard, 1983.
[Le sens du récit et du détail significatif.]

26. Jean-Jacques Becker, *Les Français dans la Grande Guerre*, Laffont, 1980.
[Le comportement à l'arrière.]

27. Jean-Jacques Becker, *La Première Guerre mondiale*, M.A. Éditions, 1985.
[Toute la guerre par ordre alphabétique.]

28. Jean-Jacques Becker, *La France en guerre*, Bruxelles, Éd. Complexe, 1988.
[Une réflexion qui a cherché à être nouvelle.]

29. Jean-Baptiste Duroselle, *Histoire de la Grande Guerre. La France et les Français (1914-1920)*, Richelieu, 1972.
[Le meilleur.]

30. Pierre Renouvin, *Les Formes du gouvernement de guerre*, PUF, 1925.
[N'a pas encore été remplacé.]

31. Stéphane Audoin-Rouzeau, *Les Combattants des tranchées*, Colin, 1986.
[La subtile utilisation des *journaux de tranchées*.]

32. Gérard Canini, *Combattre à Verdun. Vie et souffrances quotidiennes du soldat (1916-1917)*, Nancy, Presses universitaires de Nancy, 1988.
[Une évocation récente et prenante de la grande bataille à travers les témoignages.]

33. André Ducasse, Jacques Meyer et Gabriel Perreux, *Vie et Mort des Français, 1914-1918*, Hachette, 1959.
[Soldats et civils. Un classique. Une combinaison du récit et des récits par trois anciens combattants, normaliens et agrégés d'histoire.]

34. Annick Cochet, *L'Opinion et le Moral des soldats en 1916*, Nanterre, 1986 (multigraphie).
[L'étude la plus approfondie du moral des soldats à un moment clé de la guerre.]

35. Guy Pedroncini, *Les Mutineries de 1917*, PUF, 1967.
Les Mutineries de l'armée française, Julliard, rééd. 1983.
[La grande étude devenue elle aussi un classique de l'historiographie de cette période.]

6. L'histoire militaire de la guerre

36. Henry Bidou, *Histoire de la Grande Guerre*, Gallimard, 1934.
[Ancien, mais extrêmement détaillé sur les opérations militaires.]

37. Fernand Gambiez (général) et Marcel Suire (colonel), *Histoire de la Première Guerre mondiale*, Fayard, 1968-1971, 2 vol.
[Histoire militaire la plus récente, souvent très suggestive, et sans complaisances.]

38. Guy Pedroncini, *Pétain, général en chef (1917-1918)*, PUF, 1974.
[Une approche moderne des problèmes de commandement et de stratégie.]

— Sur les débuts de la guerre :

39. Henry Contamine, *La Revanche (1871-1914)*, Berger-Levrault, 1957.

40. Henry Contamine, *La Victoire de la Marne*, Gallimard, coll. « Trente Journées qui ont fait la France », 1970.
[De grands livres très pénétrants.]

— La guerre vue d'Angleterre :

41. Trevor Wilson, *The Myriad Faces of War. Britain and the Great War*, Cambridge, Polity Press, 1986.
[Une somme.]

— La guerre vue d'Italie :

42. Piero Melograni, *Storia politica della grande guerra (1915-1918)*, Rome, Laterza, 1977, 2 vol.
[Par un des meilleurs spécialistes italiens.]

— La guerre vue de Russie :

43. Youri Danilov, *La Russie dans la guerre mondiale*, Payot, 1925.
[Ancien, mais solide.]

44. Alexandre Soljenitsyne, *Août 1914*, Éd. du Seuil, 1972.
[Un roman, mais qui a valeur d'ouvrage d'histoire.]

7. Le mouvement ouvrier pendant la guerre

45. Annie Kriegel, *Aux origines du communisme français (1914-1920). Contribution à l'histoire du mouvement ouvrier français*, Mouton, 1964, 2 vol.
[Fondamental.]

46. Annie Kriegel et Jean-Jacques Becker, *1914. La guerre et le mouvement ouvrier français*, Colin, coll. « Kiosque », 1964.
[Socialistes et syndicalistes français face à l'éclatement de la guerre.]

47. Jacques Droz (sous la direction de), *Histoire générale du socialisme*, t. 2, *1875 à 1918*, « Le socialisme et la Première Guerre mondiale (1914-1918) » par Madeleine Rebérioux, PUF, 1974.
[Une vue d'ensemble indispensable.]

48. Jean-Jacques Becker, *Le Carnet B*, Klincksieck, 1973.
[Les précautions prises contre l'antipatriotisme.]

49. Alfred Rosmer, *Le Mouvement ouvrier pendant la Première Guerre mondiale*, Librairie du Travail et Mouton, 1936 et 1959, 2 vol.
[Passionné et partisan, mais utile.]

8. La diplomatie pendant la guerre

50. Guy Pedroncini, *Les Négociations secrètes pendant la Grande Guerre*, Flammarion, 1969.
[Mise au point rapide et solide.]

51. Pierre Renouvin, *11 novembre 1918, l'armistice de Rethondes*, Gallimard, coll. « Trente journées qui ont fait la France », 1968.
[La meilleure vue d'ensemble de la fin de la guerre.]

52. Pierre Miquel, *La Paix de Versailles et l'Opinion publique française*, Flammarion, 1972.
[Plus une étude de presse que de l'opinion publique, mais servie par une pensée forte.]

53. Pierre Renouvin, *Le Traité de Versailles*, Flammarion, 1969.
[Contient tout, en peu de pages, sur un très vaste problème.]

54. André Tardieu, *La Paix*, Payot, 1921.
[Sur le vif, subjectif, mais toujours utile.]

55. Georges Clemenceau, *Grandeurs et Misères d'une victoire*, Plon, 1930.
[La méditation posthume du *Père la Victoire*.]

56. John Maynard Keynes, *Les Conséquences économiques de la guerre*, Gallimard, 1920.
[Le prophète.]

9. Vie politique et forces politiques

57. François Goguel, *La Politique des partis sous la IIIe République*, t. 1, *1871-1932*, Éd. du Seuil, 1946.
[Un grand classique qui reste indispensable.]

58. Georges et Édouard Bonnefous, *Histoire politique de la Troisième République*, PUF, t. 2, *La Grande Guerre (1914-1918)*, 1967 ; t. 3, *L'Après-Guerre (1919-1924)*, 1959 ; t. 4, *Cartel des gauches et Union nationale (1924-1929)*, 1960.
[Une utile chronique parlementaire.]

59. Jean-Marie Mayeur, *La Vie politique sous la IIIe République (1870-1940)*, Éd. du Seuil, 1984.
[Une synthèse dense et subtile.]

60. Jean-Paul Brunet, *Histoire du PCF*, PUF, coll. « Que sais-je ? », 1982.
[Une excellente mise au point qui dit l'essentiel.]

61. Philippe Robrieux, *Histoire intérieure du Parti communiste (1920-1945)*, t. 1, Fayard, 1980.
[La vie du parti, vue de l'intérieur.]

62. Danielle Tartakowsky, *Les Premiers Communistes français*, Presses de la Fondation nationale des sciences politiques, 1980.
[La vie des pionniers à l'époque du communisme naissant.]

63. Jean-Paul Brunet, *L'Enfance du Parti communiste (1920-1938)*, PUF, coll. « Dossiers Clio », 1972.
[Un ensemble de textes et de documents fondamentaux.]

64. Annie Kriegel, *Le Congrès de Tours (1920). Naissance du PCF*, Julliard, coll. « Archives », 1964.
[Le déroulement du congrès présenté par une des meilleures spécialistes.]

65. Jean Charles *et al.*, *Le Congrès de Tours*, Éditions sociales, 1980.
[Le même événement présenté par des historiens communistes.]

66. Louis Bodin et Nicole Racine, *Le Parti communiste français pendant l'entre-deux-guerres*, Colin, 1972.
[Un ensemble de documents remarquablement présentés.]

67. Jules Humbert-Droz, *« L'Œil de Moscou » à Paris (1922-1924)*, Julliard, coll. « Archives », 1964.
[Le Parti communiste vu par le délégué du Komintern.]

68. Jean-Paul Brunet, *Saint-Denis la Ville rouge (1890-1939)*, Hachette, 1980.
[L'étude d'une ville communiste à travers les divers paramètres qui rendent compte de cette situation.]

69. Jacques Girault, *Sur l'implantation du Parti communiste français dans l'entre-deux-guerres*, Éditions sociales, 1977.

70. Jean-Jacques Becker et Serge Berstein, *Histoire de l'anticommunisme en France*, t. 1, *1917-1940*, Olivier Orban, 1987.
[Les réactions au phénomène communiste.]

71. Jacques Droz (sous la direction de), *Histoire générale du socialisme*, PUF, t. 2 et 3, 1974 et 1977.
[Une vue d'ensemble indispensable.]

72. Georges Lefranc, *Le Mouvement socialiste sous la IIIe République (1875-1940)*, Payot, 1963.
[Une histoire fondée sur les congrès et la vie interne du parti.]

73. Daniel Ligou, *Histoire du socialisme en France (1871-1961)*, PUF, 1962.
[Un projet identique.]

74. Jean-Paul Brunet, *Histoire du socialisme en France (de 1871 à nos jours)*, PUF, coll. « Que sais-je ? », 1989.
[L'essentiel sur le sujet.]

75. Tony Judt, *La Reconstruction du Parti socialiste (1921-1926)*, Presses de la Fondation nationale des sciences politiques, 1976.
[Une étude précise et bien informée mais des analyses parfois contestables.]

76. Serge Berstein, *Histoire du Parti radical*, t. 1, *La Recherche de l'âge d'or* ; t. 2, *Crise du radicalisme*, Presses de la Fondation nationale des sciences politiques, 1980-1982.
[Sur le parti axial de la vie politique française.]

77. Jean-Marie Mayeur, *Des partis catholiques à la démocratie chrétienne (XIXe et XXe siècles)*, Colin, coll. « U », 1980.
[Un panorama européen qui fait sa part à la France.]

78. François-Georges Dreyfus, *Histoire de la démocratie-chrétienne en France, de Chateaubriand à Raymond Barre*, Albin Michel, 1988.
[Un ouvrage solidement informé.]

79. René Rémond, *Les Droites en France*, Aubier, 1982.
[Un grand classique récemment remis à jour et l'ouvrage de base sur les droites.]

80. Philippe Machefer, *Ligues et Fascismes en France (1919-1939)*, PUF, 1974.
[Un ouvrage utile et synthétique.]

81. Zeev Sternhell, *Ni droite ni gauche. L'idéologie fasciste en France*, Bruxelles, Éd. Complexe, 1987.
[Une gigantesque compilation mais des conclusions douteuses.]

82. Pierre Milza, *Fascisme français. Passé et présent*, Flammarion, 1987.
[L'ouvrage de base sur la question intégrant les travaux et les interprétations les plus récents.]

83. Philippe Burrin, *La Dérive fasciste : Doriot, Déat, Bergery*, Éd. du Seuil, 1986.
[Les hommes de gauche dans le champ d'attraction du fascisme.]

84. Yves Guchet, *Georges Valois, l'Action française, le Faisceau, la République syndicale*, Albatros, 1975.
[Une étude sur le fondateur du premier fascisme français.]

85. Georges Valois, *Le Fascisme*, Nouvelle Librairie nationale, 1927.
[La conception que Valois se fait du fascisme.]

86. Eugen Weber, *L'Action française*, Stock, 1964.
[La meilleure étude sur la question.]

87. Claude Bellanger, Jacques Godechot, Pierre Guiral et Fernand Terrou, *Histoire générale de la presse française*, t. 3, *1871-1940*, PUF, 1972.
[L'ouvrage de base sur l'histoire de la presse.]

88. Henri Lerner, *La Dépêche, journal de la démocratie. Contribution à l'histoire du radicalisme en France sous la Troisième République*, Toulouse, Publications de l'Université de Toulouse-Le Mirail, série A, t. 35, 1978, 2 vol.
[L'empire de presse et la citadelle politique des frères Sarraut.]

89. François-Georges Dreyfus, *La Vie politique en Alsace (1919-1936)*, Colin, « Cahiers de la Fondation nationale des sciences politiques », n° 173, 1969.
[Une précieuse étude sur la vie et les problèmes des départements recouvrés.]

90. Jean-Noël Jeanneney, *Leçon d'histoire pour une gauche au pouvoir. La faillite du Cartel (1924-1926)*, Éd. du Seuil, coll. « Points Histoire », 1977.
[La meilleure étude sur le Cartel.]

91. Jean Gicquel, *Le Problème de la réforme de l'État en France en 1934*, PUF, 1965.
[Pour les origines du problème.]

10. Économie et société

92. Fernand Braudel et Ernest Labrousse (sous la direction de), *Histoire économique et sociale de la France*, t. 4, 2e vol., *1914 - années 1950*, PUF, 1980.
[Fondamental.]

93. Alfred Sauvy, *Histoire économique de la France entre les deux guerres*, t. 1, *1918-1931* ; t. 3, *Divers Sujets*, Fayard, 1965-1972.
[Foisonnant, à mi-chemin entre l'essai et le recueil statistique.]

94. Hubert Bonin, *Histoire économique de la France depuis 1880*, Masson, coll. « Un siècle d'histoire », 1988.
[Un précis utile, maniable et bien informé.]

95. Jean-Charles Asselain, *Histoire économique de la France*, t. 2, *De 1919 à la fin des années 70*, Éd. du Seuil, 1984.
[L'essentiel dans une perspective très synthétique.]

96. Hubert Bonin, *L'Argent en France depuis 1880. Banquiers, financiers, épargnants*, Masson, coll. « Un siècle d'histoire », 1989.
[Un ouvrage original et synthétique sur les aspects financiers.]

97. Jacques Néré, *Le Problème du mur d'argent. Les crises du franc (1924-1926)*, La Pensée universelle, 1985.
[Une étude fine et précise de la crise financière des années vingt.]

98. Maurice de Montmollin et Olivier Pastré (sous la direction de), *Le Taylorisme*, La Découverte, 1984.

99. Richard F. Kuisel, *Le Capitalisme et l'État en France. Modernisation et dirigisme au XXe siècle*, Gallimard, coll. « Bibliothèque des Histoires », 1984.
[Une remarquable synthèse.]

100. Claire Andrieu, Lucette Le Van et Antoine Prost (sous la direction de), *Les Nationalisations de la Libération. De l'utopie au compromis*, Presses de la Fondation nationale des sciences politiques, 1987.
[Pour le premier chapitre qui décrit la préhistoire de l'idée de nationalisation.]

101. Emmanuel Chadeau, *L'Industrie aéronautique en France (1900-1950). De Blériot à Dassault*, Fayard, 1987.
[Les aléas de la plus récente des grandes industries.]

102. Patrick Fridenson, *Histoire des usines Renault (1918-1939)*, Éd. du Seuil, 1972.
[Une remarquable étude du grand constructeur automobile.]

103. Alain Jemain, *Les Peugeot. Vertiges et secrets d'une dynastie*, J.-C. Lattès, 1987.

104. Sylvie Schweitzer, *Des engrenages à la chaîne : les usines Citroën (1919-1935)*, Lyon, Presses universitaires de Lyon, 1982.

105. Alain Baudant, *Pont-à-Mousson (1918-1939). Stratégies industrielles d'une dynastie lorraine*, Publications de la Sorbonne, 1980.

106. Jean-Pierre Daviet, *Saint-Gobain. Une multinationale à la française (1830-1939)*, Éd. des Archives contemporaines, 1988.

107. Catherine Omnès, *De l'atelier au groupe industriel : Vallourec (1882-1978)*, Éd. de la Maison des sciences de l'homme, Presses universitaires de Lille, 1980.
[Une excellente série d'histoires d'entreprise.]

108. André Armengaud, *La Population de la France au XXe siècle*, PUF, 1965.
[L'ouvrage fondamental sur le sujet.]

109. Georges Dupeux, *La Société française*, Colin, coll. « U », 1964.
[Le manuel de base.]

110. Pierre Sorlin, *La Société française, 1914-1968*, Arthaud, 1971, t. 2.

111. *L'Immigration italienne en France dans les années vingt*. (Actes du colloque franco-italien, Paris, 15-17 octobre 1987), Éd. du CEDEI, 1988.

112. Ralph Schor, *L'Opinion française et les Étrangers (1919-1939)*, Publications de la Sorbonne, 1985.
[Une étude pénétrante et très complète.]

113. Antoine Prost, *Les Anciens Combattants (1914-1940)*, Gallimard-Julliard, coll. « Archives », 1977.
[Le souvenir de la guerre sur la société française.]

114. Antoine Prost, *Les Anciens Combattants et la Société française*, Presses de la Fondation nationale des sciences politiques, 1977, 3 vol.
[Une remarquable thèse sur un groupe révélateur et original qui éclaire le comportement de la société.]

115. Georges Duby et Armand Wallon (sous la direction de), *Histoire de la France rurale*, t. 4, *La Fin de la France paysanne, de 1914 à nos jours*, Éd. du Seuil, 1977.
[Une somme sur le sujet.]

116. Annie Moulin, *Les Paysans dans la société française, de la Révolution à nos jours*, Éd. du Seuil, coll. « Points Histoire », 1988.
[Une excellente mise au point.]

117. Georges Duby (sous la direction de), *Histoire de la France urbaine*, t. 4, *La Ville de l'âge industriel. Le cycle haussmannien (1840-1940)*, Éd. du Seuil, 1983.
[Une très grande synthèse.]

118. Antoine Prost, *Histoire de l'enseignement en France (1800-1967)*, Colin, coll. « U », 1968.
[Fondamental.]

119. Georges Lefranc, *Le Syndicalisme en France*, PUF, coll. « Que sais-je ? », 1964.
[Une mise au point précise.]

120. Michel Launay, *La CFTC. Origines et développement (1912-1940)*, Publications de la Sorbonne, 1987.
[Une grande thèse sur les premiers pas du syndicalisme chrétien.]

121. Pierre Barral, *Les Agrariens français de Méline à Pisani*, Colin, 1966.
[L'ouvrage de base sur les organisations agricoles.]

122. Georges Duby et Philippe Ariès (sous la direction de), *Histoire de la vie privée*, t. 5 sous la direction de Gérard Vincent et Antoine Prost, *De la Première Guerre mondiale à nos jours*, Éd. du Seuil, 1987.
[Un livre neuf aux perspectives audacieuses.]

11. Politique internationale et coloniale

123. Pierre Renouvin, *Histoire des relations internationales*, t. 7, *Les Crises du XXe siècle*, 1. *De 1914 à 1929*, Hachette, 1957.
[La guerre et les années vingt vues par le maître des relations internationales.]

124. Jean-Baptiste Duroselle, *Histoire diplomatique de 1919 à nos jours*, Dalloz, 1970.
[Un manuel riche et précis.]

125. René Girault et Robert Frank, *Turbulente Europe et Nouveaux Mondes (1914-1941)*, Masson, 1988.
[La meilleure analyse récente des relations internationales.]

126. Denise Artaud, *La Question des dettes interalliées et la Reconstruction de l'Europe (1917-1929)*, Lille, Atelier de reproduction des thèses de l'Université de Lille-III, 1978, 2 vol.
[Une grande thèse qui fait le point sur le sujet.]

127. Jacques Bariéty, *Les Relations franco-allemandes après la Première Guerre mondiale*, Publications de la Sorbonne, « Série internationale » 8, Pédone, 1977.
[Une interprétation nouvelle et claire de l'écheveau complexe de la question rhénane, du désarmement allemand, des Réparations.]

128. Pierre Milza, *Le Fascisme italien et la Presse française*, Bruxelles, Éd. Complexe, 1987.
[Ce que les Français savent du fascisme.]

129. Maurice Lévy-Leboyer (sous la direction de), *La Position internationale de la France. Aspects économiques et financiers (XIXe-XXe siècles)*, Éd. de l'École des hautes études en sciences sociales, 1977.
[La place de la France dans les relations financières internationales.]

130. Jean Doise et Maurice Vaïsse, *Diplomatie et Outil militaire. Politique étrangère de la France (1871-1969)*, Imprimerie nationale, 1987.
[Un ouvrage essentiel qui analyse la place du fait militaire dans les relations extérieures de la France.]

131. Raoul Girardet, *L'Idée coloniale en France (1871-1962)*, La Table ronde, 1962.
[Le livre de base sur les conceptions coloniales des Français.]

132. Charles-Robert Ageron, *Histoire de l'Algérie contemporaine*, t. 2, *1871-1954*, PUF, 1983.
[Le fleuron de l'Empire français.]

12. Culture, religion, arts, vie quotidienne

133. Aline Coutrot et François-Georges Dreyfus, *Les Forces religieuses dans la société française*, Colin, 1965.
[Une vue d'ensemble.]

134. Gérard Cholvy et Yves-Marie Hilaire, *Histoire religieuse de la France contemporaine*, t. 2, *1880-1930*, Privat, 1986.
[L'ouvrage fondamental sur le sujet.]

135. André Latreille et René Rémond, *Histoire du catholicisme en France*, t. 3, *La Période contemporaine*, SPES, 1962.
[Un grand classique qui reste essentiel.]

136. François Lebrun (sous la direction de), *Histoire des catholiques en France du XVe siècle à nos jours*, Privat, 1980.

137. Maurice Grubellier, *Histoire culturelle de la France (XIXe-XXe siècles)*, Colin, 1974.
[Une vue d'ensemble des grandes évolutions.]

138. Pascal Ory et Jean-François Sirinelli, *Les Intellectuels en France de l'affaire Dreyfus à nos jours*, Colin, 1986.
[Un manuel qui est en même temps un ouvrage pionnier par deux des têtes de file de l'histoire culturelle.]

139. Michel Winock, *Histoire politique de la revue « Esprit » (1930-1950)*, Éd. du Seuil, 1975.
[Un ouvrage de base sur l'un des courants que fait naître l'esprit des années vingt.]

140. Richard F. Kuisel, *Ernest Mercier, French Technocrat*, Berkeley, University of California Press, 1967.
[Aux origines du courant technocratique.]

141. Jean-François Sirinelli, *Génération intellectuelle, khâgneux et normaliens dans l'entre-deux-guerres*, Fayard, 1988.
[Une remarquable thèse qui éclaire les comportements des intellectuels des années vingt.]

142. Jean Luchaire, *Une génération réaliste*, Librairie Valois, 1929.
[La culture politique d'une génération.]

143. Marie Balvet, *L'Itinéraire d'un intellectuel vers le fascisme : Drieu La Rochelle*, PUF, 1984.
[Les raisons d'une dérive.]

144. « Le cinéma des années folles », *Les Cahiers de la Cinémathèque, revue d'histoire du cinéma*, n°s 33-34, automne 1981.

145. René Prédal, *La Société française à travers le cinéma (1914-1945)*, Colin, coll. « U2 », 1972.

146. Georges Sadoul, *Histoire du cinéma*, Flammarion, 1962.

147. Herbert Read, *Histoire de la peinture moderne*, Somogy, 1960.

148. H.L.C. Jaffé, *La Peinture du XXe siècle*, Pont-Royal, 1963.
[Le livre-musée.]

149. Maurice Nadeau, *Histoire du surréalisme*, Éd. du Seuil, 1945.

150. *Le Surréalisme* (entretiens dirigés par F. Alquié), Mouton, 1968.

151. Pierre Brisson, *Le Théâtre des années folles*, Genève, Milieu du monde, 1943.

152. Henri Dumesnil, *La Musique en France entre les deux guerres (1919-1939)*, Milieu du monde, 1943.

153. Annette Becker, *Les Monuments aux morts. Mémoire de la Grande Guerre*, Errance, 1988.
[La marque de la guerre dans le paysage et les mentalités.]

154. Gilbert Guilleminault, *Le Roman vrai des années folles (1918-1930)*, Denoël, 1975.
[Les faits qui font l'actualité quotidienne.]

13. Quelques biographies

155. Jean-Claude Allain, *Joseph Caillaux, L'oracle (1914-1944)*, Imprimerie nationale, 1981.
[Les chemins d'une carrière brisée.]

156. Jean-Baptiste Duroselle, *Clemenceau*, Fayard, 1988.
[Un monument.]

157. David R. Watson, *Georges Clemenceau. A Political Biography*, Londres, Nethuen, 1974.
[Pendant longtemps, la meilleure biographie de Clemenceau.]

158. Michel Soulié, *La Vie politique d'Édouard Herriot*, Colin, 1962.
[Une chronique précise et bien informée.]

159. Serge Berstein, *Édouard Herriot ou la République en personne*, Presses de la Fondation nationale des sciences politiques, 1985.
[Un essai biographique sur la culture politique des quinquagénaires des années vingt.]

160. Pierre Miquel, *Poincaré*, Fayard, 1961.
[L'homme du consensus.]

161. Bernard Oudin, *Aristide Briand*, Laffont, 1987.
[Une biographie classique et sans surprise.]

162. Fred Kupferman, *Pierre Laval (1883-1945)*, Balland, 1987.
[Pour les débuts de l'homme politique.]

163. Jean-Noël Jeanneney, *François de Wendel en République. L'argent et le pouvoir (1914-1940)*, Éd. du Seuil, 1976.
[Quand un homme d'affaires entre en politique. Un passionnant éclairage sur les problèmes financiers de la période.]

164. Rudolph Binion, *Defeated Leaders. The Political Fate of Caillaux, Jouvenel and Tardieu*, New York, Columbia University Press, 1960.
[Une vue d'ensemble des grandes évolutions.]

14. Mémoires

165. Joseph Caillaux, *Mes mémoires*, t. 3. *Clairvoyance et Force d'âme dans les épreuves (1912-1930)*, Plon, 1947.
[Un des grands acteurs de la période.]

166. Abel Ferry, *Les Carnets secrets (1914-1918)*, Grasset, 1957.
[Le neveu de Jules Ferry, mort en mission sur le front.]

167. Raymond Poincaré, *Au service de la France*, Plon, t. 3 à 10, 1926-1934. Le t. 11 n'a été publié qu'en 1974.
[L'esprit précis et méticuleux du président.]

168. Joseph Joffre (maréchal), *Mémoires (1910-1917)*, Plon, 1932.
[Une certaine humilité.]

169. Joseph Gallieni (maréchal), *Carnets*, Albin Michel, 1932.
[La frustration de n'avoir pas été à la place du précédent.]

170. Henri Mordacq (général), *Le Ministère Clemenceau. Journal d'un témoin (1917-1920)*, Plon, 1930-1931, 4 vol.
[Les notes au jour le jour du chef du cabinet militaire de Clemenceau.]

171. Édouard Herriot, *Jadis*, Flammarion, 1948, 2 vol.
[Les tribulations d'un républicain en République.]

172. Joseph Paul-Boncour, *Entre deux guerres. Souvenirs sur la IIIe République, t. 2. Les Lendemains de la victoire (1919-1934)*, Plon, 1945.
[Un témoin de premier plan.]

173. Georges Valois, *L'Homme contre l'argent. Souvenirs de dix ans (1918-1928)*, Librairie Valois, 1928.
[Le sens de l'action de Georges Valois.]

Index

Table

1. La Grande Guerre

2. Les années vingt

COMPOSITION : CHARENTE-PHOTOGRAVURE À L'ISLE-D'ESPAGNAC (16340)
IMPRESSION : IMP. BRODARD ET TAUPIN À LA FLÈCHE (SARTHE)
DÉPÔT LÉGAL AVRIL 1990. Nº 12069 (1750C-5).

Collection Points

SÉRIE HISTOIRE

H1. Histoire d'une démocratie : Athènes
Des origines à la conquête macédonienne
par Claude Mossé
H2. Histoire de la pensée européenne
1. L'éveil intellectuel de l'Europe du IXe au XIIe siècle
par Philippe Wolff
H3. Histoire des populations françaises et de leurs attitudes devant la vie depuis le XVIIIe siècle
par Philippe Ariès
H4. Venise, portrait historique d'une cité
par Philippe Braunstein et Robert Delort
H5. Les Troubadours, *par Henri-Irénée Marrou*
H6. La Révolution industrielle (1770-1880)
par Jean-Pierre Rioux
H7. Histoire de la pensée européenne
4. Le siècle des Lumières, *par Norman Hampson*
H8. Histoire de la pensée européenne
3. Des humanistes aux hommes de science
par Robert Mandrou
H9. Histoire du Japon et des Japonais
1. Des origines à 1945, *par Edwin O. Reischauer*
H10. Histoire du Japon et des Japonais
2. De 1945 à 1970, *par Edwin O. Reischauer*
H11. Les Causes de la Première Guerre mondiale
par Jacques Droz
H12. Introduction à l'histoire de notre temps
L'Ancien Régime et la Révolution
par René Rémond
H13. Introduction à l'histoire de notre temps
Le XIXe siècle, *par René Rémond*
H14. Introduction à l'histoire de notre temps
Le XXe siècle, *par René Rémond*
H15. Photographie et Société, *par Gisèle Freund*
H16. La France de Vichy (1940-1944)
par Robert O. Paxton
H17. Société et Civilisation russes au XIXe siècle
par Constantin de Grunwald
H18. La Tragédie de Cronstadt (1921), *par Paul Avrich*
H19. La Révolution industrielle du Moyen Age
par Jean Gimpel
H20. L'Enfant et la Vie familiale sous l'Ancien Régime
par Philippe Ariès
H21. De la connaissance historique
par Henri-Irénée Marrou

H22. André Malraux, une vie dans le siècle
par Jean Lacouture
H23. Le Rapport Krouchtchev et son histoire
par Branko Lazitch
H24 Le Mouvement paysan chinois (1840-1949)
par Jean Chesneaux
H25. Les Misérables dans l'Occident médiéval
par Jean-Louis Goglin
H26. La Gauche en France depuis 1900
par Jean Touchard
H27. Histoire de l'Italie du Risorgimento à nos jours
par Sergio Romano
H28. Genèse médiévale de la France moderne, XIVe-XVe siècle
par Michel Mollat
H29. Décadence romaine ou Antiquité tardive, IIIe-VIe siècle
par Henri-Irénée Marrou
H30. Carthage ou l'Empire de la mer, *par François Decret*
H31. Essais sur l'histoire de la mort en Occident
du Moyen Age à nos jours, *par Philippe Ariès*
H32. Le Gaullisme (1940-1969), *par Jean Touchard*
H33. Grenadou, paysan français
par Ephraïm Grenadou et Alain Prévost
H34. Piété baroque et Déchristianisation en Provence
au XVIIIe siècle, *par Michel Vovelle*
H35. Histoire générale de l'Empire romain
1. Le Haut-Empire, *par Paul Petit*
H36. Histoire générale de l'Empire romain
2. La crise de l'Empire, *par Paul Petit*
H37. Histoire générale de l'Empire romain
3. Le Bas-Empire, *par Paul Petit*
H38. Pour en finir avec le Moyen Age
par Régine Pernoud
H39. La Question nazie, *par Pierre Ayçoberry*
H40. Comment on écrit l'histoire, *par Paul Veyne*
H41. Les Sans-culottes, *par Albert Soboul*
H42. Léon Blum, *par Jean Lacouture*
H43. Les Collaborateurs (1940-1945), *par Pascal Ory*
H44. Le Fascisme italien (1919-1945)
par Pierre Milza et Serge Berstein
H45. Comprendre la révolution russe, *par Martin Malia*
H46. Histoire de la pensée européenne
6. L'ère des masses, *par Michaël D. Biddiss*
H47. Naissance de la famille moderne
par Edward Shorter
H48. Mythe de la procréation à l'âge baroque
par Pierre Darmon
H49. Histoire de la bourgeoisie en France
1. Des origines aux temps modernes
par Régine Pernoud

H50. Histoire de la bourgeoisie en France
2. Les temps modernes, *par Régine Pernoud*
H51. Histoire des passions françaises (1848-1945)
1. Ambition et amour, *par Theodore Zeldin*
H52. Histoire des passions françaises (1848-1945)
2. Orgueil et intelligence, *par Theodore Zeldin* (épuisé)
H53. Histoire des passions françaises (1848-1945)
3. Goût et corruption, *par Theodore Zeldin*
H54 Histoire des passions françaises (1848-1945)
4. Colère et politique, *par Theodore Zeldin*
H55. Histoire des passions françaises (1848-1945)
5. Anxiété et hypocrisie, *par Theodore Zeldin*
H56. Histoire de l'éducation dans l'Antiquité
1. Le monde grec, *par Henri-Irénée Marrou*
H57. Histoire de l'éducation dans l'Antiquité
2. Le monde romain, *par Henri-Irénée Marrou*
H58. La Faillite du Cartel, 1924-1926
(Leçon d'histoire pour une gauche au pouvoir)
par Jean-Noël Jeanneney
H59. Les Porteurs de valises
par Hervé Hamon et Patrick Rotman
H60. Histoire de la guerre d'Algérie, 1954-1962
par Bernard Droz et Évelyne Lever
H61. Les Occidentaux, *par Alfred Grosser*
H62. La Vie au Moyen Age, *par Robert Delort*
H63. Politique étrangère de la France (La Décadence, 1932-1939)
par Jean-Baptiste Duroselle
H64. Histoire de la guerre froide
1. De la révolution d'Octobre à la guerre de Corée, 1917-1950
par André Fontaine
H65. Histoire de la guerre froide
2. De la guerre de Corée à la crise des alliances,1950-1963
par André Fontaine
H66. Les Incas, *par Alfred Métraux*
H67. Les Écoles historiques, *par Guy Bourdé et Hervé Martin*
H68. Le Nationalisme français, 1871-1914, *par Raoul Girardet*
H69. La Droite révolutionnaire, 1885-1914, *par Zeev Sternhell*
H70. L'Argent caché, *par Jean-Noël Jeanneney*
H71. Histoire économique de la France du XVIIIe siècle à nos jours
1. De l'Ancien Régime à la Première Guerre mondiale
par Jean-Charles Asselain
H72. Histoire économique de la France du XVIIIe siècle à nos jours
2. De 1919 à la fin des années 1970
par Jean-Charles Asselain
H73. La Vie politique sous la IIIe République, *par Jean-Marie Mayeur*
H74. La Grèce archaïque d'Homère à Eschyle, *par Claude Mossé*
H75. Histoire de la « détente », 1962-1981
par André Fontaine
H76. Études sur la France de 1939 à nos jours, *par la revue « L'Histoire »*

H77. L'Afrique au XXe siècle, *par Elikia M'Bokolo*
H78. Les Intellectuels au Moyen Age, *par Jacques Le Goff*
H79. Fernand Pelloutier, *par Jacques Julliard*
H80. L'Église des premiers temps, *par Jean Daniélou*
H81. L'Église de l'Antiquité tardive
par Henri-Irénée Marrou
H82. L'Homme devant la mort
1. Le temps des gisants, *par Philippe Ariès*
H83. L'Homme devant la mort
2. La mort ensauvagée, *par Philippe Ariès*
H84. Le Tribunal de l'impuissance, *par Pierre Darmon*
H85. Histoire générale du XXe siècle
1. Jusqu'en 1949. Déclins européens
par Bernard Droz et Anthony Rowley
H86. Histoire générale du XXe siècle
2. Jusqu'en 1949. La naissance du monde contemporain
par Bernard Droz et Anthony Rowley
H87. La Grèce ancienne, *par la revue « L'Histoire »*
H88. Les Ouvriers dans la société française
par Gérard Noiriel
H89. Les Américains de 1607 à nos jours
1. Naissance et essor des États-Unis, 1607 à 1945, *par André Kaspi*
H90. Les Américains de 1607 à nos jours
2. Les États-Unis de 1945 à nos jours, *par André Kaspi*
H91. Le Sexe et l'Occident, *par Jean-Louis Flandrin*
H92. Le Propre et le Sale, *par Georges Vigarello*
H93. La Guerre d'Indochine, 1945-1954
par Jacques Dalloz
H94. L'Édit de Nantes et sa révocation
par Janine Garrisson
H95. Les Chambres à gaz, secret d'État
par Eugen Kogon, Hermann Langbein et Adalbert Rückerl
H96. Histoire générale du XXe siècle
3. Depuis 1950. Expansion et indépendance (1950-1973)
par Bernard Droz et Anthony Rowley
H97. La Fièvre hexagonale, 1871-1968, *par Michel Winock*
H98. La Révolution en questions, *par Jacques Solé*
H99. Les Byzantins, *par Alain Ducellier*
H100. Les Croisades, *par la revue « L'Histoire »*
H101. La Chute de la monarchie (1787-1792)
par Michel Vovelle
H102. La République jacobine (10 août 1792 - 9 Thermidor an II)
par Marc Bouloiseau
H103. La République bourgeoise (de Thermidor à Brumaire, 1794-1799)
par Denis Woronoff
H104. La France napoléonienne (1799-1815)
1. Aspects intérieurs, *par Louis Bergeron*
H105. La France napoléonienne (1799-1815)
2. Aspects extérieurs, *par Roger Dufraisse* (à paraître)

H106. La France des notables (1815-1848)
1. L'évolution générale, *par André Jardin et André-Jean Tudesq*
H107. La France des notables (1815-1848)
2. La vie de la nation, *par André Jardin et André-Jean Tudesq*
H108. 1848 ou l'Apprentissage de la république (1848-1852)
par Maurice Agulhon
H109. De la fête impériale au mur des Fédérés (1852-1871)
par Alain Plessis
H110. Les Débuts de la Troisième République (1871-1898)
par Jean-Marie Mayeur
H111. La République radicale ? (1898-1914)
par Madeleine Rebérioux
H112. Victoire et Frustrations (1914-1929)
par Jean-Jacques Becker et Serge Berstein
H113. La Crise des années 30 (1929-1938)
par Dominique Borne et Henri Dubief
H114. De Munich et à Libération (1938-1944)
par Jean-Pierre Azéma
H115. La France de la Quatrième République (1944-1958)
1. L'ardeur et la nécessité (1944-1952)
par Jean-Pierre Rioux
H116. La France de la Quatrième République (1944-1958)
2. L'expansion et l'impuissance (1952-1958)
par Jean-Pierre Rioux
H117. La France de l'expansion (1958-1974)
1. La République gaullienne (1958-1969)
par Serge Berstein
H118. La France de l'expansion (1958-1974)
2. Croissance et crise (1969-1974)
par Serge Berstein et Jean-Pierre Rioux (à paraître)
H119. La France de 1974 à nos jours
par Jean-Jacques Becker (à paraître)
H120. Le XXe Siècle français, documents (à paraître)
H121. Les Paysans dans la société française
par Annie Moulin
H122. Portrait historique de Christophe Colomb
par Marianne Mahn-Lot
H123. Vie et Mort de l'ordre du Temple
par Alain Demurger
H124. La Guerre d'Espagne, *par Guy Hermet*
H125. Histoire de France, *sous la direction de Jean Carpentier et François Lebrun*
H126. Empire colonial et Capitalisme français
par Jacques Marseille
H127. Genèse culturelle de l'Europe (Ve-VIIIe siècle)
par Michel Banniard
H128. Les Années trente
par la revue « L'Histoire »
H129. Mythes et Mythologies politiques, *par Raoul Girardet*

H130. La France de l'an Mil, *collectif*
H131. Nationalisme, Antisémitisme et Fascisme en France
par Michel Winock

H201. Les Origines franques (ve-ixe siècle), *par Stéphane Lebecq*
H202. L'Héritage des Charles (de la mort de Charlemagne
aux environs de l'an mil), *par Laurent Theis*
H203. L'Ordre seigneurial (xie-xiie siècle), *par Dominique Barthélemy*

Collection Points

SÉRIE ROMAN

R1. Le Tambour, *par Günter Grass*
R2. Le Dernier des Justes, *par André Schwarz-Bart*
R3. Le Guépard, *par Giuseppe Tomasi di Lampedusa*
R4. La Côte sauvage, *par Jean-René Huguenin*
R5. Acid Test, *par Tom Wolfe*
R6. Je vivrai l'amour des autres, *par Jean Cayrol*
R7. Les Cahiers de Malte Laurids Brigge
par Rainer Maria Rilke
R8. Moha le fou, Moha le sage, *par Tahar Ben Jelloun*
R9. L'Horloger du Cherche-Midi, *par Luc Estang*
R10. Le Baron perché, *par Italo Calvino*
R11. Les Bienheureux de La Désolation, *par Hervé Bazin*
R12. Salut Galarneau !, *par Jacques Godbout*
R13. Cela s'appelle l'aurore, *par Emmanuel Roblès*
R14. Les Désarrois de l'élève Törless, *par Robert Musil*
R15. Pluie et Vent sur Télumée Miracle
par Simone Schwarz-Bart
R16. La Traque, *par Herbert Lieberman*
R17. L'Imprécateur, *par René-Victor Pilhes*
R18. Cent Ans de solitude, *par Gabriel Garcia Marquez*
R19. Moi d'abord, *par Katherine Pancol*
R20. Un jour, *par Maurice Genevoix*
R21. Un pas d'homme, par Marie Susini
R22. La Grimace, *par Heinrich Böll*
R23. L'Age du tendre, *par Marie Chaix*
R24. Une tempête, *par Aimé Césaire*
R25. Moustiques, *par William Faulkner*
R26. La Fantaisie du voyageur, *par François-Régis Bastide*
R27. Le Turbot, *par Günter Grass*
R28. Le Parc, *par Philippe Sollers*
R29. Ti Jean L'horizon, *par Simone Schwarz-Bart*
R30. Affaires étrangères, *par Jean-Marc Roberts*
R31. Nedjma, *par Kateb Yacine*
R32. Le Vertige, *par Evguénia Guinzbourg*
R33. La Motte rouge, *par Maurice Genevoix*
R34. Les Buddenbrook, *par Thomas Mann*
R35. Grand Reportage, *par Michèle Manceaux*
R36. Isaac le mystérieux (Le ver et le solitaire)
par Jerome Charyn
R37. Le Passage, *par Jean Reverzy*
R38. Chesapeake, *par James A. Michener*
R39. Le Testament d'un poète juif assassiné
par Elie Wiesel
R40. Candido, *par Leonardo Sciascia*

R41. Le Voyage à Paimpol, *par Dorothée Letessier*
R42. L'Honneur perdu de Katharina Blum
par Heinrich Böll
R43. Le Pays sous l'écorce, *par Jacques Lacarrière*
R44. Le Monde selon Garp, *par John Irving*
R45. Les Trois Jours du cavalier, *par Nicole Ciravégna*
R46. Nécropolis, *par Herbert Lieberman*
R47. Fort Saganne, *par Louis Gardel*
R48. La Ligne 12, *par Raymond Jean*
R49. Les Années de chien, *par Günter Grass*
R50. La Réclusion solitaire, *par Tahar Ben Jelloun*
R51. Senilità, *par Italo Svevo*
R52. Trente Mille Jours, *par Maurice Genevoix*
R53. Cabinet Portrait, *par Jean-Luc Benoziglio*
R54. Saison violente, *par Emmanuel Roblès*
R55. Une comédie française, *par Éric Orsenna*
R56. Le Pain nu, *par Mohamed Choukri*
R57. Sarah et le Lieutenant français, *par John Fowles*
R58. Le Dernier Viking, *par Patrick Grainville*
R59. La Mort de la phalène, *par Virginia Woolf*
R60. L'Homme sans qualités, tome 1, *par Robert Musil*
R61. L'Homme sans qualités, tome 2, *par Robert Musil*
R62. L'Enfant de la mer de Chine, *par Didier Decoin*
R63. Le Professeur et la Sirène
par Giuseppe Tomasi di Lampedusa
R64. Le Grand Hiver, *par Ismaïl Kadaré*
R65. Le Cœur du voyage, *par Pierre Moustiers*
R66. Le Tunnel, *par Ernesto Sabato*
R67. Kamouraska, *par Anne Hébert*
R68. Machenka, *par Vladimir Nabokov*
R69. Le Fils du pauvre, *par Mouloud Feraoun*
R70. Cités à la dérive, *par Stratis Tsirkas*
R71. Place des Angoisses, *par Jean Reverzy*
R72. Le Dernier Chasseur, *par Charles Fox*
R73. Pourquoi pas Venise, *par Michèle Manceaux*
R74. Portrait de groupe avec dame, *par Heinrich Böll*
R75. Lunes de fiel, *par Pascal Bruckner*
R76. Le Canard de bois (Les Fils de la Liberté, I)
par Louis Caron
R77. Jubilee, *par Margaret Walker*
R78. Le Médecin de Cordoue, *par Herbert Le Porrier*
R79. Givre et Sang, *par John Cowper Powys*
R80. La Barbare, *par Katherine Pancol*
R81. Si par une nuit d'hiver un voyageur, *par Italo Calvino*
R82. Gerardo Laïn, *par Michel del Castillo*
R83. Un amour infini, *par Scott Spencer*
R84. Une enquête au pays, *par Driss Chraïbi*
R85. Le Diable sans porte (tome 1 : Ah, mes aïeux !)
par Claude Duneton

R132. Le Dialogue des Carmélites, *par Georges Bernanos*
R133. L'Étrusque, *par Mika Waltari*
R134. La Rencontre des hommes, *par Benigno Cacérès*
R135. Le Petit Monde de Don Camillo
par Giovanni Guareschi
R136. Le Masque de Dimitrios, *par Eric Ambler*
R137. L'Ami de Vincent, *par Jean-Marc Roberts*
R138. Un homme au singulier, *par Christopher Isherwood*
R139. La Maison du désir, *par France Huser*
R140. Moi et ma cheminée, *par Herman Melville*
R141. Les Fous de Bassan, *par Anne Hébert*
R142. Les Stigmates, *par Luc Estang*
R143. Le Chat et la Souris, *par Günter Grass*
R144. Loïca, *par Dorothée Letessier*
R145. Paradiso, *par José Lezama Lima*
R146. Passage de Milan, *par Michel Butor*
R147. Anonymus, *par Michèle Manceaux*
R148. La Femme du dimanche
par Carlo Fruttero et Franco Lucentini
R149. L'Amour monstre, *par Louis Pauwels*
R150. L'Arbre à soleils, *par Henri Gougaud*
R151. Traité du zen et de l'entretien des motocyclettes
par Robert M. Pirsig
R152. L'Enfant du cinquième Nord, *par Pierre Billon*
R153. N'envoyez plus de roses, *par Eric Ambler*
R154. Les Trois Vies de Babe Ozouf, *par Didier Decoin*
R155. Le Vert Paradis, *par André Brincourt*
R156. Varouna, *par Julien Green*
R157. L'Incendie de Los Angeles, *par Nathanaël West*
R158. Les Belles de Tunis, *par Nine Moati*
R159. Vertes Demeures, *par Henry Hudson*
R160. Les Grandes Vacances, *par Francis Ambrière*
R161. Ceux de 14, *par Maurice Genevoix*
R162. Les Villes invisibles, *par Italo Calvino*
R163. L'Agent secret, *par Graham Greene*
R164. La Lézarde, *par Edouard Glissant*
R165. Le Grand Escroc, *par Herman Melville*
R166. Lettre à un ami perdu, *par Patrick Besson*
R167. Evaristo Carriego, *par Jorge Luis Borges*
R168. La Guitare, *par Michel del Castillo*
R169. Épitaphe pour un espion, *par Eric Ambler*
R170. Fin de saison au Palazzo Pedrotti, *par Frédéric Vitoux*
R171. Jeunes Années. Autobiographie 1, *par Julien Green*
R172. Jeunes Années. Autobiographie 2, *par Julien Green*
R173. Les Égarés, *par Frédérick Tristan*
R174. Une affaire de famille, *par Christian Giudicelli*
R175. Le Testament amoureux, *par Rezvani*
R176. C'était cela notre amour, *par Marie Susini*
R177. Souvenirs du triangle d'or, *par Alain Robbe-Grillet*

R178. Les Lauriers du lac de Constance, *par Marie Chaix*
R179. Plan B, *par Chester Himes*
R180. Le Sommeil agité, *par Jean-Marc Roberts*
R181. Roman Roi, *par Renaud Camus*
R182. Vingt Ans et des poussières
par Didier van Cauwelaert
R183. Le Château des destins croisés, *par Italo Calvino*
R184. Le Vent de la nuit, *par Michel del Castillo*
R185. Une curieuse solitude, *par Philippe Sollers*
R186. Les Trafiquants d'armes, *par Eric Ambler*
R187. Un printemps froid, *par Danièle Sallenave*
R188. Mickey l'Ange, *par Geneviève Dormann*
R189. Histoire de la mer, *par Jean Cayrol*
R190. Senso, *par Camillo Boito*
R191. Sous le soleil de Satan, *par Georges Bernanos*
R192. Niembsch ou l'immobilité, *par Peter Härtling*
R193. Prends garde à la douceur des choses
par Raphaële Billetdoux
R194. L'Agneau carnivore, *par Agustin Gomez-Arcos*
R195. L'Imposture, *par Georges Bernanos*
R196. Ararat, *par D.M. Thomas*
R197. La Croisière de l'angoisse, *par Eric Ambler*
R198. Léviathan, *par Julien Green*
R199. Sarnia, *par Gerald Basil Edwards*
R200. Le Colleur d'affiches, *par Michel del Castillo*
R201. Un mariage poids moyen, *par John Irving*
R202. John l'Enfer, *par Didier Decoin*
R203. Les Chambres de bois, *par Anne Hébert*
R204. Mémoires d'un jeune homme rangé
par Tristan Bernard
R205. Le Sourire du Chat, *par François Maspero*
R206. L'Inquisiteur, *par Henri Gougaud*
R207. La Nuit américaine, *par Christopher Frank*
R208. Jeunesse dans une ville normande
par Jacques-Pierre Amette
R209. Fantôme d'une puce, *par Michel Braudeau*
R210. L'Avenir radieux, *par Alexandre Zinoviev*
R211. Constance D., *par Christian Combaz*
R212. Épaves, *par Julien Green*
R213. La Leçon du maître, *par Henry James*
R214. Récit des temps perdus, *par Aris Fakinos*
R215. La Fosse aux chiens, *par John Cowper Powys*
R216. Les Portes de la forêt, *par Elie Wiesel*
R217. L'Affaire Deltchev, *par Eric Ambler*
R218. Les amandiers sont morts de leurs blessures
par Tahar Ben Jelloun
R219. L'Admiroir, *par Anny Duperey*
R220. Les Grands Cimetières sous la lune
par Georges Bernanos

R221. La Créature, *par Étienne Barilier*
R222. Un Anglais sous les tropiques, *par William Boyd*
R223. La Gloire de Dina, *par Michel del Castillo*
R224. Poisson d'amour, *par Didier van Cauwelaert*
R225. Les Yeux fermés, *par Marie Susini*
R226. Cobra, *par Severo Sarduy*
R227. Cavalerie rouge, *par Isaac Babel*
R228. Tous les soleils, *par Bertrand Visage*
R229. Pétersbourg, *par Andréi Biély*
R230. Récits d'un jeune médecin, *par Mikhaïl Boulgakov*
R231. La Maison des prophètes, *par Nicolas Saudray*
R232. Trois Heures du matin à New York
par Herbert Lieberman
R233. La Mère du printemps, *par Driss Chraïbi*
R234. Adrienne Mesurat, *par Julien Green*
R235. Jusqu'à la mort, *par Amos Oz*
R236. Les Envoûtés, *par Witold Gombrowicz*
R237. Frontière des ténèbres, *par Eric Ambler*
R238. Les Deux Sacrements, *par Heinrich Böll*
R239. Cherchant qui dévorer, *par Luc Estang*
R240. Le Tournant, *par Klaus Mann*
R241. Aurélia, *par France Huser*
R242. Le Sixième Hiver
par Douglas Orgill et John Gribbin
R243. Naissance d'un spectre, *par Frédérick Tristan*
R244. Lorelei, *par Maurice Genevoix*
R245. Le Bois de la nuit, *par Djuna Barnes*
R246. La Caverne céleste, *par Patrick Grainville*
R247. L'Alliance, tome 1, *par James A. Michener*
R248. L'Alliance, tome 2, *par James A. Michener*
R249. Juliette, chemin des Cerisiers, *par Marie Chaix*
R250. Le Baiser de la femme-araignée, *par Manuel Puig*
R251. Le Vésuve, *par Emmanuel Roblès*
R252. Comme neige au soleil, *par William Boyd*
R253. Palomar, *par Italo Calvino*
R254. Le Visionnaire, *par Julien Green*
R255. La Revanche, *par Henry James*
R256. Les Années-lumière, *par Rezvani*
R257. La Crypte des capucins, *par Joseph Roth*
R258. La Femme publique, *par Dominique Garnier*
R259. Maggie Cassidy, *par Jack Kerouac*
R260. Mélancolie Nord, *par Michel Rio*
R261. Énergie du désespoir, *par Eric Ambler*
R262. L'Aube, *par Elie Wiesel*
R263. Le Paradis des orages, *par Patrick Grainville*
R264. L'Ouverture des bras de l'homme
par Raphaële Billetdoux
R265. Méchant, *par Jean-Marc Roberts*
R266. Un policeman, *par Didier Decoin*

R267. Les Corps étrangers, *par Jean Cayrol*
R268. Naissance d'une passion, *par Michel Braudeau*
R269. Dara, *par Patrick Besson*
R270. Parias, *par Pascal Bruckner*
R271. Le Soleil et la Roue, *par Rose Vincent*
R272. Le Malfaiteur, *par Julien Green*
R273. Scarlett si possible, *par Katherine Pancol*
R274. Journal d'une fille de Harlem, *par Julius Horwitz*
R275. Le Nez de Mazarin, *par Anny Duperey*
R276. La Chasse à la licorne, *par Emmanuel Roblès*
R277. Red Fox, *par Anthony Hyde*
R278. Minuit, *par Julien Green*
R279. L'Enfer, *par René Belletto*
R280. Et si on parlait d'amour, *par Claire Gallois*
R281. Pologne, *par James A. Michener*
R282. Notre homme, *par Louis Gardel*
R283. La Nuit du solstice, *par Herbert Lieberman*
R284. Place de Sienne, côté ombre
par Carlo Fruttero et Franco Lucentini
R285. Meurtre au comité central
par Manuel Vásquez Montalbán
R286. L'Isolé soleil, *par Daniel Maximin*
R287. Samedi soir, dimanche matin, *par Alan Sillitoe*
R288. Petit Louis, dit XIV, *par Claude Duneton*
R289. Le Perchoir du perroquet, *par Michel Rio*
R290. L'Enfant pain, *par Agustin Gomez-Arcos*
R291. Les Années Lula, *par Rezvani*
R292. Michael K, sa vie, son temps, *par J. M. Coetzee*
R293. La Connaissance de la douleur
par Carlo Emilio Gadda
R294. Complot à Genève, *par Eric Ambler*
R295. Serena, *par Giovanni Arpino*
R296. L'Enfant de sable, *par Tahar Ben Jelloun*
R297. Le Premier Regard, *par Marie Susini*
R298. Regardez-moi, *par Anita Brookner*
R299. La Vie fantôme, *par Danièle Sallenave*
R300. L'Enchanteur, *par Vladimir Nabokov*
R301. L'Ile atlantique, *par Tony Duvert*
R302. Le Grand Cahier, *par Agota Kristof*
R303. Le Manège espagnol, *par Michel del Castillo*
R304. Le Berceau du chat, *par Kurt Vonnegut*
R305. Une histoire américaine, *par Jacques Godbout*
R306. Les Fontaines du grand abîme, *par Luc Estang*
R307. Le Mauvais Lieu, *par Julien Green*
R308. Aventures dans le commerce des peaux en Alaska
par John Hawkes
R309. La Vie et demie, *par Sony Labou Tansi*
R310. Jeune Fille en silence, *par Raphaële Billetdoux*
R311. La Maison près du marais, *par Herbert Lieberman*

R312. Godelureaux, *par Eric Ollivier*
R313. La Chambre ouverte, *par France Huser*
R314. L'Œuvre de Dieu, la part du Diable, *par John Irving*
R315. Les Silences ou la vie d'une femme, *par Marie Chaix*
R316. Les Vacances du fantôme, *par Didier van Cauwelaert*
R317. Le Levantin, *par Eric Ambler*
R318. Beno s'en va-t-en guerre, *par Jean-Luc Benoziglio*
R319. Miss Lonelyhearts, *par Nathanaël West*
R320. Cosmicomics, *par Italo Calvino*
R321. Un été à Jérusalem, *par Chochana Boukhobza*
R322. Liaisons étrangères, *par Alison Lurie*
R323. L'Amazone, *par Michel Braudeau*
R324. Le Mystère de la crypte ensorcelée
par Eduardo Mendoza
R325. Le Cri, *par Chochana Boukhobza*
R326. Femmes devant un paysage fluvial, *par Heinrich Böll*
R327. La Grotte, *par Georges Buis*
R328. Bar des flots noirs, *par Olivier Rolin*
R329. Le Stade de Wimbledon, *par Daniele Del Giudice*
R330. Le Bruit du temps, *par Ossip E. Mandelstam*
R331. La Diane rousse, *par Patrick Grainville*
R332. Les Éblouissements, *par Pierre Mertens*
R333. Talgo, *par Vassilis Alexakis*
R334. La Vie trop brève d'Edwin Mullhouse
par Steven Millhauser
R335. Les Enfants pillards, *par Jean Cayrol*
R336. Les Mystères de Buenos Aires, *par Manuel Puig*
R337. Le Démon de l'oubli, *par Michel del Castillo*
R338. Christophe Colomb, *par Stephen Marlowe*
R339. Le Chevalier et la Reine, *par Christopher Frank*
R340. Autobiographie de tout le monde, *par Gertrude Stein*
R341. Archipel, *par Michel Rio*
R342. Texas, tome 1, *par James A. Michener*
R343. Texas, tome 2, *par James A. Michener*
R344. Loyola's blues, *par Erik Orsenna*
R345. L'Arbre aux trésors, légendes, *par Henri Gougaud*
R346. Les Enfants des morts, *par Henrich Böll*
R347. Les Cent Premières Années de Niño Cochise
par A. Kinney Griffith et Niño Cochise
R348. Vente à la criée du lot 49, par *Thomas Pynchon*
R349. Confessions d'un enfant gâté
par Jacques-Pierre Amette
R350. Boulevard des trahisons, *par Thomas Sanchez*
R351. L'Incendie, *par Mohammed Dib*
R352. Le Centaure, *par John Updike*
R353. Une fille cousue de fil blanc, *par Claire Gallois*
R354. L'Adieu aux champs, *par Rose Vincent*
R355. La Ratte, *par Günter Grass*
R356. Le Monde hallucinant, *par Reinaldo Arenas*

R357. L'Anniversaire, *par Mouloud Feraoun*
R358. Le Premier Jardin, *par Anne Hébert*
R359. L'Amant sans domicile fixe
par Carlo Fruttero et Franco Lucentini
R360. L'Atelier du peintre, *par Patrick Grainville*
R361. Le Train vert, *par Herbert Lieberman*
R362. Autopsie d'une étoile, *par Didier Decoin*
R363. Un joli coup de lune, *par Chester Himes*
R364. La Nuit sacrée, *par Tahar Ben Jelloun*
R365. Le Chasseur, *par Carlo Cassola*
R366. Mon père américain, *par Jean-Marc Roberts*
R367. Remise de peine, *par Patrick Modiano*
R368. Le Rêve du singe fou, *par Christopher Frank*
R369. Angelica, *par Bertrand Visage*
R370. Le Grand Homme, *par Claude Delarue*
R371. La Vie comme à Lausanne, *par Erik Orsenna*
R372. Une amie d'Angleterre, *par Anita Brookner*
R373. Norma ou l'exil infini, *par Emmanuel Roblès*
R374. Les Jungles pensives, *par Michel Rio*
R375. Les Plumes du pigeon, *par John Updike*
R376. L'Héritage Schirmer, *par Eric Ambler*
R377. Les Flamboyants, *par Patrick Grainville*
R378. L'Objet perdu de l'amour, *par Michel Braudeau*
R379. Le Boucher, *par Alina Reyes*
R380. Le Labyrinthe aux olives, *par Eduardo Mendoza*
R381. Les Pays lointains, *par Julien Green*
R382. L'Épopée du buveur d'eau, *par John Irving*
R383. L'Écrivain public, *par Tahar Ben Jelloun*
R384. Les Nouvelles Confessions, *par William Boyd*
R385. Les Lèvres nues, *par France Huser*
R386. La Famille de Pascal Duarte, *par Camilo José Cela*
R387. Une enfance à l'eau bénite, *par Denise Bombardier*
R388. La Preuve, *par Agota Kristof*
R389. Tarabas, *par Joseph Roth*
R390. Replay, *par Ken Grimwood*
R391. Rabbit Boss, *par Thomas Sanchez*
R392. Aden Arabie, *par Paul Nizan*
R393. La Ferme, *par John Updike*
R394. L'Obscène Oiseau de la nuit, *par José Donoso*

Collection Points

SÉRIE PETIT POINT

PP1. C'est quoi l'intelligence, *par Albert Jacquard*
PP2. Moi, je viens d'où ?, *par Albert Jacquard*
PP3. Cris d'Europe, *par Pierre Gay et Agnès Rosenstiehl*
PP4. Les Enfants d'Izieu, *par Rolande Causse*
PP5. La Nuit des fantômes, *par Julien Green*
PP6. Les Leçons du nourrisson savant
par David Beauchard et Jeanne Van den Brouck